Transformer
l'organisation

sous la direction de
Réal Jacob, Alain Rondeau et Danielle Luc

La gestion

stratégique

du changement

D0107672

PRÉFACE

Collection «Racines du savoir»
TRANSFORMER L'ORGANISATION
LA GESTION STRATÉGIQUE DU CHANGEMENT

Fondée en 1975 par Pierre Laurin, alors directeur de HEC Montréal, *Gestion* a pour mission de contribuer à la diffusion de la connaissance dans les disciplines reliées à la gestion. Véritable pont entre le monde des affaires et l'université, *Gestion* offre aux gestionnaires et aux spécialistes des articles inédits, rédigés dans un langage simple et concret, touchant les grandes préoccupations et les questions de l'heure.

Un grand nombre des articles publiés au cours de l'existence de la revue continuent de présenter un intérêt certain pour la réflexion et la formation. *Gestion* a donc décidé de publier des volumes regroupant, sous un thème donné, les meilleurs de ces articles. Riches des écrits les plus pertinents dans un domaine donné, ces volumes constituent pour le gestionnaire un outil de référence pratique qu'il peut garder sous la main.

Il s'agit donc d'un prolongement naturel de la mission de la revue, mission qui consiste à s'intéresser aux «Racines du savoir» en gestion afin d'alimenter la réflexion des gestionnaires actuels et futurs, et de contribuer à ce que leurs pratiques s'appuient sur de solides fondements.

Ce volume, consacré à la transformation des organisations, aborde un sujet d'actualité qui concerne la plupart des entreprises. Que ce soit dans un contexte de fusion et d'acquisition, d'une réorientation stratégique, d'une réingénierie des processus d'affaires, d'une réorganisation des structures organisationnelles ou de l'implantation de systèmes d'information intégrés, la gestion du changement pose des défis redoutables. Il est donc important de bien comprendre les enjeux et de connaître les outils appropriés afin de relever avec succès les défis liés aux transformations organisationnelles.

C'est dans cette optique que le présent volume regroupe une série de textes parus dans le numéro thématique de *Gestion* sur le sujet ainsi que d'autres articles parus dans différents volumes ou revues. Il a été conçu et préparé par Réal Jacob, Alain Rondeau, professeurs à HEC Montréal et Danielle Luc, professionnelle de recherche à HEC Montréal. Ces derniers possèdent une longue et riche expérience dans le domaine de la transformation des organisations. Ils ont sélectionné plusieurs textes tous aussi pertinents les uns que les autres qui sauront alimenter la réflexion des étudiants et des gestionnaires quant aux enjeux humains, technologiques et financiers liés à la transformation des organisations.

Enfin, je ne peux terminer la présentation de ce volume sans mentionner un extrait d'une récente discussion avec Alain Rondeau qui soulignait l'excellent travail de France Barabé qui les a efficacement assistés tout au long de leur travail d'édition de ce nouveau volume de la collection «Racines du savoir».

Bonne lecture!

Michel Vézina
Directeur et rédacteur en chef
Gestion, revue internationale de gestion

Transformer l'organisation
La gestion stratégique
du changement

LES ACTEURS DE LA TRANSFORMATION – QUI EST CONCERNÉ ET COMMENT?

LES EFFETS DE LA TRANSFORMATION - QU'EST-CE QUE CELA DONNE?

Comprendre et apprécier les dimensions critiques d'une transformation majeure

Alain Rondeau, Réal Jacob et Danielle Luc

1

De tout temps, la notion de changement et, en particulier, sa mise en œuvre au sein de l'organisation a préoccupé les théoriciens de la gestion. Dans la perspective tayloriste, on percevait le changement comme néfaste au bon fonctionnement de l'organisation puisqu'il perturbe un agencement de travail jugé optimal. Conduire le changement était nécessairement l'apanage de la direction qui devait, en quelque sorte, protéger l'organisation contre cet état perturbant. En réaction, l'École des Relations Humaines reconnaît, elle aussi, le rôle prépondérant de la direction dans la mise en œuvre du changement mais souhaite une implication active de tous les participants concernés dans un effort de «développement organisationnel» comme mécanisme privilégié pour faire face à la perturbation qu'il engendre.

Cette perspective déterministe suivant laquelle on cherche à préciser la meilleure façon de conduire le changement a longtemps dominé la pensée en gestion. Elle connaît son apogée dans la pensée dite «managériale» en gestion (Fayol, Barnard, Chandler, Hammer et Champy ou Kotter) et ce n'est qu'avec l'apparition des écoles dites «culturelles» en gestion (Schein, Sainsaulieu, D'Iribarne, etc.) que la gestion du changement prend un caractère plus stratégique et plus systémique et que les méthodes pour le conduire deviennent plus contingentes. Les écoles contemporaines de gestion (avec les théories évolutionnistes, de la complexité, du chaos, de l'apprentissage organisationnel, etc.) reconnaissent la complexité du phénomène, le caractère continu du

Alain Rondeau est professeur et directeur du Centre d'études en transformation des organisations de HEC Montréal.
Réal Jacob est professeur à HEC Montréal.
Danielle Luc est professionnelle de recherche à HEC Montréal.

changement, l'importance d'un processus programmé mais souple et de la nécessité d'un partage collectif des connaissances. On passe ici de la «gestion du changement» au concept de «capacité à changer». On s'intéresse moins à comprendre comment conduire le changement mais plus à comprendre comment se produit le changement. Cette évolution de la pensée est d'ailleurs fort bien articulée dans le texte de Christiane Demers du présent recueil.

Un autre aspect important de l'évolution de ce corps de connaissance concerne l'émergence de la notion de changement radical comme d'une perturbation majeure de l'organisation qui vient en bouleverser les fondements même. C'est au milieu des années 1980 qu'on voit apparaître l'expression de «transformation organisationnelle» et que naît une préoccupation soutenue des chercheurs à documenter ce phénomène. L'École «institutionnelle» en gestion contribuera significativement à cette connaissance notamment avec l'utilisation de concepts propres à la gestion de la complexité. Dès lors, on constate un foisonnement de recherches qui explorent la transformation des organisations sous toutes ses facettes : les types de transformation, les effets du contexte, les modèles de gestion appropriés, le processus transformationnel, la conduite du changement, les rôles et les comportements des divers groupes d'acteurs et les impacts de la transformation. Multiples sont les champs de connaissance (stratégie, management, gestion des ressources humaines, gestion des opérations, technologies d'information, psychologie du travail) qui contribuent à cette connaissance. Et lentement, on voit se dessiner une distinction claire entre les tenants d'une perspective plutôt normative du changement organisationnel qui abordent les transformations selon une pensée positiviste, et les tenants d'une perspective empirique du changement, généralement plus pessimistes quant à l'impact des transformations majeures sur le fonctionnement pérenne des organisations. Ce contraste est d'ailleurs fort bien articulé dans le texte de Miller, Greenwood et Hinings du présent recueil.

Ce bref regard sur l'évolution de la connaissance en changement organisationnel illustre déjà amplement la diversité de tendances et le caractère un peu aléatoire du développement de la connaissance en matière de transformation des organisations complexes. Le numéro thématique sur la transformation des organisations, publié par la revue *Gestion* à l'automne 1999, était un premier effort pour décrire la mosaïque du champ d'exploration et des préoccupations tant des chercheurs que des praticiens dans le domaine. Fort de cette expérience, la conception du présent «Racines du savoir» vise encore à fournir une documentation de référence sur l'état de la connaissance en transformation des organisations complexes mais, cette fois, en mettant l'accent sur une organisation de ce corps de connaissance autour des grandes questions qui préoccupent les gestionnaires aux prises avec la mise en œuvre de transformations majeures. On a donc regroupé ici quelque 23 textes qui visent à alimenter la réflexion sur les enjeux liés à la conduite d'une telle entreprise.

Depuis deux ans maintenant, les travaux du Centre d'études en transformation des organisations de HEC Montréal ont porté sur l'exploration de cinq dimensions jugées critiques pour quiconque envisage la conduite d'une transformation majeure : le nécessaire besoin de comprendre le «contenu» de la transformation, les «conditions» de la transformation, les «processus» de transformation, les «acteurs» de la transformation et les «effets» de la transformation. Cette schématisation a permis d'élaborer une réflexion stratégique sur les éléments déterminants de la conception, de la conduite et du soutien à la mise en œuvre d'une transformation majeure.

Ce sont ces cinq dimensions qui ont donc servi de cadre à l'élaboration du plan du présent ouvrage. Elles ont été traduites sous formes de questions, reprenant en quelque sorte le découpage du champ de la connaissance en changement organisationnel suggéré par Armenakis & Bedeian (1999).

Quelle transformation veut-on faire et pourquoi?

Quelles sont les conditions initiales de cette transformation? D'où part-on?

Comment conduire la mise en œuvre de cette transformation?

Qui sont les acteurs concernés, leurs rôles et comment les destinataires le vivent-ils?

Quels sont les impacts de cette transformation? Qu'est-ce que cela donne?

La première section du présent ouvrage regroupe des textes qui traitent en particulier du **contenu** même de la transformation. Toute conduite de changement majeur nécessite qu'on s'interroge d'abord sur les raisons qui poussent l'organisation à changer et la nature ou le type de changement qu'on envisage de faire. Déjà, cette information influencera grandement la forme de déploiement à considérer. En outre, une part importante du succès de la mise en œuvre tiendra à la capacité à légitimer cette transformation aux yeux des acteurs concernés. Il sera nécessaire de bien faire comprendre pourquoi changer et quels sont les risques à ne pas changer, ne serait-ce que pour construire la base même de la disponibilité à changer. Enfin, la mise en œuvre sera tributaire de l'importance que revêt le changement, de son envergure et de sa complexité, en somme de l'ampleur de la perturbation imposée à l'inertie même de l'organisation. Les textes choisis dans cette section veulent ainsi mettre en lumière l'importance stratégique de bien maîtriser le contenu de la transformation envisagée afin d'élaborer une démarche de mise en œuvre qui traite légitimement des enjeux réels qu'elle entraîne.

La deuxième section propose des textes portant sur l'analyse des **conditions** dans lesquelles se déroule la transformation envisagée. On considère ici que la conduite d'un changement majeur nécessite une compréhension fine des forces propulsives et restrictives qui pourront avoir un impact sur le déroulement de sa mise en œuvre. Qu'il s'agisse de forces propres à l'environnement externe, à l'environnement interne ou au cadre politique de cette transformation, on cherche à clarifier quels sont les déterminants structurels et dynamiques qui soutiennent et influencent, en définitive, la construction de la capacité à changer de l'organisation. On a donc retenu ici des articles qui proposent des cadres d'analyse et mettent l'accent sur des éléments diagnostiques de l'organisation et de son environnement à considérer lors de la conduite de changements majeurs.

La troisième section regroupe des textes qui visent à éclairer le **processus** même par lequel se produit une transformation. On y explore notamment l'évolution des croyances quant aux façons de considérer et de conduire le changement organisationnel, les questions à prendre en compte lors de l'élaboration et du développement d'une démarche de mise en œuvre ainsi que le déploiement et le suivi des activités à assurer. Cette section illustre bien la grande diversité des questions à considérer lorsque l'on cherche à comprendre comment se produit le changement. La richesse des propos étudiés dépasse grandement la simplicité souvent caractéristique des modèles normatifs qui s'intéressent à ce thème. Les divers textes choisis traitent de nombreuses questions ayant trait à la nécessité et aux limites de la programmation du changement, aux structures de pilotage et aux mécanismes de soutien au changement, au *monitoring* et aux mécanismes d'ajustement susceptibles de garantir la progression réaliste du changement. Ils se distinguent totalement des recettes ou méthodes à suivre pour «gérer» le changement mais veulent plutôt fournir des points d'observations permettant d'accentuer la rigueur d'analyse des démarches de changement.

La quatrième section présente des textes permettant d'apprécier les comportements, les rôles et les enjeux des divers **acteurs** de la transformation. Les articles choisis tentent de décrire comment les destinataires et notamment les cadres intermédiaires vivent le changement. Ils visent à documenter comment se développe la motivation à changer et de quelles façons les gestionnaires sont en mesure d'intervenir afin de stimuler et de soutenir la disposition positive des personnes touchées par un changement majeur.

La cinquième section a trait aux **effets** de la transformation. S'intéresser à cette question, c'est se préoccuper de l'impact du changement tant sur la dynamique même du fonctionnement de l'organisation que sur les résultats obtenus. C'est vers ces deux préoccupations que sont orientés les textes choisis. D'abord, il faut reconnaître que transformer son organisation, c'est en quelque sorte vouloir en améliorer l'efficacité. Certes, les résultats escomptés dépendent fortement des objectifs fixés au départ et, en ce sens, on ne peut mesurer l'impact d'un changement que de façon contextuelle. Toutefois, il importe de considérer qu'en définitive, l'amélioration visée prendra nécessairement un caractère politique parce que les indicateurs choisis rejoindront les préoccupations de l'un ou l'autre des groupes d'acteurs organisationnels. Le premier texte de cette section s'intéresse justement à l'état actuel de la connaissance en matière d'efficacité organisationnelle et vise à fournir un cadre structuré pour apprécier les diverses retombées potentielles d'un changement. Transformer une organisation, c'est également appréhender le stress qu'entraîne sa mise en œuvre sur la dynamique même de celle-ci. Le second texte traite de cet aspect en analysant les impacts d'une transformation majeure sur l'évolution des rôles, des responsabilités et des rapports d'influence à mesure que se déploie le changement.

Trois autres sections complètent cette grille d'analyse de la transformation. Une sixième section vient présenter des textes traitant de **problématiques contemporaines en transformation**. Il s'agit, de fait, de textes qui jettent un regard critique sur divers types de changement tels la réingénierie des processus d'affaires ou la fusion d'entreprise en documentant les questions tant d'élaboration que de mise en œuvre que de tels changements posent. Le dernier article de cette section propose d'ailleurs un cadre de référence permettant de situer les enjeux sous-jacents aux nouvelles formes d'organisation du travail qui transforment le visage de nos organisations. La septième section réunit quatre **études de cas** relatant diverses transformations organisationnelles majeures. Ces cas permettent non seulement d'articuler de façon pragmatique des concepts développés dans les textes antérieurs mais viennent aussi accentuer le constat que l'on ne peut apprécier une transformation réelle qu'en contexte. Enfin, la dernière section présente une **perspective critique** de ce vaste champ de connaissance qu'est la transformation des organisations. Le texte choisi met bien en lumière les divergences de perception entre les tenants d'une analyse empirique du changement organisationnel et ceux qui soutiennent plutôt une vue normative de ce phénomène. On y conclut à l'importance, en définitive, de réconcilier ces deux points de vue si l'on souhaite faire de cette science quelque chose d'utile à la pratique de la gestion des organisations.

En conclusion, on présente d'abord une série d'observations synthèses qui se dégagent des travaux effectués au Centre d'études en transformation des organisations de HEC Montréal sur la conduite de grands changements. Ces observations mettent l'accent sur l'émergence d'importants principes à caractère génériques qui doivent guider l'analyse des grands changements. En outre, cette conclusion insiste sur le besoin de garder un lien étroit avec les autres foyers de développement de la connaissance en matière de transformation et fournit quelques liens électroniques pour se faire. Et pour ceux qui aimeraient en connaître davantage et savoir ce qu'en pensent certains personnages importants, une dernière partie présente une intéressante et quelque peu inusitée bibliothèque virtuelle de personnages importants dans cette sphère en transformation.

Certes, le lecteur du présent ouvrage ne trouvera probablement pas ici les réponses définitives aux grandes questions posées au début de ce volume. Espérons toutefois que les textes choisis contribueront tout de même à stimuler une réflexion satisfaisante sur les enjeux de la conduite stratégique de changements complexes. Transformer son organisation, la faire évoluer au rythme et en fonction du contexte de son environnement tout en maintenant et en améliorant son efficacité organisationnelle demeure l'enjeu principal à toute organisation et le défi de tout dirigeant.

Référence

Armenakis, A. A., Bedeian, A. G. «Organizational Change : A Review of theory and Research in the 1990s», *Journal of Management*, 1999, vol. 25, No. 3, page 293-315

LE CONTENU DE LA TRANSFORMATION – QUE VEUT-ON EN FAIRE ET POURQUOI?

Une typologie des transformations stratégiques

**Taïeb Hafsi, Francine Séguin
et Jean-Marie Toulouse**

Pour les besoins de l'étude des organisations dont le niveau de complexité est élevé, nous proposons de décomposer et de simplifier l'idée de stratégie en quatre grandes composantes :

a) L'ensemble des croyances partagées par les responsables clés de l'organisation et portant sur :

- l'environnement; par exemple, comment est-il structuré? Quelles sont les opportunités et menaces qu'il contient? Quelle est la nature de la concurrence? Quel est le rôle du gouvernement?

- les personnes; par exemple, que savons-nous de leurs capacités et de leurs comportements (faits et théories)?

- l'état de nos connaissances et de notre compréhension du monde (physique) qui nous entoure; notamment, quels sont les niveaux de la compréhension et de la connaissance technologique et managériale?

b) L'ensemble des valeurs partagées par les responsables clés de l'organisation, et donc des pratiques couvrant :

- les activités de l'organisation, comme son orientation techno-logique, la qualité de ses produits/services, l'importance de l'efficience, etc.;

Taïeb Hafsi et Francine Séguin sont professeurs à HEC Montréal.
Jean-Marie Toulouse est directeur de HEC Montréal.

Tiré de : Hafsi, T., Séguin, F., Toulouse, J.-M., *La stratégie des organisations : une synthèse*, Les éditions Transcontinental, 2000. 629-635. Reproduit avec permission.

- la définition du rôle et de la contribution des individus, y compris le degré de participation aux décisions;

- les relations de l'organisation avec la société en général.

c) La stratégie concurrentielle, ou positionnement, qui comprend essentiellement la définition ou la modification du domaine d'activité. Le domaine peut être étendu en relation avec les activités et les produits actuels de l'organisation; c'est notamment le cas des décisions d'internationalisation des activités. Il peut aussi être redéfini, sans relation avec les activités ou les produits de l'organisation; c'est le cas d'une acquisition dans des domaines non reliés, par exemple. Dans les deux cas, le processus d'allocation des ressources doit être redéfini et la chaîne de valeur doit être reconfigurée. Cela implique une reconceptualisation des éléments d'activité et de leur soutien pour mieux servir la clientèle actuelle ou une nouvelle clientèle.

d) Les arrangements structurels qui comprennent les éléments mentionnés plus haut et définissent en particulier le mode de gouvernement choisi pour l'organisation et la distribution du pouvoir entre les forces et les acteurs de l'organisation. D'abord, le mode de gouvernement est défini lorsqu'on clarifie la structure du processus d'attribution des ressources. En particulier, est-elle formellement (ou informellement) définie? Son fonctionnement et le contrôle de ses résultats sont-ils systématiques ou spéciaux? Ensuite, quel est l'espace de décision disponible pour les membres clés de l'organisation? En particulier, combien de contrôle (ou d'autonomie) y a-t-il sur des décisions simples (ou complexes)? Finalement, comment sont perçus les systèmes de contrôle et de récompense? En particulier, le système de récompense est-il vague ou précis et les fréquences de mesure et de contrôle sont-elles élevées ou basses?

Les dimensions que nous venons de définir n'agissent pas de manière indépendante les unes des autres. Comme nous l'avons évoqué, il y a des regroupements en configurations «naturelles» qui définissent les transformations stratégiques. L'idée de configuration est bâtie sur la croyance que, dans les activités de la nature et dans les activités des personnes, les variables qui caractérisent ces activités ne prennent pas toutes les valeurs qu'elles pourraient prendre. Elles ont plutôt tendance à ne prendre que certaines valeurs compatibles avec celles des autres variables pour former des ensembles harmonieux. Cela permet donc de les regrouper en un nombre relativement faible de configurations et d'ignorer le grand nombre de combinaisons qui pourraient résulter de la considération de toutes les valeurs théoriquement possibles.

Les configurations les plus représentatives sont au nombre de quatre. Chacune de ces configurations est dominée par un des quatre aspects de la stratégie mentionnés précédemment.

LA CONFIGURATION DE TRANSFORMATION N° 1 : CHANGER LA FAÇON DE VOIR LE MONDE

Le changement ici est total, car les croyances doivent être fondamentalement modifiées. Ce changement de nature idéologique entraîne irrémédiablement des modifications dans les valeurs, dans la nature du domaine d'activité et dans les arrangements structurels. Tout cela se fait généralement en un temps relativement court même si plusieurs années sont nécessaires pour la stabilisation. Dans ce cas, les dimensions se combinent alors comme suit.

Le changement de croyance est généralement perçu comme brutal. Changer la façon de voir le monde requiert souvent des changements organisationnels spectaculaires pour signaler qu'on a réellement l'intention de mener le changement à terme. Notamment, les responsables sont souvent changés de manière brutale, les traditions sont modifiées pour mettre l'accent sur des valeurs nouvelles, de nouveaux symboles apparaissent, des comportements nouveaux sont mis en exergue, etc.

On ne change pas les croyances facilement. Il y a toujours une période de prosélytisme, au cours de laquelle on essaie de développer un consensus autour de la nécessité du changement et de la pertinence des nouvelles croyances ou valeurs.

Par définition, ce type de changement implique des transformations dans toutes les pratiques et les idées qui ont cours dans l'organisation. C'est le type de changement le plus complet. L'apprentissage requis est très important, d'autant plus important que généralement tout est changé à la fois : les croyances et les valeurs, le domaine d'activité et les règles de fonctionnement.

Un exemple typique de ce genre de changement, celui d'Hydro-Québec entre 1981 et 1987, a été décrit par Hafsi & Demers (1989). Ce genre de changement est tellement englobant que peu d'organisations oseraient l'entreprendre si elles en mesuraient toutes les conséquences et toutes les difficultés. Il correspond vraiment à une révolution complète. Rares sont les entreprises qui le tentent.

LA CONFIGURATION DE TRANSFORMATION Nº 2 : REVITALISER EN CHANGEANT LES PRATIQUES DE L'ORGANISATION

Ici, on n'a pas besoin de changer sa façon de voir le monde (les croyances sont encore bonnes), mais on est convaincu que les valeurs (et donc les pratiques) ne sont plus adaptées au monde. Cela implique en quelque sorte une remise en cause de soi plutôt que de sa vision du monde. Il s'agit ici de découvrir des comportements plus fonctionnels, puis de reconstruire la relation que l'organisation a avec le reste du monde. À terme, en plus du changement de valeurs, il y a aussi souvent un changement du champ d'activité et des arrangements structurels.

11

Ce changement, même s'il est démarré à toute vitesse pour réduire les résistances, prend beaucoup de temps pour devenir une réalité. Généralement, la performance de l'organisation n'est pas catastrophique, et donc le temps disponible pour aller vers des performances meilleures est suffisant.

Comme le changement ne remet pas en cause, du moins au début, la relation de l'organisation à son environnement, il est moins englobant que dans la configuration nº 1. C'est néanmoins un changement des pratiques qui touche l'ensemble de l'organisation et, de ce fait, il introduit des perturbations dont la digestion peut prendre plusieurs années.

L'apprentissage requis peut être considérable, mais il est généralement plus acceptable parce que les croyances ne sont pas remises en cause. Lorsque sir Marcus Sieff chez Marks & Spencer ou M. McPherson chez Dana ont du jour au lendemain interdit l'utilisation des manuels de procédures et préconisé une «gestion sans papier» , la stupeur était générale, mais la mise en application a été remarquable.

Le changement de contexte organisationnel requis est considérable, mais il n'est pas nécessairement aussi fondamental que dans le changement nº 1. Le but du changement est bien sûr de modifier les relations à l'intérieur de l'organisation et donc le fonctionnement actuel de celle-ci, mais il n'y a pas de remise en cause de la nature des relations avec l'environnement.

Le changement stratégique nº 2 n'entraîne pas toujours un changement de leadership. Très souvent, les mêmes dirigeants amorcent le changement. Le style est essentiellement charismatique et démocratique. Mao, lors de la révolution culturelle en Chine, est un cas typique. Dans le monde des affaires, c'est une situation très courante. Allaire & Firsirotu mentionnent General Electric, Pillsbury, Philip Morris, et Johnson & Johnson. Anderson mentionne Con Agra, Hershey Foods, Cabot Corporation, Dana et bien d'autres. Dans la plupart de ces cas, le changement a été lancé et géré par les dirigeants en place.

Ces exemples semblent suggérer que ce type de changement est généralement entrepris dans des organisations matures, dont les pratiques sont devenues désuètes. En général, une concurrence forte ou moyenne mais devenant plus énergique accompagne ou favorise cette configuration. La situation concurrentielle révèle aussi des possibilités importantes dont l'entreprise peut, si elle change de pratiques, tirer parti pour se démarquer et accroître ou améliorer ses avantages concurrentiels.

LA CONFIGURATION DE TRANSFORMATION N° 3 : RÉORIENTER EN CHANGEANT LE DOMAINE D'ACTIVITÉ

Dans cette configuration, les croyances ne sont pas en cause et le fonctionnement interne paraît satisfaisant; par contre, le domaine d'activité paraît inadéquat soit parce que les ressources de l'entreprise ne sont pas utilisées complètement, soit parce qu'elles pourraient être utilisées plus efficacement. Le changement implique donc de modifier ou d'étendre le champ d'activité. Dans cette configuration, la modification des croyances et des valeurs est lente, progressive et liée à l'évolution normale d'une entreprise dont le champ d'activité change.

Les changements organisationnels peuvent être très importants (Chandler, 1962) pour ajuster les arrangements structurels à la nouvelle stratégie. Ces changements peuvent cependant être progressifs et, dans tous les cas, ils amènent des améliorations sensibles, souvent souhaitées par la plupart des dirigeants et des personnes concernées.

Le changement est souvent de grande envergure, mais comme la possibilité de le mener progressivement existe, il apparaît moins redoutable. L'apprentissage requis peut être important mais il est progressif. De ce fait, les résistances peuvent être beaucoup moins grandes que dans les cas précédents.

Il y a habituellement continuité du leadership. Mais il y a aussi de nombreux cas où le changement a été amorcé par de nouveaux dirigeants. Finalement, là aussi la concurrence stimule le changement. Elle est généralement forte, met en cause la performance de l'entreprise dans le domaine choisi et force la reconsidération des choix faits précédemment.

L'exemple souvent mentionné est celui de la société Du Pont entre sa création et la fin des années 1920. Le changement de domaine entrepris par cette entreprise fut tellement grand que des changements de structure puis plus tard de culture se sont révélés nécessaires.

LA CONFIGURATION DE TRANSFORMATION N° 4 : RESTRUCTURER POUR LA SURVIE À COURT TERME

Le cas typique est celui de Chrysler à la fin des années 1970. La situation de l'organisation est généralement très difficile voire désespérée. Les ressources ne sont pas suffisantes pour assurer le fonctionnement normal. Il est nécessaire de procéder à des opérations chirurgicales d'urgence pour sauver l'organisation. On doit notamment réduire l'importance des activités, remettre de l'ordre et imposer une discipline dure pour accroître l'efficacité et l'efficience.

Les arrangements structurels doivent alors être changés de manière spectaculaire et discontinue. Le domaine d'activité, les valeurs et les croyances ne sont pas au départ une préoccupation des dirigeants, et on n'a pas à les changer pour survivre. Elles doivent s'ajuster mais cela peut prendre beaucoup de temps. Ce n'est qu'après avoir assuré la survie de l'organisation que Iacocca s'est préoccupé d'une part de lui redonner de nouvelles croyances et de nouvelles valeurs et d'autre part de modifier son domaine d'activité (J. Hafsi, 1985).

Le changement structurel doit se faire de toute urgence. Il n'est pas nécessaire de consacrer beaucoup de temps à la discussion et à la réflexion. Le changement a souvent été perçu depuis longtemps comme nécessaire, mais les actions de correction n'ayant pas été entreprises, il y a eu aggravation. Celle-ci fait alors du changement une nécessité à court terme pour assurer la survie de l'organisation. L'absence ou la faiblesse de la concurrence est souvent à l'origine d'une telle situation. Cependant, une situation de très forte concurrence peut aussi être associée à cette configuration lorsque cette forte concurrence se perpétue dans le temps et que les organisations concernées n'arrivent pas à trouver le temps de se réajuster de manière adéquate. Cela s'est notamment produit dans l'industrie des machines agricoles depuis les années 1950.

Le changement, même s'il est considérable, apparaît comme légitime et ne suscite que peu de réactions. L'apprentissage est souvent important mais peu coûteux parce qu'il est dans bien des cas souhaité par le plus grand nombre.

13

Généralement, le leadership qui mène le redressement est nouveau, parce que les responsables en place ne peuvent effacer les stigmates de l'échec qui a entraîné la nécessité du redressement. Le style est essentiellement autoritaire et orienté vers les résultats. Les exemples de Iacocca chez Chrysler et de Rice chez Massey-Ferguson, dans les années 1980, sont typiques.

Références

Chandler, A.D., *Strategy and Structure*, MIT Press, 1962.

Hafsi, J., *Iacocca et Chrysler*, Cas HEC, 1985.

Hafsi, T., Demers, C., *Le changement radical dans les organisations complexes : le cas d'Hydro-Québec*, Gaëtan Morin, 1989.

La légitimité et le changement stratégique

Jacob Atangana Abé

15

L'idée de légitimité, très répandue en droit et en sciences politiques, commence à gagner de l'intérêt dans le domaine de la gestion. Cet intérêt, quoique tardif, se trouve en accord avec le contexte actuel des organisations où le changement s'impose désormais comme une donnée permanente. Le changement, surtout lorsqu'il est de nature stratégique, est un moment charnière au cours duquel les dirigeants sont incités à s'interroger sur la légitimité de leur organisation. Par changement stratégique, nous entendons un changement qui implique une mobilisation importante de ressources et qui engage le devenir et l'identité de l'organisation tout entière.

Qu'est ce que la légitimité? Quelle est son importance au sein d'une organisation? Comment peut-on la construire ou la développer? Ces questions constituent la trame de notre analyse dont le but est de démontrer comment la légitimité peut faciliter l'implantation stratégique.

QU'EST-CE QUE LA LÉGITIMITÉ?

La légitimité est un terme associé au pouvoir, que celui-ci soit exercé par une personne, un groupe d'individus ou une organisation. La légitimité s'entend comme un «droit d'agir» concédé au détenteur du pouvoir par ceux qui le subissent. Dans une relation hiérarchique, la légitimité fonde l'autorité et donne à celle-ci la justification de son

Jacob Atangana Abé est étudiant au programme de doctorat de HEC Montréal.
Tiré de : Hafsi, T., Séguin, F., Toulouse, J.-M., *La stratégie des organisations : une synthèse*, Les éditions Transcontinental, 2000. 641-648. Reproduit avec permission.

acceptation (Salleron, 1965). La légitimité est cependant un terme beaucoup plus complexe que ne le laisse paraître la simplicité de sa définition. C'est un concept multidimensionnel, à la confluence de la légalité, de l'efficacité et de l'éthique.

La légalité et la légitimité proviennent d'une même racine latine, *lex*, qui signifie «la loi». Est donc légitime ce qui est conforme à la loi. La loi fixe les règles du jeu auxquelles chaque organisation doit se conformer. La légalité est une condition essentielle, omniprésente dans le fonctionnement de toute organisation, et dont la non-conformité expose celle-ci à la répression de la puissance publique.

L'efficacité est la capacité d'une organisation à atteindre ses buts ou ses missions. Il s'agit de la dimension instrumentale de la légitimité en ce sens qu'une organisation est, par essence, un moyen pour atteindre une fin. L'incapacité (réelle ou probable) à atteindre cette fin est souvent la principale cause des changements observés dans la plupart des organisations.

La dimension éthique, enfin, se rattache aux valeurs et aux normes de la société en général. C'est une dimension qui ne cesse de prendre de l'importance, car elle conditionne les deux autres. Les valeurs et les normes sont portées par des groupes d'individus ou par des organisations (les *stakeholders*) plus ou moins intéressés à ce que fait l'organisation (clients, fournisseurs, employés, actionnaires, groupes de pression, etc.). Ces groupes sont importants pour l'organisation, car c'est sur leurs perceptions que repose sa légitimité.

Aucune des dimensions ci-dessus ne peut seule suffire à ce qu'une organisation soit reconnue comme légitime. Cependant, il n'est pas rare que, à certains moments ou dans certains contextes, en fonction de l'évolution des idées, une dimension soit prépondérante et tende à occulter les autres.

POURQUOI LES ORGANISATIONS ONT-ELLES BESOIN DE LÉGITIMITÉ?

Certains auteurs (Dowling & Pfeffer, 1975; Pfeffer & Salancik, 1978) assimilent la légitimité à une ressource vitale. Les organisations comme l'Association pour la recherche contre le cancer (ARC) en France, Shell, Union Carbide, Exxon ou, tout près de nous, les compagnies de tabac savent ce qu'il en coûte de perdre sa légitimité ou de la voir remise en question. On sait maintenant, à partir des études en sciences politiques, que la légitimité est très importante dans la mise en œuvre du changement. Elle est, en effet, reconnue comme un facteur de stabilité, d'ordre et d'efficacité; et elle entraîne obéissance et engagement volontaire de la part de ceux qui doivent actualiser le changement.

La légitimité, l'ordre et la stabilité

L'idée que la légitimité assure ordre et stabilité est partagée par plusieurs auteurs (O'Connor, 1973; Stillman, 1974; Useem & Useem, 1979; Lipset, 1983; Beetham, 1991). La stabilité n'est pas le contraire du changement, mais l'aptitude de l'organisation à surmonter un choc ou un échec en s'appuyant sur le soutien que lui apportent ses membres, ses partenaires et la communauté tout entière (Useem & Useem, 1979). La légitimité offre une double garantie aux dirigeants et aux autres parties prenantes du changement. Aux dirigeants, elle assure l'implication des autres partenaires et diminue ainsi les risques de contestation, de protestation et de conflit vis-à-vis de l'initiative du changement. Pour les parties prenantes, la légitimité est une garantie que leurs valeurs, aspirations et intérêts seront pris en compte et même préservés dans la conduite du changement.

La légitimité, l'obéissance et l'efficacité

L'obéissance est un acte de soumission du subordonné à un ordre de son supérieur hiérarchique. La soumission peut être obtenue par la force, et dans ce cas, elle a un coût et s'estompe une fois que la contrainte cesse. La soumission peut aussi être le résultat d'un acte légitime. Dans ce cas, elle est volontaire et se traduit par un engagement et une appropriation de l'ordre par les subordonnés. Un changement stratégique perçu comme légitime crée le consensus autour de sa réalisation et permet de réduire les coûts que l'organisation aurait eu à subir si elle avait fait face à une contestation (une grève par exemple).

La légitimité comporte donc des vertus qui peuvent faciliter la mise en place d'un changement stratégique. C'est pourquoi nous préconisons que les dirigeants portent attention à une série d'actions qui concourraient à légitimer la décision de changement tant sur le plan de sa conception que sur celui de sa mise en œuvre.

COMMENT BÂTIR OU DÉVELOPPER SA LÉGITIMITÉ

Les actions à mener par les organisations pour bâtir ou développer leur légitimité font partie de ce qu'on appelle communément le processus de légitimation. Malheureusement, beaucoup de dirigeants ont tendance à réduire ce processus à un simple exercice de justification. Un peu comme s'il suffisait de justifier pour être légitime. Cette façon de procéder peut certes donner des résultats positifs à court terme, mais elle risque de se retourner contre ses instigateurs à plus long terme. En effet, la légitimité se construit sur les faits, puis par des symboles où le discours joue un rôle important.

La construction factuelle de la légitimité

L'évaluation de la légitimité du changement stratégique s'apprécie en considérant à la fois les initiateurs du changement, c'est-à-dire les dirigeants, et le contenu de la décision de changement.

La perception de la légitimité d'un changement dépend avant tout de la perception que l'on a de ses initiateurs. Ceux-ci doivent être perçus comme légitimes par les autres partenaires. Ce qui suppose qu'ils aient leur confiance et surtout que ceux-ci soient convaincus que les dirigeants ont les moyens, la capacité et la volonté de conduire le changement à bon terme. Un doute sur la détermination ou sur la compétence des dirigeants, et tout le processus peut être hypothéqué. Il est démontré que l'on écoute davantage un dirigeant qui est perçu comme légitime et qu'on lui obéit plus facilement; par conséquent, celui-ci est davantage capable de mobiliser tout le monde autour du projet de changement. En 1996, l'Association pour la recherche contre le cancer a failli disparaître du paysage caritatif français du fait des réserves émises sur les engagements financiers de son président entre 1990 et 1995. Le choix de la personne désignée pour conduire le changement est donc extrêmement important. Sa crédibilité est une ressource critique lorsque surviennent des difficultés au cours de la mise en place du changement. C'est, en effet, dans cette réserve de crédibilité qu'il faudra puiser, le cas échéant, pour résoudre les conflits et maintenir la cohésion des partenaires internes et externes. La légitimité de la personne désignée pour conduire le changement dépend, enfin, de ses qualités de leader (sociabilité, esprit d'initiative, persévérance, confiance en soi, éloquence, adaptabilité, compétence, etc.).

Sur le plan du contenu du changement, l'évaluation de la légitimité porte sur la finalité de celui-ci, c'est-à-dire sur l'état désiré vers lequel le changement devrait mener l'organisation. C'est sur cet état que les efforts des dirigeants doivent donc se porter. Plus précisément, la légitimation du contenu du changement a pour but d'adapter le mode opératoire, les *outputs*, les objectifs et le domaine d'activité qui résulteront du changement aux valeurs de la société en général et aux attentes des principaux partenaires de l'organisation en particulier.

Les *outputs* (produits ou services) et le mode opératoire (le processus de transformation des ressources) sont intimement liés, quoiqu'il faille les distinguer ici pour des besoins d'analyse. Le type *d'outputs* détermine le choix du mode opératoire, tandis que ce dernier influe sur la qualité des extrants et sur le jugement que le public porte sur les activités de l'organisation. Dans le cas d'un restaurant par exemple, il existe un lien direct entre la qualité des plats servis et le degré de propreté de la cuisine; dans un centre de formation (université, école, etc.), le degré d'encadrement des apprenants détermine la qualité des diplômés. L'*output* en lui-même est un point central en ce qui concerne la légitimité organisationnelle. C'est le lien vital entre l'organisation et son environnement. Aucune organisation ne peut survivre sans la confiance du public en ses produits ou services. En 1990, la firme Perrier, pour maintenir sa légitimité et effacer tout doute sur la qualité de ses produits, a dû retirer ses bouteilles d'eau du marché américain à la suite d'une rumeur affirmant que celles-ci avaient une forte teneur en benzène. Une opération estimée à l'époque à 200 millions de dollars américains.

La légitimité d'une organisation dépend aussi de l'adaptation constante de ses objectifs, de sa mission ou de son domaine d'activité aux nouvelles valeurs de la société. De tels efforts d'adaptation sont légion dans l'histoire des organisations. Au début du XIXe siècle, Du Pont était surtout une entreprise de fabrication d'explosifs. Au gré de l'évolution des circonstances historiques, cette entreprise a dû changer de domaine d'activité pour devenir aujourd'hui un géant de l'industrie chimique. Selon les vœux de son fondateur Alfred Nobel, l'Académie Nobel avait pour mission de récompenser des femmes et des hommes qui contribuaient au bienfait de l'humanité dans les domaines de la physique, de la chimie, de la littérature, de la médecine et de la paix. Avec le temps et pour s'adapter aux défis de notre époque marquée par la prépondérance de l'économie, cette institution a élargi son champ d'intervention pour inclure les sciences économiques.

Deux mécanismes de légitimation parmi les plus courants méritent d'être soulignés. Il s'agit de la cooptation et des arrangements structurels. Selznick (1953) présente le premier comme le principal mécanisme par lequel l'organisation peut se faire accepter au sein de sa communauté. Par rapport au changement, la cooptation s'entend comme un processus par lequel une organisation intègre les acteurs les plus crédibles de son environnement dans la conception et la réalisation du changement. Ce qui peut se traduire par la nomination de ces acteurs à des postes au sein des conseils d'administration par exemple. La cogestion, qui a été institutionnalisée en Allemagne est une expression de cette volonté. S'agissant des arrangements structurels, l'un des moyens de légitimation est la création, au sein de l'organisation, d'une structure de communication et de relations publiques chargée d'expliquer les activités de l'organisation au public. Cependant, comme nous le relevions précédemment, l'action d'une telle structure ne peut être efficace que si elle se fonde sur des faits et non sur une propagande démagogique qui risque de se retourner contre l'organisation à long terme. Les activités du service de communication relèvent pour une large part du discours, qui lui-même fait partie intégrante du processus de légitimation symbolique.

La construction symbolique de la légitimité

La légitimation symbolique suppose une transformation de l'identité ou du sens des activités de l'organisation en vue de les rendre conformes aux valeurs de la communauté. Il s'agit donc, en quelque sorte, d'une construction sociale de la réalité (Berger & Luckmann, 1967). Un symbole est une représentation qui a un sens beaucoup plus grand et beaucoup plus profond que sa simple apparence ou son contenu (Pondy *et al.*, 1983). On ne peut donc saisir sa véritable signification qu'après interprétation. Les activités symboliques peuvent être dirigées tant à l'intérieur qu'à l'extérieur de l'organisation. À l'intérieur elles sont un facteur de motivation et un catalyseur pour le changement (Peters, 1978); à l'extérieur, elles peuvent atténuer certaines réactions de groupes hostiles à l'organisation. La gestion symbolique sert à rehausser l'image de l'organisation, sa réputation et celles de ses dirigeants. C'est pourquoi elle fait beaucoup appel aux techniques discursives telles l'explication, l'argumentation, la rationalisation ou la justification. Évidemment, le discours ne peut suffire seul à garantir la légitimité à long terme.

Lorsque Wal-Mart annonça en 1994 son entrée dans le marché canadien, elle rencontra beaucoup d'hostilité. Le géant américain de la grande distribution était représenté comme un monstre qui tue tous ses concurrents sur son passage, ce que redoutaient par ailleurs les fournisseurs canadiens qui voyaient en l'implantation de Wal-Mart (censée s'approvisionner aux États-Unis) au Canada le début de la mort de leurs activités. Pour changer cette image négative, Wal-Mart entreprit une série d'actions soutenues par une campagne de communication axée sur : les bas prix pour les consommateurs; la notion d'employé-associé grâce à une politique d'achat d'actions par les employés et de partage des profits; la notion de partenariat avec les fournisseurs canadiens qui, de ce fait, recevaient l'assurance que Wal-Mart leur donnerait la priorité dans sa politique d'approvisionnement; et l'engagement communautaire par le soutien aux organismes de charité (Arnold, Handelman & Tigert, 1996).

On raconte que Louis Francis Albert Victor Nicholas Mountbatten fut nommé vice-roi de l'Inde au moment où les négociations entre l'Angleterre et les leaders indiens étaient dans l'impasse et où une guerre civile entre 300 millions d'hindous et 100 millions de musulmans était imminente (Mintzberg & Quinn, 1996). Pour rétablir la confiance avec ses interlocuteurs indiens et assurer la transition de l'Inde vers l'indépendance, Mountbatten engagea une opération de séduction, qui consistait à changer l'image publique du vice-roi et de sa fonction: il supprima sa garde; multiplia des apparitions publiques à des occasions où, auparavant, on n'aurait jamais vu un vice-roi ; rendit visite à une famille indienne ordinaire n'appartenant pas à une classe privilégiée; de même le vit-on, à un garden party chez Nehru, discuter à bâtons rompus avec la plupart des convives. Mountbatten honora également les deux millions d'Indiens qui combattirent sous son commandement pendant la Deuxième Guerre mondiale en Asie du Sud-Est. Il ordonna enfin que le palais du vice-roi soit accessible à plus d'Indiens. C'est cet ensemble de petits gestes à forte valeur symbolique qui permirent à Mountbatten, en très peu de temps, de regagner la confiance de ses interlocuteurs et d'instaurer un climat propice aux négociations d'indépendance. Deux mois après son installation en Inde, il réussit le tour de force d'établir un dialogue avec les leaders indiens, de poser les bases d'un accord d'indépendance et d'obtenir, en Angleterre, tant le soutien du gouvernement que celui de l'opposition.

21

EN GUIDE DE CONCLUSION

Comme l'illustrent les exemples donnés dans ce texte, la construction de la légitimité demande une bonne connaissance à la fois de la dynamique interne de l'organisation et des partenaires externes. Elle exige des dirigeants de convaincre à la fois par des faits et des gestes. En ce sens, légitimation factuelle et légitimation symbolique se complètent. Les actes peuvent prendre la forme d'une consultation, d'une intégration ou d'une association des *stakeholders* au processus de formulation et de mise en œuvre du changement. Quant aux «petits gestes», ils donnent plus de sens aux actes. Mais tout cela demande, bien sûr, du temps, de l'énergie et, surtout, beaucoup de patience.

En terminant, il convient de faire une mise en garde sur le fait que certains aspects du changement ne peuvent être expliqués au grand jour sans compromettre sa réalisation. L'urgence du changement peut, en effet, inciter les dirigeants à agir vite et, de ce fait, à ne pas avoir le temps nécessaire pour expliquer et convaincre. Mais il faut bien s'assurer que ces cas sont dictés par la nécessité et non pas qu'ils participent d'une volonté de dissimulation gratuite!

Références

Arnold, S., Handelman, J., Tigert, D., «Organizational legitimacy and retail store patronage», *Journal of Business Research*, 35, 1996, p. 229-239.

Beetham, D., *The Legitimation of Power*, MacMillan, 1991.

Berger, P., Luckmann, T., *The Social Construction of Reality*, Doubleday, 1967.

Dowling, J., Pfeffer, J., «Organizational legitimacy: Social values and organizational behavior», *Pacific Sociological Review*, 18, 1975, p. 122-136.

Lipset Seymour, M., *Political Man: The Social Bases of Politics*, Heinemann, 1983.

Mintzberg, H., Quinn, J.B., *The Strategy Process: Concepts, Contexts, and Cases*, Simon & Schuster, 1996.

O'Connor, J., *The Fiscal Crisis of the State*, St-Martin's, 1973.

Peters, T.J., «Symbols, patterns, and settings: An optimistic case for getting things done», *Organizational Dynamics*, 7, 1978, p. 3-23.

Pfeffer, J., Salancik, G.R., *The External Control of Organizations: A Resource Dependence Perspective*, Harper & Row, 1978.

Pondy, L.R., Frost, P.J., Morgan, G., Dandridge, T.C., *Organizational Symbolism*, JAI, 1983.

Salleron, L., *Le grondement du pouvoir dans l'entreprise*, Entreprise moderne d'édition, 1965.

Selznick, P., *TVA and the Grass Roots*, University of California Press, 1953.

Stillman, P., *The Concept of Legitimacy*, Polity n° 7, 1974.

Useem, B., Useem, M., «Government legitimacy and political stability», *Social Forces*, 57 (3), 1979.

Qu'est-ce que le changement stratégique?

Taïeb Hafsi, Francine Séguin et Jean-Marie Toulouse

23

Si nous voulons aller plus loin que de dire que le changement stratégique est un changement de stratégie ou de configuration stratégique, il nous faut disséquer les éléments de la stratégie qui sont touchés par le changement. D'abord, il y a le contenu de la stratégie, tel qu'il ressort du processus de formulation. Le contenu de la stratégie est l'expression des objectifs. Il prend en considération la nature de l'environnement et les ressources particulières de l'organisation, celles qui lui permettent de se démarquer et de réussir dans son environnement. En particulier, les ressources sont à l'origine de l'avantage qu'on peut avoir sur les concurrents.

La perception qu'on peut avoir de l'environnement et des avantages que permettent les ressources et le savoir-faire est influencée par toutes sortes de facteurs, notamment l'histoire de l'organisation et sa culture. Par ailleurs, ces éléments s'expriment à travers les acteurs clés en matière de développement stratégique, à savoir les dirigeants principaux. La nature du leadership est un élément crucial du changement. Dans certains cas, le changement de dirigeant peut-être considéré comme un changement stratégique.

Les ressources et le savoir-faire, et leur transformation, notamment leur dégradation ou leur développement, constituent un élément crucial de changement de la capacité de survie de l'organisation. Dans certains cas, ces ressources sont contrôlées par des segments importants de

Taïeb Hafsi et Francine Séguin sont professeurs à HEC Montréal.
Jean-Marie Toulouse est directeur de HEC Montréal.

Tiré de : Hafsi, T., Séguin, F., Toulouse, J.-M., *La stratégie des organisations : une synthèse*, Les éditions Transcontinental, 2000, p. 603-606. Reproduit avec permission.

l'environnement institutionnel. Parfois, elles sont contrôlées par des acteurs internes. Dans les deux cas, la production et la protection de ces ressources sont des éléments essentiels de la stratégie de l'organisation (Selznick, 1957). Cela nous conduit à la première définition.

Définition 1 : Un changement stratégique est un changement dont les manifestations peuvent être de quatre types : un changement de leadership, une modification de la perception que l'organisation a de son environnement, une modification de la nature et de la qualité des ressources dont elle dispose ou une modification des objectifs à long terme.

Le deuxième élément de l'analyse stratégique qui est important est le processus de mise en œuvre de la stratégie. Comme nous l'avons mentionné, la stratégie est actualisée par la mise en œuvre de mécanismes de gestion importants comme : la structure, les systèmes de gestion (mesure, contrôle, récompense ou punition, recrutement du personnel clé, formation, etc.), la culture ou les valeurs qui sous-tendent les relations à l'intérieur et avec l'extérieur de l'organisation. Comme l'ont suggéré Chandler (1962) et de nombreux auteurs, ces mécanismes changent de concert. En conséquence, toute modification délibérée de l'équilibre entre ces mécanismes a tendance à vouloir changer le comportement de l'organisation et donc sa stratégie. D'où la deuxième définition.

Définition 2 : Un changement stratégique est un changement dont les manifestations sont les modifications de l'un ou l'autre des principaux mécanismes de gestion (structures, systèmes et culture ou valeurs), permettant de rompre l'équilibre qui prévalait auparavant et de le remplacer par un équilibre nouveau.

Snow & Hambrick (1980) suggèrent qu'il est très important pour le développement de théories sur le changement stratégique de distinguer entre ajustement et changement, le premier étant peu significatif et le second plus profond. Cependant, il est évident qu'une telle distinction est très difficile à opérationnaliser. Ainsi, dans sa recension des écrits, Ginsberg (1988) indique que les changements incrémentaux, les ajustements de Snow et Hambrick, peuvent aussi engendrer des réorientations fondamentales, ce qu'affirmait aussi Bower (1970). En conséquence, ce qui est stratégique est en fait un jugement situationnel (Mintzberg, 1987). Cela nous mène à une définition encore plus large.

Définition 3 : On peut dire qu'un changement est stratégique lorsqu'il touche soit le contenu (objectifs, appréciation de l'environnement, nature et disponibilité des ressources et du savoir-faire), soit le processus (structure, systèmes, culture et valeurs) et qu'il est perçu comme une rupture par les personnes clés de l'organisation.

Cette dernière définition correspond aux résultats de la réflexion qu'un groupe d'universitaires a menée récemment (Ledford *et al.*, 1989). Ils avaient défini un changement de grande envergure comme étant un changement durable de la personnalité d'une organisation (*character of an organization*), au point d'altérer la performance de cette dernière.

Ils soulignent que les changements de grande envergure ne sont pas de simples changements continus et plus habituels. Pour imager, on pourrait opposer les changements constants des flots d'une rivière à l'érection d'un barrage ou à la modification de son cours. Un changement organisationnel de grande envergure nécessite donc des modifications dans le design et les processus de l'organisation. Le design organisationnel comprend dans leur esprit les stratégies, les structures, les configurations technologiques, les systèmes formels d'information et de prise de décision ainsi que les systèmes de ressources humaines. Les processus organisationnels désignent quant à eux les flux d'information, d'énergie et de comportements, ce qui inclut la communication, la participation, la coopération, les conflits et les jeux politiques. Pour eux, des changements de design organisationnel qui n'impliqueraient pas des changements de processus ne peuvent être considérés comme des changements organisationnels d'ordre stratégique. Ainsi, une organisation peut motiver temporairement des gens par l'intermédiaire d'une campagne sur la qualité totale par exemple, mais si les nouveaux comportements désirés ne sont pas appuyés par des modifications du design organisationnel, il y a de faibles probabilités que ces nouveaux comportements s'avèrent permanents. Jusqu'ici notre définition est compatible avec la leur.

Ces auteurs s'intéressent aussi à la performance organisationnelle. La performance, utilisée ici au sens générique, se rapporte à l'efficience et à l'efficacité (*efficiency* et *effectiveness*) du système organisationnel telles qu'elles sont mesurées par la capacité de ce dernier à survivre. Dans la mesure où une organisation modifie ses interactions avec son environnement, ses modes de transformation des intrants en extrants, la nature de ces derniers, de même que son design et ses processus, on peut s'attendre à des changements plus ou moins inévitables dans sa capacité à survivre. Elle peut, par exemple, passer d'un statut de compétiteur régional à celui de compétiteur international. Elle peut aussi commencer à produire des systèmes intégrés plutôt que des produits uniques. Cette performance peut donner un poids variable aux dimensions traditionnelles. Ainsi, la proportion du marché international peut devenir plus importante que les profits à court terme. La participation des employés au travail et dans la gestion peut prendre une place plus grande que la loyauté organisationnelle et le paternalisme. Les relations à long terme avec la clientèle peuvent devenir plus importantes que les marges de profit. En bref, ces auteurs considèrent qu'un changement organisationnel de grande envergure altère inévitablement la performance organisationnelle telle qu'elle est mesurée par divers indicateurs économiques. Cela nous conduit à la dernière et à la plus complète de nos définitions.

Définition 4 : On peut dire qu'un changement est stratégique lorsqu'il modifie la performance de l'organisation en modifiant soit le contenu (objectifs, appréciation de l'environnement de même que nature et disponibilité des ressources et du savoir-faire), soit le processus (structure, systèmes, culture et valeurs) et qu'il est perçu comme une rupture par les personnes clés de l'organisation.

Références

Bower, J.L., *Managing the Resource Allocation Process*, Irwin, 1970.

Chandler, A.D., *Strategy and Structure*, MIT Press, 1962.

Ginsberg, A., «Measuring and modelling changes in strategy: Theoretical foundations and empirical directions», *Strategic Management Journal*, 9, 1988, p 559-575.

Ledford *et al.*, Conference paper, dans A.E. Mohrman, G. Lawler, S. Ledford et T. Cummings, *Large-Scale Organization Change*, Jossey-Bass, 1989.

Mintzberg, H., «Crafting strategy», *Harvard Business Review*, août-septembre 1987.

Selznick, P., *Leadership in Administration*, University of California Press, 1957.

Snow, C.C., Hambrick, D.C., «Measuring organizational strategies: Some theoretical and methodological problems», *Academy of Management Review*, 5, 1980, p. 527-538.

LES CONDITIONS INTIALES DE LA TRANSFORMATION – D'OÙ ON PART ?

Transformer l'organisation. Comprendre les forces qui façonnent l'organisation et le travail

Alain Rondeau

Lorsqu'une nouvelle technologie émerge, lorsqu'une nouvelle forme de concurrence fait surface, lorsque les règles politiques ou sociales changent, les gestionnaires ressentent une pression à amorcer un réalignement de leur organisation mais ils ont parfois de la difficulté à comprendre ces bouleversements, à en mesurer l'impact réel et, surtout, à déterminer avec un minimum de confiance la direction à prendre. Avant même de chercher à comprendre comment transformer l'organisation, il importe de donner un sens aux perturbations observées dans l'environnement organisationnel et de voir dans quelle mesure celles-ci remettent en question les fondements mêmes de l'organisation contemporaine du travail.

Pour ce faire, nous passerons brièvement en revue diverses forces auxquelles sont soumises les organisations contemporaines de même que les tendances émergentes dans la façon de concevoir la gestion, et nous analyserons la manière dont les entreprises y réagissent, notamment par la mise en œuvre de nouvelles configurations et de nouvelles formes d'organisation du travail. Nous nous pencherons aussi sur les divers textes de ce volume sur la transformation des organisations afin de mettre en lumière leur contribution à cette même réflexion. En outre, même si l'accent est mis ici sur l'ajustement de la grande entreprise à son environnement, il est clair que les concepts traités sont aussi pertinents pour comprendre l'évolution des PME.

Il faut rappeler que le modèle encore dominant de structuration des organisations et de conception du travail date de la révolution industrielle. C'est à la fin du siècle dernier et au début de ce siècle qu'ont été

Alain Rondeau est professeur à HEC Montréal.

jetées les bases actuelles de l'organisation du travail. Certes, tout au cours de ce siècle, ces bases ont lentement évolué, mais elles n'ont jamais subi une pression équivalente à ce que l'on constate présentement dans ce qu'il est convenu d'appeler «l'ère de l'information». La conjoncture actuelle remet profondément en question les prémisses de l'organisation du travail mais, comme il faut s'y attendre, ce bouleversement ne se fait pas de façon organisée et rigoureuse. C'est plutôt par l'émergence, sur tous les fronts, de nouveaux modes de pensée, de nouvelles pratiques de gestion, de nouvelles contraintes, de nouvelles aspirations que le modèle classique d'organisation du travail se voit ébranlé.

Mais quelle est donc cette nouvelle forme d'organisation du travail qui doit émerger? Peu d'observateurs avertis osent se prononcer sérieusement sur la question. Tout au plus peut-on extrapoler à partir des quelques observations qui se dégagent des efforts actuels d'adaptation des organisations. Dans cette perspective, analysons d'abord diverses sources de perturbations auxquelles sont soumises les organisations et certaines conséquences que produisent ces perturbations sur les pratiques de gestion. Par la suite, il conviendra d'examiner l'impact de ces changements sur l'émergence de nouvelles configurations d'organisation et de nouvelles formes d'organisation du travail.

29

COMMENT ÉVOLUE L'ENVIRONNEMENT DES ORGANISATIONS

Comme le suggère le tableau 1, il faut d'abord reconnaître que les organisations sont soumises à diverses forces de l'environnement, des forces de nature tant économique que politique, sociale ou technologique qui remettent constamment en question la façon de concevoir et de faire fonctionner l'organisation. Ces forces conjoncturelles créent une pression importante sur les organisations et ces dernières réagissent en adoptant diverses mesures d'ajustement qui, bien qu'ayant souvent un caractère défensif, traduisent cette quête d'une nouvelle conception mieux adaptée du modèle organisationnel. À long terme, ces efforts d'ajustement vont avoir comme conséquence de forcer l'émergence de nouvelles façons de considérer l'organisation du travail. Et c'est justement à ces conséquences que s'intéresse le présent texte.

Certes, la réalité est plus complexe que ne le suggère le découpage commode utilisé ici. Chaque bouleversement de l'organisation du travail que propose le tableau 1 n'est pas une conséquence directe d'une seule perturbation de l'environnement organisationnel. Cette segmentation sert plutôt à illustrer le jeu complexe de cause à effet en matière d'émergence de nouvelles configurations du travail.

TABLEAU 1
Diverses transformations majeures de l'environnement organisationnel et certains effets observés au sein des organisations

Sources de transformation	Mesures d'ajustement observées au sein des organisations	Quelques conséquences sur l'organisation du travail
Économiques : • mondialisation des économies • accroissement de la concurrence • évolution d'une économie de masse vers une économie du savoir	Pressions vers le contrôle des coûts : • rationalisation • décroissance (*downsizing*) • aplatissements des structures • impartition (*outsourcing*)	Développement du concept de valeur ajoutée : • accent sur la productivité (vs intensification du travail) • responsabilisation • imputabilité (ex. : indice EVA)
Politiques : • déréglementation des marchés • précarité des structures de contrôle	Redéploiement des activités et des engagements : • alliances stratégiques (fusions, acquisitions, maillages, etc.) • nouveaux partenariats • restructuration • organisations virtuelles • négociation continue	Gestion différente de l'incertitude : • remise en question de l'utilité des politiques et procédures • questionnement de la pertinence de l'encadrement intermédiaire (*middle management*)

TABLEAU 1 (suite)

Technologiques :	Réaménagement du travail :	Déplacement du pouvoir :
• NTIC • échanges de données (EDI, etc.) • systèmes de gestion intégrée – ERP (ex. : SAP, PeopleSoft, etc.) • gestion du savoir (*knowledge-based organisations*, etc.)	• réingénierie – *e-engineering* • télétravail • gestion des données (*data warehouse* – *data mining*) • production sur mesure de masse (*mass customization*)	• opérationalisation de la prise de décision • intégration du cycle planification – exécution – contrôle
Sociales :	Modification du contrat social :	Nouvelles formes de mobilisation :
• diversification de la main-d'œuvre • déclin des traditions et de la hiérarchie • croissance de l'autonomie et du libre arbitre dans les choix sociaux	• mises à pied massives • précarité d'emploi (temporaire, contractuel, partagé, etc.) • polyactivité • emploi atypique	• pratiques d'habilitation (*empowerment*) • pratiques d'appropriation (groupes autonomes) • pratiques d'intéressement (incitatifs de groupe, rémunération selon les compétences, etc.)

31

Des forces économiques en jeu

La première des forces qu'il faut examiner concerne la perturbation des économies à l'échelle de la planète et son impact sur la transformation des organisations. Sans entrer dans les détails, il suffit de considérer brièvement des phénomènes comme celui de la mondialisation des économies ou de l'accroissement de la concurrence. Ces phénomènes forcent les organisations à mieux définir leur positionnement stratégique pour tirer le maximum de leur situation propre, mais créent aussi de façon insistante une pression grandissante pour qu'elles exercent un contrôle de leurs coûts.

De fait, cette pression au contrôle accentué des coûts est l'une des conséquences les plus visibles de l'émergence du concept de «valeur ajoutée», émergence centrale au passage d'une «économie de masse» à une «économie du savoir», pour paraphraser Paul Hawken (1983). En effet, dans la nouvelle économie, le succès d'une organisation ne dépend pas uniquement de sa capacité à faire des économies d'échelle et à utiliser de façon optimale ses ressources dans un produit ou un service, mais est surtout lié à l'ajout de valeur à chaque phase de la conception et de la réalisation du produit ou service. Ainsi, ces produits ou services se doivent de refléter à la fois une connaissance plus fine des besoins de l'éventuel utilisateur et une maîtrise plus grande de ce qu'apporte chaque étape de leur réalisation.

La rationalisation, la décroissance (*downsizing*), l'aplatissement des structures ou l'impartition (*outsourcing*) sont autant de formules adoptées par les entreprises pour accroître leur flexibilité et réduire leur dépendance à long terme face à des ressources qui n'ajoutent pas, selon elles, de valeur à leurs activités. Certes, ces diverses mesures d'ajustement n'ont pas toujours été mises en œuvre de façon réfléchie et intégrée aux stratégies de développement des organisations, mais il faut reconnaître que le contrôle des coûts constitue maintenant l'un des paramètres de base de la gestion contemporaine des organisations.

En matière d'organisation du travail, cette pression ressentie au sein des organisations a favorisé l'émergence d'une gestion qui se veut elle aussi à valeur ajoutée, c'est-à-dire d'une gestion où l'on questionne de façon systématique chaque processus, chaque geste, chaque structure, chaque activité pour en évaluer la contribution au résultat final de l'organisation. Cela a donc engendré un mouvement profond orienté vers l'accroissement de la productivité, de l'imputabilité, de la responsabilisation à tous les niveaux de l'organisation.

Certes, les effets pervers d'un accroissement de la productivité et de l'imputabilité se traduisent souvent par une intensification du travail. Le «fardeau de la preuve» de la valeur ajoutée revient alors directement aux employés et à leur rendement, et les gestionnaires de niveau inférieur se voient appelés à rendre opératoire un virage stratégique qu'ils ne maîtrisent pas vraiment, ce qui les laisse en quête de «renouvellement identitaire», selon l'expression de Linda Rouleau (dans le présent volume).

Des forces politiques en jeu

Une autre des forces actives dans l'environnement des entreprises concerne l'évolution de l'environnement politique. Il faut reconnaître que dans l'ensemble des pays industrialisés, l'endettement des gouvernements a contribué à la libéralisation de l'économie en favorisant un désengagement de l'État, notamment en matière de contrôle de la concurrence. Cela s'est traduit par une déréglementation des marchés et une diminution significative des structures de contrôle imposées par les États. La situation dans les télécommunications ou dans les milieux financiers illustre bien ce phénomène. Souvent à cause d'un fardeau de dette publique trop important et de responsabilités publiques trop larges, les gouvernements se sont en quelque sorte retirés de l'influence structurante qu'ils exerçaient sur le milieu organisationnel. Cette transformation du rôle de l'État a entraîné un redéploiement des activités dans de nombreux secteurs industriels, redéploiement qui est appelé à se poursuivre, compte tenu de l'émergence constante d'accords économiques d'envergure (par exemple l'Accord de libre-échange nord-américain, l'Union économique européenne, l'Accord multilatéral sur les investissements, etc.) impliquant un nombre croissant de nations.

De multiples formes d'ajustement organisationnel illustrent cette réduction des mécanismes de contrôle externes. À des niveaux complexes, on parle de nouveaux partenariats, d'alliances stratégiques issues de fusions, d'acquisitions, de divers types de maillage, de restructuration, de création d'organisation virtuelle. À des niveaux plus simples, on reconnaît l'aspect caduc des contrats fixes, particulièrement en matière de relations du travail, et on y substitue la négociation continue. Cela indique aussi un souci de redéployer l'organisation pour lui assurer un meilleur accès tant à ses ressources qu'à ses marchés. En outre, on voit naître ces «organisations sans ancrage», sans réelle identité nationale, dont le financement est planétaire et qui agissent de façon supranationale en créant une pression énorme sur les règles sociales ou environnementales locales.

Cette transformation du paysage organisationnel comporte de grandes conséquences pour l'organisation du travail. De fait, cette précarité de l'environnement politique remet en question la stabilité même de l'organisation et la pousse à assouplir sa gestion. Avec le recul, il appert que ce nouvel environnement accroît systématiquement le niveau d'incertitude avec lequel doivent composer les organisations, et ce, tant à l'externe qu'à l'interne. Cela entraîne la nécessité d'une gestion différente de l'incertitude au sein des organisations. Alors que l'ensemble des réglementations constituait un cadre rigide mais sécurisant dans lequel évoluait l'entreprise, l'avènement de la déréglementation et du désengagement de l'État a servi à remettre en cause l'utilité de certaines contraintes et, partant, l'utilité même des politiques et procédures comme moyen d'encadrer l'action de l'organisation. Sans pouvoir affirmer qu'on assiste à une diminution globale de la réglementation, on cherche dorénavant à promouvoir aussi des mécanismes d'exploration et d'entente entre les structures concernées, en faisant appel au jugement des personnes plutôt qu'aux seules règles des systèmes, en reconnaissant qu'un encadrement conjointement décidé peut être aussi puissant que s'il est imposé.

En outre, il est intéressant de constater que cette pression à l'émergence de nouvelles formules de gestion de l'incertitude bouleverse le rôle de ceux-là mêmes qui sont chargés de la mise en œuvre de ces règles, règlements, procédures, politiques et contraintes. On assiste notamment à une remise en question de l'utilité de l'encadrement intermédiaire (voir à cet effet l'article de Rouleau), particulièrement là où sa valeur ajoutée est difficile à mesurer et où la technologie améliore l'accès à l'information pour la prise de décision à des niveaux inférieurs de l'organisation.

Des forces technologiques en jeu

Une troisième force à considérer dans l'environnement des entreprises concerne les changements technologiques. Nombreuses sont les recherches soulignant les impacts de l'avancement technologique sur la configuration des organisations et l'aménagement du travail. Pour de nombreux observateurs, le fonctionnement même des grandes organisations tient essentiellement à une gestion optimale de l'information et, par suite, l'évolution des technologies constitue une source puissante de transformation. Même si, pendant plus de deux décennies, on a eu de la difficulté à évaluer l'impact réel des technologies de l'information sur la productivité de l'organisation, il est clair aujourd'hui qu'une informatisation poussée de l'organisation change profondément la façon de faire les choses et affecte non seulement le développement de l'organisation mais aussi sa trajectoire stratégique.

Le commerce électronique, les intranets, l'émergence des systèmes de gestion intégrée de type ERP (*Entreprise Resource Planning*), les nouvelles technologies de l'information et des communications (NTIC) ou les efforts de gestion intégrée du savoir organisationnel (*Knowledge-based Organization*), voilà autant de formules nouvelles de fonctionnement organisationnel rendues possibles par l'évolution des technologies et qui influencent profondément la façon d'aménager l'organisation et le travail.

À titre d'exemple, les travaux de Réal Jacob *et al.* (1996) (voir encadré ci-contre) ont permis d'identifier différentes caractéristiques génériques associées à l'autoroute de l'information et qui déterminent le «champ des possibles» en matière de réorganisation du travail. Compte tenu de ces caractéristiques de la technologie, il devient possible de développer diverses formes de télétravail et de travail à distance. On voit de plus en plus couramment les entreprises impliquer directement tant leurs partenaires que leurs clients dans la conduite de leurs activités en adoptant des formules de type «juste-à-temps» (*just-in-time*) ou «sur mesure de masse» (*mass customization*). Toutefois, nombre d'auteurs mettent en garde les organisations devant la tentation de reconcevoir le travail à partir des seules possibilités technologiques sans tenir compte de sa dimension sociale.

35

Ces transformations dues à l'évolution des technologies ont diverses conséquences. En particulier, il faut noter deux caractéristiques paradoxales des technologies : d'abord le potentiel d'automatisation des technologies, qui contribue à banaliser et à déqualifier le travail tout en accroissant la possibilité de contrôle sur son exécution, et ensuite le potentiel d'informationalisation de ces mêmes technologies, qui améliore la spécialisation des travailleurs en laissant une place plus grande à la réflexion et à la prise de décision grâce à l'accès facile à une information

---

ENCADRÉ 1

Principes caractérisant les NTIC* et l'inforoute

Interactivité	Relation à l'information en mode interactif plutôt que passif
Intemporalité	Individualisation des temps de travail
Instantanéité	Intervention en temps réel
Délocalisation	Annulation de l'espace physique et géographique
Virtualité	Dématérialisation des composantes d'un système
Réseautage informationnel	Relation à l'information non réglée par le statut
Synergie interactive médiatisée	Démocratisation des interactions par la technologie
Intermédiation	Relations interpersonnelles via des représentations médiatisées

*nouvelles technologies de l'information et des communications
Source : Inspiré de Jacob, R. *et al.*, 1996.

plus complète. Il faut aussi noter, comme le font ces auteurs, le déplacement du pouvoir que provoque l'accès direct à l'information. Cet accès rapproche notamment la décision de l'action, ce qui modifie profondément les fondements mêmes de l'organisation traditionnelle du travail. En effet, l'organisation classique du travail distinguait clairement les fonctions de planification, d'exécution et de contrôle, l'employé étant chargé de l'exécution sans avoir son mot à dire sur la planification et le contrôle de son travail. Ces fonctions relevaient du responsable de l'encadrement, qui disposait de l'accès à l'information nécessaire pour la prise de décision. Or, comme la technologie facilite l'accès à l'information, les nouvelles formes d'organisation du travail ont tendance, d'une part, à intégrer les trois dimensions de planification, d'exécution et de contrôle, et d'autre part, à remettre le pouvoir aux mains des responsables directs de l'action, les employés eux-mêmes. Ainsi, la technologie permet à celui qui exécute le travail d'être impliqué autant dans la planification de ce même travail que dans le contrôle des résultats. De tout temps, le processus de prise de décision a été l'apanage de celui qui contrôlait l'information. À partir du moment où l'information devient accessible à l'exécutant, on commence à remettre en question la valeur de l'encadrement intermédiaire dans le cycle de travail. Et on voit de plus en plus émerger des formes de travail organisées autour d'une plus grande autonomie des équipes de travail.

Des forces sociales en jeu

Une autre force conjoncturelle qu'il convient d'examiner concerne l'évolution de la société et son impact sur la transformation des organisations. La libéralisation des économies tout comme l'avancement technologique ne peuvent être considérés indépendamment de l'évolution de la société. Ainsi, la diversification de la main-d'œuvre, le déclin des traditions et de la hiérarchie ou la croissance de l'autonomie et du libre arbitre dans les choix sociaux (voir les travaux de Giddens à cet effet), servent en quelque sorte à accentuer l'effet des forces économiques et technologiques notées plus haut. Ce sont autant de mouvements sociaux qui ont un impact sur la transformation des organisations en accentuant la brisure profonde du contrat social qui liait l'organisation à son personnel.

Les économies en décroissance des années 1980 ont eu pour effet d'accroître l'incertitude dans laquelle évoluent les organisations. Par souci de flexibilité, et grâce à une technologie plus performante, celles-ci en sont venues à réduire de façon substantielle non seulement leur main-d'œuvre directe mais aussi leur engagement social, notamment en matière de sécurité d'emploi. Ainsi, depuis le début de la décennie 1990, près de 70 % des emplois créés sont des emplois à caractère précaire (temporaires, à temps partiel, contractuels, etc.). Les autres éléments de protection sociale reliés au travail sont aussi affectés. Les taux de syndicalisation sont en régression et les syndicats ont de la difficulté à concilier leur mission de représentativité et les besoins de souplesse reconnus par les travailleurs. En effet, les employés ne se reconnaissent plus dans des formules trop corporatistes et idéologiques. Par ailleurs, par souci de flexibilité, on voit apparaître des «clauses orphelins» dans les conventions collectives, légitimant ainsi des traitements distincts, généralement moins généreux, pour les nouveaux employés. Les tensions sociales s'accroissent.

En même temps, force est de reconnaître que le profil général des travailleurs a changé. On assiste à l'émergence d'une main-d'œuvre diversifiée, hautement formée, plus autonome et peu à l'aise avec des structures d'autorité rigides. Les jeunes travailleurs sont conscients que la libéralisation de l'économie fragilise les organisations et ne croient plus à l'existence d'une entreprise paternaliste qui peut assurer un emploi à vie.

37

Ce bouleversement social entraîne un phénomène paradoxal : en même temps que l'organisation réduit son engagement social par rapport à son personnel, elle reconnaît que son succès tient en partie à la mobilisation de ces mêmes ressources humaines envers le projet organisationnel. Comment résoudre ce paradoxe? Comment l'entreprise peut-elle, d'une part, maintenir un personnel qualifié, hautement engagé dans le projet organisationnel tout en cherchant, d'autre part, à accroître sa flexibilité par le maintien de structures souples, facilement modifiables selon la conjoncture?

Au mieux, les organisations cherchent à repenser la mobilisation des ressources humaines. Elles visent à créer un environnement où les personnes peuvent s'identifier aux objectifs visés et se préoccuper au maximum du résultat escompté. Le texte de Fabi *et al.* (dans ce volume) explore l'engagement organisationnel sous ses différents aspects et montre qu'il est l'un des indicateurs d'une transformation réussie. Il traite entre autres de la mise en place de pratiques d'habilitation du personnel (*empowerment*), qui mettent l'accent sur l'autonomie d'action et sur la marge de manœuvre nécessaire pour atteindre les objectifs visés, de pratiques d'appropriation, centrées sur une responsabilisation intensifiée (équipes autonomes de travail), ou de pratiques d'intéressement, centrées sur un partage plus équitable des diverses formes de bénéfices du travail (incitatifs de groupe, rémunération selon les compétences, participation aux bénéfices, etc.). Mais il apparaît clair que les solutions actuelles en matière de gestion des ressources humaines ont rarement l'envergure nécessitée par l'ampleur des transformations amorcées. Ces questions relatives à la mobilisation des ressources humaines devront être repensées si l'on veut éviter divers écueils dans le rapport entre les entreprises et la société.

RECONFIGURER LES ORGANISATIONS MAIS AUSSI REPENSER LE TRAVAIL

On constate donc que pour comprendre le monde organisationnel en émergence, il faut prendre en compte ces quatre grandes forces que sont l'économique, le politique, le technologique et le social. Ces forces provoquent une remise en question des substrats mêmes de l'organisation contemporaine du travail. Ainsi, les façons de gérer la complexité que permettaient les grandes bureaucraties apparaissent caduques dans la conjoncture actuelle, mais la réponse aux nouvelles conditions ne se trouve pas pour autant dans la multiplication des petites entreprises à mission limitée. Au contraire, on doit reconnaître l'émergence de méga-entreprises, d'ordre transnational, qui entraînent dans leur sillage la mise en place de règles supranationales auxquelles doivent se subordonner les économies locales. En même temps, force est de reconnaître que ces grandes entreprises ne survivent pas dans un environnement de centralisation trop poussée. Elles doivent, au contraire, encourager l'autonomie de chacune de leurs composantes et développer un modèle d'organisation qui permette une latitude plus grande à chacune d'elles. Voilà, en quelques mots, un exemple des paradoxes que rencontrent les organisations dans la conjoncture actuelle.

Les quatre forces analysées bouleversent non seulement le marché de l'emploi, mais aussi le lien des travailleurs à l'organisation. Paradoxalement, le souci de flexibilité des organisations les amène à préférer un lien contractuel précaire avec leur main-d'œuvre. Elles souhaitent plus de flexibilité, et imposent aux travailleurs eux-mêmes la responsabilité de prouver l'utilité de leur contribution. En même temps, toutefois, le succès des organisations est tributaire de la qualité de la main-d'œuvre dont elles disposent, ce qui nécessite de leur part un investissement à long terme dans le développement de compétences distinctives. Les nouvelles formes de liens contractuels et d'organisation du travail devront à la fois être garantes d'un certain équilibre social tout en respectant et en reconnaissant la diversité des contributions.

LES GRANDES TENDANCES DANS LE DOMAINE DE LA GESTION

Au-delà des grands bouleversements de l'environnement organisationnel, le monde de la gestion connaît lui aussi ses modes et ses tendances qui perturbent le discours organisationnel classique. Certes, les bouleversements de l'environnement organisationnel sont souvent la source même de l'émergence des nouveaux courants de pensée en gestion, mais il faut aussi reconnaître que cette évolution dans la pensée administrative a son effet propre sur la façon de concevoir l'organisation et le travail. La présente section porte sur quelques tendances importantes en gestion qui façonnent de plus en plus les pratiques des grandes organisations contemporaines. Le texte de Demers (dans ce volume) articule de façon détaillée l'évolution de la pensée en changement organisationnel et montre bien comment la conception même que l'on se fait de l'organisation et de son environnement influence la prise de décision, particulièrement en période intense de transformation.

Comme l'indique le tableau 2, au moins quatre grandes tendances récentes émergent dans la gestion des organisations, quatre tendances qui ont un impact non négligeable sur la façon même de considérer l'organisation et le travail et de développer de nouveaux standards de pratiques. L'adoption de tels standards constitue d'ailleurs un indicateur de la qualité de la gestion des entreprises. Encore une fois, chaque pratique d'organisation du travail étudiée ici n'est pas une conséquence directe d'une seule tendance de gestion, et cette catégorisation est utilisée simplement à des fins explicatives.

Une orientation client

La première de ces tendances, nommée ici l'orientation client, est apparue au début des années 1980 avec la remise en question des modes d'analyse de l'efficience organisationnelle et la reconnaissance du client comme source première des choix organisationnels. Cette orientation client marque un moment fort dans le virage effectué par les grandes organisations en matière de gestion après 40 ans de croissance économique. Poussées par la concurrence japonaise, les grandes industries nord-américaines, en particulier, ont pris conscience que l'amélioration de l'efficience de nombreux sous-systèmes ne produisait pas nécessairement un système performant. En s'inspirant de modèles de gestion dont le plus important est sans aucun doute le mouvement de qualité totale, on a cherché à recentrer la mission de l'organisation et les pratiques de gestion qui en découlent vers une préoccupation fondamentale : celle de satisfaire la clientèle. Dès lors, la gestion tire sa légitimité de la démonstration explicite que les gestes posés contribuent plus ou moins directement à la satisfaction d'un client plutôt qu'à l'efficience du système.

Le mouvement de qualité totale représente non seulement un virage idéologique majeur dans la conduite de la gestion d'entreprise, mais il est aussi à l'origine de nombreux développements en matière de pratiques organisationnelles dont nous traiterons plus loin. De fait, pour bien des penseurs de la gestion, il s'agit d'un premier effort intégré pour produire une alternative au modèle classique d'organisation du travail de type

TABLEAU 2

Quelques grandes tendances en matière de gestion et leurs effets sur les pratiques observées

Tendances lourdes en gestion	Divers modèles de gestion adoptés par les organisations	Pratiques observées en matière d'organisation du travail
Orientation «client» : de «l'efficience du système» à la «performance de l'organisation»	Modèles visant le recentrage vers les variables clés du succès : • qualité totale • ingénierie conjointe et distribuée	Identification et mesure systématique de la performance : • indicateurs de performance • tableaux de bord
Orientation «processus» : d'une division «fonctionnelle» du travail à une organisation par «processus»	Modèles de reconception du travail : • réingénierie des processus • comptabilité par activité • *kaisen*	Réorganisation de la prise de décision : • gestion des processus • équipes de projets
Orientation «standards de performance» : d'une gestion fermée à une gestion comparée	Modèles de comparaison des pratiques de travail : • standards de classe mondiale (ex. : normes ISO) • meilleures pratiques (*best practices*)	Systématisation de l'évaluation : • référentiels de gestion (Prix Malcolm Baldridge, Qualimètre, etc.) • audits de gestion • étalonnage concurrentiel (*benchmarking*)
Orientation «*feed-back*» : d'une gestion «complaisante» à une gestion de remise en question	Modèles visant l'apprentissage organisationnel : • organisation apprenante (*learning organization*) • amélioration continue • vigie d'entreprise	Résolution de problèmes : • groupes de résolution de problème (cercles de qualité) • apprentissage par problème (A.P.P.) • *feed-back* 360°

taylorien. Cette orientation client a depuis pris plusieurs formes, notamment en matière de commerce électronique où les nouvelles technologies rendent possible non seulement un lien direct avec le client à l'échelle mondiale, mais aussi une coordination en temps réel des différents fournisseurs par l'utilisation d'une ingénierie conjointe et distribuée qui intègre les processus de recherche, de développement et de production de plusieurs partenaires.

Sans entrer dans les détails, il faut reconnaître que le mouvement de qualité totale a eu comme effet majeur de recentrer l'attention des gestionnaires sur les variables clés du succès organisationnel. Il se traduit aujourd'hui par la mise en place de toutes sortes de pratiques visant à garder le cap sur ces variables. Les divers indicateurs de performance ou les tableaux de bord de gestion sont autant d'outils de gestion développés dans cet esprit pour attirer l'attention du gestionnaire sur les éléments cruciaux à considérer dans sa prise de décision.

Une orientation processus

L'une des plus importantes tendances récentes en gestion concerne ce qu'il est convenu d'appeler l'orientation processus. Cette tendance a un impact majeur sur l'émergence de nouvelles formes d'organisation du travail. Selon cette perspective, les difficultés liées à l'organisation classique du travail tiennent à la division même du travail et à son organisation sur une base fonctionnelle (marketing, production, finances, ressources humaines, etc.), alors que la réalité de la livraison d'un produit ou d'un service transcende les fonctions organisationnelles. En d'autres termes, on a constaté que les déficiences organisationnelles n'étaient pas liées à la qualité du travail effectué par chacune des fonctions, mais beaucoup plus à l'incapacité de ces diverses fonctions à œuvrer conjointement pour l'obtention d'un résultat jugé appréciable par un client. Repenser le travail selon une orientation processus, cela signifie identifier clairement les processus qui mènent à un résultat significatif, faire travailler ensemble les acteurs organisationnels qui contribuent directement à ce processus et développer une responsabilité partagée entre ces partenaires face au résultat visé. L'orientation processus a mis en lumière le fait que le tout est plus grand que la somme des parties, et que la productivité d'un système est liée à la force d'ajustement et d'interaction des différentes composantes de ce système. L'organisation classique du travail, déterminée par postes définis ayant des prescriptions spécifiques et limitées, est confrontée à la nécessité d'une action plus cohésive de toutes les parties de l'organisation et d'une gestion plus intégrée de l'incertitude.

La conséquence la plus importante de la mise en place de l'orientation processus touche la réorganisation de la prise de décision au sein de l'organisation. Alors que traditionnellement, le résultat est confié à un responsable fonctionnel unique, les tenants de cette orientation cherchent à développer une «gestion de processus», c'est-à-dire à considérer le résultat visé comme un projet à réaliser et à confier ce projet à une équipe responsable de sa réalisation. Ces «équipes de projet» sont constituées de personnes issues des fonctions jugées indispensables à la réalisation du projet et qui sont dégagées de leur unité fonctionnelle pour assumer conjointement la responsabilité du résultat escompté. Sans entrer dans les détails, il faut noter que cette formule se heurte au principe sacro-saint de l'unité de commandement propre aux organisations traditionnelles. Mais ce n'est là, en fait, que le premier bouleversement amené par une orientation qui va certainement avoir des effets plus importants encore dans l'organisation du travail de demain.

Parmi les modèles les plus connus de gestion qui s'inspirent de cette orientation, mentionnons des formules telles que la réingénierie des processus, la comptabilité par activité ou le *kaisen*, différentes formules qui visent l'amélioration des processus organisationnels plutôt que l'accroissement de l'efficience fonctionnelle d'une organisation. Le texte de Cornet (dans ce volume) montre bien toutefois qu'il y a loin de la coupe aux lèvres et qu'après plus de dix ans de progression, la réingénierie des processus est encore bien loin d'avoir réussi les percées envisagées par ses gourous.

Une orientation standards de performance

Une troisième tendance majeure dans le monde de la gestion moderne concerne l'orientation dite de standards de performance. La mondialisation des économies oblige les organisations modernes à adopter des pratiques leur permettant de se comparer avantageusement à une concurrence internationale, et à produire des résultats selon des standards généralement reconnus au sein des organisations œuvrant dans le même environnement. Un bel exemple de ce type de standards de classe mondiale concerne les normes ISO (et autres normes internationales), adoptées de façon quasi systématique par les grandes entreprises manufacturières des pays industrialisés. On constate d'ailleurs que dans cet environnement, les grands donneurs d'ordres exigent de plus en plus de leurs fournisseurs diverses formes de certification garantissant sinon la qualité, du moins la conformité de leurs pratiques. On cherche à s'ajuster avec ce qui est généralement reconnu et accepté dans l'environnement de référence. Ce type de qualification ne touche pas seulement la production de biens mais rejoint aussi tous les secteurs de services tant publics que privés des sociétés dites développées. Même les milieu de la santé et de l'éducation sont de plus en plus soumis à des comparaisons nationales ou internationales et doivent se qualifier en regard de standards de performance indépendamment de leur réputation propre. Signalons aussi que cette orientation a entraîné le développement de modèles de gestion fondés sur l'identification et l'adoption des «meilleures pratiques» (*best practices*) d'un environnement donné. D'ailleurs, en matière de technologies intégrées, l'adoption des systèmes de gestion intégrée de type ERP (*Entreprise Resource Planning*) impose souvent aux organisations l'obligation de mettre de côté leurs façons de faire pour se conformer aux paramètres de ces logiciels élaborés à partir de l'identification des meilleures pratiques de l'industrie de référence.

Cette orientation vers les standards de performance se traduit par un effort de l'organisation visant à se comparer à sa concurrence à l'aide de pratiques telles que l'étalonnage concurrentiel (*benchmarking*), les audits de gestion ou l'utilisation de référentiels de gestion (par exemple le Prix Malcolm Baldridge, le Prix Européen de la Qualité, le Qualimètre, etc.). Une telle orientation favorise donc un passage d'une gestion relativement fermée à une gestion comparée où il devient important de baliser sa propre action en regard de standards externes. Aucun milieu, que ce soit public ou privé, n'échappe à ce genre d'évaluation et à la classification sociale qui en découle à travers les revues spécialisées de même que les journaux à fort tirage.

Une orientation *feed*-back

Enfin, une autre tendance notable en matière de gestion concerne l'influence exercée par les modèles dits «d'organisation apprenante». Dans cette perspective, on a vu se développer ce qu'il est convenu d'appeler l'orientation *feed-back*, c'est-à-dire un effort organisationnel soutenu pour recueillir de façon systématique de l'information sur son propre fonctionnement comme sur son environnement et, ainsi, mettre à profit sa propre expérience comme source principale d'ajustement. Lorsqu'elle adopte une telle orientation, l'organisation passe d'une gestion complaisante à une gestion de remise en question. Elle adopte des modèles et des pratiques où il devient non seulement acceptable mais aussi souhaitable de colliger de l'information concernant ses façons de faire, d'en discuter ouvertement et de se servir de ce matériau comme source principale de progression.

Dans ce sillage, on a vu progresser des pratiques dites d'organisation apprenante visant la mise en place d'un modèle alternatif de gestion. On reconnaît alors explicitement que les structures formelles de prise de décision ne constituent pas la seule source légitime de questionnement du fonctionnement organisationnel, mais qu'il s'avère souhaitable d'utiliser de façon systématique les outils de l'amélioration continue comme levier de développement organisationnel. En général, la méthodologie d'amélioration continue comporte les éléments suivants : l'implication des **acteurs organisationnels concernés** dans l'utilisation d'une **méthodologie rigoureuse** pour recueillir une **information pertinente** à la conduite d'un **échange transparent** visant l'amélioration des **processus organisationnels** permettant l'atteinte de **résultats** jugés **significatifs**.

Parmi les pratiques de gestion les plus fréquemment citées dans cet esprit, on reconnaît facilement les cercles de qualité, l'apprentissage par problèmes ou le *feed-back* 360°, qui permettent la mise à jour constante des pratiques organisationnelles et assurent le transfert des connaissances par la réévaluation continue de l'action de l'entreprise. Toutefois, les exigences de l'économie du savoir forcent les entreprises, et particulièrement les PME, à des pratiques beaucoup plus poussées sous ce rapport.

DES ORGANISATIONS FORCÉMENT PLUS SYSTÉMIQUES ET STRATÉGIQUES

Ces diverses tendances de gestion illustrent bien l'effort des milieux organisationnels pour renouveler à la fois la conception même de l'organisation et l'aménagement du travail. Il est clair que l'organisation ne peut plus être conçue comme une machine efficiente, comme le voulaient les penseurs de la révolution industrielle. L'accroissement de la complexité, l'accès direct à l'information et la fluidité des environnements forcent les organisations à mettre de côté la linéarité des décisions bureaucratiques et à jouer de façon plus dynamique et organique.

Contrairement à ce qu'on anticipait, gérer dans l'ère du savoir ne signifie pas posséder un contrôle total sur l'information, mais signifie au contraire gérer dans un environnement d'incertitude et de complexité accrue. Dans les entreprises de demain, les gestionnaires auront un accès illimité à l'information, mais il leur sera impossible de suivre dans le détail tout ce qui constitue la capacité concurrentielle d'une organisation. Les problèmes de gestion auxquels ils seront confrontés tiendront davantage au choix de l'information pertinente qu'à son accès. Le succès de la gestion sera donc lié à la qualité du sens que les gestionnaires donneront à l'information disponible, et la qualité des dirigeants sera liée à leur sophistication personnelle et à leur capacité à dialoguer et à interagir pour générer des décisions porteuses de sens pour tous. Le texte de Hafsi (dans le présent numéro) explore les déterminants de cette gestion de la complexité et la difficile conciliation entre la nécessité d'une direction claire et cohérente et le besoin d'autonomie de la gestion à chaque palier de l'organisation.

En définitive, la gestion des entreprises de demain devra accepter et concilier les paradoxes qui composent le paysage organisationnel. Ainsi, on reconnaît de plus en plus que le succès d'une organisation sera lié à la masse critique de ressources, d'expertises et de pratiques qui lui confère stabilité et impact, en même temps qu'à la flexibilité dont elle est capable pour ajuster constamment l'utilisation de ces ressources selon les besoins de son environnement. Mais comment allier masse critique et flexibilité? De même, pour réussir, l'entreprise devra offrir suffisamment de continuité et de vision pour mobiliser son personnel, tout en ne négligeant pas la souplesse nécessaire pour répondre aux fluctuations de l'environnement. Et comment concilier vision à long terme et souplesse?

Que seront les organisations et le travail de demain? Bien futé qui pourrait les décrire. Toutefois, l'analyse des différentes forces qui façonnent l'environnement organisationnel et des grands courants du monde de la gestion posent un cadre fécond pour alimenter la réflexion sur ces questions.

Références

Audet, M., *et al.*, *Vers un modèle stratégique de transformation et de critères d'aide à la décision*, rapport de recherche, CEFRIO, 1996, 356 pages. (accessible sur le site : http://www.cefrio.qc.ca/francais/publications/rapports/08.html)

Hawken, P., *The Next Economy*, Holt, Rinehart and Winston, 1983.

Jacob, R., *et al.*, *Vers un modèle stratégique de transformation et de critères d'aide à la décision*, CEFRIO, rapport de recherche, 1996, 356 pages.

Giddens, A., *The Consequences of Modernity*, Stanford University Press, 1991.

Giddens, A., *Modernity and Self-Identity*, Stanford University Press, 1991.

Les conditions qui accompagnent le changement stratégique

**Taïeb Hafsi, Francine Séguin
et Jean-Marie Toulouse**

46

L'environnement joue un rôle crucial dans le changement. Les attentes qu'il engendre à la fois chez les membres de l'organisation et chez tous ses sociétaires (*stakeholders*) conditionnent souvent sa conduite et peut-être même son succès. En particulier, l'environnement par son hétérogénéité et par sa turbulence accroît ou diminue les incertitudes qui sont perçues par tous les acteurs. Ainsi, un environnement dans lequel des mutations profondes sont en cours engendre beaucoup d'inquiétude et amène les personnes à réagir de manière plus prudente et plus circonspecte qu'elles ne le feraient habituellement. Cela peut accroître ou diminuer la résistance au changement selon le cas. Ainsi, au Québec, on a vu, depuis le milieu des années 1980, une volonté plus grande des syndicats à collaborer aux changements technologiques. En 1996, les employés du secteur public en Ontario se disent d'accord avec les restructurations proposées par le gouvernement provincial et acceptent même les réductions importantes de postes prévues. Ils veulent seulement rendre les départs moins douloureux pour les personnes.

En général, le contexte dans lequel le changement se fait, c'est-à-dire non seulement l'environnement général mais aussi l'environnement plus particulier de l'organisation, sa structure, ses systèmes de fonctionnement, en particulier les normes de récompenses et punitions, formalisées ou non, affectent de manière sensible la volonté de coopérer des personnes concernées, et donc la résistance au changement. Le contexte est constitué d'éléments sous le contrôle des gestionnaires mais aussi

Taïeb Hafsi et Francine Séguin sont professeurs à HEC Montréal.
Jean-Marie Toulouse est directeur de HEC Montréal.

Tiré de : Hafsi, T., Séguin, F., Toulouse, J.-M., *La stratégie des organisations : une synthèse*, Les éditions Transcontinental, 2000, p. 611-614. Reproduit avec permission.

d'éléments qui leur échappent. Ils peuvent tout de même travailler à l'infléchir dans une direction ou dans une autre, sauf que cela ne peut se faire qu'avec le temps, en expérimentant et en accumulant suffisamment d'information sur les réactions du système et donc sur les relations de cause à effet.

Plus l'organisation est grande, plus le changement devra être important, par sa profondeur et son envergure, pour modifier les caractéristiques et la performance organisationnelles. Ainsi, un changement des caractéristiques de General Electric est d'un ordre incomparablement plus important que celui qui est nécessaire à la modification d'une organisation comptant une seule activité ou une seule unité de production.

47

Même si la pertinence d'une telle dimension semble indiscutable pour comprendre le changement stratégique, il en va autrement pour sa définition. On retrouve en effet différentes façons de mesurer la taille organisationnelle, la plus habituelle étant le nombre d'employés. Mais on pourrait aussi utiliser la capacité physique (par exemple, la capacité de production d'une usine ou le nombre de lits d'un hôpital), le volume des extrants (par exemple, les ventes) ou les actifs. Quoi qu'il en soit, on réussit généralement à camper les extrémités d'un continuum relatif à la taille organisationnelle. Par exemple, on peut postuler qu'il existe des différences entre une méga-entreprise multinationale comme Exxon, avec ses activités intégrées, et une PME minuscule, qui vend de l'essence au détail dans une station-service.

Cependant, plus important, il faudrait pouvoir se demander à quels égards précisément Exxon est-elle différente de sa petite compétitrice? Comment la nature du changement peut-elle varier dans ces deux types de systèmes organisationnels? À ces questions, nous ne pouvons qu'offrir des réponses très incomplètes. Étant donné l'état actuel des connaissances, on ne peut que formuler quelques hypothèses relatives à l'effet de la taille organisationnelle sur la nature et la gestion du changement.

Une première leçon concerne la complexité organisationnelle. À la suite d'autres universitaires en gestion stratégique (Allaire & Hafsi, 1989), il faut constater l'absence de cadres conceptuels convaincants permettant une compréhension globale et complète de la complexité et de ses effets. Nous en sommes encore à une étape de description et de conceptualisation de situations complexes spécifiques. Toutefois, Ledford *et al.* (1989) suggèrent que les grandes organisations diffèrent des petites à divers égards. Notamment, il existe une corrélation positive entre la taille de l'organisation et son niveau de différenciation. Il semble donc que plusieurs organisations croissent en créant de nouveaux rôles et de nouvelles sous-unités. Il en résulte une plus grande complexité et la création de nouvelles structures pour répondre aux besoins de coordination et de communication. À cet égard, certains auteurs mentionnent la croissance du niveau de formalisation, de délégation des responsabilités, ainsi que des possibles économies administratives, ces dernières pouvant toutefois être annulées par les problèmes inhérents à la complexité administrative.

Les conséquences pour le changement semblent assez évidentes. D'une part, la stratégie de changement doit être suffisamment complexe pour correspondre au niveau de complexité organisationnelle. Plus l'organisation sera complexe, plus il sera difficile d'implanter un changement profond ou de grande envergure, qui touchera des valeurs critiques et qui atteindra un grand nombre de sous-unités et de sous-systèmes fortement différenciés. D'autre part, on comprendra aussi facilement les forces d'inertie souvent présentes dans les grandes organisations. Cela s'explique par la prolifération de pratiques et de procédures élaborées pour faciliter la coordination et assurer un certain équilibre organisationnel. Or, les habitudes prises avec ces pratiques et ces procédures constituent souvent d'importantes sources de résistance au changement.

Dans le même ordre d'idées, la croissance de la taille organisationnelle peut être reliée à son stade de développement. C'est ainsi que, comme le décrivait Chandler, la plupart des organisations modifient leur structure à mesure qu'elles évoluent, passant de simples petites structures fonctionnelles à des structures plus complexes, comme celles qu'on retrouve dans des entreprises fortement diversifiées (*holding)* ou multidivisionnelles. Ces caractéristiques organisationnelles auront évidemment un effet important sur la stratégie de changement. À titre d'exemple, une organisation diversifiée dans des secteurs d'activité fort différents aura avantage à privilégier une stratégie de changement décentralisée qui respectera l'autonomie de fonctionnement des diverses unités. À l'inverse, une stratégie de changement plus centralisée pourra s'avérer fructueuse auprès d'une équipe de direction responsable d'une grande entreprise ayant maintenu une structure fonctionnelle centralisée qui coordonnerait des opérations plus fortement intégrées.

Les recherches récentes révèlent également que les grandes organisations ayant un certain âge ont souvent développé des habitudes et créé des procédures standardisées, renforcées par le succès dans leur environnement respectif (Hambrick & Finkelstein, 1987). Dans de telles situations, un changement stratégique nécessite des interventions suffisamment puissantes pour amener les membres de l'organisation à remettre en question leurs connaissances et leur mode de fonctionnement. L'implantation de changements profonds risque de s'avérer difficile, puisque les postulants sous-jacents à ces pratiques organisationnelles risquent d'avoir graduellement sombré dans l'inconscient des membres de l'organisation.

De la même façon, comme cela a été évoqué précédemment, les grandes organisations, particulièrement celles qui ont connu du succès pendant des périodes prolongées, risquent d'avoir progressivement développé de fortes cultures organisationnelles (Peters & Waterman, 1983). Étant donné que ces fortes cultures reposent sur un ensemble partagé de normes, de critères décisionnels et de modes de fonctionnement, elles risquent par le fait même d'entraver les approches innovatrices ne s'intégrant pas dans ces cultures organisationnelles.

On observe également une relation positive entre la taille organisationnelle et son niveau de liberté stratégique, c'est-à-dire sa capacité à s'introduire dans de nouveaux marchés avec de nouveaux produits. Bien que cette liberté stratégique ne puisse jamais être totale même pour les très grandes entreprises (barrières à l'entrée, réglementations), on peut postuler que ces dernières auront tendance à s'ajuster aux modifications de l'environnement externe en changeant d'abord leur stratégie de marché plutôt que des caractéristiques de l'organisation elle-même.

Le même raisonnement pourrait s'appliquer lorsque l'on considère la capacité des organisations à modifier leur environnement. En effet, selon certaines théories relatives à la dépendance à l'égard des ressources, les organisations ne se contentent pas toujours de réagir passivement à leur environnement pour assurer leur survie (Pfeffer & Salancik, 1978). On observe au contraire certaines actions plus proactives visant à gérer cet environnement : acquisitions ou fusions avec des compétiteurs, des fournisseurs ou des clients (intégrations verticales ou horizontales), collaborations avec des compétiteurs (*joint ventures*) et même échanges de personnel clé entre organisations. Encore ici, il s'avère que ces possibilités s'offrent davantage aux grandes organisations ayant les ressources nécessaires (Aldrich, 1979). Pour illustrer ce principe, on observe par exemple que les grandes organisations américaines possèdent un pouvoir politique démesuré par rapport à leur contribution au PNB américain, ce pouvoir politique étant en grande partie basé sur leurs capacités de financer des activités de *lobbying* et des campagnes politiques. On peut donc postuler que la taille organisationnelle tend à augmenter la capacité à modifier l'environnement externe. Par conséquent, la taille risque de diminuer la tendance des organisations à apporter de profonds changements dans leurs caractéristiques organisationnelles.

Il faut mentionner aussi le rôle actif et fondamental que doivent assumer les membres de la haute direction ainsi que les cadres linéaires en ce qui concerne l'implantation d'un tel changement. Plus spécifiquement, on convient généralement qu'ils devraient non seulement être les principaux initiateurs du changement stratégique, mais qu'ils devraient également préciser la nature de ce dernier, son mode d'implantation ainsi que la répartition des responsabilités relatives à cette implantation. Étant donné que les cadres en place peuvent ne pas avoir les habiletés, l'énergie ou l'engagement nécessaires à une telle opération, on se retrouve parfois dans des situations où le recrutement externe s'impose. À cet égard, certaines études suggèrent que des cadres supérieurs recrutés à l'externe ont une propension trois fois plus grande que l'équipe en place pour procéder à des changements de grande envergure.

50 **Références**

Aldrich, H.E., *Organizations and Environment*, Prentice-Hall, 1979.

Allaire, Y., Hafsi, T., «Préface de la collection : La gestion stratégique dans les organisations complexes», dans T. Hafsi, C. Demers, *Le changement radical dans les organisations complexes*, Gaëtan Morin, 1989.

Hambrick D.C., Finkelstein, S., «Managerial discretion: A bridge between polar views on organizations», dans Staw, B., Cummings, L.L. (dir.), *Research in Organizational Behavior*, vol. 9, JAI, 1987, p 369-406.

Ledford *et al.*, Conference paper, dans A.E. Mohrman, G. Lawler, S. Ledford et T. Cummings, *Large-Scale Organization Change*, Jossey-Bass, 1989.

Peters, T., Waterman, R., *Le prix de l'excellence*, Interéditions, 1983.

Pfeffer, J., Salancik, G.R., *The External Control of Organizations: A Resource Dependence Perspective*, Harper & Row, 1978.

LES PROCESSUS DE TRANSFORMATION – COMMENT Y ARRIVER?

De la gestion du changement à la capacité de changer.

L'évolution de la recherche sur le changement organisationnel de 1945 à aujourd'hui

Christiane Demers

Quiconque s'est intéressé au changement organisationnel au cours des dernières années n'a pu que constater la quantité phénoménale d'articles et de livres consacrés à ce sujet. Un survol de cette documentation donne l'impression d'une grande fragmentation, à cause de la diversité du vocabulaire et des modèles employés, mais suscite également un sentiment de déjà vu, car sous des mots différents se cachent souvent des notions très apparentées. Cet article tente de mettre un peu d'ordre dans ce vaste corpus de recherche; son objectif est de présenter les principales théories sur le changement organisationnel et stratégique dans une perspective historique.

Il est intéressant de regarder l'évolution de la recherche sur le changement organisationnel car une telle démarche permet de voir les liens entre la transformation de l'environnement et les modifications importantes que la pensée sur le changement a connues au fil du temps. Cette approche permet également de voir que les écoles de pensée supposément nouvelles sont en fait profondément enracinées dans le passé. En nous éclairant sur les relations qui existent entre les différentes théories, elle nous aide à mieux les comprendre et à nous situer par rapport à elles en tant que praticiens. En effet, comme chaque grand courant de pensée soulève des questions différentes pour la pratique, un tel survol permet au gestionnaire de réfléchir à la pertinence des interrogations qui guident son action.

Pour simplifier la présentation, nous découperons la recherche en trois grandes périodes. La première, débutant après la Seconde Guerre mondiale, insiste sur la croissance et l'adaptation. La seconde, qui se

---

Christiane Demers est professeure à HEC Montréal.

développe à la fin des années 1970, est davantage préoccupée par la mort et la transformation organisationnelles. Enfin, la période actuelle, qui commence à la fin des années 1980, a comme thèmes principaux l'apprentissage et l'évolution. Ce découpage permet de voir que derrière l'apparente fragmentation des écrits sur le changement dans les organisations, deux visions fort différentes se cachent. La première met l'accent sur la gestion du changement organisationnel, tandis que la seconde traite de la gestion de la capacité à changer des organisations.

Dans les pages qui suivent, nous présenterons chaque période en décrivant brièvement le contexte socio-économique qui l'accompagne. Ensuite, pour chacune des périodes, nous décrirons les principales perspectives théoriques en mettant en relief la façon dont elles répondent aux questions suivantes : pourquoi les organisations changent-elles (ou les organisations changent-elles vraiment, et pourquoi?); qu'est-ce que le changement organisationnel (ou qu'est-ce qui change)?; comment les organisations changent-elles? Enfin, la contribution de la recherche de chaque période pour la pratique sera discutée.

PREMIÈRE PÉRIODE : CROISSANCE ET ADAPTATION

Les années glorieuses d'après-guerre sont caractérisées par une croissance phénoménale et une grande stabilité économique qui se poursuivent jusqu'au milieu des années 1970. Socialement et politiquement, cette période est celle où les préoccupations pour les droits de l'homme et la démocratie prennent la première place en Occident, sans doute en réaction aux tragédies qui ont accompagné la Seconde Guerre mondiale. C'est l'époque de la contre-culture, de mai 1968. La libéralisation des mœurs combinée à l'abondance créent le sentiment que tout est possible.

Durant cette période, le changement organisationnel est défini en termes de développement organisationnel, de croissance (Starbuck, 1965) et d'adaptation (Thompson, 1967). L'impression qui se dégage du courant dominant dans la recherche est que changement est synonyme de progrès. Le changement est conçu comme un processus graduel de développement induit par la nature même de l'organisation. Cette adaptation progressive est menée par un dirigeant rationnel, en réaction à un environnement relativement prévisible et, somme toute, favorable. L'organisation est vue comme un système en équilibre où l'accent est mis sur la structure et sur les systèmes formels. L'image de l'organisation qui est véhiculée est celle d'un ensemble modulaire comparable à un jeu de Lego, qu'il est possible de remodeler en ajoutant ou en déplaçant des blocs. Dans cette vision, l'organisation est un instrument malléable entre les mains des dirigeants. Les approches qui sont les plus représentatives de cette époque sont les théories de la croissance (Haire, 1959; Penrose, 1959), la théorie du cycle de vie (Moore, 1959; Whyte, 1961), la théorie de la contingence (Burns, Stalker, 1961; Thompson, 1967) et le développement organisationnel (Chin, Benne, 1990; Bennis, 1969).

Les théories de la croissance telles que celle de Penrose (1959) font de celle-ci une tendance naturelle des organisations qui s'explique par la quête continue des gestionnaires pour la maximisation des profits. Dans cette perspective, la croissance est dépendante de la disponibilité des ressources managériales et l'accent est mis sur l'augmentation graduelle de la taille de l'organisation et sur les modifications que cette augmentation fait subir à la structure organisationnelle. Le changement organisationnel équivaut donc à une complexification du fonctionnement organisationnel, mais le processus qui mène à ce résultat n'est pas analysé. Les théoriciens du cycle de vie se sont aussi intéressés à l'évolution de la structure organisationnelle. S'inspirant de la métaphore biologique, ils conçoivent l'organisation comme un organisme vivant, et la croissance comme un phénomène naturel correspondant à sa logique interne. L'organisation se différencie et se complexifie graduellement, passant du stade entrepreneurial, où elle est simple et centralisée, au stade de maturité où elle est décentralisée et diversifiée. Le changement est donc progressif, même si le passage d'une étape à une autre peut être difficile. Le rôle du dirigeant est justement de faciliter cette transition, mais celle-ci n'est pas étudiée. Fait à noter, le vieillissement (ou le déclin) et la mort de l'organisation ne font pas partie des étapes du cycle de vie à cette époque[1].

La théorie de la contingence, qui a vu le jour dans les années 1960 et a connu son apogée au début des années 1970, est en fait une théorie de l'adaptation. En effet, selon cette théorie qui conçoit l'organisation comme un système ouvert, la survie et la performance organisationnelles dépendent de la cohérence entre les caractéristiques d'un environnement donné et les caractéristiques de l'organisation. Dans cette perspective, le rôle du dirigeant est d'adapter l'organisation (sa stratégie, ses structures et ses systèmes) aux exigences de l'environnement. Par exemple, un environnement stable nécessitera une structure centralisée et bureaucratique où règne l'efficience, tandis qu'un environnement turbulent exigera une structure décentralisée et flexible qui favorise l'innovation. Compte tenu des modifications dans l'environnement, le dirigeant doit donc graduellement et continuellement ajuster son organisation. Cependant, à l'exception des célèbres études de Chandler (1962) sur DuPont, Sears & Roebuck, Standard Oil et General Motors, qui décrivent en détail le passage de ces organisations de la structure fonctionnelle à la structure multidivisionnelle, ces travaux ne traitent pas du processus de changement de façon explicite.

Le développement organisationnel, qui a émergé durant cette période, est l'approche qui est la plus directement identifiée au changement organisationnel dans l'esprit des gens. Toutefois, les écrits sur ce sujet ont un statut particulier dans le domaine parce qu'ils sont normatifs plutôt que descriptifs. Alors que les autres approches dont il est question dans ce texte tentent de comprendre pourquoi et comment se fait le changement organisationnel, la recherche sur le développement organisationnel (ou changement planifié) s'intéresse davantage à développer des modèles qui expliquent pourquoi et comment le changement organisationnel «devrait» se faire. Cette approche propose en fait des modèles d'intervention plutôt que des théories du changement. En accord avec les tendances des années 1960, elle présente une conception de l'évolution organisationnelle propre à l'école des relations humaines (Mayo, Lewin, McGregor, etc.), c'est-à-dire basée sur des valeurs de participation et de consensus. Dans cette perspective, les initiatives de changement planifiées par la direction visent à améliorer graduellement la qualité de vie organisationnelle, la satisfaction des employés devant mener à une meilleure performance organisationnelle. Toutefois, il n'y a eu que peu d'études systématiques de ces initiatives de changement et de leurs résultats (Boucher, 1995).

55

En résumé, la recherche de cette période est caractérisée par une conception positive du changement organisationnel, celui-ci étant associé au progrès, à la croissance et au développement des organisations. Le processus de changement implicite dans ces théories est essentiellement graduel et continu. Le courant dominant de cette époque adopte une vision rationaliste et volontariste du changement, qui est conçu comme une réponse intentionnelle des dirigeants aux exigences internes et/ou externes. L'image de l'organisation qui est véhiculée par la majorité des auteurs est celle d'un instrument contrôlé par les dirigeants. Ceux-ci peuvent ajuster la stratégie, la structure et les systèmes de façon graduelle afin de les adapter à la croissance dans un environnement relativement prévisible. Toutefois, il n'y a eu que très peu d'études décrivant le processus de changement lui-même.

Finalement, les approches de cette période se sont beaucoup plus intéressées au «quoi», c'est-à-dire aux structures, aux systèmes et aux stratégies qui changent, qu'au «comment», c'est-à-dire à la dynamique du changement. Le changement y est essentiellement défini comme une différence, par exemple entre la structure bureaucratique et la structure organique, et on évalue son efficacité par son influence sur la performance. Bien qu'elles supposent un processus graduel et continu de changement, ces théories n'en ont pas décrit les particularités.

Leur utilité pour la pratique est surtout au niveau de la formulation. En effet, elles aident à répondre à la question : que change-t-on pour réussir? Elles fournissent des typologies associant environnement, structure et stratégie en fonction de leur cohérence. L'entreprise typique de cette époque poursuit une stratégie de croissance, soit par expansion géographique soit par diversification, et doit éventuellement adapter sa structure à la complexité de ses opérations. Dans la foulée des pionnières telles les DuPont et GM, dans les années 1950, les plus grandes multinationales diversifiées passent de la structure fonctionnelle à la structure multidivisionnelle (Chandler, 1962). Au Québec, Hydro-Québec, suite à la nationalisation de 1963 qui en fait un monopole provincial et double la taille de ses opérations, adopte une structure fonctionnelle par régions pour être efficace dans un contexte de forte croissance (Hafsi, Demers, 1989). En un sens, la perspective de la recherche de cette période est celle d'un observateur qui voit le changement de l'extérieur. Elle s'apparente par exemple au point de vue du consultant qui, en comparant l'entreprise à ses concurrentes, peut faire un diagnostic et des recommandations sur le type de changement à entreprendre.

La principale exception dans ce courant dominant est le développement organisationnel, qui s'intéresse au «comment» et propose des stratégies d'intervention. Cependant, les changements discutés à cette époque par cette approche sont relativement modestes dans leur envergure et touchent surtout la base de l'organisation, notamment l'équipe de travail, avec une attention particulière aux cadres de premier niveau.

Avant de passer à la période suivante, il faut mentionner l'existence d'un courant alternatif parce qu'il a des influences sur les développements plus récents. Il se distingue de la perspective dominante, non pas par sa conception du processus de changement qui, là encore, est vu comme essentiellement graduel et continu, mais par sa vision du rôle des dirigeants dans le changement. Pour les tenants de la théorie behaviorale de la firme (Cyert, March, 1963) et de la théorie de l'incrémentalisme disjoint (Braybrooke, Lindbloom, 1963), les plus représentatifs de cette seconde perspective, l'organisation, plutôt qu'un instrument dans les mains des dirigeants, est une arène politique ou un système contraint par sa logique interne. Dans ces conditions, l'adaptation n'est pas le produit d'une démarche rationnelle planifiée par les dirigeants, mais plutôt le résultat d'un processus organisationnel émergent ou de négociations qui échappent en partie aux dirigeants.

Mais qu'elle soit planifiée ou émergente, l'adaptation est à cette époque conçue comme un processus graduel, ce qui est cohérent avec la stabilité et surtout avec la prévisibilité relatives du contexte. Comme on va le voir, cette image du changement est fortement ébranlée lors de la deuxième période.

DEUXIÈME PÉRIODE : MORT OU TRANSFORMATION

La période d'expansion et de stabilité économiques s'achève au milieu des années 1970 avec une récession occasionnée, en grande partie, par la crise du pétrole de 1973. Cette période de turbulence est accentuée par une seconde crise du pétrole à la fin des années 1970 et par l'arrivée en force, au début des années 1980, de nouveaux concurrents sur la scène internationale. Pour la première fois depuis la Seconde Guerre mondiale, la domination économique des États-Unis est remise en question.

Le choc brutal causé par la décroissance et le succès de la concurrence asiatique provoque, d'une part, une remise en question du modèle américain. D'autre part, la récession ayant entraîné des déficits gouvernementaux importants, les questions économiques sont au cœur des débats de société. Les gouvernements se questionnent sur leurs politiques et leurs modes de fonctionnement. C'est l'époque de la libéralisation des marchés, qui conduit entre autres aux premières privatisations de sociétés d'État et aux premières restructurations des appareils gouvernementaux dans une logique de réduction des coûts et d'augmentation de la compétitivité. Alors que la période d'après-guerre était celle de la contre-culture et des droits de l'homme, celle-ci est l'ère de l'économique et de la loi du marché.

C'est durant cette période de grands bouleversements qu'émergent des théories qui définissent le changement comme processus discontinu et révolutionnaire (Allaire, Firsirotu, 1985; Hedberg, Jönsson, 1977-78). L'image qui se dégage de la recherche est que le changement est un événement dramatique, une crise dans la vie d'une organisation. Le changement est conçu comme un processus radical de mutation mené par des dirigeants héroïques qui agissent simultanément sur la culture, la stratégie et la structure d'une organisation afin de la transformer de façon significative. Cette transformation, qui vise à repositionner l'organisation dans un environnement ayant changé de façon soudaine et imprévue, est vue comme très coûteuse et difficile à réaliser. En effet, contrairement à l'instrument malléable de la période précédente, l'organisation est maintenant conçue comme une *Gestalt*, c'est-à-dire comme une configuration fortement intégrée, dotée d'une grande force de résistance aux changements majeurs.

Les approches qui sont les plus représentatives de cette période sont l'écologie des populations (Hannan, Freeman, 1984; Singh *et al.*, 1986), l'approche configurationnelle (Miller, Friesen, 1984; Greenwood, Hinings, 1988), les théories culturelle et cognitive (Schein, 1985; Bartunek, 1984), et enfin la théorie de l'équilibre ponctué (Tushman, Romanelli, 1985).

Les théoriciens de l'écologie des populations (Hannan, Freeman, 1984) affirment que la principale cause de changement dans la nature des organisations n'est pas le renouvellement des organisations existantes, mais leur remplacement par de nouvelles organisations mieux adaptées. Selon eux, l'inertie des organisations limite considérablement l'action des dirigeants, et le processus de sélection environnementale serait le principal mécanisme de changement. Ils vont même jusqu'à dire que le changement radical mènerait plus souvent à la mort de l'organisation qu'à sa transformation. Toutefois, ces chercheurs ayant étudié des populations d'organisations, ils ne se sont pas intéressés au cas particulier des organisations, peu nombreuses, qui réussissent à se transformer.

Ce sont ces organisations qu'ont observées les auteurs qui s'intéressent au changement stratégique. Ces derniers développent la perspective configurationnelle qui remet en question la perspective d'adaptation graduelle de la période précédente (Miller, Friesen, 1984; Greenwood, Hinings, 1988). Bien qu'ils partagent avec les théoriciens de l'écologie des populations une vision de l'organisation comme configuration fortement intégrée, ils mettent l'accent sur les actions entreprises par les dirigeants-stratèges qui arrivent à réaliser des transformations radicales ou changements d'archétype. Selon Miller et Friesen (1984), le changement radical, c'est-à-dire un changement global et rapide plutôt que graduel et à la pièce, serait nécessaire afin de briser l'inertie, de minimiser les risques d'incohérence et de réduire les coûts liés au passage d'une configuration à une autre. À cause du risque inhérent qu'il présente, un tel changement serait très rare et initié par les dirigeants uniquement dans des situations de crise. Les actions des dirigeants dans ce contexte seraient des décisions très visibles de niveau stratégique (fusion et acquisition, désinvestissement, diversification) et/ou organisationnel (réorganisation, *downsizing*, révision des modes de promotion et de rémunération, etc.).

L'approche du changement radical est également renforcée par les théories culturelle et cognitive, populaires dans les années 1980, qui proposent une vision plus large et plus riche du changement organisationnel. Le changement n'est plus conçu comme étant uniquement stratégique et structurel, il est également culturel (Schein, 1985) et cognitif (Bartunek, 1984). Or, puisque le changement culturel et cognitif majeur est défini comme une conversion à une nouvelle vision du monde, la rupture est perçue comme inévitable (Gersick, 1991). En effet, selon les théoriciens de cette approche, toute transformation significative de nos valeurs et de nos croyances entraîne une période de discontinuité très insécurisante et douloureuse à vivre pour les individus, ce qui fait que le changement majeur serait radical par définition. Une dimension symbolique s'ajoute alors à l'action des dirigeants, qui deviennent les architectes de la vision stratégique et les leaders charismatiques qui vont donner un sens à cette vision pour qu'elle devienne réalité.

Finalement, la théorie de l'équilibre ponctué élabore une vision de l'évolution organisationnelle qui intègre la vision du changement des deux périodes. L'évolution organisationnelle serait caractérisée par de longues périodes de stabilité pendant lesquelles le changement serait graduel et convergerait avec la direction établie. Ces périodes de convergence seraient ponctuées par de courtes périodes de crise, généralement dues à des changements dans l'environnement, durant lesquelles une nouvelle équipe de direction ferait des changements abrupts et divergents (incompatibles avec l'orientation précédente) menant à une réorientation.

En résumé, la recherche sur le changement de cette période est caractérisée par l'émergence d'une conception dramatique et plutôt négative du changement, puisque celui-ci est associé à la crise ou à la mort organisationnelle. Le processus de changement décrit par ces théories est radical et discontinu. La vision dominante de cette époque est rationaliste et volontariste, le changement radical étant conçu comme une réponse délibérée des dirigeants à une crise réelle ou anticipée. Bien que l'organisation ne soit pas vue comme un instrument facile à manipuler, l'image véhiculée est celle de dirigeants visionnaires, capables de concevoir une nouvelle architecture organisationnelle et de la réaliser. Toutefois, selon les théoriciens de l'écologie des populations, ces cas seraient rares, car les grandes organisations bien établies seraient trop inertes pour que les dirigeants arrivent à les transformer assez rapidement pour satisfaire aux exigences d'un environnement turbulent.

Finalement, les approches de cette deuxième période se sont intéressées au «comment faire le changement», mais surtout en examinant les grands leviers sur lesquels agissent les dirigeants, notamment la restructuration et la réorientation stratégique. Le changement y est essentiellement défini comme un événement, c'est-à-dire comme ayant un début marqué par des gestes dramatiques posés par de nouveaux dirigeants et une fin signalée par un retour à l'équilibre.

L'utilité de ces approches pour la pratique vient surtout du fait qu'elles offrent une vision plus riche des outils de changement

59

disponibles, aidant à répondre à la question : comment fait-on un changement? Ces théories s'intéressent non seulement à la gestion de la structure et à la stratégie de façon formelle et tangible, mais attirent également l'attention sur les dimensions cognitives et culturelles, incitant les dirigeants à s'intéresser à la gestion du sens. En effet, la réussite d'une transformation radicale nécessiterait non seulement une gestion rationnelle mais également symbolique, faisant appel tout autant aux émotions qu'à la rationalité des gens. Le premier exemple qui vient à l'esprit est celui du redressement de Chrysler sous la direction de Lee Iaccoca. Ce dernier a réduit son salaire à un dollar pour signaler qu'il était prêt à participer aux sacrifices que devaient faire tous les employés (Hafsi, Piffault, 1985). Plus près de nous, au début des années 1980, Hydro-Québec, en prévision d'une baisse de la croissance, a vécu une transformation majeure sous la gouverne de Guy Coulombe. Pour bien marquer son intention de faire prendre le virage commercial au «constructeur de barrages», celui-ci a reporté, pour un temps indéterminé, toute nouvelle construction et a radié pour plus de $200 millions de frais d'études de projets jugés inutiles (Demers, 1990). Comme le soulignent ces exemples, la perspective adoptée ici est celle du dirigeant au sommet qui voit le changement d'en haut.

Cette période possède aussi son courant alternatif, en continuité avec celui de la période précédente. Les approches qui en sont les plus représentatives sont la théorie de l'incrémentalisme (Quinn, 1978; Johnson, 1988), la théorie de la formation de la stratégie (Mintzberg, Waters, 1985; Pascale, 1984), la théorie politique (Pettigrew, 1977), la théorie néo-institutionnelle (Di Maggio, Powell, 1983) et la théorie de l'intrapreneurship (Burgelman, Sayles, 1987; Kanter, 1984). Ce courant alternatif se distingue par la place qu'il donne au processus émergent (par opposition au processus planifié) dans la transformation stratégique. Contrairement au modèle dominant, qui est basé sur la présence du leader visionnaire, ce modèle postule que le dirigeant ne sait pas de façon précise où l'entreprise doit aller, ou qu'il est limité dans sa capacité à mettre en œuvre sa stratégie par la politique interne ou par les pressions de l'environnement institutionnel. Dans ce cas, la vision se précise en cours de route grâce à l'expérimentation à petite échelle. Le changement stratégique émerge des initiatives de la base et des négociations entre sous-groupes et avec les groupes de pression externes. Dans cette perspective, le changement radical est souvent vu comme l'officialisation (ou la rationalisation) après coup d'une démarche graduelle qui n'était pas planifiée au départ. Cette approche, relativement marginale durant les années 1980, prépare le terrain pour la troisième période qui propose une vision fort différente du changement.

TROISIÈME PÉRIODE : APPRENTISSAGE ET ÉVOLUTION

À la fin des années 1980, la succession des crises de toutes natures commence à éroder la confiance en un éventuel retour de la stabilité. Alors que pendant les années 1980, le changement était vu comme un événement dramatique et rare, au début des années 1990, on a le sentiment que la seule chose qui est prévisible, c'est le changement. La mondialisation des marchés, rendue possible entre autres par l'avènement des nouvelles technologies de communication, entraîne une accélération des cycles économiques poussée par une concurrence accrue. La turbulence et l'imprévisibilité semblent être là pour rester.

La transformation de l'économie mondiale entraîne des vagues de mises à pied et la précarisation du travail, et cela dans un contexte de démantèlement de l'État-providence. Les débats sur le phénomène de l'exclusion sociale se font plus fréquents et on s'interroge sur les conséquences de la fragmentation de la société. Par ailleurs, l'ampleur prise par le travail autonome et l'entrepreneuriat suggère que de plus en plus de gens prennent en main, sur une base individuelle, leur insertion sur le marché du travail.

C'est dans ce contexte que l'on voit apparaître une nouvelle façon de concevoir le changement organisationnel. Celui-ci est de plus en plus défini par l'apprentissage et l'innovation (Nonaka, 1994) et par l'évolution (Burgelman, 1996). Au sentiment de crise fait place un sentiment de «résignation optimiste» : le changement n'est plus un événement rare et bouleversant, mais une réalité quotidienne. Le changement est vu comme un processus continu d'apprentissage qui permet l'innovation. Dans cette perspective intégrative, le changement peut être incrémental ou radical, mais c'est plutôt le caractère proactif ou réactif du processus qui est mis en évidence. Il n'est pas ici uniquement question de s'adapter à son environnement ou de réagir à une situation de crise, mais d'inventer le futur grâce à l'innovation qui permet le renouvellement organisationnel.

Au lieu d'être uniquement planifié et initié par un dirigeant rationnel au sommet, le changement est l'affaire de tous les membres de l'organisation, et cela pas seulement parce que les contraintes politiques et organisationnelles limitent la capacité d'action du dirigeant, mais parce que l'imprévisibilité de l'environnement rend la programmation du changement très difficile et que l'on valorise la flexibilité que donnent une foule d'initiatives locales nécessaires. Cette nouvelle conception du changement réhabilite le rôle des membres de l'organisation, qui ne sont plus vus principalement comme utilisant leur marge de manœuvre pour résister au changement décrété par la direction. Ils deviennent des initiateurs de changement ayant un projet qui peut être utile pour l'organisation. Le dirigeant devient un agent de changement parmi d'autres, qui a certes plus de pouvoir que les autres; cependant, son pouvoir lui sert à faciliter le changement plutôt qu'à le contrôler. L'organisation aussi est conçue de façon différente. Elle n'est plus une architecture, avec ce que cela implique de stabilité et d'inertie, mais plutôt un arrangement sans cesse renouvelé au gré des projets et des besoins.

Les perspectives les plus représentatives de la période actuelle sont les théories de l'apprentissage (Glynn, Lant, Milliken, 1994; Nonaka, 1994), les théories évolutionnistes (Burgelman, 1996), les théories de la complexité, particulièrement la théorie du chaos (Stacey, 1995; Thiétart, 1993) et les autres approches constructivistes, notamment celles qui sont inspirées du structurationnisme (Orlikowski, 1996; Tenkasi, Boland, 1993). Elles reprennent des éléments des périodes précédentes, mais leur façon de les amalgamer fait en sorte qu'elles donnent une vision très différente du changement.

Les théories de l'apprentissage organisationnel et les théories évolutionnistes sont en fait des courants qui, jusque-là plutôt marginaux dans la recherche sur le changement, prennent maintenant l'avant-scène. En effet, dans les années 1960, des auteurs comme Cyert et March (1963) définissaient les organisations comme des systèmes qui s'adaptent en apprenant et mettaient l'accent sur le fait que les processus stables des organisations produisaient du changement de façon continue. Dans une perspective cognitiviste, Argyris et Schön (1978) mettaient l'accent sur l'apprentissage comme changement de structures mentales. Ils distinguaient entre l'apprentissage en boucle simple (apprendre à mieux faire ce que l'on fait déjà) et l'apprentissage en boucle double (apprendre à faire différemment).

Or, dans les années 1990, l'apprentissage organisationnel prend une place centrale avec la popularisation, par exemple, de la notion d'organisation apprenante. Une telle perspective met en évidence le caractère continu du changement. Tout en étant conçu comme une réaction naturelle d'adaptation, celui-ci est aussi vu comme un phénomène émergent et proactif. Dans ce cadre, les organisations changent parce qu'elles réagissent à leur contexte, mais aussi de façon inattendue par un processus d'expérimentation qui produit des innovations. L'apprentissage est conçu à la fois comme résultant d'un changement cognitif (on apprend en réfléchissant) et comme résultant de l'action (on apprend en faisant). Alors que la première conception, plus mentaliste, met l'accent sur la planification et la formation, la seconde, plus comportementale, met en lumière l'expérimentation dans l'action grâce à un processus d'essai et d'erreur. Cette intégration des deux perspectives sur l'apprentissage attire l'attention sur le lien entre cognition et action, entre théorie et pratique. Elle marque l'importance dans le changement du transfert des connaissances entre les individus, les groupes et l'organisation et distingue, dans ce transfert, le caractère explicite (capable d'être articulé verbalement) ou tacite (se révélant uniquement dans la pratique) des savoirs. Le changement y est donc conçu comme un processus quotidien de création de connaissance qui nécessite un va-et-vient entre l'individuel et le collectif et entre l'explicite et le tacite. Le rôle de la direction serait de faciliter le passage rapide entre les différents modes de création de connaissance (Baumard, 1996). À cause de sa grande complexité, ce processus est impossible à contrôler complètement et il ne produit pas uniquement des changements réactifs mais également des innovations proactives. Enfin, un tel modèle du changement met en évidence le rôle des autres acteurs dans l'organisation, particulièrement celui des cadres intermédiaires (Nonaka, 1988).

L'approche évolutionniste est, elle aussi, une perspective déjà connue qui gagne en popularité dans les années 1990. Cette approche est basée sur le modèle biologique de l'évolution des espèces décrit comme un cycle de variation, sélection et rétention, modèle qui est ici transposé aux systèmes sociaux. Ainsi, l'évolution organisationnelle pourrait s'expliquer par l'émergence aléatoire ou programmée d'éléments nouveaux (variation) dont certains seraient choisis, intentionnellement ou non, et donc expérimentés dans l'organisation (sélection). Ensuite, compte tenu des résultats de cette expérience, quelques-unes de ces nouveautés seraient institutionnalisées (rétention). Dans la recherche sur le changement, l'approche évolutionniste trouve son ancrage à la fois dans les travaux de Weick (1969), un psychologue qui l'a utilisée pour décrire le processus d'organisation, et dans les travaux de Nelson et Winter (1982), qui l'utilisent pour expliquer l'innovation technologique.

Une telle perspective sur le changement met l'accent sur le fait que coexistent dans l'organisation des mécanismes qui maintiennent la stabilité organisationnelle (rétention) et d'autres qui amènent de la nouveauté (variation). Les auteurs représentatifs de ce courant voient donc la stabilité et le changement comme des courants parallèles dans l'organisation. Ils mettent en lumière les caractéristiques des différents processus de variation (programmé ou spontané), de sélection (critères et mécanismes formels ou informels) et de rétention (socialisation ou codification), et examinent l'interaction entre ces processus. Cette approche envisage donc le changement organisationnel comme une dynamique qui est à la fois programmée et spontanée (Leroy, Ramanantsoa, 1996). De plus, elle explore l'apport spécifique de différents membres de l'organisation (les dirigeants au sommet, les gestionnaires au milieu, les gens proches du terrain) dans le changement.

Finalement, la théorie de la complexité et les approches inspirées du structurationnisme ont été introduites plus récemment dans la recherche sur le changement. Les théories de la complexité (Waldrop, 1992) s'intéressent à modéliser le comportement des systèmes complexes, c'est-à-dire des systèmes dynamiques non linéaires qui, comme les organisations, oscillent entre ordre et désordre. Les approches structurationnistes (Éraly, 1988), pour leur part, conçoivent l'organisation comme une construction sociale, résultant d'un processus d'interaction qui reproduit et modifie à la fois les propriétés organisationnelles et les comportements des acteurs. Dans les deux cas, il s'agit en fait de courants aux contours flous qui regroupent plusieurs variantes. Dans les paragraphes qui suivent, nous montrerons en quoi ils modifient notre façon de concevoir le changement en présentant la théorie du chaos, qui est celle à laquelle on fait le plus référence lorsqu'on parle de théorie de la complexité.

Comme l'approche évolutionniste, qui met l'accent sur la coexistence de la stabilité et du changement dans l'organisation, la théorie du chaos suggère que l'organisation oscille entre ordre et désordre. Cette théorie a d'abord été développée pour rendre compte de phénomènes naturels qui sont complexes et imprévisibles à long terme. Selon les adeptes de la théorie du chaos, les organisations, comme les phénomènes météorologiques, sont des systèmes dynamiques non linéaires, c'est-à-dire qu'ils sont gouvernés par des relations entre variables qui s'enchaînent dans le temps et interagissent les unes avec les autres. Ces interactions, qui produisent des boucles de rétroaction négative (qui amène le système loin de l'équilibre) et de rétroaction positive (qui le ramène à l'équilibre), font que de petites variations peuvent, avec le temps, avoir de grands effets (Thiétart, 1993). Compte tenu de ces boucles de rétroaction, un système en apparence simple montre des comportements complexes et impossibles à prévoir à long terme. La compréhension des relations de cause à effet n'est donc possible que pour de petits changements, et ce, pendant une courte période. Le sens donné à la distinction entre changement radical et changement incrémental est ici très spécifique. De grands changements peuvent être atténués par les boucles de rétroaction pour ne produire que de petits effets, alors que de petits changements peuvent transformer le système au fil du temps. Un tel modèle peut aider à comprendre pourquoi certains grands changements, comme des programmes de réingénierie des processus, ne donnent pas les résultats escomptés, alors que des changements aux ambitions plus modestes, comme un déménagement, peuvent avoir des effets importants.

Un autre aspect que cette approche fait ressortir est l'arbitrage entre ordre et désordre. Dans les approches traditionnelles du changement, l'ordre ou le retour à l'équilibre est vu comme l'objectif de tout changement organisationnel, et le désordre est vu comme un état à éviter. Pour la théorie du chaos, trop d'ordre et trop de désordre entraînent la mort de l'organisation par inertie ou par entropie. Dans un système dynamique non linéaire, la coexistence de poches de stabilité et de chaos permet le renouvellement par l'auto-organisation (Stacey, 1995). Le changement est donc conçu comme un phénomène naturel et la coexistence de l'ordre et du désordre non pas comme un mal inévitable, mais comme une source d'innovation. Le chaos permet la découverte (Cheng, Van de Ven, 1996).

Enfin, dans les études inspirées du structurationnisme, le changement organisationnel est inhérent à l'activité humaine au quotidien. L'organisation est envisagée de façon dynamique, c'est-à-dire non pas comme une entité, mais comme un processus d'interaction qui reproduit et modifie à la fois les propriétés organisationnelles et les pratiques des acteurs (Ford, Ford, 1995). Les membres de l'organisation sont à la fois contraints et habilités par les propriétés organisationnelles qu'ils ont collectivement contribué à créer. Les propriétés donnent à tous une marge de manœuvre, mais une marge de manœuvre plus ou moins limitée. Par ailleurs, ces propriétés organisationnelles ne continuent d'exister que si elles sont mobilisées dans l'action : une structure qui n'existe que sur papier disparaît. C'est donc dire que chaque interaction est l'occasion pour les membres de l'organisation de faire du changement, intentionnellement ou non (Orlikowski, 1996).

Un tel modèle du changement éclaire le va-et-vient entre les pratiques des individus et des groupes et les propriétés de niveau organisationnel. Il ne privilégie donc pas un type de changement particulier (planifié ou émergent, radical ou incrémental), mais permet de comprendre chacun comme participant à une dynamique organisationnelle particulière. Il met le processus de traduction au cœur du changement organisationnel. En effet, une vision stratégique doit être traduite en termes plus concrets si elle veut être réalisée dans l'action. De la même façon, toute initiative locale doit éventuellement être traduite en termes plus généraux pour être diffusée au niveau organisationnel. L'étude de ce processus de traduction révèle le rôle joué par différents types de conversation dans le changement (Ford, Ford, 1995). Il souligne aussi l'existence de différents agents de changement dans l'organisation et de pratiques différenciées des acteurs selon leur situation (définie par leur lieu d'appartenance, leur statut hiérarchique, leur accès au pouvoir et aux ressources).

En résumé, la recherche actuelle est caractérisée par sa conception intégrative du changement organisationnel. Le changement fait partie de la réalité quotidienne des organisations. Peu importe qu'il soit

65

incrémental ou radical, il est toujours considéré dans la longue durée, dans le contexte de l'évolution organisationnelle. En fait, la problématique qui est mise en évidence est celle de la continuité dans le changement et, inversement, du mouvement dans la continuité. Le changement est conçu à la fois comme délibéré et émergent. Il peut être planifié mais sa mise en œuvre échappe toujours en partie au contrôle de la direction. L'image véhiculée est celle d'un système qui balance entre l'inertie et le chaos. Les gestionnaires y sont des acteurs parmi d'autres qui tous, chacun selon leurs projets, leurs capacités et leurs ressources, contribuent à la fois à la stabilité et au changement organisationnels.

Finalement, les approches de cette troisième période s'intéressent simultanément au «quoi», au «comment» et au «pourquoi» du changement. Parce qu'elles examinent l'évolution des organisations au cours de longues périodes, elles adoptent une vision contextualisée du changement. Celui-ci est essentiellement défini comme une dynamique spécifique à chaque entreprise, compte tenu de son histoire, de sa culture, des individus qui la composent, etc. Ici, le changement est vu de l'intérieur, plutôt que de l'extérieur ou d'en haut. Une telle perspective permet de comprendre *a posteriori* ce qui s'est passé, mais quelle est son utilité pour la pratique?

DE LA GESTION DU CHANGEMENT À LA CAPACITÉ À CHANGER

Les approches des périodes précédentes cherchaient à répondre aux questions : quel changement fait-on et comment le fait-on? Les approches de cette période-ci posent plutôt la question suivante : comment le changement se fait-il? Les conséquences pour la pratique d'un tel recadrage sont importantes. En fait, on passe d'une perspective où la préoccupation pour la gestion du changement est primordiale à une perspective centrée sur la capacité de l'organisation à changer.

Mais peut-on gérer la capacité à changer d'une organisation? Les approches actuelles sont modestes dans leurs suggestions et remettent en question l'utilité des démarches génériques s'appliquant à toutes les organisations et à tous les types de changement. Elles mettent l'accent sur le fait qu'il faut connaître intimement son organisation, ce qui n'est pas une tâche facile compte tenu de la complexité et de l'imprévisibilité organisationnelles. Cela nécessite à tout le moins qu'on observe l'organisation de l'intérieur et pas uniquement d'en haut (ou d'un seul point de vue). Il faut être capable de se mettre à la place des autres membres de l'organisation, parce que ce qu'ils perçoivent et comprennent dépend de leur point de vue. La nouvelle perspective sur le changement ajoute donc aux outils traditionnels des dirigeants (la stratégie, la structure, les systèmes) des outils plus subtils, plus informels (l'observation, le dialogue, l'écoute). Bien qu'ils soient connus depuis toujours, ces outils deviennent de plus en plus importants parce qu'ils sont accompagnés d'une redéfinition du rôle du gestionnaire. On n'attend plus de lui qu'il soit un héros omniscient, mais plutôt un guide ou un facilitateur, celui qui met en place les conditions pour que les membres de l'organisation fassent le changement. Quelles sont ces conditions? Elles seront spécifiques à chaque organisation, compte tenu de son contexte. Toutefois, alors que les approches traditionnelles mettent l'accent sur la cohérence et l'équilibre interne, les nouvelles approches convergent autour de l'idée que stabilité et changement (ordre et désordre) doivent coexister dans l'organisation. Certains parlent, par exemple, de favoriser l'existence de processus parallèles ou d'îlots de désordre dans la stabilité.

Les entreprises qui viennent à l'esprit quand on réfléchit en ces termes sont des entreprises comme Honda, Sony ou Intel, qui continuent à garder leur leadership grâce à leur capacité à innover et à se renouveler constamment dans un environnement très compétitif. Ce qui caractériserait ces entreprises, c'est leur capacité à exploiter le talent de tous leurs employés et à susciter un certain chaos créateur. Ainsi, alors que les cercles de qualité et les processus d'amélioration continue sont souvent vécus comme des modes passagères dans les entreprises, chez Sony, on a su mettre en place des façons de faire qui résultent en une moyenne de huit suggestions d'amélioration par personne par an au niveau de la production. Par ailleurs, bien qu'on laisse aux cadres une grande liberté d'action sur le plan de la créativité, le contrôle administratif reste serré (Kettani, 1994). Chez Honda, ce qui frappe le plus les observateurs (Pascale, 1990), c'est la capacité de la direction à maintenir une tension créatrice. Ainsi, on a fait des groupes de R&D et de génie des compagnies séparées du groupe de fabrication et de ventes, leur client. Cette structure génère beaucoup de conflits internes, mais Honda a développé des méthodes pour les gérer de façon constructive. Cette façon de faire permet d'éviter la domination trop forte d'un seul groupe et l'appauvrissement des compétences de l'entreprise que cela pourrait entraîner. La contribution importante des cadres intermédiaires et de leurs équipes multidisciplinaires dans le renouvellement de l'entreprise est également soulignée. La direction voit son rôle comme étant de construire un contexte favorable (basé sur l'engagement et la confrontation) et de donner une vision stimulante mais suffisamment générale ainsi que des objectifs très exigeants qui suscitent le dépassement (Nonaka, 1988).

Ultimement, ces exemples démontrent que le changement est maintenant inscrit dans le fonctionnement même de l'entreprise, qui est conçue comme un ensemble de forces en tension. Le processus de traduction nécessaire pour que se réalise le changement exige la participation de nombreux acteurs qui modifient tous un peu celui-ci en le réinterprétant selon leur contexte d'action. La véritable révolution qu'amènent les approches actuelles, c'est qu'en mettant l'accent sur la dynamique de l'action collective, elles ont quelque chose à dire non pas uniquement aux dirigeants, mais à tous les agents de changement où qu'ils se trouvent dans l'organisation.

Note

1. Ce n'est qu'à la fin des années 1970 que l'on tient compte de ces étapes dans la vie d'une organisation (voir Quinn, 1978).

Références

Allaire, Y., Firsirotu, M., «How to implement radical strategies in large organizations», *Sloan Management Review*, vol. 26, 1985.

Argyris, C., Schön, D., *Organizational Learning*, Addison-Wesley, 1978.

Bartunek, J.M., «Changing interpretive schemes and organizational restructuring: The example of a religious order», *Administrative Science Quarterly*, vol. 29, 1984, p. 355-372.

Bennis, W.G., *Organizational Development: Its Nature, Origins and Prospects*, Addison- Wesley, 1969.

Boucher, J.-P., *L'évolution de la pratique du changement planifié depuis le début des années 1980*, travail dirigé de M.Sc., École des HEC, 1995, 144 pages.

Braybrooke, D., Lindblom, C.E., *A Strategy of Decision*, The Free Press, 1963, 268 pages.

Burgelman, R.A., Sayles, R., *Les intrapreneurs*, McGraw-Hill, 1987.

Burgelman, R.A., «Intraorganizational ecology of strategy making and organizational adaptation: Theory and field research», *Organization Science*, vol. 2, 1996, p. 239-262.

Burns, T., Stalker, G.M., *The Management of Innovation*, Tavistock Publications, Social Science Paperbacks, 1961, 269 pages.

Chandler, A.D., *Strategy and Structure: Chapters in the History of the Industrial Enterprise*, MIT Press, 1962, 463 pages.

Chandler, A.D., *Stratégies et structures de l'entreprises*, Éditions d'organisation, 1989, 543 pages.

Cheng, Y.-T., Van de Ven, A.H., «Learning the innovation journey: Order out of chaos?», *Organization Science*, vol. 7, 1996, p. 593-614.

Chin, R., Benne, K., «Stratégies générales pour la production de changement dans le système humain», dans Tessier, R., Tellier, Y. (sous la dir. de), *Théories de changement social interne. Participation, expertise et contraintes*, collection «Changement planifié et développement organisationnel», Presses de l'Université du Québec, vol. 5, 1990, p. 1-35.

Cyert, R., March, J., *A Behavioral Theory of the Firm*, Prentice Hall, 1963, 332 pages.

Demers, C., *La diffusion stratégique en situation de complexité. Hydro-Québec, un cas de changement radical*, thèse de doctorat, École des HEC, 1990.

Éraly, A., *La structuration de l'entreprise*, Université de Bruxelles, 1988.

Ford, J.D., Ford, L.W., «The role of conversations in producing intentional change in organizations», *Academy of Management Review*, vol. 20, 1995, p. 541-571.

Gersick, C., «Revolutionary change theories: A multilevel exploration of the punctuated equilibrium paradigm», *Academy of Management Review*, vol. 16, 1991, p. 10-36.

Glynn, M. A., Lant, T. K., Milliken, F.J., «Mapping learning processes in organizations: A multi-level framework linking learning and organizing», dans Stubbart, C., Meindl, J.R.,

Porac, J.F. (sous la dir. de), *Advances in Managerial Cognition and Organizational Information Processing*, JAI Press, vol. 5, 1994, p. 43-83.

Greenwood, R., Hinings, C.R., «Organizational design types, tracks and the dynamics of strategic change», *Organization Studies*, EGOS, vol. 9, 1988, p. 293-316.

Hafsi, T., Demers, C., *Le changement radical dans les organisations complexes : le cas d'Hydro-Québec*, Gaëtan Morin Éditeur, 1989, 310 pages.

Hafsi, T., Piffault, J., *Lee Iaccoca and Chrysler*, cas HEC, 1985.

Haire, M., «Biological models and empirical histories of the growth of organizations», dans Haire, M. (sous la dir. de), *Modern Organization Theory*, Wiley, 1959, p. 272-306.

Hannan, M., Freeman, J., «Structural inertia and organizational change», *American Sociological Review*, vol. 49, 1984, p. 149-164.

Hedberg, B., Jönsson, S., «Strategy formulation as a discontinuous process», *International Studies of Management and Organization*, vol. 7, 1977-1978, p. 88-109.

Johnson, G., «Rethinking incrementalism», *Strategic Management Journal*, vol. 9, 1988, p. 75-91.

Kanter, R.M., *The Change Masters*, Simon & Shuster, Touchstone Editions, 1984, p. 432.

Leroy, F., Ramanantsoa, B., «La fusion comme source d'évolution organisationnelle : analyse du processus de variation-sélection-rétention de nouvelles pratiques dans la mise en œuvre d'une fusion», *Actes du Colloque de l'AIMS*, 1996, 24 pages.

Miller, D., Friesen, P., *Organizations: A Quantum View*, Prentice Hall, 1984.

Mintzberg, H., Waters, J., «Of strategies: Deliberate and emergent», *Strategic Management Journal*, vol. 6, 1985, p. 257-272.

Moore, D.G., « Managerial strategies», dans Warner, W.L., Martin, N.H. (sous la dir. de), *Industrial Man*, Harper, 1959, p. 219-226.

Nelson, R., Winter, S., *An Evolutionary Theory of Economic Change*, Harvard University Press, 1982.

Nonaka, I., «A dynamic theory of organizational knowledge creation», *Organization Science*, vol. 5, 1994.

Nonaka, I., «Creating organizational order out of chaos: Self renewal in Japanese firms», *California Management Review*, vol. 30, 1988, p. 57-73.

Orlikowski, W.J., «Improvising organizational transformation over time: A situated change perspective», *Information Systems Research*, vol. 7, 1996, p. 63-92.

Pascale, R.T., «Perspectives on strategy: The real story behind Honda's success», *California Management Review*, vol. 26, 1984, p. 58.

Pascale, R.T., *Managing On The Edge*, Simon & Schuster, Touchstone Editions, 1990, 350 pages.

Penrose, E., «Limits to growth and size of firms», *American Economic Review*, vol. 45, 1959, p. 531-543.

Pettigrew, A., «Strategy formulation as a political process», *International Studies of Management and Organization*, vol. 7, 1977, p. 78-87.

Quinn, J.B., «Strategic change: "Logical incrementalism"», *Sloan Management Review*, vol. 20, automne 1978, p. 7-19.

Schein, E., *Organizational Culture and Leadership*, Jossey-Bass, 1985.

Singh, J. *et al.*, «Organizational change and organizational mortality», *Administrative Science Quarterly*, vol. 31, 1986, p. 587-611.

Stacey, R.D., «The science of complexity: An alternative perspective for strategic change processes», *Strategic Management Journal*, vol. 16, 1995, p. 477- 495.

Starbuck, W., «Organizational growth and development», dans March, J. (sous la dir. de), *Handbook of Organizations*, Rand McNally & Company, 1965, p. 451-533.

69

Tenkasi, R.V., Boland, R.J., «Locating meaning making in organizational learning: The narrative basis of cognition», *Research in Organizational Change and Development*, JAI Press, vol. 7, 1993, p. 77-103.

Thiétart, R.A., «La dialectique de l'ordre et du chaos», *Revue française de gestion*, n° 93, 1993, p. 5-15.

Thompson, J.D., *Organizations in Action*, McGraw-Hill, 1967, 192 pages.

Tushman, M., Romanelli, E., «Organizational evolution: A metamorphosis model of convergence and reorientation», dans Cummings, L.L., Staw, B. (sous la dir. de), *Research in Organizational Behavior*, JAI Press, vol. 7, 1985, p. 171-222.

Waldrop, M.M., *Complexity*, Simon & Schuster, 1992, 380 pages.

Weick, K., *The Social Psychology of Organizing*, Addison-Wesley, 1969.

Whyte, W.F., *Men at Work*, Dorsey, 1961.

Transformer l'entreprise *

Henry Mintzberg, Bruce Ahlstrand et Joseph Lampel

Il existe un nombre considérable d'ouvrages – et autant de consultants – visant à aider les dirigeants aux prises avec le changement dans leur entreprise : redressement, revitalisation, dégraissage, etc. Leur rendre ici justice exigerait la rédaction d'un ouvrage complet, mais telle n'est pas notre intention. Nous nous contenterons de présenter une sorte de structure générale de ce que serait un tel ouvrage, assortie de quelques illustrations.

Avant de commencer, toutefois, attardons-nous un instant sur la notion de «gestion du changement» dont il est ici question. Le fait est que, malgré son utilisation largement répandue, cette formule est une contradiction en soi. Comme le souligne l'encadré ci-après, le changement ne doit pas être «géré», tout au moins si ce mot signifie «forcé», «obligé d'advenir». Les dirigeants se plaignent souvent de la résistance au changement que manifeste leur personnel. C'est sans doute vrai, mais cette résistance est peut-être due au fait que les gens ont été trop longtemps «sur-gérés». Le remède pourrait bien alors aggraver le mal. S'il en est ainsi, la meilleure façon de «gérer» le changement pourrait être de le laisser se faire tout seul – de se contenter de créer les conditions dans lesquelles les gens pourront suivre leur tendance naturelle à expérimenter et à modifier leur comportement. Pour reprendre l'expression utilisée dans l'encadré, «Traitez le changement en vous améliorant vous-même. Alors, votre heure sonnera.»

Henry Mintzberg est professeur de stratégie à l'Université McGill à Montréal et à l'INSEAD à Paris.
Bruce Ahlstrand est professeur de gestion à la Trent University, Ontario.
Joseph Lampel est professeur de gestion à l'Université de St-Andrews en Écosse.

*Ce texte est tiré de Mintzberg, H., Ahlstrand, B. et Lampel, J., Safari en pays stratégie. L'exploration des grands courants de la pensée stratégique, Village mondial, 1999, p. 328-348. Reproduit avec permission.

CHANGER QUOI?

La première question que l'on doit se poser est : que *peut-on* changer dans l'entreprise? Pour y répondre, on peut avoir recours au «cube du changement» (voir le schéma 1) qui indique ce que signifie réellement un changement généralisé dans l'entreprise. Il s'agit d'une transformation qui touche la stratégie et la structure de l'entreprise, qui va du conceptuel au concret et de comportements fortement systématisés à d'autres, plus informels.

CARTOGRAPHIE DES PROCESSUS DE CHANGEMENT

Examinons à présent les différentes méthodes de changement à notre disposition. Ce qu'il nous faut, c'est une sorte de *carte* qui délimite et mette en perspective les nombreuses méthodes qui, dans une grande confusion, ont été mises en œuvre au fil des ans pour transformer les entreprises. Le schéma 1 les situe selon deux dimensions. Verticalement, l'échelle de l'importance du changement va du micro au macro. Le micro-changement ne concerne que l'intérieur de l'entreprise. Il peut s'agir, par exemple, d'une redéfinition des tâches dans une usine, ou du développement d'un produit nouveau. Le macro-changement, quant à lui, concerne l'entreprise dans toutes ses dimensions. Il peut s'agir de son repositionnement sur le marché par exemple, ou du redéploiement de ses moyens physiques[1]. Comme l'explique David Hurst : «Le *timonier* gère le changement sans arrêt. Le *navigateur* ne modifie le cap que lorsque les circonstances l'exigent. C'est au capitaine que revient la responsabilité de changer de destination, mais il ne le fait que rarement car cela exige un changement complet des valeurs de l'entreprise. Le *découvreur*, enfin, ne trouve un nouveau monde qu'une fois dans sa vie» (texte non publié).

Même si nous nous intéressons ici essentiellement au macro-changement, nous avons voulu présenter les deux dimensions du changement pour deux raisons : la première, c'est que cela permet d'avoir une vision d'ensemble des différentes éléments sur lesquels peut porter le changement; la seconde, c'est que des micro-changements peuvent avoir des macro-conséquences. Des changements isolés peuvent entraîner la modification de la stratégie de l'entreprise, tout comme la conception d'un nouveau produit peut conduire l'entreprise à se repositionner sur le marché.

SHÉMA 1

Le cube du changement

On parle beaucoup de changement dans les entreprises, et pourtant, on l'accomplit trop souvent par petits bouts. On parle de redressement, de revitalisation, de nouvelle culture, de qualité totale, de prise de risque, de développement de nouveaux produits, mais il est important de remettre tout cela en perspective, et c'est là l'objet du cube du changement.

La face avant du cube présente les deux grandes dimensions du changement. À gauche, le changement porte sur la *stratégie*, c'est-à-dire sur l'orientation de l'entreprise, et à droite, sur *l'organisation* de l'entreprise, c'est-à-dire son état actuel. Ces deux dimensions doivent être prises en compte lorsque l'on veut entreprendre un changement. Dans la dimension verticale du cube, les changements qui touchent la stratégie et l'organisation de l'entreprise peuvent aller du plus *conceptuel* (ou abstrait) au plus *concret* (ou tangible). Au niveau de la stratégie, la *vision* (ou perspective stratégique) est ce qu'il y a de plus conceptuel (repenser, concevoir à nouveau), alors qu'au niveau de l'organisation, c'est la *culture* qui est l'élément le plus abstrait (restimuler, reconcevoir). En descendant vers le concret, on peut changer, de chaque côté, les *positions* stratégiques (repositionnement, reconfiguration) et la *structure* organisationnelle (réorganisation, allégement), puis les *programmes* et les *systèmes* (reprogrammation, remise en état, *réingénierie*), et enfin les *produits* et les *hommes* (nouvelle conception, formation, mutations), ce qu'on peut aussi envisager comme un changement des *actions*, d'un côté, et des *acteurs*, de l'autre. Autrement dit, les éléments les plus généraux, mais aussi les plus abstraits, sur lesquels peuvent porter le changement sont la vision et la culture, et les plus spécifiques sont les produits actuels et les personnes présentes (soit en remplaçant les premiers par d'autres, soit en modifiant le comportement des secondes).

Une entreprise peut aisément modifier un seul de ses produits, ou remplacer un seul individu, mais elle ne peut en aucun cas changer de vision ou de structure sans toucher à d'autres éléments. Ce serait totalement inefficace. En d'autres termes, si l'on veut modifier certains éléments du cube, il faut aussi changer ceux qui se situent en aval. On ne peut pas, par exemple, modifier la structure sans changer les systèmes et les gens, ou changer la vision sans repenser les positions stratégiques ou sans revoir les programmes et les produits.

Enfin, les changements portant sur les différents éléments du cube peuvent se faire de la façon la plus systématique (face avant du cube) à la plus informelle (face arrière). Par exemple, la position stratégique de l'entreprise peut être modifiée de façon délibérée (systématique), ou une nouvelle stratégie peut émerger d'elle-même (informelle); le personnel peut être formé de façon systématique au moyen de programmes de formation spécifiques, ou de façon informelle, sous l'influence de tuteurs ou de mentors.

L'intérêt d'une telle description est de montrer qu'un changement sérieux de l'entreprise reflète toutes les faces du cube : stratégie et organisation, éléments conceptuels et concrets, mise en œuvre informelle et systématique.

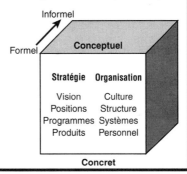

73

La «gestion du changement», une contradiction en soi

Une nouvelle «profession», quelque peu floue, vient de voir le jour, celle de consultant en «gestion du changement». Ces deux mots mis ensemble ont toutefois à peu près autant de sens que «guerre sainte» ou «mère sans travail».

Le concept de «gestion du changement» repose sur le même raisonnement, dangereusement séduisant, que celui sur lequel repose le concept de «planification stratégique». L'un et l'autre s'appuient sur l'hypothèse fumeuse qu'il existe une pensée ordonnée et une méthode de travail susceptibles de tracer objectivement un chemin pour l'action et de faire «qu'il en soit ainsi». Mais si cela a un jour été possible, ce n'est certainement plus le cas aujourd'hui dans un monde qui change à grande vitesse.

Le succès du changement passe par l'apprentissage, la croissance et le développement

Le changement ne peut être géré. On peut l'ignorer, lui résister, y réagir, le créer ou en tirer parti, mais on ne peut pas le gérer et le faire avancer au moyen d'un quelconque processus ordonné. Que nous en soyons les victimes ou les bénéficiaires, sa réussite dépend de l'accueil que nous lui faisons. Tout comme l'a dit un jour Abraham Lincoln : «Je vais me préparer, et mon heure sonnera». C'est ainsi que l'on gère le changement.

On ne peut pas regagner en quelques semaines les clients qui nous ont quittés à cause de notre négligence et d'un mauvais service. On ne peut pas d'un seul coup transformer une entreprise dont le marché s'est effondré en une centrale d'énergie innovante. On ne peut pas redresser du jour au lendemain des années de mauvaises habitudes et de méthodes inadéquates quand apparaît une technique nouvelle et révolutionnaire. Quand les coûts augmentent, on ne peut pas aplanir brutalement l'organigramme et déléguer soudain du pouvoir à des gens conditionnés par des années de supervision hiérarchique. Tous ces changements portent sur la culture de l'entreprise, son mode de fonctionnement, ses habitudes et ses compétences à long terme. Ce sont tous ces éléments qu'il faut améliorer en premier lieu, avant que le changement le rende nécessaire. Comme dit un ancien proverbe chinois, «creuse le puits avant d'avoir soif».

Pour traiter efficacement le changement, ne le considérez pas comme une force susceptible d'être gérée. Traitez le changement en vous améliorant vous-même. Alors, votre heure sonnera.

D'après Jim Clemmer, *Pathways to Performance*, 1995.

74

Comme on peut le constater en examinant le schéma 2, il existe trois principaux processus de changement : le changement planifié, le changement dirigé et le changement évolutif, ou spontané.

Le développement de l'entreprise est un effort (1) *planifié*, (2) portant sur *toute* l'entreprise, et (3) *géré* à partir du *sommet*, visant à (4) améliorer l'*efficacité* et la *santé* de l'entreprise, au moyen (5) d'*interventions*

SHÉMA 2

Carte des méthodes de changement

◄ MICRO-CHANGEMENT   MACRO-CHANGEMENT ►

Changement planifié (programmatique)

Amélioration de la qualité   Restructuration du travail   Planification stratégique

Enrichissement du travail

Délégation de pouvoirs   }   Organisation – Développement

Formation d'équipes   Groupes d'initiative

Formation

Éducation

Endoctrinement

Changement dirigé (guidé)

Rationalisation (des coûts)

(dégraissage, organigramme plat, sous-traitance, etc.)

Restructuration (de l'entreprise)

(réorganisation, privatisation, etc.)

Repositionnement (stratégique)

(diversification, fusions, acquisitions, alliances, etc.)

Réforme (de l'état d'esprit)

(vision, etc.)

Revitalisation (de la culture)

(révolution culturelle, etc.)

Changement spontané (organique)

Prise de risque

Apprentissage stratégique

Défis politiques

Henry Mintzberg, août 1997.

---

planifiées dans les processus de l'entreprise et faisant usage des enseignements de la *science du comportement*. (Beckhard, 1969, p. 9; italique de l'auteur.)

Le changement *dirigé* nécessite un guide : un individu ou un petit groupe, occupant en général une position d'autorité, qui surveille le changement et s'assure de sa réalisation. Le changement dirigé peut prendre différentes formes et s'appeler rationalisation, restructuration ou «revitalisation»[2], notions que Doz et Thanheiser (1996) désignent par les termes de changement du contexte stratégique, changement du contexte organisationnel et changement du contexte émotionnel. Ces changements dirigés vont des micro-changements, plus planifiés, aux macro-changements, plus évolutifs, et vont (en diagonale dans le schéma) de la rationalisation des coûts de production à la revitalisation de la culture en passant par la restructuration de l'entreprise, son repositionnement stratégique et la réforme de l'état d'esprit de la direction.

Le changement *spontané*, enfin, est organique : il est généré, ou du moins guidé, par des personnes n'occupant pas de véritable position d'autorité mais plutôt une fonction obscure dans l'entreprise. À la différence des deux autres processus qui sont dirigés ou, dans un certain sens, «gérés» soit formellement par des procédures soit moins formellement par des dirigeants, ce troisième type de changement n'est ni géré ni contrôlé par les dirigeants[3]. Il englobe les défis politiques, la prise de risque et l'apprentissage stratégique.

Le schéma que nous proposons ici recense les divers types de changement en les classant dans l'une des trois catégories indiquées et en les situant sur une échelle allant des micro-changements aux macro-changements. Bien sûr, certains auteurs pourront ne pas être d'accord avec cette classification (les tenants du changement planifié, par exemple, peuvent soutenir que leur véritable intention est de se référer à une réaction organique), mais nous ne souhaitons pas engager de débat à ce sujet. Nous ne faisons qu'exprimer notre opinion. Ce type de représentation schématique est toujours simplificateur, mais il permet d'offrir une sorte de panorama d'un sujet par ailleurs difficile à cerner.

PROGRAMMES DE CHANGEMENT GÉNÉRALISÉ

Un dirigeant peut choisir de concentrer ses efforts sur un seul point. Il peut, par exemple, choisir d'améliorer la formation du personnel de vente ou de réorganiser le laboratoire de recherche. La plupart des changements se font ainsi, par bribes, à tout moment et à tous les niveaux. Tom Peters a longtemps été un partisan de cette façon de faire, qu'il appelle le «saucissonnage». D'après lui, il est préférable de ne pas courir trop de lièvres à la fois, et de s'attacher à un point spécifique.

Le cube du changement indique cependant que cette manière de procéder donne de meilleurs résultats lorsqu'il s'agit de micro-changements à un niveau concret, que de macro-changements à un niveau plus conceptuel. On peut, par exemple, recycler un groupe d'employés ou réorganiser un service, mais on ne peut pas réorienter une stratégie ou modifier une culture sans opérer beaucoup d'autres changements qui leur sont associés. En fait, «changer de culture» est en soi une expression vide de sens : comme nous l'avons vu précédemment, il est impossible de changer la culture de l'entreprise sans toucher à d'autres aspects concrets de l'entreprise.

Il existe un nombre considérable de publications et de rapports portant sur les programmes de changement généralisé, c'est-à-dire de *transformation*, qui expliquent comment combiner les diverses méthodes de changement en séquences logiques, afin de «redresser» ou de «renouveler» l'entreprise (le redressement implique une révolution brutale, soudaine; le renouvellement, la mise en œuvre plus lente d'un changement de grande envergure). Mais tous ces travaux créent la confusion : chaque auteur, ou chaque consultant, propose sa propre formule. Il en existe une kyrielle, qui se succèdent selon les modes du moment, mais aucune ne se détache comme étant la meilleure. En fait, il est bien plus facile de se faire une idée sur ce qui *ne marche pas* – ce qui était à la mode l'année précédente – que sur ce qui *marche*. (Si vous avez un peu de patience, découpez dans un quotidien le récit du redressement de telle ou telle entreprise et relisez-le dans cinq ou dix ans. Vous vous souvenez sans doute des grandes révolutions qui ont secoué Philips ou Kodak? Eh bien, nous y revoilà – au moment où nous écrivons. Ne perdez pas de vue que deux demi-tours successifs vous font reprendre le même chemin qu'avant!)

Le fait est que, dans ce domaine, comme dans bien d'autres, il n'existe pas de formule magique. Tout comme le «saucissonnage» peut se révéler insuffisant, le renouvellement peut, quant à lui, s'avérer excessif. Même si le changement est au goût du jour, les entreprises n'ont pas toutes besoin de procéder à des changements radicaux et continuels; ça, c'est ce qu'on appelle «l'anarchie». Ce qu'il faut, c'est arriver à un équilibre entre le changement et la continuité, réussir le changement au moment et à l'endroit où il est nécessaire, tout en maintenant l'ordre. On a souvent tendance aujourd'hui à faire table rase du passé et à s'emparer de tout ce qui est nouveau, mais il est en général beaucoup plus constructif, mais aussi plus difficile, de tirer le meilleur du nouveau et de l'intégrer à ce qu'il y a de plus utile dans l'ancien. Trop d'entreprises, de nos jours, se soumettent à des changements mal conçus et mal planifiés. Ce n'est pas parce qu'un nouveau directeur général vient d'être nommé ou qu'une nouvelle mode fait fureur qu'il faut tout remettre en question.

Il y a néanmoins des moments où une entreprise doit effectuer des changements majeurs et généralisés. Pour les dirigeants, le problème est alors de déterminer où, quand et comment intervenir. Devraient-ils commencer modestement et avancer progressivement ou, au contraire, prendre immédiatement des mesures spectaculaires? Faudrait-il

77

commencer par muter les gens, par repenser la vision ou par refaire l'organigramme? Devraient-ils se concentrer sur la stratégie, sur la structure, sur la culture ou sur les profits? Auraient-ils avantage à effectuer des changements radicaux ou à «saucissonner» à longue échéance?

Mais peut-être ces questions définissent-elles mal le contexte : les dirigeants ne devraient-ils pas plutôt se contenter de créer les conditions du changement et le laisser se faire tout seul? Peut-être auraient-ils même intérêt à ne pas s'en mêler du tout? Le meilleur des changements ne serait-il pas celui qui commence sur le terrain, dans un coin de l'usine ou lors d'une rencontre avec un client? Faut-il absolument que le changement parvienne à la «base», après avoir été conçu par le «sommet»? Pourquoi ne pas finir, au contraire, par le sommet, et laisser aux gens qui sont sur le terrain le soin de définir eux-mêmes les changements qui s'imposent? Ou peut-être que tout ce processus devrait être orchestré de l'extérieur?

Ces questions paraissent toujours terriblement embarrassantes, surtout si l'on tient compte de tout ce qui démontre la résistance au changement dans l'entreprise. Et pourtant, il y en a qui changent. Le philosophe français Alain laisse la porte ouverte à l'espoir en disant : «Tout changement paraît impossible. Mais une fois qu'il a eu lieu, c'est l'état de choses antérieur qui paraît impossible.» Une fois que les choses sont bien en place, la réaction devient : «Comment a-t-on pu tolérer ça?» Ne perdons jamais cela de vue et examinons maintenant quelques-uns des cadres proposés pour le changement généralisé.

En 1995, trois consultants de McKinsey, Dickhout, Denham et Blackwell ont publié un article fort instructif sur le changement. S'appuyant sur les expériences de changement de 25 entreprises, ils définissent six «stratégies» de base :

– *Évolution et construction institutionnelle* : Un modelage graduel «des valeurs de l'entreprise, des structures, de l'évaluation des performances, afin que les responsables sur le terrain puissent diriger le changement».

– *Secousse et recentrage* : Afin d'ébranler «une structure de pouvoir ossifiée», les dirigeants «simplifient d'un seul coup la hiérarchie de la direction générale, définissent de nouvelles unités de travail et modifient les processus de gestion».

– *La voie leader* : Pour obtenir des résultats immédiats, les dirigeants «lancent des changements majeurs à partir du sommet», en éliminant, par exemple, des secteurs fragiles «tout en ne remédiant qu'aux goulots d'étranglement les plus graves de l'entreprise».

– *Fronts multiples* : «Le changement est dirigé par des équipes spécialisées, à qui l'on assigne des objectifs plus larges» – réduction des coûts, stimulation des ventes, etc.

– *Reconception systématique* : Là encore, des équipes spécialisées dirigent le processus visant la performance, mais «la reconception du processus central et les autres changements organisationnels tendent à être planifiés en parallèle».

– *Mobilisation au niveau des unités* : «Les initiateurs du changement confient à des équipes spécialisées le soin de mettre en œuvre les idées progressistes des cadres moyens et des opérateurs de base.» (p. 102-104)

Ces stratégies décrivent surtout des activités de changement initiales ou focalisées. Pour beaucoup de gens concernés, l'une des questions clés est de savoir comment ordonner ces diverses activités dans le temps pour obtenir une transformation majeure. Examinons d'abord le changement dit descendant, qui s'effectue du sommet vers la base, puis le changement dit ascendant, qui s'effectue de la base vers le sommet.

Le Changement descendant. La méthode de changement la plus répandue est peut-être celle utilisée depuis une quinzaine d'années par General Electric, sous la direction de Jack Welch. Tichy et Sherman (1993) l'ont décrite comme «une pièce en trois actes» : *éveil, vision et reconstruction* (voir schéma 3).

Dans un article rédigé en collaboration avec Richard Beatty (1991), David Ulrich, qui a aussi travaillé étroitement avec Welch, caractérise cette méthode d'une manière un peu différente (1991). Les deux auteurs décrivent un processus en cinq étapes (pouvant s'effectuer simultanément ou successivement) et portant sur ce qu'ils appellent le *hardware* de l'entreprise, c'est-à-dire la stratégie, la structure et les systèmes, et sur son *software*, c'est-à-dire le comportement et l'état d'esprit du personnel. Comme l'indique le schéma 4, le processus de changement commence par une *restructuration*, à savoir un dégraissage et une simplification de l'organigramme, et se poursuit par une *chasse à la bureaucratie* visant à «éliminer les rapports, réunions et mesures inutiles». Vient ensuite l'étape de *l'habilitation du personnel* qui ouvre la porte à une phase d'*amélioration continue* conduisant à la transformation de la culture de l'entreprise, «résultat des quatre étapes précédentes» (1991, p. 22, 24-29).

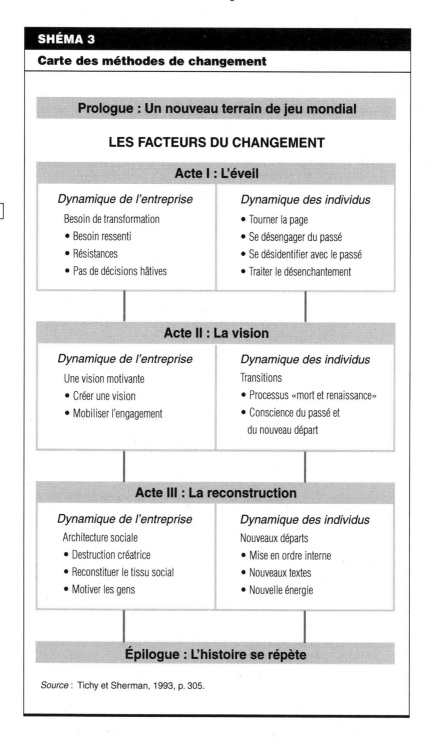

SHÉMA 3

Carte des méthodes de changement

Prologue : Un nouveau terrain de jeu mondial

LES FACTEURS DU CHANGEMENT

Acte I : L'éveil

Dynamique de l'entreprise

Besoin de transformation
- Besoin ressenti
- Résistances
- Pas de décisions hâtives

Dynamique des individus

- Tourner la page
- Se désengager du passé
- Se désidentifier avec le passé
- Traiter le désenchantement

Acte II : La vision

Dynamique de l'entreprise

Une vision motivante
- Créer une vision
- Mobiliser l'engagement

Dynamique des individus

Transitions
- Processus «mort et renaissance»
- Conscience du passé et du nouveau départ

Acte III : La reconstruction

Dynamique de l'entreprise

Architecture sociale
- Destruction créatrice
- Reconstituer le tissu social
- Motiver les gens

Dynamique des individus

Nouveaux départs
- Mise en ordre interne
- Nouveaux textes
- Nouvelle énergie

Épilogue : L'histoire se répète

Source : Tichy et Sherman, 1993, p. 305.

80

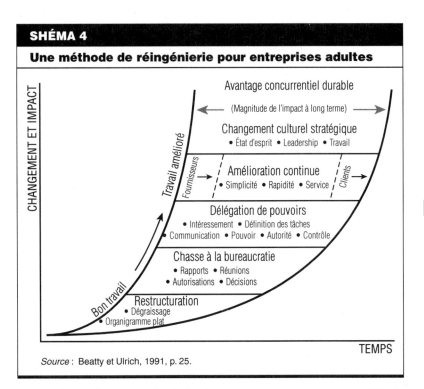

SHÉMA 4

Une méthode de réingénierie pour entreprises adultes

CHANGEMENT ET IMPACT

Avantage concurrentiel durable

◄──── (Magnitude de l'impact à long terme) ────►

Changement culturel stratégique
• État d'esprit • Leadership • Travail

Travail amélioré

Fournisseurs →

Amélioration continue
• Simplicité • Rapidité • Service

Clients →

Délégation de pouvoirs
• Intéressement • Définition des tâches
• Communication • Pouvoir • Autorité • Contrôle

Chasse à la bureaucratie
• Rapports • Réunions
• Autorisations • Décisions

Bon travail

Restructuration
• Dégraissage
• Organigramme plat

TEMPS

Source : Beatty et Ulrich, 1991, p. 25.

81

Baden-Fuller et Stopford décrivent, pour leur part, un «modèle de rajeunissement crescendo» similaire au processus de Ulrich et Beatty :

1. Galvaniser : créer au sommet une équipe responsable du renouvellement.

2. Simplifier : éliminer les procédures et détails inutiles qui sont sources de confusion.

3. Construire : développer de nouvelles capacités.

4. Utiliser l'effet de levier : maintenir l'élan et exploiter les avantages (1992).

Dans un rapport portant sur 40 entreprises, Doz et Thanheiser (1996) notent que restructuration, dégraissage, sous-traitance, analyse comparative, amélioration des processus et gestion de la qualité étaient à l'ordre du jour des préoccupations de la plupart des entreprises étudiées. Ils ont observé «des périodes d'intense activité, pendant lesquelles les entreprises se concentraient sur l'organisation de divers événements dits «tournants» (ou «creusets»), tels que retraites, séminaires et autres réunions direction-personnel» (p. 7), comme les «réunions d'équipe» de General Electric, par exemple. Les transformations «plus profondes, à long terme», se déroulaient selon les structures suivantes :

– «De l'intérieur vers l'extérieur» : amélioration de l'efficacité, puis création de nouvelles occasions d'affaires.

– «De l'impulsion descendante à l'action déléguée» : Le processus de rupture des inerties était en général guidé par le sommet, même si «la transformation était parfois expérimentée au niveau d'une sous-unité avant d'être étendue à toute l'entreprise»; les étapes suivantes étaient souvent menées «à l'initiative des sous-unités.»

– «De l'émotion et du concept à l'organisation» : Dans presque tous les cas, la transformation était provoquée par l'apparition d'un nouveau concept stratégique, qui avait retenu l'attention via un processus émotionnel (lié aux événements «creusets»), et qu'on retrouvait plus tard dans des changements généralisés, subtils et d'aspects variés apportés au contexte» (p. 10-11).

En fait, le directeur général avait pris certaines initiatives stratégiques, telles que l'élimination de certaines activités ou le licenciement de certains dirigeants importants, mais la clé de l'étape suivante était de «gagner les cœurs». Ces «changements apportés au contexte émotionnel permettaient ensuite d'apporter des changements plus subtils au contexte stratégique», ainsi qu'au contexte organisationnel, de sorte que le patron pouvait «laisser aller» et ouvrir la porte à «des initiatives émergentes décentralisées».

En résumé, le processus de transformation passe par différentes phases qui vont de l'explosion d'énergie concentrée, à la *diffusion* de l'énergie en passant par des pulsations plus faibles, moins visibles. Une transformation réussie va de la commotion générale à l'apprentissage et au renouvellement continus (p. 11).

Le Changement ascendant. Le changement de type descendant que nous venons d'examiner est étroitement lié à la gestion stratégique : il est initié par les dirigeants et s'effectue du sommet vers la base selon une stratégie préétablie. Toutefois, s'inspirant de travaux plus anciens sur le «développement organisationnel», certains auteurs ont décrit la transformation comme étant davantage un processus orienté du bas vers le haut, commençant par de petits changements à divers niveaux de l'entreprise, dont les répercussions finissent par entraîner un changement généralisé. Selon ces auteurs, le changement est davantage une expédition exploratrice qu'un trajet prédéterminé, un processus d'apprentissage

---

LE CHANGEMENT ASCENDANT

Six étapes pour un changement réussi, à l'usage des dirigeants d'unité ou d'entreprise

1. Susciter l'engagement en établissant avec le personnel un diagnostic des problèmes de l'entreprise. En aidant les gens à déterminer ensemble de ce qui ne va pas dans l'entreprise et en les encourageant à imaginer ce qui peut et doit être amélioré, le directeur (de l'unité) suscite, à la base, l'engagement nécessaire pour entamer le processus de changement.

2. Élaborer une vision commune. Une fois que le problème est décelé et analysé, le directeur amène le personnel à définir une nouvelle conception opérationnelle de l'entreprise, comprenant notamment la définition de nouveaux rôles et de nouvelles responsabilités.

3. Encourager l'adoption de la nouvelle vision, favoriser le développement des compétences et de la cohésion nécessaires à sa concrétisation.

4. Étendre la revitalisation à tous les services, sans l'imposer du sommet. La tentation peut être grande d'imposer les conceptions nouvellement découvertes au reste de l'entreprise, notamment si l'on a besoin d'un changement rapide, mais ce serait commettre la même erreur que les directeurs généraux lorsqu'ils essaient de promouvoir un changement programmatique dans toute l'entreprise. Cela revient à court-circuiter le processus de changement. Mieux vaut laisser chaque service «réinventer la roue», autrement dit tracer sa propre voie vers la nouvelle organisation.

5. Institutionnaliser la revitalisation, au moyen de politiques, de systèmes et de structures formels. La nouvelle approche doit être une forteresse.

6. Contrôler et ajuster les stratégies en réponse aux problèmes causés par le processus de revitalisation. Le but du changement est de créer une entreprise apprenante capable de s'adapter à un environnement concurrentiel en évolution. Certains diront que c'est là la responsabilité du directeur général. Mais le contrôle du processus de changement doit être partagé.

Source : Beer, Eisenstat et Spector, 1990, p. 161-164.

83

davantage qu'un processus dirigé ou planifié, qui, mené à bien, peut aboutir à un changement stratégique significatif.

Tel est l'esprit d'un article publié en 1990 dans le *Harvard Business Review* par Beer *et al.*, intitulé «Why change programs don't produce change». Après avoir exposé «l'erreur du changement programmatique», les auteurs présentent des cas de «transformations plus réussies» qui «avaient démarré généralement à la périphérie de l'entreprise, dans une usine ou une division loin du quartier général» et étaient «dirigées par les patrons de ces unités, et non par le directeur général ou des gens de l'état-major» (p. 159). Un bon patron crée un «marché du changement», mais laisse à d'autres le soin de décider comment lancer le changement. Il

---

LE CHANGEMENT DESCENDANT

Huit étapes pour un changement réussi, à l'usage des directeurs généraux

1. Créer un sentiment d'urgence : examiner le marché, les réalités de la concurrence, identifier les crises actuelles, les crises potentielles et les occasions d'affaires, et ne pas discuter.

2. Former une équipe de direction solide : rassembler un groupe disposant de suffisamment de pouvoir pour diriger le changement et encourager ce groupe à travailler en équipe.

3. Élaborer une vision pour guider le changement; développer des stratégies visant à concrétiser cette vision.

4. Communiquer cette vision : utiliser tous les moyens disponibles pour communiquer la nouvelle vision et les nouvelles stratégies; enseigner de nouveaux comportements en donnant l'exemple.

5. Déléguer les responsabilités en fonction de la vision : se débarrasser des obstacles au changement; modifier les systèmes et les structures qui risquent d'entraver la concrétisation de la vision; encourager la prise de risque, les idées, les activités et les actions non-conventionnelles.

6. Planifier des améliorations à court terme et les mettre en œuvre : planifier des améliorations de rendement bien visibles; les mettre en œuvre; reconnaître et récompenser les exécutants concernés.

7. Consolider les améliorations obtenues et promouvoir encore de nouveaux changements : s'appuyer sur une crédibilité accrue pour modifier les systèmes, les structures, les politiques qui ne cadrent pas avec la vision; embaucher, promouvoir et former les personnes susceptibles de participer à la concrétisation de la vision; revigorer le processus par de nouveaux projets, de nouveaux thèmes et en faisant appel à d'autres agents du changement.

8. Institutionnaliser la nouvelle méthode : Établir le rapport entre les nouveaux comportements et les succès de l'entreprise; se donner les moyens d'assurer le développement des nouvelles structures et la succession de la direction.

Source : Kotter, 1995, p. 61.

---

cite ensuite en exemple au reste de l'entreprise les unités qui ont été revitalisées avec le plus de succès. L'encadré ci-après propose aux directeurs de ces unités créatrices «six étapes pour un changement effectif».

Le deuxième encadré, tiré lui aussi d'un article paru quelques années plus tard dans le *Harvard Business Review*, porte un titre remarquablement similaire : «Leading change: Why transformation efforts fail»; il émane de John Kotter, un collègue de Beer à la Harvard Business School. Toutefois, à la différence du modèle précédent, les «huit étapes pour transformer votre entreprise» de Kotter sont orientées du haut vers le bas. «Par définition, écrit-il, le changement exige un nouveau système qui, à son tour, a besoin d'être dirigé. (Le démarrage d'un) processus de renouvellement n'aboutit en général nulle part, à moins qu'un nombre suffisant de nouveaux dirigeants ne soient promus ou embauchés aux postes importants» (1995, p. 60).

La question reste donc entière : le processus de changement doit-il s'effectuer du sommet vers la base ou de la base vers le sommet? Si l'on en croit les spécialistes, c'est une simple question de choix; ou alors une décision que l'on doit prendre en fonction des besoins et des faiblesses de l'entreprise. Le fait est qu'il n'existe pas de formule magique pour transformer une organisation, ni même pour savoir, en premier lieu, si l'organisation a besoin de transformation.

En fait, les consultants de McKinsey, Dickhout et ses collègues, dont les stratégies de changement ont été présentées précédemment, sont parmi les seuls à avoir dit, à juste titre, que le choix de la méthode *dépend* des objectifs, des besoins et des capacités de l'entreprise. Selon leur étude, «chaque transformation observée était une réponse particulière à un ensemble spécifique de problèmes et de situations. C'est comme si le patron avait «décrypté» un message codé inscrit au cœur de l'entreprise… et que cela avait eu pour effet de canaliser l'énergie vers une amélioration du rendement» (p. 20). Ce sont là de sages paroles pour clore le débat, pas toujours très sage, entre auteurs et consultants.

CHANGER L'ENTREPRISE… RELIGIEUSEMENT

Tous les travaux portant sur le changement traitent en fait d'un changement planifié et dirigé, autrement dit «géré», que ce soit formellement, par des procédures, ou moins formellement, par un leader (même si ce leader initie le changement au cœur même de l'entreprise, comme dans la méthode de Beer). Ce type de changement peut entraîner une transformation organique de l'entreprise – tel est bien en effet son objectif – mais la méthode elle-même ne l'est guère. Les partisans de cette méthode ne peuvent se permettre de nier que le changement doit être géré, mais selon nous, c'est plus pour une question d'ego (pour les dirigeants) ou d'émoluments (pour les consultants) que pour une question de principes.

Imaginez un patron qui convoque l'ensemble de son personnel et qui lui dit : «J'ai bien réfléchi à la question du changement. Vous savez, je ne suis pas le héros que vous croyez. Si quelque chose doit se faire, c'est *vous* qui le ferez. Moi, je suis là pour aider, pour faciliter, pour inspirer. Mais transformer votre milieu de travail, c'est *votre* responsabilité.» Croyez-vous qu'un pareil discours vaudrait à son auteur la couverture du magazine *Fortune*? Et que pensez-vous de celui-là, venant d'une société de consultants : «C'est vrai, ça va mal ici. Mais vous savez, vous avez dans l'entreprise des gens tout à fait adultes et intelligents qui seraient prêts à prendre des initiatives si on leur en donnait l'occasion. Essayez. Vous allez voir, c'est surprenant. Vous me devez 55 dollars.» Et que dire à l'entreprise pour laquelle il n'y a plus d'espoir, ou dont le redressement coûterait beaucoup plus cher que de la laisser mourir de sa belle mort? Avons-nous vraiment besoin de tous ces consultants gérontologues, de tous ces gens affairés autour des appareils qui maintiennent l'entreprise en vie?

86

Pour clore ce débat sur une note nouvelle, et dans l'espoir d'influencer certains travaux et certaines pratiques, nous proposerons, dans les pages qui suivent, une perspective différente et montrerons comment quelques-unes des institutions les plus anciennes du monde ont pu changer et survivre.

Frances Westley est devenue professeure de gestion à l'université McGill après avoir étudié la sociologie des religions. Dans un article rédigé avec Henry Mintzberg, elle s'appuie sur sa formation initiale et décrit trois modèles inspirés de la façon dont les grandes religions ont changé au fil des siècles.

Toutes les organisations finissent par se trouver dans des situations où leur existence même est menacée Finalement, la plupart succombent. Ce qui distingue les grandes religions, c'est qu'elles ont trouvé les moyens de survivre aux changements. Bien plus, elles semblent avoir évité de payer le prix des hésitations entre changement chaotique et stabilité rigide, en parvenant à une sorte de synthèse entre ces tendances contradictoires. (Mintzberg et Westley, 1992, p. 52)

Les trois modèles proposés par Frances Westley sont, d'une façon ou d'une autre, des modèles de changement organique, même si, dans l'un d'eux, le changement est initié par un leader (mais pas de la façon dont les gens l'imaginent) et même si, dans un autre, la direction générale intervient à la fin du processus de transformation. Aucun de ces modèles ne repose sur une véritable planification. Et pourtant, ils peuvent tous s'appliquer aux entreprises ordinaires. Le premier, l'*enclavement*, caractérise les changements de l'Église catholique du XIIIᵉ siècle en Italie. Le second, le *clonage*, se rencontre notamment au XVIIIᵉ siècle au niveau du protestantisme nord-américain. Quant au troisième, le *déracinement*, il caractérise les origines du bouddhisme en Inde. Comme nous le verrons, chacun de ces modèles se retrouve dans le comportement – et la réussite – de certaines entreprises privées.

– *L'enclavement.* L'Église catholique est souvent citée comme l'organisation la plus ancienne et la plus durable du monde. Tout au long de son histoire, elle a vu se transformer son organisation et sa culture, mais elle a réussi à survivre à tous ces changements et affirme toujours sa présence dans le monde moderne. À plusieurs moments importants de son histoire, notamment au début du XIIIe siècle et au XXe siècle, l'Église a été dirigée par des papes reconnus pour être des bureaucrates et des planificateurs, mais qui, grâce à un processus de négociation et d'allocation des ressources qu'on peut appeler *enclavement,* ont su tirer parti des idées de changement venant de la base et les intégrer dans la structure existante, à les «capturer», pour ainsi dire, à partir d'une enclave particulière.

87

Dans le cas d'une entreprise, lorsque le changement voit le jour au sein d'une unité, l'organisation, au lieu de le briser, le tolère (si peu que ce soit) mais l'isole afin d'éviter qu'il ne contamine les autres secteurs. Puis, que ce soit parce que le mouvement a perdu de son radicalisme ou que l'entreprise elle-même est en crise et doit impérativement changer (bien souvent c'est pour les deux raisons à la fois), le changement finit par être accepté, légitimé, et on lui permet de s'étendre à tous les secteurs de l'entreprise, qui prend alors un tournant décisif.

Les «unités indépendantes» d'IBM (IBU, *independent business units*) offrent un bon exemple de ce processus d'enclavement. Dès 1986, IBM avait créé 16 unités responsables des nouveaux produits ou des produits émergents, tels que le groupe *software* pour PC, ainsi que de diverses fonctions du service à la clientèle. Chaque unité était, en quelque sorte, «une entreprise dans l'entreprise». Cette décentralisation avait entraîné, au niveau local, une plus grande responsabilisation du personnel et permis à ce dernier de mieux comprendre la culture de l'entreprise.

Ces stratégies d'enclavement ont toutefois des limites au niveau de la gestion ou de l'entretien du changement. Elles exigent notamment une vigilance constante et une grande réceptivité de la part de la direction générale, ce qui n'est pas toujours le cas.

– *Le clonage.* À la différence de l'Église catholique du XIIIe siècle, l'Église protestante s'est caractérisée, dès sa naissance, par un pluralisme religieux. Unie par un ensemble de croyances et de pratiques similaires (telles que l'acceptation de l'autorité des Saintes Écritures), l'Église protestante a laissé se créer des églises nationales, des petites communautés et des confessions différentes qui se partageaient les fidèles.

Ce schéma de multiplication est intéressant et beaucoup d'entreprises contemporaines peuvent en tirer des leçons. Nous l'appelons *clonage* parce qu'il correspond à un processus de fragmentation des confessions en organisations distinctes. Ce modèle, fréquent en Amérique du Nord, caractérise notamment le mouvement méthodiste de la fin du XIXe siècle. À cette époque, les communautés en place, avec leurs assemblées paroissiales, étaient devenues trop «sérieuses» et ne pouvaient plus retenir les fidèles les plus aventureux qui partaient vers l'Ouest à la recherche de terres ou d'or. Des ministres méthodistes itinérants avaient décidé de les suivre, leur offrant la promesse d'une plus grande cohésion et d'une plus grande stabilité dans le chaos de la «Frontière», et c'est ainsi qu'étaient nées les nouvelles congrégations.

Cette stratégie, consistant à permettre aux différents groupes de former leurs propres congrégations, a empêché que les frictions ne détruisent le mouvement protestant dans son ensemble, tout en permettant l'expression des différentes interprétations et en ouvrant la porte à l'innovation.

Ce modèle se retrouve dans les entreprises qui cherchent la croissance par la diversification et non par des développements internes. À titre d'exemple, Magna, un fabricant canadien de pièces détachées d'automobiles, encourage les unités de production dont le personnel atteint la centaine à en «cloner» une autre. L'idée, c'est que toutes les unités restent petites, afin de rester sensibles aux besoins de la clientèle et aux préoccupations des employés. Autre exemple : Hewlett-Packard, qui a instauré un système de petites unités semi-autonomes et encourage les esprits entreprenants à concrétiser leurs idées dans des unités distinctes incarnant l'innovation, alors que les unités plus anciennes assurent la continuité de la culture et de la vision de l'entreprise.

Le clonage fonctionne bien à long terme parce qu'il permet à la créativité individuelle de s'exprimer plus librement. À la différence de l'enclavement, il minimise les exigences de l'orthodoxie et encourage plutôt le pluralisme des points de vue. Le problème, naturellement, c'est d'accepter que les sous-unités entretiennent des liens très lâches, tout en évitant la rupture. Pour éviter cette rupture, il faut mettre au point des mécanismes qui permettent d'assurer le partage des idées et le respect des engagements envers les principes fondamentaux, comme c'est le cas dans le mouvement œcuménique de l'Église protestante ou dans les réunions inter-divisions des entreprises.

– *Le déracinement.* Le dernier modèle montre comment le changement visionnaire peut être géré en vue de maintenir l'intensité charismatique des premiers temps de l'organisation et d'éviter, avec le temps, de tomber dans la routine. Nous l'avons appelé *déracinement*. Un bon exemple des stratégies de déracinement est celui du bouddhisme primitif. L'idéal bouddhiste consiste en une renonciation totale à tous les attachements formels de ce monde. Par exemple, les moines ne devaient s'attacher ni à un maître ni à une communauté en particulier, car cela aurait pu les distraire de leurs devoirs spirituels. En fait, le moine qui s'attardait trop longtemps quelque part se voyait pressé, selon les propres termes du Bouddha, d'aller «errer tout seul comme un rhinocéros». De temps en temps, des couvents tout entiers se voyaient dispersés sur ordre de leur maître.

Ce n'est sans doute pas par hasard que Mao Zedong a utilisé le terme de «révolution culturelle». Il a obtenu des changements nets et immédiats en déracinant des millions de Chinois de leurs villages, de leurs familles et de leurs occupations.

Cette stratégie pose toutefois un certain nombre de problèmes. Dans l'ensemble, elle interdit tout apprentissage collectif, même si elle encourage l'apprentissage individuel. Il arrive aussi que les membres soient littéralement épuisés par des ruptures trop fréquentes et quittent l'organisation, à la recherche de stabilité et de rationalité. Un des principes de direction de Anita Roddick, fondatrice de Body Shop, est, par exemple, de réduire au maximum la bureaucratie. À un moment donné, estimant qu'il y avait trop de réunions, elle a décidé que ces dernières auraient lieu après huit heures du soir et que personne n'aurait le droit de s'asseoir pendant ces réunions.

La stratégie de déracinement commence par une phase de conflit, se poursuit par une phase d'adaptations isolées, et finit par aboutir à une nouvelle stabilité après une sorte de mini-révolution. Elle apparaît ainsi comme un curieux mélange de redressement et de revitalisation. Dans ce cas toutefois, c'est le leader qui provoque le changement pour le changement et qui ouvre la voie à la revitalisation de l'entreprise.

Pour conclure, les trois modèles que nous venons de présenter ne s'excluent pas forcément l'un l'autre. Ainsi, certains processus de changement en Europe de l'Est ont appliqué successivement les trois modèles : d'abord le déracinement, avec la révolution culturelle lancée par Gorbatchev en Union soviétique, puis l'enclavement, parce que différents groupes se lançaient dans leur propre apprentissage ou faisaient école et contaminaient les autres groupes, et enfin le clonage, à mesure que les nouveaux comportements gagnaient du terrain.

Les entreprises peuvent avoir recours, successivement ou simultanément, au clonage, à l'enclavement et au déracinement, mais quelle que soit la méthode, l'important est de maintenir une tension créatrice : la vision doit être aménagée, l'apprentissage dirigé et la planification déléguée. (Mintzberg et Westley, 1992, p. 52-56).

Notes

1. Le micro-changement tend, dans le cube, à ne concerner que le niveau concret, mais ce n'est pas toujours le cas. On peut, dans une usine, changer la vision de l'organisation du travail. De même, le macro-changement démarre souvent au niveau conceptuel, mais ce n'est pas une obligation. L'entreprise peut redéployer tous ses moyens physiques sans avoir de vision dominante, même si cela ne paraît guère logique (ce qui ne veut pas dire que cela n'arrive jamais!).

2. À tous ces concepts, il faut ajouter des synonymes ou des variantes comme renouvellement, réflexion, révision, reconfiguration, restriction, réforme, réarrangement et réduction.

3. Il en résulte que passer de «planifié» à «évolutif» correspond, sur le cube du changement, à parcourir l'échelle de «formel» à «informel». Il faut noter cependant que tout peut aussi se classer de «conceptuel» à «concret». La planification stratégique peut être assez conceptuelle, bien qu'elle vise des résultats concrets, alors que l'apprentissage stratégique ou le défi politique peuvent se situer partout sur la même échelle.

Références

Baden-Fuller, C., Stopford, J.M., *Rejuvenating the Mature Business: The Competitive Challenge*, Chapitre 6, Harvard Business School Press, 1992.

Beatty, R.W., Ulrich, D.O., «Re-energizing the mature organization», *Organizational Dynamics*, 1991, p. 16-30.

Beckhard, R., *Organizational Development: Strategies and Models*, Addison-Wesley, 1969.

Beer, M., Eisenstat, R.A., Spector, B., «Why change programs don't produce change», *Harvard Business Review*, novembre-décembre 1990, p. 158-166.

Clemmer, J., *Pathways to Performance: A Guide to Transforming Yourself, Your Team, and Your Organization*, Macmillan Canada, 1995.

Dickout, R., Denham, M., Blackwell, N., «Designing change programs that won't cost you your job», *The McKinsey Quarterly*, vol. 4, 1995, p. 101-116.

Doz, Y.L., Thanheiser, H., «Embedding transformational capability», ICEDR, *Forum Embedding Transformation Capabilities*, INSEAD, 1996.

Hurst, D., *Changing Management Metaphors – To Hell with the Helmsman*, texte non publié.

Kotter, J.P., «Leading change: Why transformation efforts fail», *Harvard Business Review*, mars-avril 1995, p. 59-67.

Mintzberg, H., Westley, F., «Cycles of organizational change», *Strategic Management Journal*, vol. 13, 1992, p. 39-59.

Peters, T.J., «A style for all seasons», *Executive Magazine*, Graduate School of Business and Public Administration, Cornell University, 1980, p. 12-16.

Tichy, N.M., Sherman, S., *Control Your Destiny or Someone Else Will: How Jack Welch is Making General Electric the World's Most Competitive Corporation*, Doubleday, 1993.

Transformer l'organisation. Vers un modèle de mise en œuvre

Alain Rondeau

91

Cet essai vise à fournir un éclairage sur la manière de conduire la transformation d'une organisation. Il prend sa source à la fois dans l'analyse de la documentation et dans les résultats de nombreuses études empiriques et interventions conduites sur le terrain par les chercheurs du Centre d'études en transformation des organisations de HEC Montréal. Depuis plusieurs années, le Centre tente de comprendre **pourquoi** et surtout **comment** les organisations se transforment. En prenant appui à la fois sur les connaissances théoriques et sur l'accompagnement d'interventions directes, les chercheurs en sont venus à élaborer un modèle visant à identifier les dimensions critiques d'une démarche de transformation, c'est-à-dire les variables susceptibles d'influencer de façon significative l'éventuel succès ou échec dans la conduite d'une transformation organisationnelle majeure.

Lorsqu'on cherche à comprendre pourquoi les organisations se transforment, il faut d'abord reconnaître que les organisations sont soumises à diverses forces de l'environnement, des forces économiques, politiques, sociales et technologiques qui remettent constamment en question la façon de concevoir et de faire fonctionner l'organisation. En outre, il faut aussi noter que les organisations changent parce que la façon même de concevoir la gestion change : l'évolution des courants de pensée en gestion, l'émergence de nouveaux modèles, de nouvelles conceptions, de nouveaux outils de gestion constituent des sources majeures de transformation. Enfin, il faut reconnaître que les dirigeants eux-mêmes interprètent constamment les bouleversements de l'environnement organisationnel et des tendances en gestion et réagissent au meilleur de

---

Alain Rondeau est professeur à HEC Montréal.

leurs connaissances et de leurs croyances pour ajuster le fonctionnement de leur organisation à ce qui leur semble la voie la plus appropriée.

L'essentiel de la formulation stratégique menant au changement consiste à comprendre l'évolution de l'environnement. Toutefois, toute organisation qui se transforme devra, au-delà de la vision qu'elle poursuit stratégiquement, passer à l'action et mettre en œuvre ces changements, bouleverser les façons de faire traditionnelles pour y substituer de nouvelles pratiques, plus cohérentes avec la vision développée. C'est cette conduite de la démarche de transformation qui fait l'objet du présent texte.

Comme l'illustre bien l'article de Demers dans ce volume, l'évolution récente de la pensée en changement organisationnel a amené à reconnaître que toute organisation est d'abord un construit social qui n'existe qu'à travers les yeux de ceux qui la constituent, et que la mise en œuvre d'un changement est nécessairement une opération complémentaire de sa formulation. Cette mise en œuvre ne peut se faire qu'à travers la lente pénétration de l'intention stratégique dans le tissu même de ce qui constitue l'organisation et qui, partant, répond à ses règles propres. Plutôt que de chercher à comprendre les forces qui façonnent l'organisation, il est intéressant de se pencher sur les processus et les mécanismes qui régissent cette transformation.

Un modèle générique de mise en œuvre des changements est-il possible?

Quels sont les facteurs qui facilitent une transformation d'envergure? Quelles sont les conditions de succès ou d'échec de ces transformations? Quelle est la meilleure façon d'enclencher une transformation? Qu'est-ce qui risque de faire dévier une transformation de son parcours? Voilà autant de questions auxquelles cherche à répondre tout gestionnaire qui se voit confronté au besoin de changer, d'adapter son organisation à un environnement en mutation. Cette quête d'un guide d'action fiable pousse souvent à chercher, dans les modèles proposés, des réponses toutes faites à des situations pourtant particulières.

De fait, il ressort clairement de l'état actuel de la recherche (Voir Mintzberg *et al.*, Miller *et al.* ou Demers, dans ce volume) que la conduite d'un changement n'a rien de générique et se doit d'être hautement contextualisée. Il s'avère donc futile de chercher un modèle générique applicable indistinctement à toute forme de changement dans tout type d'organisation et en toute circonstance. Les diverses prescriptions que nous dégagerons ici devront donc être considérées comme des variables types dont il faudra éventuellement déterminer la valeur dans un contexte donné.

QUELQUES PRINCIPES DE BASE

Toutefois, avant d'entrer de plain-pied dans l'élaboration de la démarche de transformation, précisons quelques principes de base de la conduite d'une telle transformation qui se dégagent de la recherche en la matière et qui vont influencer le contenu de la démarche.

On ne gère pas le changement, on gère la continuité

Un des apprentissages les plus importants qui se dégage de la recherche sur les transformations majeures nous est fourni par Miller *et al.* (dans ce volume). Ces auteurs montrent qu'il ne faut pas considérer le changement comme une brisure dans la continuité tranquille, mais bien que le changement doit faire partie de cette continuité. Ils reconnaissent, à l'instar de Mintzberg *et al.*, Julien et Jacob, Cornet ou Demers (dans ce volume), que pour changer, il ne suffit pas simplement d'aligner l'organisation derrière un message simple, optimiste et proactif proposé par une sorte de visionnaire, mais bien qu'un changement réussi tient à la maîtrise partagée par le tissu organisationnel de la complexité, de l'ambiguïté et de l'imprévisibilité dans lesquelles évolue l'organisation.

93

Changer, c'est aussi bien connaître son point de départ que sa destination. C'est d'abord évaluer sa capacité à changer. C'est bien connaître l'organisation, ses acteurs et leurs structures mentales (voir Demers dans ce volume). C'est expérimenter conjointement un passage d'un état antérieur, jugé insatisfaisant, à un état ultérieur désirable. Toutefois, contrairement à de nombreuses prescriptions des gourous du changement organisationnel, une compréhension plus contemporaine du changement (voir Miller *et al.* ou Mintzberg *et al.* dans ce volume) reconnaît qu'une telle analyse ne se fait pas seulement au sommet de l'organisation, mais bien qu'à tous les niveaux organisationnels, les acteurs s'approprient à leur façon le projet et l'articulent dans les limites de leur réalité.

On ne gère pas le changement comme une opération courante

Pour amener une organisation à changer, il faut provoquer une réflexion de second degré sur son action propre. On ne peut pas conduire le changement comme on gère les activités quotidiennes de l'organisation. Ce sont justement ces activités quotidiennes qui vont servir de matériau de base à la démarche de changement. En outre, on gère le changement dans la turbulence; on doit souvent continuer à produire les mêmes résultats tout en modifiant les systèmes en place pour y parvenir. En définitive, la gestion du changement ne répond pas à des normes précises de mise en œuvre mais constitue souvent une sorte de va-et-vient entre l'intention stratégique et l'opérationalisation où s'exécutent, pêle-mêle, des activités nombreuses et diversifiées résultant d'initiatives de tous les acteurs concernés. C'est aussi là que se confrontent toutes sortes de perspectives différentes sur ce qui est visé et sur les moyens pour y parvenir, où cohabitent divers ordres du jour ou programmes pas toujours compatibles, où se frottent divers enjeux difficilement conciliables.

Deux spécialistes de ces questions, Goshall et Bartlett (1994, 1995), ont formulé ce qu'ils considèrent le type de gestion requise dans une telle situation de turbulence. Pour eux, un ajustement organisationnel d'envergure nécessite un passage de ce qu'ils appellent les «trois S» aux «trois P». Reconnaissant que l'organisation traditionnelle s'articule autour des trois piliers que sont la **stratégie**, la **structure** et les **systèmes**, ils notent qu'en situation de turbulence, la transformation de l'organisation ne peut pas se faire par une simple modification de ces paramètres de base. Elle doit plutôt apparaître aux yeux des acteurs organisationnels comme un **projet** dont le but est légitime (selon leur expression : *purpose*), qui suscite un engagement des **personnes** et qui touche des **processus** essentiels à l'activité de l'organisation. Selon leurs propos, définir seulement une nouvelle stratégie, tout comme modifier simplement les structures ou les systèmes, s'avère insuffisant pour amener l'organisation à réellement changer. Il faut personnaliser le projet de changement et l'ancrer solidement dans ce qui constitue l'activité fondamentale de l'organisation pour qu'il ait des chances de prendre racine.

Le changement progresse davantage par superposition que par substitution

Dans une perspective évolutionniste, on ne peut croire que l'organisation progresse par une simple modification des caractéristiques qui la composent. De fait, il semble plus juste de décrire ce passage comme la superposition de nouvelles caractéristiques sur les anciennes. Ainsi, lorsqu'on change une structure, on applique en quelque sorte la nouvelle structure sur l'ancienne, et lentement, les nouveaux référents vont se substituer aux anciens dans les façons de fonctionner des acteurs organisationnels.

De même, les organisations ne changent pas uniquement par la tête. Comme l'indique Demers (dans ce volume), les divers acteurs réinterprètent chacun à leur façon le projet organisationnel. Il est donc futile de vouloir tout simplement remplacer une culture organisationnelle par une autre. Au mieux, on crée des conditions qui vont permettre au changement de prendre racine. Ainsi, contrairement à ce qu'on croit souvent, le changement ne pénètre pas l'organisation de façon linéaire et progressive. On peut plutôt imaginer qu'il «contamine» le système organisationnel, favorisant l'apparition de capacités nouvelles, plus appropriées, qui vont rendre l'organisation plus en mesure de faire face aux bouleversements de son environnement.

Les principes énoncés ici trouvent leur application directe dans les diverses composantes de la démarche de transformation. Abordons maintenant plus directement l'élaboration de cette démarche.

CONCEVOIR UNE DÉMARCHE DE TRANSFORMATION

Parler d'une démarche de transformation, c'est déjà reconnaître, à l'instar de Demers (dans ce volume), que le changement n'est pas le fait d'un ou de quelques acteurs qui le «gèrent» et d'une multitude d'autres qui le subissent. Au contraire, le changement est ici conçu comme le résultat de l'effort collectif pour traduire en action l'intention stratégique, et cette action est intimement liée à la capacité à changer de l'organisation.

Dans cette perspective, changer, c'est reconnaître que les acteurs organisationnels ne font pas que simplement se conformer aux orientations mais les interprètent, chacun à leur façon et selon leur perspective, pour réussir à se les approprier et à les appliquer dans leur quotidien. Ainsi, conduire une démarche de transformation, c'est construire cette capacité à changer.

Pour illustrer ce phénomène, on peut utiliser la métaphore de la mise en scène d'une pièce de théâtre. La qualité de la représentation à laquelle assiste le public est non seulement liée à la valeur du scénario mais aussi au talent des acteurs qui jouent celui-ci. De fait, lorsqu'un acteur accepte un rôle, il fait beaucoup plus que rendre un texte; il en donne une interprétation. Il s'approprie ce texte et le fait sien jusqu'à s'identifier au personnage qu'il incarne, mais en même temps, ce personnage prend ses traits. De même, lorsqu'un metteur en scène travaille avec des acteurs à rendre une pièce, son succès sera lié non seulement à la connaissance intime qu'il a de cette pièce et de ce qu'elle vise à provoquer auprès d'un auditoire, mais aussi à la connaissance qu'il possède des capacités et des limites des acteurs qui vont la jouer.

Comme le suggère le schéma 1, construire une démarche de transformation, c'est en quelque sorte construire le scénario qui va guider le déroulement du changement afin de faire pénétrer l'intention stratégique au sein de l'organisation.

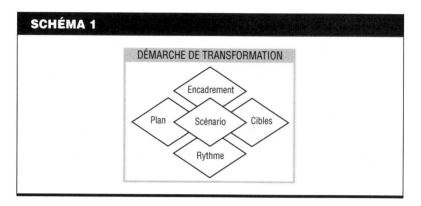

SCHÉMA 1

DÉMARCHE DE TRANSFORMATION

Encadrement

Plan   Scénario   Cibles

Rythme

Cette idée de scénario de changement n'est pas nouvelle. De tout temps, on a reconnu que la conduite du changement nécessitait un plan d'action, et nombre de modèles de conduite du changement ont été proposés (Van de Ven et Poole, 1995) pour décrire les diverses formules que l'on retrouve dans la documentation quant au mode de fonctionnement de l'organisation et à la meilleure façon de changer.

Toutefois, parler de «scénario de changement» plutôt que de stratégie de changement implique de reconnaître que le changement n'est pas lié au seul leadership organisationnel, mais qu'il s'agit aussi d'un phénomène social qui concerne tous les acteurs touchés. Par conséquent, la démarche à suivre devra prendre en considération les multiples croyances de tous ces acteurs quant à la meilleure façon de changer. Le contexte propre à chaque transformation déterminera aussi le type de démarche appropriée. Selon la nécessité d'une action plus ou moins rapide et intégrée, selon le besoin d'adhésion plus ou moins grand des différents acteurs organisationnels, des démarches incrémentales ou radicales, émergentes ou imposées, s'avéreront mieux adaptées. Et c'est là que sera utile l'intuition du dirigeant et sa capacité à faire des choix difficiles.

Parler de scénario de changement signifie aussi s'attacher à un construit un peu plus systématique de conduite du changement. Certes, il existe toujours une démarche plus ou moins explicite de conduite du changement qui définit une séquence d'actions souhaitable pour atteindre les résultats escomptés, mais comme cette démarche est rarement rigoureuse, chacun réagit au meilleur de ses connaissances aux événements qui surviennent. Le changement évolue alors un peu au hasard, au gré de décisions souvent discrètes et sans liens véritables entre elles. Le présent modèle suggère qu'une transformation réussie ne peut s'improviser ni être laissée à la seule intuition de quelques acteurs; elle nécessite une certaine rigueur de conduite et de la transparence. À la lumière de la documentation sur ces questions, il semble qu'un tel scénario, pour qu'il soit utile, doive clarifier au moins quatre facettes distinctes de la conduite du changement, c'est-à-dire le plan d'action à suivre, l'encadrement à donner à cette action, les cibles à atteindre et le rythme à respecter dans le déroulement de l'action. Traitons brièvement de ces divers aspects.

Le **plan** d'action désigne l'identification et la séquence des activités de mise en œuvre du changement. Définir un tel plan, c'est préciser les étapes du changement et l'échéancier des actions qui vont contribuer au développement de la capacité à changer de l'organisation. C'est arrêter les mécanismes de partage de l'information et prévoir les interfaces nécessaires pour maintenir une cohérence d'action à mesure que progresse le changement pour qu'aux yeux des acteurs, celui-ci soit autre chose qu'une simple improvisation. C'est aussi clarifier les points de décision et d'allocation de ressources.

97

Se doter d'un plan formel de conduite du changement, c'est en quelque sorte en rendre le déroulement transparent pour permettre à chacun de se l'approprier. C'est ainsi se doter d'un premier mécanisme de *feed-back* concernant le réalisme et la faisabilité du projet. C'est aussi confirmer l'incontournabilité des intentions organisationnelles et, ainsi, mettre en alerte les acteurs face au travail à accomplir. C'est enfin une indication claire de ce qui est prioritaire et de ce qui prend un caractère instrumental dans la conduite du changement.

L'**encadrement** du changement consiste dans le partage des rôles et responsabilités entre les acteurs impliqués dans la conduite du changement. Sous ce rapport, il faut reconnaître que la conduite du changement nécessite la coordination de trois niveaux d'intervention : les niveaux stratégique, fonctionnel et opératoire de l'organisation. Au niveau stratégique, la conduite du changement touche la définition de la vision et des enjeux de la transformation. C'est à ce niveau que doivent se faire les «vrais constats» et se prendre les décisions difficiles. C'est à ce niveau que vont se traiter les inévitables confrontations et blocages, notamment entre la mise en œuvre opératoire du changement et l'alignement fonctionnel des systèmes organisationnels. Au niveau fonctionnel, la conduite du changement touche plus particulièrement le maintien de l'intégrité de l'organisation en même temps que le développement de capacités nouvelles pour faire face à ses nouveaux défis. C'est à ce niveau que s'effectue l'ajustement de l'infrastructure, c'est-à-dire des systèmes qui rendent possible le fonctionnement même de l'organisation. Il s'agit souvent du niveau qui va se trouver le plus ébranlé par la mise en œuvre du changement et qui risque, par conséquent, d'offrir le plus de résistance. Enfin, au niveau opératoire, la conduite du changement touche les activités qui se voient directement transformées et les acteurs qui sont les porteurs immédiats du changement. C'est au niveau des processus organisationnels mêmes que s'incarne le changement, à travers des projets qui sont conduits par divers «champions».

L'expérience montre que dans la conduite d'un changement, chacun de ces niveaux semble maintenir assez facilement une cohérence d'action, mais que c'est dans les interfaces entre ces niveaux que se fait la véritable gestion du changement. Par exemple, les porteurs opératoires d'un changement jugent souvent que la difficulté à implanter celui-ci ne vient pas d'eux, mais bien des obstacles qui se dressent au niveau fonctionnel de l'organisation. Chaque niveau adresse alors ses demandes d'arbitrage au niveau stratégique, qui doit concilier le bien-fondé de chaque position avec la vision recherchée. Les recherches en gestion de la complexité semblent montrer que l'habileté du niveau stratégique ne sera pas tant dans sa capacité à arbitrer comme dans sa capacité à maintenir les relations entre les divers niveaux d'acteurs et à générer à chaque niveau des décisions cohérentes avec la vision recherchée. Gérer un changement, ce n'est pas confier à un seul individu le soin d'agir en même temps comme porteur de la vision nouvelle et comme protecteur de l'intégrité actuelle de l'organisation; c'est plutôt reconnaître l'existence de ces deux forces paradoxales et leur donner des plates-formes où elles peuvent être conciliées.

Le **rythme** est lié à la cadence d'action à maintenir dans la mise en œuvre du changement. Les observations sur cette question emploient souvent le concept de «fenêtre d'opportunité» pour décrire la période critique pour réaliser un changement. Il ressort généralement de ces observations que des changements trop rapides qui n'ont pas le temps de se construire une légitimité, ou des changements trop lents qui s'étiolent et tardent à produire les résultats visés, ont des effets pernicieux sur la mobilisation des acteurs même les mieux disposés face au projet.

Sous ce rapport, il semble que les organisations qui réussissent le mieux leur transformation sont celles qui assurent une progression soutenue de la mise en œuvre du changement visé. Ces organisations ciblent efficacement les éléments significatifs du changement et se dotent d'indicateurs clés leur permettant de bien mesurer leur progression. Elles s'assurent que le changement demeure une situation transitoire qui a une fin planifiée. Au contraire, les organisations qui ont plus de difficultés avec leur transformation sont celles qui réussissent mal à garder le cap dans la tempête. Souvent, par souci d'assurer une participation étendue et par ailleurs légitime, elles réussissent mal à distinguer les enjeux stratégiques de ceux qui sont plus instrumentaux et retardent indûment la mise en œuvre d'actions qui cristallisent le changement. Cela se traduit alors par le sentiment que l'on ne progresse pas, que les décisions importantes ne sont pas prises, et cette démarche finit par miner le climat et par affecter la crédibilité de ceux qui sont identifiés au changement.

Les **cibles** d'action ont trait à la fois aux objectifs visés et aux résultats escomptés par la transformation. Sous ce rapport, il semble qu'une transformation réussie sera celle où les objectifs visés sont clairs et demeurent bien perceptibles tout au long de la démarche. De fait, c'est rarement ce que l'on constate. Dans le bouleversement d'une transformation, la multiplicité des acteurs et des enjeux fait souvent en sorte que les objectifs de départ qui légitimaient la transformation se perdent et que d'autres programmes émergent, créant alors une multiplicité de visées souvent incompatibles.

99

Même si une transformation peut avoir différents types d'objectifs, son succès dépendra du caractère mobilisateur de ces objectifs. Par exemple, on observe souvent des transformations enclenchées par le besoin de «rationaliser», de contrôler les coûts pour assurer, à court terme, la survie de l'organisation; et il n'est pas rare de constater qu'un tel effort de décroissance entraîne surtout la perte de ressources critiques pour l'organisation. Il faut bien reconnaître que la seule réduction des dépenses n'a, en soi, aucun caractère mobilisateur. Par contre, si une telle rationalisation devient un moment privilégié de remise en question, si l'on profite de cette réduction pour impliquer les acteurs clés dans le recentrage de la mission organisationnelle, pour les sensibiliser aux difficultés vécues et pour redéfinir ensemble les cibles à atteindre, alors la transformation a plus de chances d'être mobilisante. La transformation doit être un moment privilégié pour focaliser l'attention sur ce qui prime. Plus les objectifs sont multiples et éparpillés, plus les risques d'échec sont grands.

La simple énumération de ces quatre facettes du scénario de changement indique déjà la complexité de la tâche à accomplir. Il ne s'agit pas simplement d'avoir une certaine vision de ce que l'on veut devenir, mais bien d'établir un diagnostic clair sur ce qui fait que l'organisation est ce qu'elle est actuellement et sur les capacités qui doivent être mises en place pour lui permettre de changer. En effet, il faut éviter de mettre en péril ce qui a fait la force de l'organisation jusqu'alors au détriment d'une valeur anticipée hypothétique. En outre, il ne s'agit pas simplement de préparer un scénario pour la haute direction de l'organisation, mais aussi de valider constamment celui-ci avec les différents acteurs du changement. Pour que ce soit un succès, ces acteurs doivent incarner le changement et non simplement l'observer.

Enfin, il faut reconnaître que la construction de ce scénario est tributaire non seulement des conditions dans lesquelles le changement se

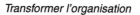

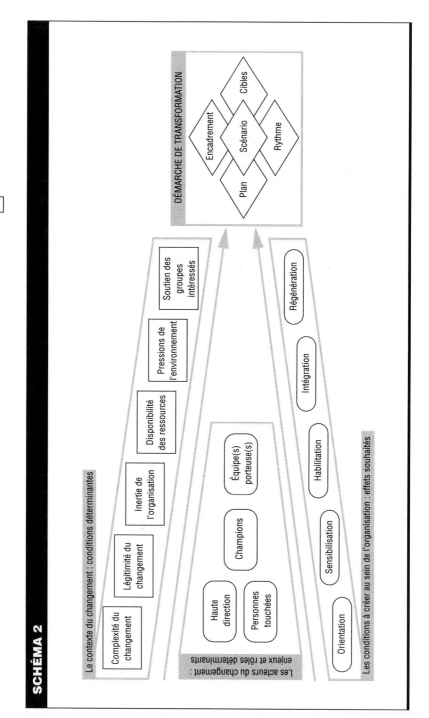

SCHÉMA 2

DÉMARCHE DE TRANSFORMATION

Encadrement

Cibles

Scénario

Plan

Rythme

Le contexte du changement : conditions déterminantes

Complexité du changement

Légitimité du changement

Inertie de l'organisation

Disponibilité des ressources

Pressions de l'environnement

Soutien des groupes intéressés

Les acteurs du changement : enjeux et rôles déterminants

Haute direction

Personnes touchées

Champions

Équipe(s) porteuse(s)

Orientation

Sensibilisation

Habilitation

Intégration

Régénération

Les conditions à créer au sein de l'organisation : effets souhaités déroule et des acteurs qu'il implique, mais aussi du sens que doit prendre le changement, c'est-à-dire des effets que l'on cherche à créer, au sein de l'organisation, pour que s'installe lentement cette capacité à changer. Le schéma 2 reprend ces paramètres en identifiant divers facteurs que la documentation actuelle juge critiques dans la mise en œuvre d'un changement.

LE CONTEXTE DU CHANGEMENT : IDENTIFIER LES CONDITIONS DÉTERMINANTES

Essayer de comprendre ce qui se passe lors de la transformation d'une organisation, c'est d'abord se pencher sur le contexte dans lequel cette transformation se déroule, c'est-à-dire les conditions qui prévalent dans l'organisation et dans son environnement et qui sont susceptibles d'influencer le déroulement éventuel de la transformation. Déjà en 1951, Lewin suggérait que la conduite appropriée du changement social nécessite ce qu'il nommait alors une analyse «du champ de forces» dans lequel se déroule ce changement. Il croyait nécessaire de bien saisir et d'utiliser les «forces propulsives», c'est-à-dire susceptibles de soutenir le changement, et de contrôler les «forces restrictives», agissant quant à elles comme des freins au changement. Cette première dimension d'analyse suggère la prise en compte de six variables contextuelles majeures, souvent considérées dans la documentation comme déterminantes de la capacité de changement de l'organisation[1]. Certes, il ne s'agit pas de conditions génériques au sens décrit plus haut, mais leur pertinence dans nombre de changements mérite que l'on s'y arrête.

Une première condition à prendre en considération concerne la **complexité du changement** à réaliser. On reconnaît d'emblée qu'un changement radical est plus difficile à réaliser qu'un changement incrémental, qu'un changement imposé perturbe davantage qu'un changement émergent. Ainsi, la difficulté de mise en œuvre d'une transformation est liée à la perturbation des équilibres internes qu'elle produit au sein du système où elle se déroule. En outre, le changement est d'autant plus complexe qu'il perturbe un système qui est lui-même complexe. Si on ne s'entend pas clairement sur la définition de la complexité, on reconnaît cependant en général qu'une organisation est d'autant plus complexe que sa taille est importante, que ses activités sont multiples, qu'elle dessert plusieurs marchés, qu'elle utilise de nombreuses technologies, qu'elle fait appel à des ressources hautement qualifiées et qu'elle est soumise à de fortes pressions de son environnement. Ainsi, conduire un changement majeur dans ce type d'organisation nécessite une scénarisation élaborée.

Une seconde variable a trait à la **légitimité du changement**. Cette légitimité renvoie à la pertinence perçue de la transformation annoncée eu égard à la performance de l'organisation. Les données sous ce rapport montrent qu'un changement est perçu comme d'autant plus légitime qu'il permet d'améliorer des processus centraux (*core business*) de l'organisation qui sont jugés critiques pour son succès. En définitive, la capacité d'établir un lien clair, réel ou anticipé, avec la performance organisationnelle apparaît comme la source la plus importante de justification d'un changement majeur (Huber et Glick, 1993, cité dans Hafsi et Demers, 1997). On note en général qu'une baisse de performance et, en particulier, une détérioration relative de la position concurrentielle, constitue le levier principal de légitimation de l'effort de transformation.

102

Au contraire, lorsque la performance de l'organisation est déjà bonne, ou lorsque le changement ne semble pas présenter d'effets perceptibles sur l'amélioration de la performance, il s'avère plus difficile de justifier un changement et, partant, de mobiliser les troupes face à un tel exercice.

Une troisième variable touche le **niveau d'inertie** de l'organisation. Si l'on présume que la transformation d'une organisation émerge du besoin de s'ajuster à un environnement bouleversé, il devient important d'évaluer dans quelle mesure l'organisation est perméable à son environnement tout en sachant préserver ce qui constitue ses forces propres. En effet, les travaux des théoriciens de la contingence (Lawrence et Lorsch, 1967; Thompson, 1967) ont clairement mis en évidence le paradoxe dans lequel évolue toute organisation : elle doit à la fois réduire les incertitudes de son environnement, donc être flexible et malléable aux pressions externes, et protéger ce qui est central à son fonctionnement, à sa nature profonde. Ce qui fait la force d'une organisation est aussi souvent ce qui constitue son inertie. Et les organisations ont d'autant plus de difficultés à se transformer que leur inertie est élevée, c'est-à-dire qu'à la fois leur structure et leur culture renforcent des modes traditionnels de fonctionnement. Il ne faut toutefois pas considérer le terme d'inertie dans un sens péjoratif : il s'agit en fait d'une force dynamique importante qu'il faut préserver tout en la faisant évoluer.

Ainsi, la structure de l'organisation contribue à son inertie d'autant plus qu'elle a un caractère **mécanique** (Lawrence et Lorsch, 1967), c'est-à-dire que les mécanismes de coordination et de contrôle y sont formalisés, que la prise de décision est centralisée et que les gens qui y œuvrent sont spécialisés. Cette inertie structurelle est appropriée à un environnement stable qui favorise l'efficience et la standardisation des systèmes internes. Au contraire, une structure est considérée comme **organique** et bien adaptée à un environnement turbulent dans la mesure où ses mécanismes et sa dynamique de fonctionnement sont flexibles et aptes à innover pour favoriser un ajustement continu aux perturbations externes. De plus, la culture organisationnelle joue un rôle dans le degré d'inertie dans la mesure où les valeurs et les pratiques qui prévalent dans l'organisation contribuent ou nuisent à l'évolution de celle-ci.

Une autre façon d'évaluer le niveau d'inertie d'une organisation concerne son historique de changement. Ainsi, plus elle a réussi dans ses expériences antérieures de changement, plus elle a de chances d'entreprendre avec succès une nouvelle transformation. On peut aussi affirmer que l'inverse se vérifie et que des organisations ayant peu d'expériences de changement ont souvent de la difficulté à se transformer avec succès même si cette adaptation est nécessaire à leur survie.

De fait, il semble que les organisations qui réussissent leur changement sont celles qui savent mettre en place des mécanismes de rétroaction pour apprendre de leur propre changement et s'en servir comme moyen d'amélioration continue à mesure qu'elles progressent. Ces organisations sont aussi plus conscientes du besoin d'explorer et sont donc plus aptes à vivre des transitions à haut niveau d'incertitude. Il devient donc important, pour mesurer l'inertie d'une organisation, de voir dans quelle mesure le changement proposé entre en conflit avec les éléments structurels existants et jusqu'à quel point la culture dominante rend difficile l'adoption du changement.

Une autre variable jugée critique pour le succès d'une transformation consiste dans la **disponibilité des ressources** pour soutenir la mise en œuvre du changement. Les observations à cet égard indiquent qu'il est irréaliste de songer à transformer une organisation lorsqu'elle ne dispose pas des ressources nécessaires. Toute transformation nécessite une part d'exploration, ce qui engendre des coûts non prévisibles.

Certes, les écrits anecdotiques regorgent d'exemples où des organisations ont réussi des virages spectaculaires alors qu'elles étaient en situation de survie, mais la réalité est tout autre. Au contraire, les organisations qui réussissent leur transformation anticipent les changements et n'attendent pas d'être en situation précaire pour passer à l'action. Il est évident que le besoin de réagir à une situation difficile peut fournir l'élément mobilisateur nécessaire à une action concertée, mais il s'avère souvent désastreux d'attendre la situation critique pour agir. Une vision sans moyens n'a pas de grandes chances de se réaliser. Il faut beaucoup plus que la seule volonté des acteurs pour changer. Cela nécessite la mise en place de pratiques, d'outils, de modes de fonctionnement qui requièrent des investissements non négligeables. Moins une organisation est en mesure d'accéder à des ressources appropriées ou de réallouer ses ressources existantes pour appuyer sa transformation, plus le virage escompté s'avère difficile à réaliser.

Les deux dernières variables du modèle concernent l'analyse spécifique de l'environnement organisationnel. L'une s'intéresse plus particulièrement aux **pressions de l'environnement**. Dans leur ouvrage, Hafsi et Demers (1997) ont bien expliqué ce phénomène. Ils rappellent notamment, à l'instar de Porter (1980), comment une modification dans la structure concurrentielle d'une firme (le comportement des acteurs actuels et potentiels d'une industrie) accroît le niveau d'incertitude de l'environnement et crée des pressions qui incitent au changement. Ces pressions peuvent devenir une force autant propulsive que restrictive relativement au changement, et la façon de les utiliser constitue un élément important du scénario de transformation à construire. Plus une organisation saura se rendre perméable à la turbulence de son environnement, plus elle restera ouverte au changement. Au contraire, moins elle se donnera les moyens de s'évaluer ou de se comparer, ou plus ces moyens seront réservés à la haute direction, plus les pressions externes seront utilisées de façon tactique, pour justifier des prises de position par ailleurs peu partagées. On connaît bien ce type de discours de crise, par lequel on tente de légitimer des changements organisationnels souvent jugés discutables.

Il faut enfin reconnaître que l'environnement est plus large que les seuls concurrents directs mais comprend aussi le **soutien des groupes intéressés**. Par groupes intéressés, on entend ici tout acteur social ayant une influence quelconque sur l'évolution d'une organisation (par exemple les gouvernements ou les donneurs d'ordres) ou qui voit son programme affecté par la transformation de cette organisation (par exemple les syndicats ou les groupes d'intérêt). En ce sens, à l'instar de nombreux théoriciens de l'environnement politique des organisations, Hafsi et Demers (1997) rappellent que l'organisation peut être affectée par des changements dans l'accessibilité à des ressources critiques ou par une nouvelle distribution du pouvoir au sein des groupes dont elle dépend. Ils montrent aussi comment l'évolution des normes sociales peut influencer les mouvements organisationnels. Toute organisation évolue dans un système social plus ou moins complexe, et plus l'environnement externe légitime et soutient l'effort de transformation, plus celui-ci a des chances de réussir. Il faut donc tenir compte de cet aspect dans l'élaboration du scénario de transformation.

LES ACTEURS DU CHANGEMENT : IDENTIFIER LES ENJEUX ET LES RÔLES DÉTERMINANTS

Une transformation réussie ne se résume pas à la prise en considération d'un certain nombre de variables contextuelles. De fait, comme on l'a indiqué plus haut, le scénario à développer n'est pas un instrument de travail désincarné mais au contraire, il n'existe et ne prend sa force que dans la mesure où il est récupéré par les différents acteurs du changement. Tout changement est le fait d'acteurs organisationnels qui s'y investissent parce que ce changement représente un enjeu pour eux et qu'ils considèrent avoir un rôle à y jouer. Scénariser le changement, c'est donc d'une part identifier les acteurs concernés par ce changement, et d'autre part reconnaître les enjeux du changement pour chacun. Le scénario qui en résulte s'enrichit donc à la fois des capacités mais aussi des limites de ces acteurs.

Le modèle suggéré ci-dessus attire l'attention sur trois acteurs princi-paux de toute transformation et sur les rôles qu'ils sont généralement amenés à jouer : la haute direction, qui se doit d'exercer les rôles stratégiques requis par le changement, les «champions» et les équipes porteuses du changement, qui constituent en quelque sorte les leviers opératoires de sa mise en œuvre, et enfin les différentes personnes touchées par le changement, qui souvent le subissent plus qu'elles ne le génèrent.

$\boxed{105}$

Même si des perturbations du contexte organisationnel constituent l'amorce d'une transformation, c'est véritablement l'interprétation que fait **la haute direction** du besoin de changer qui agit comme le principal déclencheur du changement. Seule la haute direction et souvent même seul son chef sont perçus comme ayant la légitimité nécessaire pour amorcer une transformation majeure. D'ailleurs, comme l'ont montré les travaux de Romanelli et Tushman (1994), on identifie généralement trois forces principales à l'origine d'une transformation organisationnelle. Une première force concerne une baisse de performance susceptible de remettre en cause la pérennité de l'organisation ou la légitimité de ses choix. Une seconde force a trait aux changements réels ou anticipés de l'environnement qui sont perçus comme pouvant affecter cette perfor-mance. C'est à la haute direction que revient les rôles de contrôle de la performance et d'anticipation des changements. Enfin, une troisième force consiste en l'arrivée d'un nouveau décideur à la haute direction, ce qui se traduit fréquemment par une nouvelle orientation donnée à l'organisation. Au moment de son arrivée, non seulement le nouveau décideur propose-t-il sa vision de l'organisation, mais il profite de la fenêtre d'opportunité qui se crée du fait de son entrée dans l'organisation pour concrétiser cette vision. En définitive, il semble donc que toute transformation majeure résulte d'abord d'une réinterprétation de l'environnement organisationnel par la haute direction, nouvelle ou non. En outre, il est clair que la perception d'une crise réelle ou anticipée constitue l'une des formes les plus puissantes de justification d'un changement. Enfin, comme le rappellent les deux chercheurs, les trans-formations majeures sont surtout le fait de chefs d'entreprise.

Certes, c'est au niveau de la haute direction qu'est définie en grande partie l'orientation stratégique, mais deux autres rôles incombent aussi à la haute direction : celui de maintenir la pression quotidienne pour que le changement se réalise, et celui d'assurer les ajustements systémiques requis pour la pénétration du changement et la consolidation de l'organisation. De fait, l'engagement de la haute direction dans le projet de transformation est considéré actuellement comme la plus significative de toutes les conditions de succès répertoriées dans la documentation sur la question. Une transformation réussie exige de la haute direction un soin particulier et soutenu. On a estimé que jusqu'à 30 % du temps des dirigeants principaux devait être consacré à appuyer directement la mise en œuvre d'une transformation. Même si cette condition semble aller de soi, il faut constater que dans les faits, nombreuses sont les transformations qui subissent difficilement la «pression de la quotidienneté». Il arrive, en effet, que les dirigeants soient énormément impliqués au début, mais que leur élan s'estompe et que leur implication diminue à mesure que le projet progresse. On assiste alors à un désistement qui peut s'avérer fatal à long terme. Il semble donc que les dirigeants doivent continuellement se soucier de maintenir l'attention de l'organisation centrée sur les objectifs de la transformation tout au long du processus et non se laisser accaparer par la routine quotidienne après les premières étapes.

Même si l'élément déclencheur du changement se situe au niveau de la haute direction, de plus en plus de chercheurs sont portés à croire que ni l'énergie nécessaire à la transformation, ni le processus décisionnel requis pour la réaliser ne peuvent être générés de façon purement *top down*. De fait, on estime que la pénétration du changement au sein du système organisationnel va être liée au degré d'adhésion à la stratégie de transformation à divers niveaux de l'organisation. C'est un peu comme si le changement s'infiltrait par un processus de contamination du système organisationnel. C'est par le travail d'un ou de plusieurs **champions**, véritables catalyseurs du changement appuyés par des **équipes porteuses**, que la transformation va s'opérer. En d'autres termes, il est important qu'une masse critique d'individus incarne dans l'action les buts poursuivis par la transformation et traduise tant au niveau fonctionnel (dans l'encadrement et les systèmes de gestion) qu'au niveau opératoire (dans les activités mêmes de l'organisation) les visées stratégiques de la transformation. C'est par l'émergence de cette masse critique de personnes préoccupées de changer que la nouvelle forme organisationnelle va devenir réalité.

De fait, tel qu'indiqué plus haut, une transformation majeure ne peut être le fait d'une simple décision stratégique qui entraîne une restructuration et la mise en place de systèmes de gestion pour la soutenir. Pour réellement prendre racine, la nouvelle visée organisationnelle doit être incarnée par des personnes (et non simplement par des systèmes) qui s'y identifient profondément. Elle aura d'autant plus de valeur qu'elle visera à améliorer des processus centraux (*core business*) de l'organisation jugés critiques pour son succès. Elle sera d'autant plus visible qu'elle sera associée à des projets porteurs de cette nouvelle vision. C'est par de tels projets, qui touchent la mission même de l'organisation, que des personnes crédibles et suffisamment dotées pourront lentement transformer les modes de fonctionnement traditionnels. Et c'est pourrait-on dire en «contaminant» l'inertie de l'organisation que ces nouvelles façons de faire pourront pénétrer le tissu organisationnel.

Enfin, il faut reconnaître que le succès de toute transformation tient en particulier à son adoption par un certain nombre d'acteurs organisationnels qui la subissent, ceux que Bareil et Savoie (dans ce volume) nomment les «destinataires» du changement, ces **personnes touchées** par le changement mais qui n'ont pas de rôle stratégique dans sa définition. Depuis longtemps, la documentation en changement organisationnel interprète les réactions de ces personnes comme de la «résistance au changement». Un scénario de mise en œuvre du changement doit reconnaître les enjeux qu'il a pour ces personnes et articuler une démarche tenant compte de leurs préoccupations.

De fait, le concept de résistance au changement a beaucoup évolué. On reconnaît de plus en plus que cette résistance n'est pas simplement un sous-produit indésirable du changement, mais plutôt une manifestation intrinsèquement liée au changement, une étape essentielle du processus dynamique de diffusion et d'appropriation du changement (Rondeau, 1998). Cette résistance, observée même dans la modification d'habitudes pourtant fort simples, nécessite que la personne effectue un changement de type paradigmatique. En d'autres termes, comme tout changement perturbe la représentation que l'on se fait du réel, l'adaptation à ce changement impose un recadrage de la réalité et nécessite l'acceptation de nouveaux points de référence plus appropriés. On commence à reconnaître la dimension émotive du changement organisationnel et à admettre qu'il ne s'agit pas seulement d'un effet pervers, mais d'un construit social normal et utile. Ainsi, Bareil et Savoie (dans ce volume) montrent que les personnes touchées par un changement traversent diverses phases de préoccupations à mesure que progresse le changement et que ces préoccupations reflètent des réactions à la fois normales et prévisibles qui peuvent être gérées.

L'analyse des acteurs et des enjeux organisationnels met en évidence la nature essentiellement perceptuelle et politique de toute transformation. Pour changer une organisation, il ne faut pas simplement créer des conditions favorables ou modifier des cadres de référence; il faut faire une place aux acteurs concernés, scénariser des activités qui facilitent le passage paradigmatique qui sous-tend le changement. Il ne s'agit pas ici seulement de «faire participer» les gens au changement pour atténuer leurs résistances, comme le souhaitaient les tenants du modèle humaniste. Il faut reconnaître que le changement est un résultat obtenu du fait de l'action plus ou moins coordonnée de tous ces agents de changement. La transformation se réalise à travers une démarche plus ou moins explicite et plus ou moins sophistiquée qui reflète le niveau de compréhension et de maîtrise de la haute direction sur la fluidité de ce phénomène.

LES CONDITIONS À CRÉER AU SEIN DE L'ORGANISATION : PRODUIRE DES EFFETS DÉSIRABLES

Une transformation réussie ne tient pas au fait que la direction maîtrise plus efficacement les forces en présence. La conduite du changement dépasse la seule prise en considération du contexte et des acteurs pour atteindre un état défini. Changer, c'est aussi améliorer la capacité installée de l'organisation à faire face à la turbulence de son environnement. C'est faire de chaque sous-système, et éventuellement de chaque acteur, un agent de changement qui non seulement comprend bien ce qu'il faut réaliser, mais qui est aussi en mesure d'y contribuer en développant les capacités nécessaires. Et qu'est-ce qui rend un tel mouvement possible?

Nombre d'observateurs ont fait l'hypothèse que le changement organisationnel progresserait selon diverses étapes (voir à cet effet la synthèse de Mintzberg *et al.* dans ce volume) où le dirigeant, ou l'équipe dominante, poserait des gestes pour installer le changement. Bien que les chercheurs soient plutôt sceptiques quant à l'existence de telles étapes et encore plus quant à ce qui doit y être accompli, ces observations mettent en lumière la possibilité de retrouver diverses préoccupations ou inquiétudes spécifiques, partagées au sein de l'organisation, à certains moments des transformations. Il serait peut-être plus réaliste de parler de phases de changement, qui ne progressent pas de façon linéaire et à l'occasion desquelles se cristallisent les appréhensions des membres de l'organisation à un moment donné du changement. Développer la capacité à changer signifie alors mettre en œuvre un ensemble d'activités permettant à la collectivité organisationnelle de créer des conditions propices au changement, s'équiper pour répondre aux préoccupations qu'il suscite. Prenant appui sur une telle conception, le présent modèle suggère l'existence de cinq types d'effets ou de conditions à développer au sein de l'organisation, à mesure qu'elle progresse dans son changement. Ces effets souhaités sont en quelque sorte des conséquences désirables pour le succès de la transformation. Ils résultent du sens que prend le changement à mesure qu'il progresse.

Une première condition à produire concerne la clarification même de la direction à donner à cette transformation. Cet effort pour donner un sens à la transformation s'articule dans un ensemble d'activités dites d'**orientation** au cours desquelles les acteurs organisationnels se préoccupent de préciser la nature même du projet de transformation, c'est-à-dire de clarifier non seulement les objectifs poursuivis mais aussi le modèle organisationnel visé. C'est au cours de cette phase que s'effectue l'analyse du contexte afin de mieux comprendre en quoi le modèle actuel s'avère insatisfaisant et ce qu'il faut faire pour corriger la situation. De telles activités devraient permettre, après un certain temps, de préciser la vision du projet de transformation et, en définitive, de concentrer l'attention des acteurs organisationnels sur un résultat jugé souhaitable. Généralement, ce processus d'orientation est à caractère stratégique et implique au premier chef la haute direction.

Tout comme on reconnaît qu'il est important de clarifier les orientations de la transformation, on admet généralement qu'il faut favoriser chez les divers acteurs organisationnels une disposition positive à investir des énergies dans le projet. C'est cette fin que visent les activités de **sensibilisation**. Au cours de cette phase, la communication et le partage d'information prennent une importance majeure. Les activités portent non seulement sur la légitimation du projet de transformation aux yeux des acteurs, mais aussi sur son caractère inévitable et sur la façon d'en traiter les impacts. À ce stade, la réalité de la transformation «contamine» le système organisationnel, c'est-à-dire qu'une masse critique d'acteurs organisationnels en viennent à prendre conscience des déficiences du système actuel et de la nécessité de faire émerger un système nouveau, plus approprié. Les premiers changements opératoires sont aussi mis en œuvre, ce qui confirme l'irréversibilité du changement. Cela force une prise de position des acteurs organisationnels oscillant entre la résistance, l'indifférence ou la mobilisation par rapport au projet. C'est là qu'émergent les «champions», les porteurs de dossiers chargés de traduire en action le modèle ébauché. Certes, il est clair que toute transformation risque de faire des perdants, des victimes. Rappelons toutefois que le processus de sensibilisation ne vise pas à faire accepter à tout prix et par tous le modèle organisationnel recherché, mais à amener une proportion significative de gens concernés à bien le saisir et à en partager les enjeux, à s'entendre de façon minimale sur une vision commune et à s'engager formellement dans l'action de transformation. Il ressort donc que ce processus de sensibilisation vise à faire passer le projet de transformation d'un niveau stratégique à un niveau opératoire. Ce faisant, il entraîne nombre de questionnements dont l'issue indiquera clairement le niveau d'engagement organisationnel.

Le succès d'une transformation n'est pas qu'une question de disposition positive des acteurs concernés. Il faut aussi développer les capacités individuelles et organisationnelles nécessaires à sa réalisation. C'est à cet objectif large que sont consacrées les activités d'**habilitation**. À ce stade, il ne s'agit plus de créer des attitudes positives par rapport au changement visé, mais plutôt de mieux équiper les acteurs organisationnels pour le réaliser. Les multiples activités de ce processus touchent entre autres la formation et le développement de compétences nouvelles qui permettront aux gens d'assumer adéquatement les nouveaux rôles qu'ils auront à exercer. Habiliter les gens, c'est aussi leur fournir l'encadrement, les ressources et le pouvoir nécessaires. C'est se doter d'indicateurs clairs pour vérifier dans quelle mesure on progresse dans la mise en œuvre de la transformation. Il s'agit d'une phase critique d'appropriation du nouveau modèle organisationnel. D'ailleurs, chaque succès dans cette expérience renforce les acteurs dans leurs convictions, tout comme chaque échec risque de remettre en question le bien-fondé des choix effectués. La phase d'habilitation a un caractère opératoire et s'articule autour de projets qui incarnent ce que l'on essaye de mettre en place. Compte tenu des multiples ajustements à apporter au plan original, elle nécessite souvent un investissement majeur en temps et en ressources.

Toutefois, les activités de la phase d'habilitation ne sont pas suffisantes en elles-mêmes pour garantir le succès de la transformation. En général, la mise en œuvre d'une transformation met en évidence la difficulté d'agencer l'appareil organisationnel d'origine avec les exigences nouvelles. C'est donc dans des activités d'**intégration** que se reconstruit la cohérence des systèmes organisationnels autour du nouveau modèle. C'est à ce stade que sont entrepris les efforts pour aligner les sous-systèmes, c'est-à-dire régler les questions plus instrumentales qui n'ont pas fait l'objet d'actions lors de phases antérieures du changement. À titre d'exemple, c'est à ce niveau que se redéfinissent plus formellement les rôles de chacun, que s'ajustent les règles organisationnelles et les conditions générales de travail qui, souvent, sont restées temporairement inchangées durant les phases antérieures du changement. Les activités d'intégration touchent surtout le niveau fonctionnel de l'organisation. On cherche à aligner la machine organisationnelle aux visées de la transformation.

Enfin, certains courants de recherche, souvent associés à la théorie de l'apprentissage organisationnel (*learning organization*), considèrent que les transformations majeures constituent des moments privilégiés pour doter l'organisation de mécanismes d'apprentissage continu visant à la rendre plus sensible à des modifications de son environnement et à réduire la nécessité d'éventuelles transformations radicales. On peut regrouper les activités de cette nature sous le vocable de **régénération**. Cette phase est caractérisée par l'installation au sein de l'organisation transformée de moyens d'assurer une révision constante des pratiques organisationnelles en fonction des changements perçus dans l'environnement. À titre d'exemple, on peut voir émerger des pratiques d'amélioration continue, de vigie, d'audit, de balisage concurrentiel (*benchmarking*) ou autres visant à doter l'organisation de mécanismes de mise à jour continue. En définitive, la mise en place d'une capacité de régénération est nécessaire pour favoriser une adaptation continue de l'organisation à un environnement changeant.

Les cinq conditions décrites ici ne constituent pas des phases distinctes d'une transformation, mais regroupent commodément des activités générant des conséquences désirables à des moments critiques de la progression du changement. Selon les circonstances, certaines phases se dérouleront plus ou moins rapidement et certaines activités spécifiques produiront plusieurs des effets souhaités. Ce qui demeure important, c'est surtout de s'assurer que l'élaboration du scénario d'action comporte ces activités critiques pour que le changement prenne du sens aux yeux de tous les acteurs organisationnels.

CONCLUSION

En définitive, on constate qu'une meilleure compréhension des diverses facettes du changement par les acteurs organisationnels constitue un passage obligé si l'on veut que l'organisation développe sa capacité à changer. Le modèle proposé ici n'est qu'un guide d'action, qu'un outil de travail pour favoriser rigueur et transparence dans la conduite de la démarche de transformation. Certes, il met en évidence la complexité de l'opération et, en ce sens, confirme qu'on ne peut gérer la complexité avec des solutions simples.

Cet outil est actuellement testé dans l'accompagnement de transformations majeures auxquelles participent les chercheurs du Centre d'études en transformation des organisations de HEC Montréal. Ce qui en ressort, c'est que le partage d'un diagnostic étoffé de la démarche de transformation au sein d'une organisation constitue un outil dynamique et puissant d'alignement des forces organisationnelles. Il tend aussi à confirmer qu'on se transforme non seulement parce qu'on comprend bien où on veut aller, mais aussi parce qu'on se connaît bien et qu'on accepte de construire collectivement sur cette connaissance. Il confirme aussi l'assertion de Demers (dans ce volume) à l'effet que la mise en œuvre de la transformation modifie le projet de départ. Dans cette perspective, mettre en œuvre une transformation, c'est considérer que l'organisation, globalement, est en mesure d'apprendre.

Note

1. Pour une analyse plus détaillée des diverses variables susceptibles d'influencer la transformation organisationnelle, consulter l'ouvrage de Hafsi et Demers (1997).

Références

Bareil, C., *Dynamique des phases de préoccupations et prédiction de l'adoption d'une innovation : une étude diachronique*, thèse de doctorat, Université de Montréal, 1997.

Ghoshal, S., Bartlett, C.A., «Changing the role of top management: Beyond strategy to purpose», *Harvard Business Review*, novembre-décembre 1994, p. 79-88.

Ghoshal, S., Bartlett, C.A., «Changing the role of top management: Beyond structure to processes», *Harvard Business Review*, janvier-février 1995, p. 86-96.

Ghoshal, S., Bartlett, C.A., «Changing the role of top management: Beyond systems to people», *Harvard Business Review*, mai-juin 1995, p. 132-142.

Lawrence, P.R., Lorsch, J.W., *Organization and Environment: Managing Differentiation and Integration*, Irwin, 1967.

Lewin, K., *Field Theory in Social Science*, Harper Collins, 1951.

Porter, M.E., *Choix stratégiques et concurrence. Techniques d'analyse des secteurs et de la concurrence dans l'industrie*, Economica, 1982.

Romanelli, E., Tushman, M.L., «Organizational transformation as punctuated equilibrium: An empirical test», *Academy of Management Journal*, vol. 37, n° 5, 1994, p. 1141-1166.

Rondeau, A., «Introduction» dans A. Rondeau (sous la dir. de), *Gestion des paradoxes dans les organisations. Tome 1 : Le changement organisationnel*, Éditions interuniversitaires, 1998.

Hafsi, T., Demers, C., *Comprendre et mesurer la capacité de changement des organisations*, Éditions Transcontinental, 1997.

Thompson, J.D., *Organizations in Action*, McGraw-Hill, 1967.

Van de Ven, A.H., Poole, M.S., «Explaining development and change in organizations», *Academy of Management Review*, vol. 20, n° 3, 1995, p. 510-540.

Se réorganiser pour mieux «performer»

par Bruno Fabi et Réal Jacob

Il se passe très peu de jours sans qu'un journal d'affaires ne four-nisse l'exemple d'une organisation qui procède à une restructuration de ses modes de fonctionnement, très souvent d'ailleurs pour assurer sa survie[1]. En effet, dans la plupart des cas, ces entreprises avaient adopté une structure traditionnelle (pyramidale, bureaucratique et mécaniste) dans un contexte d'environnements concurrentiels prévisibles et peu complexes. Lorsque la demande pour un produit ou un service était relativement stable et la concurrence limitée, une telle organisation du travail fondée sur les principes de la rigidité et de l'ordre s'avérait, en termes économiques, un mode de fonctionnement tout à fait pertinent. Or l'environnement externe des organisations nord-américaines devient de plus en plus dynamique et complexe. Les pressions associées aux mar-chés élargis, aux attentes de clients de plus en plus différenciées, à la concurrence de plus en plus diversifiée, exigent un renouvellement de nos organisations. À cet égard, des études confirment que les organi-sations canadiennes et québécoises exposées à une concurrence inter-nationale sont plus enclines à procéder à des réorganisations que celles davantage à l'abri d'une telle concurrence (Industrie et Sciences Canada, 1993; Maschino, 1992a). Ces résultats appuient l'idée répandue que, pour avoir un effet mobilisateur, un changement doit être la réponse organisa-tionnelle à une menace concrète. Toute chose étant égale par ailleurs, on peut donc considérer que les organisations protégées de la concurrence ou en situation de monopole seront moins sensibilisées, et probablement moins enclines à s'engager dans un processus de réorganisation du

Bruno Fabi est professeur au département d'administration et d'économie de l'Université du Québec à Trois-Rivières.
Au moment de la rédaction de cet article, Réal Jacob était professeur au département d'admi-nistration et d'économie de l'Université du Québec à Trois-Rivières, il est maintenant pro-fesseur à HEC Montréal.

travail. Cette proposition exclut bien sûr la minorité d'organisations très proactives, à forte culture organisationnelle et à fort leadership transformationnel, qui effectuent des réorganisations graduelles en anticipation des changements qu'elles prévoient dans leur environnement.

De manière opérationnelle, une telle restructuration peut s'appuyer sur différentes stratégies. Certaines d'entre elles sont à portée externe : par exemple, la flexibilité est obtenue par l'externalisation de certains services ou de la fabrication de composantes dans un réseau dynamique de sous-traitance d'intelligence (Drolet *et al.*, 1994; Jacob *et al.*, 1994). D'autres sont à portée interne comme la rationalisation des effectifs, la réingénierie des processus et la réorganisation du travail. Dans le cadre de cet article, tout en étant conscients que plusieurs de ces stratégies sont souvent menées de façon concomitante, les auteurs mettront l'accent sur la réorganisation interne du travail.

L'objectif de cet article est donc de présenter les principaux aspects de l'élaboration et de la mise en œuvre d'une réorganisation du travail, aspects qui sont illustrés au schéma 1. Dans un premier temps, nous présentons la logique du changement des mentalités qui sous-tend une telle réorganisation. La deuxième partie porte sur la définition des principes fondamentaux à la base d'une réorganisation du travail en contexte organisationnel contemporain. Dans la troisième partie, nous proposons une typologie des principaux facteurs de succès d'une réorganisation du travail. Enfin, la conclusion traite brièvement des formes multiples que peut prendre la réorganisation du travail.

LA RÉORGANISATION : D'ABORD UN CHANGEMENT DES MENTALITÉS

La structure formelle d'une organisation vise à définir les limites de la responsabilité, de la prise de décision et du contrôle (Butera, 1991). Elle oriente donc le comportement des individus dans le sens de la stratégie poursuivie par une organisation. Les nouvelles pressions de l'environnement externe exigent la mise en place de structures aplaties, flexibles, accompagnées généralement de modes non hiérarchiques d'organisation du travail. Ces nouveaux types de structures permettent alors de créer les conditions favorables à l'intégration de la qualité, de la créativité et de l'innovation au cœur des processus de travail (Pettersen et Jacob, 1992).

Mais l'évolution vers de tels modes d'organisation du travail exige le recours à une logique managériale renouvelée. Une telle logique peut

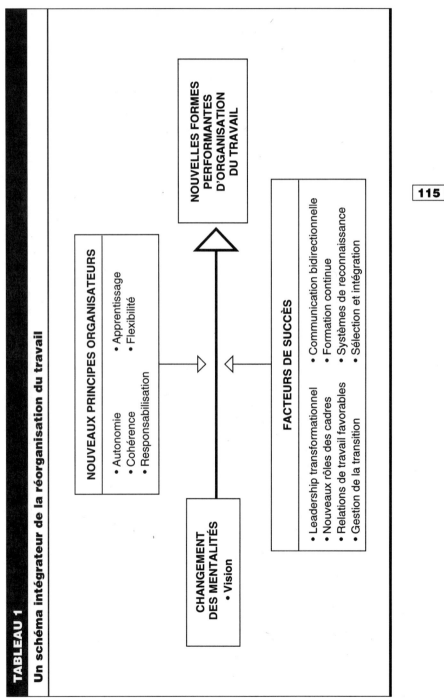

TABLEAU 1

Un schéma intégrateur de la réorganisation du travail

s'exprimer de différentes façons. Au plan des métaphores, ce sont les images de l'organisation vue comme un cerveau, un hologramme, une entité vivante, un réseau auxquelles les gestionnaires visionnaires se réfèrent (Morgan, 1989; Butera, 1991; Sérieyx, 1993). Au plan opérationnel, ces métaphores s'incarnent dans des nouveaux principes organisateurs qui feront l'objet de la prochaine partie de cet article.

La mise en œuvre de tels modes d'organisation du travail implique d'abord et avant tout que les gestionnaires s'imprègnent d'une nouvelle logique managériale. Les organisations qui procèdent à des réorganisations sans remettre en question leur paradigme et leurs modes traditionnels de fonctionnement obtiennent souvent un résultat contraire à celui recherché. À titre d'exemple, dans plusieurs cas de rationalisation d'effectifs visant la réduction de la taille organisationnelle, on constate que les coûts cachés (démobilisation des «survivants» et sentiment de culpabilité à l'égard de ceux qui quittent, absentéisme et épuisement professionnel associé à une intensification de leur travail, perte de loyauté des meilleurs travailleurs qui se mettent à la recherche d'un nouvel employeur, etc.) d'une rationalisation fondée sur la seule logique économique et financière viennent annuler les gains directs de la compression de personnel (Heenan, 1989; Cascio, 1993; Kozlowski *et al.*, 1993; Gosselin, 1994). Des sondages réalisés auprès d'échantillons variant entre 1000 et 1500 entreprises ayant effectué un *downsizing* révèlent les données suivantes : 46 % des répondants indiquent que la rationalisation d'effectifs a entraîné une réduction réelle et significative des coûts dans le temps; un peu plus de 50 % des répondants affirment avoir entrepris la rationalisation de leurs effectifs sans aucune préparation, sans prévoir les effets connexes et constaté que la productivité des employés survivants s'était détériorée ou à peine maintenue. À cet égard, 66 % des organisations n'ont pas indiqué aux employés survivants leur place et leur rôle dans la nouvelle stratégie à la suite du processus de rationalisation et on constate que les deux tiers de ces employés ont perdu confiance dans leur organisation, 80 % d'entre eux arrivant difficilement à gérer leurs tâches réorganisées sans stress. Ces résultats font ressortir l'importance de considérer la réorganisation suivant une logique renouvelée. Sinon, comme le disent certains, on risque de couper à la fois dans le gras et dans le muscle! C'est le syndrome de l'anorexie organisationnelle.

LA RÉORGANISATION : LES PRINCIPES À RESPECTER

Les principes à la base de l'organisation du travail traditionnelle étaient fondés sur l'ordre. On peut se rappeler, à titre d'exemples, certains de ces principes : subordination du haut vers le bas, centralisation de la décision, division du travail fondée sur la séparation entre le contrôle et l'exécution, l'individualisation et la parcellisation des tâches, travail en temps imposé et standardisé, formalisation extrême sous la forme d'organigrammes, de descriptions de tâches, de procédures et de règles détaillées. Or, la mise en œuvre de l'organisation aplatie, flexible, en réseau exige le recours à de nouveaux principes organisateurs dont les plus importants sont l'autonomie, la cohérence, la responsabilisation, l'apprentissage culturel et la flexibilité.

LE PRINCIPE D'AUTONOMIE

Face aux nouvelles exigences de l'environnement externe, il devient impératif, pour être performant, de favoriser une richesse de réactions là où se passe l'action. Certains parlent alors de la pyramide inversée, orientée vers le client et fondée sur le *principe d'autonomie* (Morin, 1981; Crozier, 1989; Morgan, 1989; Sérieyx, 1993). Ce principe réfère à l'idée de marge de liberté qui consiste à permettre aux différentes unités d'une organisation de développer localement et par elles-mêmes les «innovations adaptatrices nécessaires à une meilleure réalisation de ce que l'on a à faire» (Aktouf, 1989 : 160). L'application de ce principe repose sur le respect d'un certain nombre de règles :

– limiter le nombre de règles formelles régissant les comportements des employés. De telles règles doivent plutôt servir à délimiter l'autorité et les responsabilités (p. ex. : les membres d'une unité opérationnelle s'attribuent de manière variable les responsabilités en fonction des besoins à gérer et des problèmes à traiter);

– favoriser le développement de compétences techniques et génériques (habiletés analytiques et relationnelles) chez tous les membres d'une unité de travail (polyvalence horizontale et verticale);

– permettre l'expérimentation et la remise en question des façons de faire dans l'exercice quotidien du travail (gestionnaire qui accepte les débats et les idées contradictoires dans la résolution de problèmes);

– décentraliser le processus de décision.

LE PRINCIPE DE COHÉRENCE

Une plus grande autonomie des différentes unités de travail ne doit pas cependant conduire à l'anarchie et à la désintégration de l'organisation.

De là l'importance du principe de cohérence (Butera, 1991; Sérieyx, 1993) pour assurer une intégration efficace tout en maintenant un maximum de flexibilité. Ce principe nous rappelle l'importance du sens dans l'organisation : énoncé clair de la nouvelle mission de l'organisation, de ses orientations permettant à chacun de savoir où l'on s'en va dorénavant et à quoi l'on servira. L'intégration passe ici par la vision partagée; elle est alors culturelle et non structurelle. Cette intégration est aussi de nature informationnelle. Il s'agit en effet de favoriser le plus de relations possible au sein des différentes unités et entre elles. Ces relations doivent être à la fois fonctionnelles et expérientielles, favorisant tout autant l'échange d'information et l'interaction que la rétroaction. On comprendra ici l'utilité des systèmes d'information orientés vers l'utilisateur final et l'importance des communications organisationnelles. Les questions qui se posent alors sont : quelle information faire circuler (stratégique, tactique, opérationnelle), par qui, à quel moment et comment (bidirectionnelle et latérale, formelle et informelle)? Mais au-delà de l'outil, le rôle du gestionnaire devient crucial puisque l'information a toujours été considérée comme une source de pouvoir où chacun avait un intérêt stratégique à la maintenir floue. Or, plus une organisation est aplatie, décentralisée, déconcentrée, composée d'individus et de groupes de plus en plus autonomes, plus l'information doit circuler. Les gestionnaires doivent donc savoir diffuser l'information au sein de leur sous-système, dynamiser les relations entre sous-systèmes et être capables d'interaction et d'ajustement.

LE PRINCIPE DE RESPONSABILISATION

L'aplatissement des structures exige aussi le respect du principe de responsabilisation (Lawler, 1993; Sérieyx, 1993), c'est-à-dire l'obligation de fournir les résultats attendus dans un contexte où un individu, un groupe sait ce qu'il a à faire et connaît sa marge de liberté et ce sur quoi il sera évalué. Au plan opérationnel, ce principe suppose une clarification de la mission et des priorités de chacune des unités organisationnelles, une disponibilité et une qualité des ressources et des moyens pour réaliser les mandats, une juste adéquation «autorité/niveau de responsabilisation» et une rétroaction continue. Suivant cette perspective, le rôle des services de soutien est différent : ils doivent être orientés d'abord vers l'exploitation, en ayant comme objectif d'habiliter les chefs hiérarchiques à assumer des responsabilités relevant traditionnellement des services-conseils.

118

LE PRINCIPE DE L'APPRENTISSAGE

Former des individus qui sont autonomes et responsables et qui participent activement à des réseaux internes d'information exige du temps et une confiance à l'égard du potentiel de perfectionnement des ressources humaines. On réfère ici au principe d'apprentissage (Grand'Maison, 1986; Jacquard, 1986; SainSaulieu, 1987), qui s'oppose à une conception réductionniste de la nature humaine. Le comportement humain au travail est ici considéré comme la résultante de l'histoire et de la nature des conditions structurelles dans lesquelles un individu a appris à se comporter. Ainsi, dans des conditions très restrictives d'organisation du travail, on a appris culturellement aux travailleurs à ne pas parler, à ne pas s'impliquer, à obéir à des ordres même s'ils étaient contradictoires, etc. Pourtant, plusieurs dirigeants s'étonnent encore aujourd'hui que les travailleurs mettent du temps à s'adapter aux nouveaux modes de gestion! Pour une grande majorité de ces derniers, la réorganisation du travail implique de se reconstruire une nouvelle histoire, de procéder à de nouveaux apprentissages culturels. On ne peut pas demander à quelqu'un qui aurait appris pendant 20 ans les comportements prescrits par les modèles bureaucratiques de se recentrer, comme par magie, en moins de deux. Ce principe nous force à réapprendre que le travailleur, qu'il soit cadre, employé de soutien ou manœuvre, possède un potentiel de perfectionnement qui ne demande qu'à être exploité. C'est un sujet capable d'apprendre et de se développer. Ce sera le cas notamment d'ouvriers de production qui, à la suite d'une formation qualifiante, seront en mesure d'exécuter des travaux complexes habituellement réservés à des techniciens.

119

LE PRINCIPE DE LA FLEXIBILITÉ

Le principe de la flexibilité se présente comme un principe inté-grateur (Jacob, 1993). À elles seules, des structures de travail flexibles ne peuvent produire tout l'effet désiré au sein d'une organisation. Elles doivent être accompagnées d'autres formes de flexibilité, notamment la flexibilité des compétences, la flexibilité des conditions de travail et la flexibilité des relations de travail. La réorganisation du travail doit aussi, au sens systémique, comporter des éléments qui en optimiseront l'efficacité : les facteurs de succès.

LA RÉORGANISATION : PRINCIPAUX FACTEURS DE SUCCÈS

Le succès d'une réorganisation du travail dépend d'une multitude de facteurs relatifs à l'environnement externe, aux caractéristiques organisationnelles, à celles des groupes et des individus (Fabi, 1992). Pour les besoins de la cause, nous adopterons une typologie de facteurs englobant les trois catégories suivantes : les acteurs, l'organisation et le changement lui-même. La première catégorie concerne certaines caractéristiques, des attitudes et des comportements chez les membres de la haute direction, les cadres et les employés. La deuxième catégorie englobe la qualité des relations de travail, qui pourrait conditionner le degré initial d'implication des employés et des syndicats. Finalement, la troisième catégorie de facteurs regroupe des préoccupations et des pratiques de gestion associées à l'implantation et au maintien du changement lui-même. On pense ici à des facteurs tels que la gestion de la transition, la communication bidirectionnelle, la formation continue, les systèmes de reconnaissance et la sélection. Dans les prochains paragraphes, nous analyserons brièvement les différents facteurs de succès d'une réorganisation du travail en ne retenant, espace oblige, que les facteurs ayant un impact majeur.

LEADERSHIP TRANSFORMATIONNEL

Les cadres supérieurs ont un rôle fondamental à jouer dans l'initiation, l'orientation, l'inspiration, l'implantation et le maintien d'une réorganisation. Il s'agit là d'un truisme presque autant que celui consistant à affirmer que les organisations doivent changer pour survivre! Mais il n'en reste pas moins vrai et il constitue un dénominateur commun de divers forums contemporains réunissant des chercheurs et des praticiens intéressés par la gestion renouvelée des organisations (Groupe Innovation, 1993; Leclerc, 1993). L'observation et l'intervention amènent en effet à un constat incontournable : l'échec de plusieurs organisations est d'abord et avant tout un échec du PDG et de son équipe de direction. Échec qui s'explique de diverses façons : incompatibilité de leurs valeurs de gestion avec celles exigées par une réorganisation novatrice, incapacité de surmonter les appréhensions associées au partage de l'information, du pouvoir décisionnel et des renforcements financiers; incapacité de formuler, de communiquer, d'implanter et d'appuyer une vision convaincante et efficace de l'organisation renouvelée. Bien que sévère, un tel constat ne fait que mettre en lumière une autre réalité incontournable : les turbulences environnementales contemporaines augmentent considérablement le niveau de difficultés des tâches de haute direction. C'est probablement ce qui faisait récemment dire à Warren Bennis, dans le cadre d'un important colloque québécois, que «le métier de leader est difficile» (Groupe Innovation, 1993 : 83).

Pour accroître sa capacité de changement, l'organisation doit être en mesure d'inciter les individus à modifier leurs rôles et leur mission, leurs attitudes et la manière dont ils interprètent les problèmes auxquels ils sont confrontés, ainsi qu'à accroître les efforts qu'ils désirent y consacrer. Un tel changement requiert ce que certains appellent du leadership transformationnel (Bass et Avolio, 1990). Ce type de leader se caractérise habituellement par son charisme, son inspiration, sa prise en compte de l'individu et la stimulation intellectuelle (Bass et Avolio, 1994).

121

Ces leaders ont tout d'abord tendance à devenir, par leur enthousiasme, leur habileté à articuler une vision et leurs réalisations passées, une source d'identification charismatique aux yeux des subordonnés, qui tendent à leur reconnaître beaucoup d'influence. Les employés veulent s'identifier à eux ainsi qu'à leur mission, et sont aussi portés à idéaliser de tels leaders qui tendent à susciter la confiance autour d'eux. Ils font prendre conscience aux employés de ce qu'ils sont capables d'accomplir en déployant des efforts supérieurs. Ils peuvent souvent les aider à percevoir des possibilités dans des situations qui, initialement, pouvaient leur sembler menaçantes, et à surmonter des obstacles qui pouvaient paraître insurmontables.

De tels leaders sont aussi une source d'inspiration pour leurs subordonnés. Ils suscitent des niveaux de rendement supérieurs à long terme en permettant aux employés d'être plus autonomes au travail. Ils encouragent le perfectionnement, ils incitent les employés à modifier leur mission et leur vision et, ce qui est plus important, à exploiter au maximum leur potentiel. Ils acceptent de voir les subordonnés devenir eux-mêmes des leaders qui pourront éventuellement nourrir, voire modifier la mission et la vision d'ensemble du leader. Ces leaders peuvent aussi définir avec simplicité des objectifs à partager et favoriser une compréhension mutuelle de ce qui est important à considérer. Ils proposent des visions de ce qui est possible et la manière d'atteindre des objectifs spécifiques. Ils donnent un sens aux choses et affichent une attitude positive à l'égard de ce qu'il convient d'accomplir.

La prise en compte de l'individu est une autre caractéristique clé du leadership transformationnel. Elle exige de partager les intérêts des subordonnés et de comprendre leurs besoins de développement, tout en traitant chaque employé comme un individu unique. Cela permet au leader de reconnaître, de comprendre et de satisfaire les besoins actuels de ses employés, tout en élevant le niveau de ces besoins de manière à promouvoir un perfectionnement continu chez l'individu. En agissant de la sorte, le leader leur fournit des occasions de perfectionnement et favorise l'émergence d'une culture organisationnelle qui stimule la croissance, le développement, la prise de risques et l'innovation. La prise en compte de l'individu permet également aux leaders de transmettre, au moment opportun, de l'information pertinente et constructive aux subordonnés et d'exercer auprès d'eux un suivi continu. Plus important encore, elle aide à arrimer les besoins actuels des subordonnés à la mission de l'organisation, tout en élevant le niveau de ces besoins lorsque le moment et les conditions sont appropriés (Bass et Avolio, 1990).

Le leadership «transformationnel» implique également la stimulation intellectuelle, celle des idées, des attitudes et des valeurs des subordonnés. Par la stimulation intellectuelle, les leaders aident les subordonnés à aborder les problèmes sous un angle nouveau. Ils encouragent les employés à remettre en question, s'il y a lieu, leurs croyances et leurs valeurs de même que celles de leur leader lorsqu'elles apparaissent périmées ou inappropriées pour résoudre les problèmes de l'organisation. Lorsqu'ils sont stimulés intellectuellement, les subordonnés développent leur habileté à reconnaître, à comprendre et à résoudre les problèmes actuels et futurs de l'organisation. Un des indicateurs clés de l'efficacité à long terme du leader est d'ailleurs la mesure dans laquelle les employés peuvent fonctionner efficacement sans l'implication directe du leader dans le processus de résolution de problèmes. Un leader qui peut stimuler ses employés intellectuellement les incite à prendre conscience des problèmes, à se fier à leurs propres idées et leur imagination, et à reconnaître leurs croyances et leurs valeurs ainsi que celles des personnes avec lesquelles ils travaillent.

En somme, pour reprendre les termes de Claude Béland dans le cadre d'un récent colloque québécois, on pourrait dire que «les gens qui entraînent les autres à leur suite sont en général des gens compétents, mais la compétence ne suffit pas. Il faut aussi des gens disponibles, généreux, à l'écoute, à l'esprit ouvert, et profondément humains» (Groupe Innovation, 1993). Il faudrait donc veiller, comme le suggère Chanlat (1993), à ce que l'administration des choses ne triomphe pas sur le gouvernement des personnes! À cet égard, nous partagerions les conclusions de Pitcher (1993) selon lesquelles, dans le contexte actuel, la majorité des entreprises ne peuvent se payer le luxe d'avoir un technocrate comme PDG, même s'il est très brillant. Selon elle, les organisations auraient plutôt intérêt à être dirigées par un gestionnaire artiste, capable de vision et source d'inspiration pour ses collègues, secondé par un artisan, respecté pour sa sagesse, son réalisme et sa connaissance du métier. En matière de réorganisation, nous ajouterions que le processus pourrait être mené à bien par l'artiste ou l'artisan, secondé par des collaborateurs aux profils complémentaires, mais jamais par un dirigeant technocrate «analytique, cérébral, respecté, mais pas aimé» (Pitcher, 1993). Les réorganisations poussent nombre d'entreprises à une constatation souvent troublante : un excès de gestion, même stratégique, ne peut aucunement compenser un manque de leadership.

NOUVEAUX RÔLES DES CADRES INTERMÉDIAIRES

Les cadres intermédiaires et de premier niveau sont souvent parmi les grands négligés des expériences de réorganisation du travail. Pourtant, de tels changements exigent chez eux des modifications de leur mode de gestion ainsi que de leur conception du rôle et des capacités des employés (Bobbe et Schaffer, 1983; Fabi, 1991b). Ces cadres ont souvent le plus à perdre dans des réorganisations visant à décentraliser les responsabilités et le pouvoir décisionnel vers les équipes de travail, parce que cela se concrétise fréquemment par une diminution des échelons intermédiaires visant à faciliter la communication entre la base et la direction.

Il importe donc d'impliquer ces cadres le plus rapidement possible dans le processus de réorganisation en les informant, en les sensibilisant aux objectifs visés et en leur fournissant la formation nécessaire pour assumer leurs nouveaux rôles, rôles prépondérants dans la mesure où ils doivent devenir des agents du changement auprès de leurs employés. D'un point de vue opérationnel, ils doivent en fait implanter ces changements et en faciliter l'acceptation (Leclerc, 1993). Ils doivent aussi apprendre ces nouveaux rôles de soutien, d'animation, en laissant davantage de latitude au travail à des employés qu'ils surveillaient et contrôlaient jusqu'à maintenant (Serieyx, 1993).

Dans une perspective de réorganisation du travail, il semble impératif que les cadres hiérarchiques obtiennent la formation et le soutien technique suffisants pour assumer adéquatement leurs nouveaux rôles d'animateurs et d'agents du changement. Pour faciliter cette difficile transition, ce dur apprentissage, l'organisation doit aussi compter sur des cadres et des spécialistes en gestion des ressources humaines (G.R.H.) qui acceptent de modifier leurs attitudes et leurs interventions professionnelles. Comme le suggéraient récemment certains cadres supérieurs dans des forums spécialisés, les cadres et les spécialistes en G.R.H. devront apprendre à assumer un véritable rôle de conseil, de soutien auprès des cadres hiérarchiques afin que ces derniers acquièrent certaines pratiques de G.R.H. qu'ils avaient historiquement abandonnées aux services-conseils (Hébert, 1994; Marchildon, 1993). On pense ici, par exemple, à des pratiques comme la sélection et l'accueil, l'évaluation du rendement, la gestion des carrières, la formation et la communication avec les employés.

DES RELATIONS DE TRAVAIL FAVORABLES

Principales cibles de la réorganisation, les employés auront également à acquérir de nouvelles connaissances, de nouvelles habiletés et de nouveaux comportements au travail. Ils ne seront pas considérés comme de simples exécutants, mais plutôt comme des partenaires détenant une expertise, une intelligence et une créativité indispensables à la survie et à la prospérité organisationnelle (Serieyx, 1987; Cotton, 1993). À ce titre, ils doivent être impliqués activement, le plus tôt possible, dès la phase d'initiation ou de pré-implantation du changement dans ce qui pourrait prendre la forme d'un comité mixte d'orientation de la réorganisation du travail (Fabi, 1991b; Jacob, 1993). Il en va de même pour les représentants syndicaux dans les organisations syndiquées. Des études récentes suggèrent en effet qu'une telle stratégie contribue à faciliter l'introduction d'une réorganisation du travail en atténuant les craintes légitimes de ces acteurs organisationnels (Maschino, 1992b).

À cet égard, on comprend assez facilement que la résistance aux changements risque d'être proportionnelle au niveau de dégradation du climat organisationnel et de méfiance prévalant historiquement chez les parties en présence. Il va sans dire qu'une réorganisation du travail se réalisera plus facilement dans un climat organisationnel facilitant, caractérisé par un minimum de conflits majeurs et l'absence d'une culture adversative (Gagné, 1994). Toutefois, il convient de relativiser l'impact réel que peut avoir l'attitude des employés et des syndicats à l'égard de la réorganisation du travail. En fait, des analyses nous obligent à nuancer une certaine perception sociale voulant que toute forme de réorganisation du travail provoque une opposition automatique de la part de syndicats intransigeants et dogmatiques (Fabi, 1991a; Hill, 1986). Il faut évidemment convenir que certaines centrales syndicales, notamment en Amérique du Nord, ont toujours adopté des positions de confrontation systématique peu compatibles avec une réorganisation du travail. Toutefois, dans les cas où les syndicats ont été impliqués dans le processus d'implantation d'une réorganisation, leur présence s'est parfois même avérée un facteur de succès de l'opération (Drago, 1988). En contexte québécois, une étude récente démontre que la proportion des établissements ayant un syndicat est presque aussi forte au sein du groupe où il y a eu des changements dans l'organisation du travail que dans celui où il n'y en a pas eu (Maschino, 1992b). Elle montre également que les syndicats, lorsqu'ils ont été consultés, ont accepté de participer à ce processus dans la majorité des établissements où les employés sont syndiqués. Ces résultats suggèrent que certains syndicats comprennent l'importance des enjeux actuels et qu'ils acceptent de modifier partiellement leur rôle traditionnel axé essentiellement sur la négociation collective dans un rapport de force, pour devenir graduellement des partenaires actifs de l'organisation (Lawler, 1986). Cette perception se fonde également sur certaines prises de position récentes confirmant l'acceptation des syndicats – et même leur demande – de principes aussi fondamentaux à la réorganisation du travail que l'autonomie, la flexibilité, la polyvalence, la mobilité, la création d'équipes de travail et la responsabilisation des travailleurs et des travailleuses (McBrearty, 1993; Proulx, 1994).

125

UNE PÉRIODE DE TRANSITION BIEN GÉRÉE

Bien que souhaitable et probablement inévitable pour plusieurs entreprises dans le contexte actuel, une réorganisation du travail constitue un changement qui ne manque pas d'engendrer de l'anxiété chez tous les acteurs organisationnels concernés. Un tel processus insécurise ces derniers parce qu'ils doivent changer des habitudes confortables, ce qui ne manque pas de provoquer des résistances aux changements aussi légitimes que prévisibles (Cummings et Huse, 1989). Gérer la transition consiste donc à informer, impliquer, rassurer et appuyer ceux qui resteront dans l'organisation afin qu'ils connaissent leurs nouveaux rôles et les ajustent adéquatement par suite de la réorganisation de leur travail. Mais la gestion de la transition implique également l'adoption d'un train de mesures visant à minimiser les chocs psychologiques, familiaux, professionnels et financiers chez ceux qui quitteront l'organisation (Cody *et al.*, 1987; Kozlowski *et al.*, 1993). Les départs s'expliquent fréquemment par l'incapacité de l'individu à s'adapter aux nouvelles valeurs et aux nouvelles pratiques de gestion, ou simplement parce que la réorganisation du travail s'accompagne d'une réduction d'effectifs à différents niveaux hiérarchiques. À cet égard, la hiérarchie intermédiaire est souvent touchée puisque plusieurs organisations souhaitent améliorer la communication interne, responsabiliser davantage la base et faciliter le processus de résolution de problèmes (Heenan, 1989).

Des expériences de réorganisations en cours au Québec nous apprennent qu'il ne faut surtout pas sous-estimer l'impact que peut avoir un tel processus chez ceux qui quittent, bien sûr, mais aussi chez les «survivants» (Cascio, 1993; Gosselin, 1994; Kozlowski *et al.*, 1993). Un cadre supérieur, responsable du processus dans une organisation financière québécoise, parlait récemment du deuil psychologique qui ne peut se résorber complètement qu'avec le temps et qu'avec beaucoup de précautions organisationnelles. Dans la même veine, Kozlowski *et al.* (1993) nous rappellent avec force les «autres» effets d'une rationalisation d'effectifs, c'est-à-dire ceux associés à la perte d'un emploi : effets sur la qualité de vie, sur les relations familiales, sur l'estime de soi, autant d'effets qu'une organisation, comprise au sens de l'éthique, ne peut négliger lors de l'élaboration d'une stratégie de réorganisation.

D'après l'analyse de la documentation spécialisée et de certains cas de réorganisations réussies en contexte québécois, ces précautions organisationnelles peuvent se résumer aux mesures suivantes. La première préoccupation des dirigeants devrait être l'information rapide et transparente de tous les partenaires concernés (Ashford, 1988; Curtis, 1989). Il importe d'éviter, ou du moins de réduire au maximum, la période de flottement, d'insécurité entourant un tel processus. L'information véhiculée devrait porter sur la nature de la réorganisation envisagée, les raisons d'une telle réorganisation, ses impacts organisationnels et individuels, les échéanciers, les mesures anticipées et les ressources consenties pour permettre aux acteurs organisationnels d'assumer adéquatement leurs nouveaux rôles et leurs nouveaux mandats. Le cas échéant, il semble également recommandé de diffuser les critères de sélection des survivants afin d'éliminer les perceptions d'iniquité (Brockner *et al.*, 1987; Schweiger et DeNisi, 1991). Ces informations s'adressent aux cadres, aux employés, aux syndicats et même à la communauté externe concernée.

Pour ceux qui quittent l'organisation, il convient de faire le maximum pour amoindrir le choc du départ et, le cas échéant, les aider à se relocaliser dans une autre organisation. Dans de tels cas, plusieurs organisations ont trouvé avantageux de s'adjoindre les services de consultants externes ayant développé une expertise en réaffectation. Les mesures de soutien mises en place peuvent être de nature financière comme des indemnités de départ, de préretraite ou de relocalisation géographique. On trouve également des ateliers offrant des services psychologiques, de même que des appuis logistiques et techniques favorisant la recherche d'emploi (bureaux individuels, téléphones, ordinateurs, cartes d'affaires, séminaires, index d'entreprises). Certaines entreprises sont même allées jusqu'à appuyer la concrétisation de projets d'entreprises pour les personnes mises en disponibilité. Cet appui a pris, par exemple, la forme d'un maintien de rémunération pour une bonne période de transition, accompagné de soutien technique (marketing, finances, opérations, etc.) visant la création de PME spécialisées.

UNE COMMUNICATION BIDIRECTIONNELLE

Comme Lawler (1993), il convient de rappeler l'importance de favoriser la circulation d'information à l'appui de la décision, permettant l'interaction et la rétroaction des utilisateurs finals, soit les employés de la base. L'information véhiculée pourrait porter sur les menaces et les possibilités de l'environnement externe, les résultats financiers de l'organisation, l'évolution du chiffre d'affaires et des parts de marché, de même que sur le fonctionnement des diverses unités organisationnelles. Les systèmes de communication peuvent permettre la circulation ascendante de l'information par le biais de sondages, de groupes d'expression, de programmes de suggestion, de pratiques d'interpellation ou de procédures d'appel (Gondrand, 1990; Guérin et Wils, 1993). Quant à l'information descendante, elle peut se communiquer par une panoplie de moyens allant des réunions au circuit de télévision interne, en passant par des médias écrits. Cette préoccupation de la direction pour les communications peut prendre des formes simples comme la politique de «portes ouvertes» chez Cascades (Aktouf et Chrétien, 1987). Elle peut aussi se concrétiser par des moyens plus sophistiqués comme le réseau de télévision par satellite de Federal Express où les membres de la haute direction s'adressent à l'ensemble des employés dispersés sur la planète, ces derniers étant encouragés à appeler les intervenants pendant les périodes de questions et réponses qui accompagnent habituellement les émissions (Sicotte, 1993). Ce dernier exemple fait ressortir un principe fondamental sous-jacent à l'instauration de systèmes de communication : pour mobiliser les gens de la base par le biais de l'information, il faut que les cadres acceptent non seulement de partager des informations dont ils avaient traditionnellement le monopole, mais aussi d'être interpellés et de rendre des comptes sur l'évolution de l'organisation!

UNE FORMATION CONTINUE

Il semble superflu d'insister sur l'importance de la formation comme déterminant majeur du succès de toute forme de réorganisation du travail. À plus forte raison lorsque cette réorganisation se veut «renouvelée» et qu'elle se fonde sur un enrichissement des tâches, la responsabilisation et l'augmentation de l'autonomie. Une telle réorganisation suppose l'apprentissage de nouveaux rôles, l'acquisition de nouvelles connaissances et le développement de nouvelles attitudes et de nouvelles habiletés. Ceci exige de l'organisation qu'elle favorise la formation professionnelle continue axée sur les contenus suivants : la formation technique spécifique en milieu de travail, notamment en nouvelles technologies; la formation psychosociale portant sur la dynamique de groupe, la conduite de réunions, la communication, le leadership et la participation; la formation en techniques d'analyse et de résolution de problèmes (Bommensath, 1987; Fabi, 1991b; Guérin et Wils, 1992). Pour qu'ils comprennent mieux les informations financières de leur propre organisation, de même que sa situation par rapport aux concurrents, il semble de plus en plus indiqué de prévoir également une formation à caractère économique pour les employés d'une entreprise engagée dans une réorganisation du travail. Dans la même veine, on comprendra facilement la pertinence de prévoir des séances de formation sur le service au client.

À titre d'exemple, et bien que l'on parle souvent de l'entreprise privée en cette matière, on trouve un cas intéressant et réussi de réorganisation du travail basé notamment sur un fort engagement envers la formation des personnels. Il s'agit du Centre hospitalier universitaire Maisonneuve-Rosemont, qui a associé sa stratégie de mobilisation des ressources humaines à une pratique intensive de formation continue s'adressant à tous ses personnels et portant aussi bien sur la formation interne que sur des activités externes comme la participation à des séminaires, des colloques et des cours dans des établissements scolaires ou universitaires. Même en périodes de restrictions budgétaires, les dirigeants de l'hôpital étaient suffisamment convaincus de l'importance de cette formation pour y consacrer près de 1 200 000 $ au cours de la dernière année (Joron, 1993).

UNE RECONNAISSANCE DE LA PERFORMANCE ET DES COMPÉTENCES

Bien entendu, l'importance accordée au développement des habiletés et à l'acquisition des connaissances mériterait un renforcement financier (Lawler, 1986). En effet, une réorganisation du travail nous semble appeler des pratiques de rémunération appuyant les efforts de perfectionnement des employés et des cadres, ce qui pourrait, par exemple, prendre la forme d'un mode de rémunération des compétences et des connaissances plutôt que le système actuel qui associe le salaire au niveau hiérarchique des emplois (Ingram, 1990; Beauchamp et Fabi, 1993). Cependant, on ne saurait limiter les critères de rémunération aux connaissances acquises. La dure réalité oblige les organisations à considérer sérieusement les résultats financiers, le rendement des investissements et les marges bénéficiaires.

Comme certains dirigeants d'entreprises québécoises, il nous semble que la réorganisation «renouvelée» du travail appelle une forme quelconque de participation des employés aux destinées financières de l'organisation (Gagné, 1993). À cet égard, la prudence oblige à suggérer aux organisations d'adapter leur système de participation financière à leurs besoins. Mais une synthèse récente de la documentation spécialisée suggère les tendances lourdes suivantes (St-Onge, 1994). Les régimes de participation aux bénéfices non sélectifs (s'adressant à l'ensemble des employés et non seulement aux cadres supérieurs) paraissent actuellement une bonne pratique de gestion pour amener les employés à s'identifier davantage à leur organisation, à s'intéresser davantage à son succès financier et à diminuer leur résistance aux changements. Dans un contexte de réorganisation du travail où les emplois sont en interdépendance et exigent coopération et travail en équipe, il semblerait préférable que les organisations se tournent vers des régimes reconnaissant des réalisations collectives, plutôt que de se limiter strictement à des systèmes de reconnaissance individuelle (Gomez-Mejia et Balkin, 1992). Cependant, l'analyse des études récentes amène St-Onge (1994) à avancer que les primes en fonction des bénéfices divisionnels seraient plus efficaces que les primes basées sur le rendement de l'ensemble de l'organisation. Ou encore, que les organisations pourraient adopter des régimes mixtes où la valeur des primes tient compte des bénéfices de l'unité et du rendement individuel. La prémisse de ces recommandations est que plus la taille du groupe et le centre de profit sont restreints, plus il y a d'émulation entre les membres pour accroître les bénéfices et plus ceux-ci sont susceptibles de percevoir un lien entre leur rendement individuel et leur prime. Finalement, une réorganisation efficace du travail pourrait aussi s'appuyer sur de multiples formes de reconnaissance non financière pour satisfaire les importants besoins de reconnaissance et d'estime de soi des différents acteurs organisationnels (Bernatchez, 1991; Fabi, 1991a; Mohrman et Novelli, 1985; Whipple et Odenwald, 1990).

UN PROCESSUS DE SÉLECTION ET D'INTÉGRATION EFFICACE

Les systèmes de sélection nous semblent essentiels à l'élaboration d'un nouveau type de réorganisation du travail. Ainsi, une des façons les plus sûres d'alimenter et de faire évoluer une telle culture organisationnelle consiste sans doute à sélectionner de nouveaux employés, à tous les niveaux hiérarchiques, qui présentent un certain nombre de traits culturels en harmonie avec les valeurs prônées par l'organisation (Guérin et Wils, 1993). Dans un tel contexte, le système de sélection doit attacher au moins autant d'importance à la capacité du candidat à s'intégrer à la culture existante qu'à l'adéquation traditionnelle entre les exigences techniques de l'emploi et le profil de compétences du candidat. Il s'agit en fait de vérifier dans quelle mesure le candidat pourra adhérer aux objectifs et aux valeurs organisationnels, et dans quelle mesure il pourra comprendre et apprendre les comportements attendus. Dans cette perspective, on peut aussi comprendre l'importance des systèmes d'intégration, de socialisation des nouveaux employés qui s'avèrent habituellement assez ouverts et sensibles aux valeurs et aux exigences organisationnelles. Ces programmes d'intégration peuvent inclure des séances de formation, des programmes d'orientation (Klubnick, 1987), ou le tutorat par les personnes chargées de la socialisation du nouvel employé. Ces pratiques favorisent la transmission des valeurs et des attentes organisationnelles et sont susceptibles de favoriser le sentiment d'appartenance et l'esprit de corps (Gross et Shichman, 1987; Sekiou *et al.*, 1992).

LA RÉORGANISATION : SES MULTIPLES FORMES

Jusqu'à maintenant, nous avons peu traité des formes que peut prendre la réorganisation du travail. Ce choix est volontaire, car nous croyons qu'il est beaucoup plus important d'en comprendre les principes et les facteurs de succès. En effet, on observe trop souvent le réflexe de vouloir imiter les structures mises en place ailleurs ou d'appliquer mécaniquement certaines recettes de gestion sans prendre le temps d'en saisir les implications. Les formes possibles de la réorganisation du travail sont effectivement multiples et varieront selon l'application des principes organisateurs et des facteurs de succès liés aux contingences particulières d'une organisation. Dans un cas, l'organisation prendra finalement la forme d'une structure aplatie avec un décloisonnement des services et un regroupement des emplois dans quelques métiers génériques (usine de General Motors à Boisbriand) alors que dans un autre, on verra apparaître une structure polycellulaire organisée autour de groupes semi-autonomes ou autorégulés (Générale Électrique à Bromont; Norsk-Hydro à Bécancour; usine d'Inglis de Montmagny). Dans d'autres situations, c'est la structure matricielle fondée sur des équipes de projet multifonctionnelles qui sera dominante ou alors une structure déconcentrée et décentralisée où la responsabilisation reposera sur l'enrichissement collectif des tâches (Les Centres Jeunesse Mauricie-Bois-Francs). Ailleurs, la structure sera dite virtuelle et s'appuiera sur des réseaux de communication : l'organisation du travail sera informationnelle (Digital Equipement). Et dans plusieurs autres cas, on retrouvera une variante qui représente un amalgame des formes que nous venons de mentionner. À cet égard, les travaux récents de Cotton (1993), Galbraith et Lawler (1993) sont particulièrement éloquents sur les multiples formes de la réorganisation du travail.

La réorganisation du travail s'avère donc un puissant catalyseur des comportements individuels au travail. Ainsi on rapporte que, entre 1980 et 1991 et d'après un échantillon de 205 organisations, celles qui se sont renouvelées présentent une augmentation moyenne des ventes de 682 %, une augmentation moyenne de la valeur de leurs actions de 901 % et une amélioration de leurs revenus de l'ordre de 756 % contre des pourcentages de 166 %, 74 % et 1 % respectivement pour les organisations qui ont limité ce processus de transformation (Kotter et Haskett, 1992 : voir Macy et Izumi, 1993). Par ailleurs, les travaux de ces derniers auteurs montrent, à la suite d'une méta-analyse de 131 études sur la réorganisation du travail, des effets positifs importants sur la performance globale de l'entreprise, sur sa performance financière, sur la productivité des travailleurs et sur leurs attitudes au travail.

L'ensemble de ces résultats et de cette réflexion nous amènent aux observations suivantes. Il faut cesser de croire que les outils de gestion, les énoncés de mission et les projets d'entreprises peuvent d'eux-mêmes transformer les organisations. La majorité des expériences de qualité totale échouent à l'heure actuelle sensiblement pour les mêmes raisons qu'ont échoué plusieurs expériences de cercles de qualité et de qualité de vie au travail. Le temps semble donc venu de cesser de changer les étiquettes et d'attendre les solutions faciles et plaquées. Réorganiser intelligemment le travail ne tient pas surtout aux techniques, aux outils et aux étiquettes. Le succès d'une réorganisation dépend principalement de l'intelligence, de la compétence et de la créativité des ressources humaines d'une organisation, et surtout des qualités personnelles et de la capacité des dirigeants à inspirer et à mobiliser leur personnel en vue de l'atteinte d'objectifs organisationnels clairs et stimulants.

Note

1. Macy et Izumi (1993) rappellent que, entre 1979 et 1989, 51 % des firmes qui figuraient auparavant dans le prestigieux classement Fortune 500 en ont été éliminées. Ces auteurs notent avec justesse que ces firmes n'ont pas été capables de s'ajuster aux mutations de leur environnement. Dans la même veine, on rapporte que près de la moitié des entreprises citées dans «Le Prix de l'excellence» (Peters et Waterman, 1983) ont disparu ou connaissent de sérieuses difficultés (Groupe Innovation, 1993).

Références

Aktouf, O., *Le management, entre tradition et renouvellement*, Gaëtan Morin, 1989.

Aktouf, O., Chrétien, M., «Le cas Cascades : Comment se crée une culture organisationnelle», *Revue Française de Gestion*, novembre-décembre 1987, p. 156-166.

Bass, B.M., Avolio, B.J., «The implications of transactional and transformational leadership for individual, team and organisational development», *in*, R. Woodman et W. Pasmore (eds), *Research in Organizational Change and Development*, vol. 4, JAI Press, 1990, p. 231-272.

Bass, B.M., Avolio, B.J., *Improving Organizational Effectiveness Through Transformational Leadership*, Sage, 1994.

Beauchamp, S., Fabi, B., «L'influence de la taille organisationnelle sur le plafonnement de carrière», *Revue Internationale PME*, vol. 6 (2), 1993, p. 83-107.

Bernatchez, J.C., *Les relations du travail appliquées à l'entreprise*, CERIM, 1991.

Bobbe, R.A., Schaffer, R.H., «Productivity Improvement: Manage it or Buy it?», *Business Horizons*, vol. 26 (2), 1983, p. 62-29.

Bommensath, M., *Manager l'intelligence de votre entreprise*, Éditions d'Organisation, 1987.

Brockner, J., Grover, S., Reed, R., De Witt, R., O'Malley, M., «Survivors' Reactions to Layoffs : We Get By with a Little Help From Our Friends», *Administrative Science Quaterly*, vol. 32, 1987, p. 526-541.

Butera, *La métamorphose de l'organisation, du château au réseau*, Éditions d'Organisation, 1991.

Cascio, «Downsizing: What Do We Know? What Have We Learned?», *Academy of Management Executive*, vol. 7 (1), 1993, p. 95-104.

Chanlat, A., «La société malade de ses gestionnaires», *Interface*, vol. 14 (6), 1993, p. 24-31.

Cody, A.M., Hegeman, G.B., Shanks, D.C., «How to Reduce the Size of the Organization but Increase Effectiveness», *The Journal of Business Strategy*, vol. 8 (1), 1987, p. 66-70.

Cotton, J.L., *Employee Involvement - Methods for Improving Performance and Work Attitudes*, Sage, 1993.

Crozier, M., *L'entreprise à l'écoute, apprendre le management post-industriel*, InterEditions, 1989.

Cummings, T.G., Huse, E.F., *Organization Development and Change*, West, 1989.

Drago, R., «Quality Circle Survival: An Exploratory Analysis», *Industrial Relations*, vol. 27 (3), 1988, p. 336-351.

Drolet, J., Gélinas, R., Rheault, M. Jacob, R., «A World Class Manufacturing Strategy», *Annual International Conference of Industry, Engeneering and Management Systems (IEMS)*, É.-U., mars 1994, Actes de colloque. Tiré à part GREPME, UQTR. Chaire Bombardier Sea-Doo/Ski-Doo en gestion du changement technologique dans les PME.

Fabi, B., «Les facteurs de contingence des cercles de qualité : une synthèse de la documentation empirique», *Canadian Journal of Administrative Sciences*, vol. 8 (3), 1991a, p. 161-174.

Fabi, B., «Les cercles de qualité : leçons de l'expérience internationale», *Gestion*, vol. 16 (1), 1991b, p. 50-58.

Fabi, B., «Success Factors in Quality Circles : A Review of Empirical Evidence», *International Journal of Quality and Reliability Management*, vol. 9 (2), 1992, p. 81-88.

Gagné, J.P., «Amélioration sensible des relations de travail au Québec», *Journal Les Affaires*, vol. LXVI (13), mars-avril 1994, p. 2-3.

Galbraith, J.R., Lawler III, E.E., *Organizing for the Future*, Jossey-Bass, 1993.

Gomez-Mejia, L.R., Balkin, D.B., «Compensation, Organization Strategy and Firm Performance», South-Western Series in *Human Resources Management*, G.R. Ferris et K.M. Rowland (éd.), 1992

Gondrand, F., *L'information dans les entreprises et les organisations*, Éditions d'Organisation, 1990.

Gosselin, A., «La face cachée des rationalisations d'effectifs», *Info Ressources Humaines*, vol. 17 (6), 1994, p. 7-8.

Grand'Maison, J., «Mutation des valeurs et milieu de travail», in HEC : *Actes du séminaire sur les valeurs* (p.40-60). Les Presses HEC, 1986.

Gross, W., Shichman, S., «How to Grow an Organizational Culture», *Personnel*, septembre 1987, p. 52-56.

Groupe Innovation, *Vers l'organisation du XXIe siècle*, Presses de l'Université du Québec, 1993.

Guérin, G., Wils, T., *Gestion des ressources humaines : du modèle traditionnel au modèle renouvelé*, Presses de l'Université de Montréal, 1992.

Guérin, G., Wils, T., «Sept tendances-clés de la «nouvelle» GRH», *Gestion*, vol. 18 (1), 1993, p. 22-33.

Hébert, R., *Les ressources humaines : les gérer ou les inspirer*, Communication dans le cadre du 8ᵉ Psy-Colloque du Travail, Université de Montréal, mars 1994, 11p.

Heenan, D. A., «The Downside of Downsizing» *The Journal of Business Strategy*, vol. 10 (4), 1989, p. 18-23.

Hill, F.M., «Quality Circles in the UK: A Longitudinal Study» *Personnel Review*, vol. 15 (3), 1986, p. 25-34.

Industrie et Sciences Canada, *À la poursuite de la qualité*, Services à l'entreprise, 1993.

Ingram, E., «Knowledge-Based Pay», *Personnel Journal*, avril 1990, p. 138-140.

Jacob, R., «La flexibilité organisationnelle et le rôle de la gestion des ressources humaines», *Gestion*, vol. 18 (2), 1993, p. 30-38.

Jacob, R., Rheault, M. Julien, P.A., Gélinas, R., Drolet, J., «L'entreprise en réseau et l'approche juste-à-temps», *ACFAS,* section sciences administratives, UQAM. Tiré à part GREPME, UQTR. Chaire Bombardier Sea-Doo/ Ski-Doo en gestion du changement technologique dans les PME, 1994.

Jacquard, A., «La biologie et notre regard sur l'homme», *La Revue Nouvelle*, vol. 10, 1986, p. 248-264.

Joron, P., «À l'ère de la qualité totale, une stratégie organisationnelle en gestion des ressources humaines axée sur la mobilisation», in. M. Leclerc, *Le gestionnaire : un acteur primordial en gestion des ressources humaines*, Presses de l'Université du Québec, 1993, p. 133-148.

Klubnick, J., «Orienting New Employees», *Training and Development Journal*, avril 1987, p. 46-49.

Kozlowski, S.W., Chao, G.T., Smith, E.M., Hedlund, J., «Organizational Downsizing: Strategies, Interventions, and Research Implications», *International Review of Industrial and Organizational Psychology*, vol. 8, 1993, p. 263-332.

Lawler III, E.E., *The Ultimate Advantage, Creating the High-Involvement Organization*, Jossey Bass, 1993.

Lawler, III, E.E., *High-Involvement Management*, Jossey-Bass, 1986.

Leclerc, M., *Le gestionnaire : un acteur primordial en gestion des resssources humaines*, Presses de l'Université du Québec, 1993.

Macy, B.M., Izumi, H., «Organizational Change, Design and Work Innovation», *Research in Organizational Change and Development*, vol. 7, 1993, p. 235-313.

Marchildon, C., *La gestion intégrée des ressources humaines à la Fédération des Caisses Populaires Desjardins de Montréal et de l'ouest du Québec*, communication dans le cadre du 8ᵉ Psy-Colloque du Travail, Université de Montréal, mars 1993, 15p.

Maschino, D., «Les changements de l'organisation du travail dans le contexte de la mondialisation économique (1ʳᵉ partie)», *Le Marché du Travail*, juillet 1992a, 5-8, 73-80.

Maschino, D., «Les changements de l'organisation du travail dans le contexte de la mondialisation économique (2ᵉ partie)», *Le Marché du Travail*, août 1992b, 5-10, 73.

McBrearty, K., «Négocier l'aspect humain du travail», *Avenir*, vol. 7 (7), 1993, p. 18.

Mohrman, S.A., Novelli, L., «Beyond Testimonials: Learning From a Quality Circles Programs», *Journal of Occupational Behavior*, vol. 6, 1985, p. 93-110.

Morgan, G., *Images de l'organisation*, Les Presses de l'Université Laval; ESKA, 1989.

Morin, E., «Peut-on concevoir une science de l'autonomie?», *Cahiers Internationaux de Sociologie*, vol. LXXI, 1981, p. 257-267.

Pettersen, N., Jacob R., *Comprendre le comportement de l'individu au travail : un schéma d'intégration*, Agence d'Arc, collection psychologie industrielle et organisationnelle, 1992.

Pitcher, P., «L'artiste, l'artisan et le technocrate», *Gestion*, vol. 18 (2), 1993, p. 23-29.

Proulx, S., «Réorganisation des entreprises et rôle des syndicats : rencontre des intérêts réciproques?», *Info Ressources Humaines*, vol. 17 (6), 1994, p. 11.

SainSaulieu, R., *Sociologie de l'organisation et de l'entreprise*, Presses de la Fondation Nationale et Dalloz, 1987.

Schweiger, D.M., De Nisi, A.S., «Communication with Employees Following a Merger: Longitudinal Field Experiment», *Academy of Management Journal*, vol. 34, 1991, p. 110-135.

Sekiou, L., Blondin, L., Fabi, B., Chevalier, F., Besseyre des Horts, G.H., *Gestion des ressources humaines*, Éditions 4L, 1992.

Serieyx, H., *Mobiliser l'intelligence de l'entreprise*, Entreprise Moderne d'Édition, 1987.

Sérieyx, H., *Le big bang des organisations*, Calmann-Lévy, 1993.

Sicotte, G., «Federal Express ou comment obtenir le Malcolm Baldrige National Quality Award», *Gestion*, vol. 18 (2), 1993, p. 61-67.

St-Onge, S., «L'efficacité des régimes de participation aux bénéfices : une question de foi, de volonté et de moyens», *Gestion*, vol. 19 (1), 1994, p. 22-31.

Whipple, R., Odenwald, S., «Rewards Have Value», *Personnel Journal*, septembre 1990, p. 92-96.

Comment utiliser le management par projet comme levier du changement comportemental
Réflexions à partir d'une étude de cas

Thierry Picq et Laurent Bompar

LE DÉVELOPPEMENT ACTUEL DU MANAGEMENT DE PROJET

La conduite de projet est une forme d'organisation du travail bien connue, dont les techniques, méthodes et outils ont fait l'objet d'une importante diffusion. Cependant, on constate que le thème du management de projet suscite depuis la fin des années 1980 un fort regain d'intérêt auprès des entreprises[1]. Plusieurs explications peuvent être avancées.

La promotion du management de projet, étayée par quelques *success stories* omniprésentes dans les ouvrages sur le sujet (Twingo, tunnel sous la manche…) constitue incontestablement une raison de sa diffusion sur le terrain. Mais, au-delà de l'effet de mode[2], d'autres facteurs explicatifs de fond doivent être relevés.

La réalité est que de plus en plus d'entreprises ont recours aujourd'hui à un mode de fonctionnement par projets. Traditionnellement réservé à certains thèmes privilégiés (innovation, développement, informatisation…) ou à certains secteurs spécifiques (ingénierie, grands travaux…), le travail en équipes-projets se rencontre désormais dans des entreprises de toutes tailles et de tous domaines d'activité pour répondre à des enjeux de plus en plus variés : nouveaux produits, services ou procédés, mais aussi projets de changement, de réorganisation, de certification qualité… On assiste bien à une généralisation du recours au management de projet.

Ce phénomène s'appuie sur des succès industriels incontestables dans l'automobile, la pharmacie, l'électronique… qui ont prouvé l'intérêt

---

Thierry Picq est professeur à l'École de Management de Lyon.
Laurent Bompar est étudiant du Mastère à l'École de Management de Lyon.

de cette approche pour répondre à la nécessité vitale d'accroître le rythme de l'innovation, de réduire les temps de conception et d'industrialisation ou d'augmenter la qualité. La capacité à fonctionner en mode projet est reconnue désormais comme un véritable levier de la compétitivité[3]. En effet, après avoir mis l'accent sur l'optimisation de la production, la quête de la performance porte désormais sur les gains issus de la simultanéité conception / étude / industrialisation / commercialisation de même que de la qualité et de l'efficacité de leur articulation[4].

DU MANAGEMENT DE PROJET AU MANAGEMENT PAR PROJET

Enfin, le rôle important que peuvent jouer les projets dans la conduite du changement est une autre raison de l'intérêt porté au sujet.

De nombreuses recherches ont contribué à nourrir l'hypothèse que l'introduction des projets dans une entreprise générait une remise en cause majeure de ses modes de fonctionnement habituels. Cette idée a été longuement étudiée dans la perspective des structures métiers et de leur articulation avec des entités transverses, *ad hoc* et temporaires[5]. Le cas des systèmes de gestion des ressources humaines, souvent mal adaptés pour évaluer, rétribuer et promouvoir des acteurs-projets multi-appartenances est un autre exemple fréquemment observé[6].

La généralisation des projets n'est donc pas neutre pour l'organisation en place et suscite une mise en tension dans les structures, les modes de régulation, les systèmes de gestion et les pratiques de management.

On constate que ces «perturbations» sont soit subies par des entreprises qui les découvrent a posteriori, soit au contraire inscrites dans le cadre d'une stratégie voulue, explicite et peu ou prou pilotée. On est alors dans le cas d'une démarche volontaire de transformation de l'organisation par les projets. C'est ce que nous appellerons ici «changement par les projets».

L'objectif de cette contribution est d'illustrer l'hypothèse que les projets peuvent jouer un rôle majeur dans les processus de changement et peuvent en être des vecteurs efficaces, à partir du cas de La Poste.

LA PROBLÉMATIQUE DU CHANGEMENT DANS LE CAS DE LA POSTE

Au même titre que d'autres entreprises publiques en situation dominante telles qu'Électricité de France (EDF) ou la Société nationale des chemins de fer français (SNCF), La Poste est confrontée à des évolutions radicales du contexte général et plus particulièrement de l'environnement concurrentiel dans lequel elle se situe, sur ses deux métiers principaux : courrier et services financiers. Les principaux changements observés sont les suivants :

– élargissement du marché : nouveaux entrants, déréglementation européenne, mondialisation des échanges...;

– poids croissant des nouvelles technologies de la communication et des produits de substitution : téléphone, télécopieur, messagerie, Internet...;

– évolution des relations avec la clientèle : exigences fortes en matière de coûts, de délai, de qualité, notamment de la clientèle entreprise, mais aussi demande de personnalisation des relations plus que de prestations de masse indifférenciées[7];

– pression sur les coûts, dans une logique de réduction des déficits budgétaires de l'État;

– maintien d'un rôle de service public, qui s'exprime par exemple dans la couverture du territoire, mais qui entre en contradiction avec une pression accrue sur des indicateurs de performance économique.

En regard de ces transformations de fond, La Poste est confrontée à l'enjeu de faire évoluer un modèle de gestion traditionnel bureaucratique, qui repose sur quelques spécificités particulièrement pesantes dans une perspective de changement et que nous ne ferons qu'évoquer ici : organisation rationnelle basée sur des règles impersonnelles; statut protecteur de fonctionnaire de l'État, avec emploi garanti à vie, qui n'est pas propice à une culture de réactivité, de flexibilité, de prise de risque et de responsabilités; conscience forte de la notion de service public assez fortement partagée, qui freine l'émergence d'une culture orientée vers des considérations plus économiques (performance, rentabilité...); insuffisances en matière de culture et compétences de management.

Mais loin de la vision caricaturale de l'administration rigide, «La Poste bouge» (selon le slogan qui a été le support d'une campagne de publicité d'envergure nationale en 1996). Depuis son changement de statut d'administration d'État à celui d'entreprise publique en 1991, des politiques et un schéma directeur de modernisation ont été lancés et ont donné lieu à des programmes pluriannuels de progrès dans divers domaines : par exemple le programme «Étude d'organisation des services» (EOS), qui oriente vers le développement de la Qualité; «Réseau 2000», qui vise à restructurer et rationaliser l'implantation des antennes

137

locales sur le territoire; le programme REPÈRE, qui constitue le volet humain, social et managérial de la réorganisation.

Dans le cadre de REPÈRE, sont énoncées les grandes orientations de la politique nationale en matière de management et ressources humaines et les lignes directrices en matière de refonte des systèmes de formation, de mise à jour des cartographies d'emplois et organigrammes de référence, de création d'outils de type observatoire social. En matière de développement du management, une charte appelée «une ambition pour l'encadrement» fixe les nouveaux modes de comportements attendus pour l'encadrement à tous les niveaux : orientation service, responsabilisation sur les résultats économiques, pilotage du changement, développement du travail d'équipe et décloisonnement des compétences…

L'objectif est de décliner et traduire ces orientations générales au niveau local (région, département, unité) et de mettre en place dans chaque unité des plans d'action adaptés pour développer les comportements cibles énoncés dans la charte «une ambition pour l'encadrement».

Notre expérience se situe dans un Centre régional de production des services financiers (CRSF). Cet arrière-guichet regroupe 1800 personnes environ, dont près d'une centaine de cadres.

La question qui se pose dans une unité opérationnelle comme celle-ci est celle de la déclinaison des politiques nationales nécessairement générales et abstraites, en ce qui concerne les agents de base et les chefs d'équipe. Que signifient-elles concrètement sur le terrain? Quels changements visibles vont-elles engendrer? Comment vont être intégrés les différents acteurs?

LE RECOURS AU MANAGEMENT PAR PROJET POUR CONDUIRE LE CHANGEMENT

Dans le cas évoqué plus haut, le management par projet a été choisi comme solution de remplacement à des approches plus traditionnelles, où le changement est décidé et planifié indépendamment des acteurs concernés, tandis que sa mise en œuvre est déclenchée par une intervention exogène (consultants extérieurs par exemple).

À La Poste, une méthodologie établie par la direction des ressources humaines au niveau national existe pour la mise en place de REPÈRE. Elle est entièrement formalisée dans «un guide d'audit» à la disposition des responsables opérationnels, assistés si besoin est de fonctionnels ou consultants internes. La méthodologie est très analytique et s'articule autour de quatre grandes étapes :

– la phase de diagnostic managérial : mener une analyse des pratiques actuelles de management des cadres et chefs d'équipes. Supports utilisés : interviews avec guides d'entretien standard;

– la phase d'audit organisationnel : comprendre le mode de fonctionnement réel d'une unité opérationnelle et analyser l'organisation du travail. Supports utilisés : analyse de processus;

– la phase d'analyse des écarts : comparer ce fonctionnement réel à un modèle d'organisation standard général. Mesurer les principaux écarts et évaluer les risques;

– la phase d'intervention : émettre des préconisations pour combler les éventuels écarts. Mettre en place des actions de progrès.

Sur demande d'un responsable d'unité, un groupe de travail composé de consultants internes spécialement formés (assistés éventuellement de ressources externes ponctuelles) applique scrupuleusement cette méthodologie dans un site donné.

À l'opposé de cette démarche classique et pour éviter ses limites bien connues (déconnexion entre l'élaboration et la mise en œuvre, non-implication de tous dans la décision, solutions construites a priori...), c'est une stratégie explicite de mise en mouvement collective par le biais des projets qui a été choisie au CRSF, c'est-à-dire un dispositif de «changement par les projets», selon notre définition.

LA RÉALITÉ DU MANAGEMENT PAR PROJET MIS EN PLACE

Sans entrer dans le détail des actions menées, nous pouvons faire ressortir quelques lignes de force de la situation observée.

Le premier élément a été le lancement simultané d'un nombre important d'équipes-projets. Au sein du CRSF, plusieurs groupes de travail ont été constitués : chacun devait prendre en charge une partie de l'audit et construire un autodiagnostic ciblé de l'organisation du travail et des pratiques de management. À titre d'exemple, les thèmes suivants ont été travaillés par les équipes :

– repérage des rôles et missions de l'encadrement, calcul des temps passés sur chaque mission et comparaison à un référentiel cible;

– analyse des écarts entre le travail prescrit dans des fiches de définition de fonction et les activités réellement menées sur le terrain;

– construction, administration et restitution d'un questionnaire d'opinion interne : près de 80 % des agents du CRSF ont répondu à ce questionnaire;

– mesure de la satisfaction des clients internes et externes par rapport aux services du CRSF...

Plutôt que de mener de façon externe cet audit, des équipes-projets ont elles-mêmes réalisé ce diagnostic, aidées pour certaines d'entre elles de ressources fonctionnelles (consultants internes).

Ce sont bien de véritables équipes-projets qui ont été formées, autour d'un objectif unique et précis, borné dans le temps (un domaine de diagnostic ou un chantier de développement), autonomes sur leur méthode de travail, pilotées par un chef de projet choisi sur la base du volontariat, avec un engagement de résultat et des moyens pour les atteindre (budget, temps alloué, apports méthodologiques...). Un des principes clés de la composition des groupes a été la mixité systématique des profils individuels, des niveaux hiérarchiques, des fonctions ou services d'appartenance et même des âges ou ancienneté des participants.

Un autre point clé est la perspective opérationnelle et très finalisée de ces équipes-projets. Les groupes de travail ont prolongé leur diagnostic par des préconisations concrètes dont ils ont suivi la mise en œuvre dans les services (réorganisation simple du travail, conception d'un support d'analyse des compétences, création de nouveaux indicateurs de qualité, diffusion de nouvelles pratiques d'animation de réunion...). Beaucoup plus que de simples groupes d'analyse, ces équipes-projets étaient responsables de la mise en place de leur préconisation : pour reprendre les quatre exemples ci-dessus, un groupe-projet a accompagné la réorganisation du travail de l'arrière-guichet, un autre a appliqué la démarche compétence chez les chargés de clientèle, un autre s'est assuré de la pertinence des indicateurs de qualité pour les acteurs concernés, un autre enfin a pris en charge la formation de l'encadrement à de nouvelles méthodes d'animation de réunion.

De même, il convient de mettre en évidence la dynamique démultiplicative, destinée à toucher et associer progressivement un nombre important d'acteurs de l'ensemble de l'organisation. Au CRSF, les participants des premiers groupes de travail sont devenus, dans un deuxième temps, animateurs de la démarche au sein de leur service ou unité opérationnelle. Ils ont été chargés en effet de porter et faire vivre la démarche projet en interne, pour aider les agents à se l'approprier, à l'adapter à leurs besoins spécifiques et à mettre en place les préconisations et réalisations proposées par les premiers groupes de travail.

Ce processus a été encadré par un groupe de pilotage avec un coordinateur-animateur. Ce dispositif a joué le rôle traditionnel de coordination, dynamisation et soutien méthodologique mais a également assuré une fonction de capitalisation de la démarche et de son contenu.

Enfin, il faut noter le fait que les premiers groupes de projet ont tous été construits sur la base du volontariat des personnes. Le niveau de compétences et d'expérience a priori sur le travail en équipe-projet était faible, mais la «bonne volonté» des individus et leur désir de sortir de leur mode de fonctionnement traditionnel constituait un terreau favorable à une démarche exploratoire de ce type.

Quels enseignements pouvons-nous tirer de cet exemple, et en quoi éclairent-ils la question de la transformation des organisations par les projets?

DESCRIPTION ET ÉVALUATION DE LA NATURE DES CHANGEMENTS OBSERVÉS

L'évaluation des résultats de la démarche doit s'effectuer à deux niveaux simultanés :

Le premier concerne les projets eux-mêmes et les réalisations concrètes menées au sein des équipes de travail. Elles se mesurent en diagnostics formalisés pour mieux cerner la nature des dysfonctionnements, en propositions d'actions de progrès dans les domaines de l'organisation du travail, en indicateurs de gestion, en outils de management et plus généralement en évolution des modes de fonctionnements collectifs, pour améliorer l'efficacité et la qualité du travail quotidien.

Mais au-delà des apports intrinsèques des projets, nous voudrions montrer que l'évaluation du travail mené peut aussi se mesurer en dynamique d'évolution induite par la démarche elle-même et en nouveaux comportements développés par les acteurs du fait du processus. Nous parlons bien de changement introduit indirectement par les projets, que nous distinguons de la notion de projet de changement, qui a pour objectif direct et affiché de concevoir et de réaliser une opération de changement. Changer des comportements était un objectif bien trop vague, abstrait et peu mobilisateur pour susciter une dynamique dans un environnement comme celui du CRSF. Par contre, agir simultanément en petites équipes sur des pratiques concrètes et ciblées, avec démultiplication du processus, a permis de conduire finalement à cette transformation d'ensemble.

Les groupes de travail se sont bien inscrits dans un processus itératif, partant d'une situation réelle (l'état des modes d'organisation et des pratiques managériales), qui a été analysée par des groupes et qui a débouché sur des actions locales, des améliorations simples et concrètes, à travers un processus de démultiplication vers d'autres équipes-projets. Ce sont les principes généraux énoncés à l'échelle nationale qui constituent l'orientation du changement (les comportements cibles, tels qu'exprimés dans la charte). Ils forment une perspective d'ensemble, mais qui demeure floue, abstraite et trop générale aux yeux des acteurs du terrain. La démarche représentée ci-dessus permet de construire des paliers concrets, accessibles au plus grand nombre, finalisés et porteurs de sens pour les acteurs, car visibles dans leur énoncé et dans leur manifestation opérationnelle (réorganiser une activité, préciser des objectifs, mettre en place des indicateurs qualité, mieux communiquer...).

Un des apports réels de la dynamique décrite a été de confronter la quasi totalité de l'encadrement du CRSF avec les grands principes du programme REPÈRE et de construire un dispositif pour les discuter collectivement, forger une représentation commune, les adapter pratiquement et favoriser l'appropriation par l'action.

LE MANAGEMENT PAR PROJET COMME DYNAMIQUE D'APPRENTISSAGE COLLECTIF

Cet exemple illustre bien la thèse que l'introduction massive de dispositifs projets dans une organisation change les modes de fonctionnements habituels et développe de nouveaux comportements et savoir-faire chez les personnes qui s'y engagent.

Au sein même des équipes-projets, la nécessité de faire converger vers un but unique et finalisé des apports individuels différents représente un espace privilégié d'apprentissage et d'évolution des comportements de travail, ce qui, pour La Poste, constitue un objectif en soi. Nous avons pu observer des évolutions, certes inégales en fonction des individus et parfois modestes, mais qui se situent bien dans le cadre des perspectives portées par le programme REPÈRE : développement de la communication, de l'autonomie et de la responsabilisation des acteurs, ouverture à la diversité des points de vue portés par chacun, meilleure coopération transversale interfonctionnelle, prise de recul sur le sens de son activité, efficacité croissante du travail en équipe dans des contraintes coûts-délai-qualité... Les compétences acquises «sans s'en rendre compte» au sein des équipes projets sont celles encouragées dans le cadre de la démarche REPÈRE. «Les hommes font des projets tout comme les projets font les hommes[8].»

Mais l'apprentissage s'effectue également à un autre niveau, en dehors des équipes-projets elles-mêmes. La mise en oeuvre des actions a nécessité la participation et la mobilisation des autres acteurs du CRSF qui n'appartenaient pas initialement aux groupes-projets. Les nouveaux comportements et méthodes de travail acquis au sein des équipes-projets ont donc été démultipliés à l'extérieur de leur frontière et ont induit une évolution plus globale de l'ensemble des comportements. Le projet est autant un processus structure (créateur d'un fil directeur, il permet d'atteindre le but et de tracer le chemin à parcourir) que structurant (construit qui s'enrichit des apports de tous les membres de l'organisation). Cette dualité structurelle[9] du projet en tant que cadre d'interaction et résultat de celle-ci est à la base du processus observé de transformation du système social du CRSF et donc de l'évolution des pratiques et comportements collectifs.

Le changement se propage comme un processus d'apprentissage collectif et organisationnel, à partir d'expérimentation de méthodes et de comportements nouveaux dans des espaces ciblés conçus pour cela (les projets) et qui génèrent des effets «taches d'huile» directs (d'autres projets) ou indirects (évolution progressive de l'ensemble des comportements et des modes de travail). Nous pouvons parler «d'apprentissage par et dans les projets[10]». Le projet est à la fois produit et producteur de l'entreprise : il est produit, car il s'ancre pour partie dans les routines, représentations communes et règles d'action en vigueur dans le contexte dans lequel il s'insère. Il est aussi producteur, parce que la conduite du projet transforme ces modes de transaction et ces routines en participant à la production de nouvelles règles d'action collective ainsi qu'à de nouvelles conditions d'apprentissage. Le projet peut alors être vu comme le support d'un processus «tourbillonnaire» (voir le schéma 1) entre les structures, les acteurs agissants et lui-même.

L'apprentissage se situe également à un niveau cognitif. En effet, le management par projet agit également sur les représentations[11]. Il permet de confronter les visions existantes (sur l'organisation du travail, sur des comportements nouveaux à adopter, sur des politiques nationales...) mais

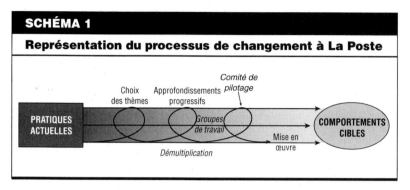

SCHÉMA 1

Représentation du processus de changement à La Poste

également d'instaurer une dynamique cognitive collective autour d'un processus et d'un parcours d'évolution où chacun peut trouver sa place.

Il est d'ailleurs intéressant de constater que les projets, conçus dans une optique de rationalité, de recherche d'efficacité maximale et sous le regard permanent d'indicateurs de gestion précis et rigoureux (coûts, délais, qualité) peuvent également répondre à des objectifs sous-jacents à plus long terme, de nature plus immatérielle et moins maîtrisable : changement culturel, modification des comportements individuels et collectifs, évolution des valeurs…

LE MANAGEMENT PAR PROJET : ENTRE DÉLIBÉRATION ET ÉMERGENCE

Une autre lecture complémentaire peut être discutée à la lumière de cet exemple. Elle fait appel à deux principaux courants de pensée en matière de stratégie d'entreprise qui sont généralement mis en opposition :

– celui de la «stratégie délibérée» qui définit la stratégie comme une démarche planifiée a priori, intentionnelle et complètement maîtrisée. Cette conception est parfois qualifiée de balistique, au sens où elle repose sur «une idée de trajectoire pour atteindre une certaine cible, que l'on s'efforcera de suivre sans déviation[12]»;

– celui de la «stratégie émergente», définie à l'inverse comme le produit de manifestations locales apparemment dispersées dont on trace la forme globale a posteriori. Mintzberg (1982) parle d'ordre «non intentionnel», émergeant de la diversité des actions menées dans l'entreprise par de multiples acteurs.

Dans la monographie relatée ici, nous nous situons au carrefour de ces deux approches théoriques extrêmes. Des orientations stratégiques générales ont été formulées au départ : elles sont du domaine de la délibération (programme REPÈRE). C'est dans le cadre de ces grands axes que se sont développées des actions sur le terrain diverses et variées, au sein des équipes-projets, pour en préciser, traduire et matérialiser le contenu.

La vision stratégique favorise la compatibilité mutuelle des projets et leur cohérence. Elle fournit un cadre porteur de sens dans lequel peuvent se construire des projets adaptés à leurs contextes propres et qui, en retour, reconstruisent en permanence la perspective stratégique.

Dans ce schéma, la réalité des projets et la vision stratégique contribuent à se façonner mutuellement dans des boucles récursives complexes[13], moteurs d'une dynamique de changement participatif. La préexistence d'un cadre stratégique inspire et conditionne les actions locales du terrain. Au fur et à mesure de leurs progressions, celles-ci engendrent en retour des reformulations plus précises des axes stratégiques, qui influencent de nouveau les projets en cours ou à venir... et ainsi de suite.

Le projet constitue donc le lieu privilégié où se construit cette rencontre entre délibération et émergence et façonne un cadre stratégique qui n'apparaît plus comme imposé et subi, mais au contraire comme support à la conduite d'actions de changement issues des acteurs eux-mêmes.

POUR CONCLURE... PROVISOIREMENT

Généralement envisagé sous l'angle de la satisfaction du besoin ponctuel et spécifique d'un client externe, nous avons cherché à montrer empiriquement que le champ d'action des projets s'étend également à la transformation du fonctionnement interne de l'entreprise, donc à la réalisation d'une stratégie de changement majeur.

Introduire le management par projet consiste donc à choisir la voie d'une dynamique d'apprentissage collectif et organisationnel et à faire vivre un processus de mise en discussion stratégique, par aller-retour permanents entre délibération et émergence.

Nos observations ont permis de dégager quelques facteurs empiriques de succès à la conduite du changement par le management par projet :

– «l'effet de masse», obtenu par un nombre important de projets menés simultanément et aptes à soutenir la dynamique de changement;

– la mobilisation de la phase initiale de diagnostic des acteurs les plus moteurs, ce qui a facilité le passage ultérieur à l'étape de mise en oeuvre et d'ouverture des équipes-projets;

– le rôle d'orchestration de la direction générale (déjà mis en évidence par des travaux de Declerck, Debourse, Navarre, 1983), dont l'enjeu est de piloter un processus de changement de façon non directive, de fixer des directions générales sans insister sur les solutions spécifiques;

– une réelle volonté non manipulatoire de faire évoluer des stratégies lancées par la direction (délibération) à partir de la traduction que peuvent en faire les acteurs de terrain (émergence);

– accepter l'expérimentation comme lieu d'apprentissage de l'autonomie, de l'initiative et de la responsabilisation. C'est dans des dispositifs de type projets, ouverts à des démarches d'essais-erreurs que peut se propager un changement balisé, limité dans son périmètre mais réellement partagé et approprié[14].

Même s'il ne faut pas faire de la vision présentée ici un nouveau *one best way*, l'hypothèse du recours au management par projet pour susciter un apprentissage pourrait constituer une grille de lecture intéressante permettant de mieux comprendre les dynamiques de changement et d'évolution des comportements collectifs dans les entreprises, ou encore, comme le dit Morgan (1989), de «regarder l'organisation comme un système qui se construit lui-même et qui se remet en cause tout en offrant un rôle premier aux acteurs dans ce processus».

Ce témoignage vise à proposer une solution de remplacement aux logiques dominantes actuelles de changement radical, qui consistent à remettre à plat l'ensemble des mécanismes socio-organisationnels et à «reconfigurer» l'entreprise sur des bases totalement nouvelles.

Des travaux récents[15] ont exploré la question des stratégies d'anticipation du changement dans de grandes entreprises menacées.

Une recherche-action menée au sein d'Électricité de France (EDF) a mis en évidence le rôle joué par l'Institut du management (structure interne de réflexion et de formation destinée aux cadres dirigeants de l'entreprise) qui, au-delà de sa mission officielle, est devenu un dispositif de «mise en débat» des pratiques qui constituent le paradigme dominant en vigueur et, de ce fait, un instrument clé de la préparation du changement de ce paradigme.

L'exemple de CRSF de La Poste présenté ici illustre également une démarche d'anticipation et de préparation du changement mais qui s'appuie moins sur la création d'un débat autour des risques et limites de la vision du monde prévalante dans l'entreprise et plus sur la mise en place de processus apprenants, plus actifs que cognitifs, basés sur le principe de progression permanente à partir des ressources humaines existantes et de leur capacité à évoluer en situation, par incrémentations successives.

Comme le fait remarquer Boudès (1997), il est illusoire d'espérer que le déploiement préalable de dialogue et de prise de recul propres aux situations de débats suffise à conférer aux acteurs les savoirs nécessaires pour évoluer correctement face à une crise ou à un nouveau paradigme. Certaines dimensions d'une dynamique de changement ne sont en effet observables qu'au travers de l'action et de la mise en œuvre[16]. Le recours au mode projet peut s'avérer être un dispositif pertinent pour transformer les «espaces de débats» en «espaces d'action expérimentale».

$\boxed{147}$

Bien sûr, les réflexions présentées dans cet article sont tirées d'une étude longitudinale qui en limite toute généralisation. De plus, le statut d'observateur engagé dans l'action pose la question de la distanciation du chercheur par rapport au phénomène observé. Malgré ces limites, il nous paraissait intéressant de contribuer, par l'apport modeste de cette expérience, à une meilleure compréhension des phénomènes d'apprentissage au sein des entreprises. Nous visons surtout, par le biais de ce témoignage, à encourager la multiplication de travaux de ce type, qui constituent, au-delà de leur validation ponctuelle, une superbe matière première propice à générer des réflexions fructueuses.

Notes

1. Voir ECOSIP, 1993.
2. Voir Midler, 1986.
3. Voir Navarre, 1993.
4. Voir Hazebroucq, Badot, 1996.
5. Voir Navarre, 1993.
6. Voir Baron, 1993.
7. Voir Eiglier, Langeard, 1987.
8. Voir Leroy, 1996.
9. Voir Giddens, 1984.
10. Voir Leroy, 1996.
11. Voir Richard *et al.*, 1993.
12. Voir Avenier, 1995.

13. Voir Morin, 1977.
14. Voir Midler, 1993.
15. Voir Boudès, 1997.
16. Voir Charve, Midler, 1992.

Références

Avenier, M.J., *L'action stratégique en milieu complexe : repères*, Working Paper n° 95-04, GRASCE, mai 1995.

Baron, P., «Les enjeux de gestion des salariés travaillant dans les structures par projets», *Gestion 2000*, vol. 9, n° 2, 1993.

Boudès, T., *L'organisation de la population au changement dans les grandes entreprises dominantes menacées*, Thèse de doctorat Science de gestion, École Polytechnique, 1997.

Charve, F., Midler, C., «Mutation industrielle et apprentissage collectif», dans P. Dubois et G. de Terssac, *Les nouvelles rationalisations de la production*, Cépaduès Éditions, 1992.

Declerck, R.P., Debourse, J.P., Navarre, C., *Méthodes de direction générale : le management stratégique*, Éd. Hommes et techniques, 1983.

ECOSIP, *Pilotages de projet et entreprises : diversité et convergences*, Économica, coll. Gestion, 1993.

Eiglier, P., Langeard, E., *Servuction*, McGraw Hill, 1987.

Giddens, A., *La constitution de la société*, Presses universitaires de France, 1984.

Hazebroucq, J.M., Badot, O., *Le management de projet*, PUF, coll. Que sais-je?, 1996.

Leroy, D., «Le management par projets : entre mythes et réalités», *Revue française de gestion*, janvier-février 1996, p. 109-120.

Midler, C., *L'auto qui n'existait pas : management des projets et transformation de l'entreprise*, Interéditions, 1993.

Midler, C., «Logique de la mode managériale», *Gérer et comprendre, Annales des mines*, n° 3, juin 1986.

Mintzberg, H., *Structure et dynamique des organisations*, Éd. d'organisation, 1982.

Morgan, G., *Images de l'organisation*, Éd. ESKA, 1989.

Morin, E., *La méthode, tome 1 : la nature de la nature*, Éd. Seuil, 1977.

Navarre, C., «Pilotage stratégique de la firme et gestion de projet», dans ECOSIP, *Pilotages de projets et entreprises : diversité et convergences*, Économica, coll. Gestion, 1993.

Richard, J.F. *et al.*, *Traité de psychologie sociale*, Dunot, 1993.

LES ACTEURS DE LA TRANSFORMATION – QUI EST CONCERNÉ ET COMMENT ?

Comprendre et mieux gérer les individus en situation de changement organisationnel

Céline Bareil et André Savoie [1]

«De l'annonce du changement à la fin du projet, les employés passent par toute une gamme de réactions», rapporte un dirigeant d'entreprise. «Au fil des ans et des expériences de changement plus ou moins réussies, j'ai appris à porter une attention spéciale aux différentes réactions de mes employés tout au long de la période de mise en œuvre du changement. Alors qu'au tout début, les employés donnent souvent l'impression de ne pas prendre la nouvelle du changement au sérieux en continuant leur boulot comme si de rien n'était, ils sont ensuite envahis par l'incertitude et deviennent à la fois méfiants et insécures. Ils veulent savoir ce qui leur arrivera personnellement à la suite du changement. Ils demandent alors des garanties, par l'entremise de leur syndicat, sur le nombre de postes touchés et sur l'engagement ferme de la direction à aller jusqu'au bout du projet de changement. Par la suite, il y a une ouverture au dialogue : ils veulent discuter du changement et du processus ayant mené à l'adoption du projet, et veulent en connaître les tenants et les aboutissants. Puis, peu à peu, les employés commencent à douter d'eux-mêmes et de leur capacité à faire face au changement; ils trouvent cela difficile d'avoir à acquérir de nouvelles connaissances et de nouvelles habiletés. Vers la fin du projet, certains d'entre eux sentent le besoin d'échanger et de partager ce qu'ils vivent et sont fiers de devenir des formateurs et des partenaires.»

C'est à la lumière de ces constatations, maintes fois faites par des dirigeants, gestionnaires de projet ou consultants lors de la mise en œuvre d'un changement organisationnel, que nous avons décidé d'entreprendre la recherche d'un cadre explicatif permettant de mieux comprendre et d'anticiper les réactions des destinataires. Les études consacrées au

---

Céline Bareil est professeure à HEC Montréal.
André Savoie est professeur au département de psychologie de l'Université de Montréal.

changement organisationnel s'intéressent généralement à la façon dont les différents acteurs – les victimes, les destinataires, les exécutants (gestionnaires) ou les dirigeants – perçoivent le changement et examinent les incidences de ce dernier sous différents angles – sociaux, politiques, administratifs, psychologiques, etc. Toutefois, de plus en plus d'auteurs[2] insistent désormais sur la nécessité d'accorder une plus grande attention à l'analyse et à la compréhension des réactions psychologiques des destinataires, réactions qui, d'après nombre d'études, constituent l'un des principaux facteurs d'échec des changements organisationnels[3]. C'est donc sur ces facteurs humains que nous nous pencherons dans cet article, tout en reconnaissant qu'il existe bien d'autres causes d'échec tout aussi importantes[4]. Nous verrons notamment comment le recours à une analyse des réactions des destinataires basée sur le concept des phases de préoccupations peut remédier aux problèmes posés par la notion de résistance au changement. Le modèle d'analyse que nous proposerons ici permettra aux gestionnaires d'aborder la question sous un angle nouveau, de définir des méthodes d'intervention mieux adaptées aux besoins des utilisateurs finaux et d'assurer ainsi une bonne mise en œuvre du changement organisationnel.

Que sait-on des réactions habituelles des destinataires face au changement organisationnel? Sont-elles normales? Peut-on les prévoir? Ce sont là quelques-unes des questions auxquelles nous tenterons de répondre dans les pages qui suivent.

AU-DELÀ DE LA RÉSISTANCE AU CHANGEMENT

La perspective traditionnelle des réactions au changement organisationnel repose sur un concept central, incontournable dans l'étude des facteurs humains : la résistance au changement. Popularisée par Coch et French en 1947, dans un article intitulé «Overcoming resistance to change» devenu un classique en la matière, la résistance au changement est un phénomène qu'on ne peut passer sous silence, comme en témoignent les nombreux articles publiés chaque année sur le sujet. Généralement définie (Collerette, Delisle, 1982) comme étant l'expression implicite ou explicite de réactions négatives ou défensives face au changement, ou de forces restrictives qui s'opposent à la réorganisation des façons de faire et à l'acquisition de nouvelles compétences, la résistance au changement est sans aucun doute la bête noire de tous ceux qui véhiculent des idées de changement. Souvent synonyme de craintes, de peurs, d'appréhensions, d'hostilité, d'intrigue, de délais, de polarisation, de conflits ou d'impatience, elle donne lieu à des interventions qui exigent des délais supplémentaires, tuent le moral et sont émotionnellement très coûteuses pour l'organisation (Kotter, Schlesinger, 1979).

De nombreux travaux ont été consacrés à la résistance au changement et à ses divers aspects : ses multiples visages, sa signification, ses sources, ses conséquences et les mécanismes auxquels on peut recourir pour mieux la gérer. En ce qui concerne plus particulièrement les facteurs à l'origine de cette résistance, les études menées sur le sujet ont permis d'isoler plusieurs types de causes possibles. Kets de Vries et Miller (1985), par exemple, ont insisté sur les considérations psychanalytiques liées aux mécanismes de défense, tandis que Collerette, Delisle et Perron (1997) se sont davantage attachés au rôle de la personnalité, du système social et du mode d'introduction du changement. Kotter et Schlesinger (1979), pour leur part, ont retenu d'autres raisons, parmi lesquelles la peur de perdre quelque chose d'important, l'incompréhension du changement et le manque de tolérance. Scott et Jaffe (1992), enfin, ont expliqué la résistance comme étant une réaction à la perte de ce qui est acquis et satisfaisant : perte de sécurité, de pouvoir, d'utilité, de compétence, de relations sociales, du sens de la direction ou de territoire.

D'après les conclusions des diverses recherches, les résistances commenceraient à se manifester dès que s'amorce le changement et persisteraient souvent, avec plus ou moins d'intensité, durant tout le processus d'implantation et parfois même après la mise en œuvre du changement (Collerette, Delisle, 1982). L'attitude des gestionnaires face à ces résistances irait du respect intégral à l'ignorance totale (Collerette, Delisle, Perron, 1997). Les employés résisteraient au changement et manifesteraient des réactions négatives et défensives en raison de leur personnalité, de l'interprétation qu'ils font du changement, d'une planification ou d'une mise en œuvre inadéquate du changement.

Les lacunes des théories de la résistance

Selon King (1990), la plupart des travaux de type psychologique portant sur le changement organisationnel n'ont pas su rendre compte de la complexité du phénomène analysé puisque les réactions des destinataires face au changement n'y sont examinées que sous l'angle de la résistance. C'est là une approche réductrice qui présente plusieurs faiblesses. Premièrement, les études basées sur cette approche ne parviennent pas à prévoir ni à quel moment ni dans quelles conditions exactes se manifesteront les résistances. On se contente de dire que le phénomène est insaisissable (Brassard, 1998). Deuxièmement, le concept de la résistance au changement n'est toujours pas opérationnalisé. À l'exception de quelques grilles d'analyse offrant un indice général de résistance au changement[5], il n'existe pas, à notre connaissance, d'outils fiables permettant de mesurer efficacement ces résistances. Troisièmement, lorsqu'on essaie de les mesurer, c'est souvent par l'intermédiaire d'une tierce partie, qui souffre elle-même de la situation et qui n'est donc pas neutre. Quatrièmement, nous avons constaté, en travaillant avec diverses organisations en situation de changement, que les dirigeants se montrent souvent réticents à aborder la question avec leurs employés de peur d'amplifier le phénomène. Eux-mêmes hésitent à exprimer ouvertement leurs réticences par crainte des représailles. Merron (1993), notamment, fait remarquer la connotation négative du concept de résistance et souligne le problème que pose l'utilisation d'un tel concept. Cinquièmement, les interventions suggérées nécessitent souvent des interprétations psychologiques assez approfondies et des approches psychothérapeutiques (Kets de Vries, Miller, 1985) que peu de gestionnaires peuvent se permettre et qui exigent souvent des habiletés en relation d'aide. Sixièmement, nombre d'auteurs dénoncent désormais les limites de la perspective traditionnelle de la résistance au changement et s'emploient à réévaluer les résultats des études consacrées au sujet en fonction de paramètres mieux adaptés et plus opérationnels. Brassard (1998), par exemple, note, à partir de l'examen de cas vécus, le caractère déconcertant du phénomène et avance que la résistance au changement serait l'explication rationnelle ou sensée du comportement des acteurs dans un contexte donné. D'autres (Bareil, 1997; Collerette, Schneider, 1997) soutiennent que les résistances sont nécessaires et qu'elles remplissent des fonctions d'adaptation. Kotter (1996), enfin, fait entrer en ligne de compte la notion de contrainte. D'après lui, l'individu ne serait pas systématiquement résistant au changement mais y résisterait s'il y est contraint.

MODÈLES DYNAMIQUES ET TRANSITION

Au-delà de l'approche traditionnelle et de la notion de résistance, d'autres cadres conceptuels peuvent être employés pour aborder et étudier les réactions individuelles au changement. Plutôt que de parler de «changement», terme qui fait référence à la modification objective de l'environnement, extérieure à soi et datée dans le temps, Bridges (1991) a proposé que l'on emploie le terme «transition» pour désigner le processus intérieur d'assimilation du changement : «Alors que tout le monde parle du changement, ce sont les transitions qui font réussir ou échouer les transformations (Bridges, 1995).» La transition est terminée quand on se sent à l'aise dans la nouvelle situation. À l'inverse du changement, la transition est individuelle, subjective et non factuelle, et dure beaucoup plus longtemps.

Les modèles dynamiques des réactions des destinataires sont d'excellents outils pour mieux comprendre ce processus de transition. Ils permettent d'établir un diagnostic et de prévoir les réactions, comportements et attitudes des destinataires. À l'inverse de l'étude des résistances qui se fonde sur une conception statique du phénomène, l'étude dynamique des réactions tient compte du contexte et de l'ensemble des facteurs qui influent sur ces réactions. Elle part du principe qu'un destinataire résiste à un moment donné, pour des raisons données, qu'il faut s'efforcer de redécouvrir à chaque fois.

Nos recherches nous ont permis de recenser trois types de modèles dynamiques décrivant les réactions humaines face au changement : le premier type prend en considération l'orientation temporelle et cognitive du processus de changement; le second relève d'une analyse socio-émotionnelle du changement; et le troisième correspond à une approche cognitivo-affective fondée sur l'étude des préoccupations des destinataires face au changement.

L'approche cognitivo-temporelle

Lewin (1952) et Schein (1969; 1980) ont marqué la discipline de l'étude du changement organisationnel en présentant une approche théorique basée sur un processus temporel de type cognitif. Pionnier dans ce domaine, Lewin a élaboré un modèle de changement, repris et complété plus tard par Schein, qui demeure l'un des plus connus et des plus fréquemment cités (Tellier, 1992; Collerette, Delisle, Perron, 1997) dans les différents travaux scientifiques et professionnels traitant du sujet (Beckhard, Pritchard, 1992; Marzjack, 1988). Le modèle de changement de Lewin comporte trois phases : la décristallisation, aussi appelée dégel; l'état transitoire ou déplacement ou mouvement; et la recristallisation, aussi appelée regel. Selon Tellier (1992), ce modèle général de changement a été appliqué au monde des organisations avec les apports de la Gestalt, ce qui a conduit à une modification de la désignation des trois phases qui ont été rebaptisées et sont devenues le commencement, la transition et la fin. On retrouve ces mêmes étapes, appelées tantôt zones de changement tantôt passages, chez plusieurs auteurs reconnus comme Beckhard et Pritchard (1992), Bridges (1980; 1991;1995) ou Weisbord (1987).

L'approche socio-émotionnelle

D'autres modèles[6] expliquent la transition par des processus socio-émotionnels. Comprenant entre quatre (Scott, Jaffe, 1991) et dix étapes réactionnelles (Perlman, Takas, 1990), ils se fondent sur une série chronologique de réponses émotionnelles commençant souvent par le déni et se poursuivant par la tristesse, la culpabilité, la colère, la confusion et l'engagement. Les concepteurs de ces modèles[7] font souvent l'analogie entre la façon dont les membres d'une organisation traversent une période de changement et les grands moments du deuil.

Un nouvel éclairage

Afin d'apporter un nouvel éclairage à ce champ d'étude extrêmement complexe, nous avons tenté de conjuguer les deux perspectives théoriques dont nous venons de parler pour produire un modèle explicatif qui synthétise les différents éléments des deux approches. Le modèle auquel nous sommes parvenus (voir tableau 1) présente quatre grandes étapes réactionnelles : le choc, la résistance, l'exploration et l'implication. Chacune d'elles y est définie en fonction de termes connexes proposés par différents auteurs, de cognitions et d'émotions, ainsi qu'en fonction des buts recherchés par les destinataires.

En dépit des simplifications inévitables qu'entraîne un tel exercice de synthèse, il est étonnant de constater à quel point les modèles que nous avons analysés permettent d'expliquer à peu près les mêmes phénomènes, à l'aide d'étapes prévisibles, tantôt d'un point de vue cognitif et évolutif, tantôt d'un point de vue réactionnel et émotionnel. Ces modèles sont souvent le résultat d'observations concrètes, mais ils n'ont pas tous été validés par une méthode de recherche déductive et rigoureuse.

L'APPROCHE COGNITIVO-AFFECTIVE OU LA THÉORIE DES PHASES DE PRÉOCCUPATIONS

Cette approche, qui se fonde sur l'étude des phases de préoccupations, est souvent privilégiée en raison de son fondement théorique vérifié empiriquement, de ses instruments de mesure permettant la collecte directe de données auprès des destinataires (soit par entrevue individuelle soit à l'aide de questionnaires standardisés), de sa légitimité auprès des gestionnaires et des destinataires, et des possibilités qu'elle offre au niveau du ciblage des interventions.

Importée des recherches en éducation, la théorie des phases de préoccupations, développée par Hall, George et Rutherford (1986), considère la transition comme une chronologie de préoccupations décrites en situations opérationnelles et facilement modifiables, ordonnée selon une séquence évolutive non aléatoire. Les préoccupations ne font pas appel au jugement discrétionnaire du gestionnaire comme c'est le cas pour l'interprétation des résistances ou des modèles dynamiques plus émotionnels.

TABLEAU 1

Relecture des modèles dynamiques décrivant les réactions des destinataires

1. Choc

- Termes connexes : déstabilisation, début de dégel, décristallisation, fin.
- Cognitions caractérisées par la fin du statu quo, de l'équilibre et du passé, le refus du changement : les destinataires s'en tiennent au passé et continuent à travailler comme d'habitude.
- Émotions : déni et torpeur, insensibilité, peur du changement, paralysie.
- Vise à absorber l'annonce du changement; à préparer une réponse.

2. Résistance

- Termes connexes : opposition, incrédulité, refus de la réalité.
- Cognitions caractérisées par un déséquilibre parce qu'il sous-tend la perte du passé auquel on est habitué (pertes de territoire, de relations sociales, de sécurité, de direction, etc.) et l'acceptation de nouveaux modèles. Recherche de ce qu'on a perdu. La signification des résistances doit être prise en compte.
- Émotions : réactions difficiles à vivre et à gérer telles que peurs, anxiété, appréhensions, souffrance, tristesse, colère, chaos, culpabilité, remords, etc.
- Vise à défendre les acquis.

3. Exploration

- Termes connexes : changement, transition, mouvement, déplacement, zone neutre.
- Cognitions caractérisées par l'exploration et l'ouverture, le rejet des vieilles façons de penser, de sentir et d'agir. Redéfinition de soi.
- Émotions : confusion, abandon, résignation, soulagement.
- Vise à explorer et à accepter, quoique de façon hésitante, de nouvelles attitudes et comportements sur la base de nouvelles informations.
- Période la plus cruciale du changement : passage difficile entre les étapes 2 et 3.

4. Implication

- Termes connexes : cristallisation, regel, revitalisation, résolution, renouveau, nouveau départ, commencement, adoption, engagement.
- Cognitions caractérisées par l'acceptation de la réalité nouvelle et par l'acquisition de nouvelles croyances, attitudes ou comportements durables. Reconstruction de l'univers des représentations.
- Émotions : bonheur, fierté, espoir.
- Vise à stabiliser les comportements et à adopter de nouvelles habitudes de travail.

Cette théorie repose sur l'analyse des forces motrices vives appelées préoccupations. Une préoccupation est un sujet sur lequel on s'interroge et sur lequel on aimerait avoir des éclaircissements ou des éléments de réponse. Il ne s'agit pas nécessairement d'un problème, mais plutôt d'inquiétudes et de questions face à une situation actuelle ou anticipée. Le changement, s'il représente une menace ou un défi, devient source de préoccupations pour le destinataire qui y est confronté.

L'intensité d'une préoccupation est fonction de l'importance que le destinataire accorde à tel ou tel aspect du changement. Elle évolue au fur et à mesure de la progression du projet et peut donc s'accroître ou décroître. Cette évolution de l'intensité serait d'ailleurs révélatrice du succès de l'adoption du changement[8]. En effet, à l'image d'une vague déferlante, chaque préoccupation acquerrait progressivement plus d'importance dans l'esprit du destinataire jusqu'à atteindre un point culminant, pour ensuite décroître et laisser place à la préoccupation suivante, à condition toutefois qu'on y ait trouvé une réponse adéquate. La transition serait alors la «traversée» réussie de toutes les phases de préoccupations. Il s'agit là d'un modèle explicatif de la transition chez les destinataires qui permet d'enrichir la notion de résistance au changement par des contenus spécifiques, opérationnels, prévisibles et justifiés.

Dans la foulée des études du Centre de recherche de l'Université Austin, Bareil (1997) a repris la notion de phases de préoccupations et l'a adaptée au contexte manufacturier. Le tableau 2 présente les définitions des sept phases de préoccupations ainsi que les expressions courantes qui y sont associées.

Dans les pages qui suivent, nous nous pencherons un peu plus en détail sur cette théorie des phases de préoccupations et décrirons de façon précise chacune des sept phases auxquelles, doit-on souligner, nous avons intégré des concepts reconnus empruntés à d'autres domaines ou approches. Des exemples viendront illustrer chacune des phases et seront accompagnés de références aux commentaires du dirigeant d'entreprise cité en début d'article. Enfin, un guide d'actions et d'interventions ciblées et séquentielles (voir tableau 3) sera proposé afin d'aider les gestionnaires à faciliter la transition des destinataires.

La phase 1, «Aucune préoccupation par rapport au changement», apparaît dès l'annonce du changement. Le destinataire se montre indifférent à la nouvelle et nie le changement en l'ignorant. Cet état de déni a pour conséquence de donner l'impression, de l'extérieur, que les employés ne prennent pas la nouvelle du changement au sérieux, comme le souligne d'ailleurs le dirigeant cité en début d'article. Le destinataire continue son travail comme «si de rien n'était» et attend des preuves plus concrètes. À

TABLEAU 2

Définition des sept phases de préoccupations et expressions connexes (Bareil, 1998)

Le destinataire se préoccupe de la (du) :

Phase 1. Aucune préoccupation

Le destinataire ne se sent pas personnellement concerné par le changement, il poursuit ses activités habituelles et fait «comme si de rien n'était». Il demeure indifférent au changement organisationnel.

Expression courante : «Ça ne me concerne pas; y'a rien là.»

Phase 2. Sécurité de son poste

Le destinataire est inquiet des incidences du changement sur lui-même et sur son poste. Il s'interroge sur le maintien de son poste à la suite de l'implantation du changement et sur les conséquences de ce dernier sur son rôle, ses responsabilités, son statut et son pouvoir décisionnel. Il a l'impression de ne plus maîtriser la situation ou de ne plus savoir ce qui l'attend, et se questionne sur sa place dans l'organisation.

Expression courante : «Qu'est-ce qui va m'arriver?»

Phase 3. Volonté et sérieux du changement

Le destinataire se questionne sur les impacts et les conséquences qu'aura le changement sur l'organisation. Il désire s'assurer que son investissement en temps et en énergie en vaudra la peine. Il se demande entre autres jusqu'à quel point l'organisation est sérieuse dans le maintien du changement à plus long terme et si le changement sera rentable.

Expression courante : «Est-ce que le changement est là pour durer?»

Phase 4. Nature du changement

Le destinataire quitte la zone de confort et commence à s'interroger sur la nature exacte du changement. Il cherche des réponses à sa méconnaissance du changement. Il devient attentif et proactif et souhaite obtenir davantage de précisions sur le changement : de quoi s'agit-il, quand et comment cela se fera-t-il, etc.

Expression courante : «Pouvez-vous me dire de quoi il s'agit au juste?»

Phase 5. Soutien disponible

Le destinataire est disposé à se conformer au changement prescrit et à en faire l'essai. Cependant, il éprouve un sentiment d'incompétence par rapport à ses nouvelles fonctions, habiletés et attitudes. Il se dit inquiet sur sa capacité à réussir et c'est pourquoi il s'interroge sur le temps, les conditions, l'aide et le soutien qui lui sont offerts. Il veut pouvoir être sûr de réussir son adaptation.

Expression courante : «Est-ce que je vais être capable de...?»

Phase 6. Collaboration avec autrui

Le destinataire se montre intéressé à collaborer et à coopérer avec d'autres. Il désire partager son expérience avec des collègues et s'enquérir de leurs façons de faire. Il veut s'impliquer dans la mise en œuvre du changement.

Expression courante : «Ça vaudrait la peine qu'on se réunisse...»

Phase 7. Amélioration continue du changement

Le destinataire recherche de nouveaux défis. Il désire améliorer ce qui existe déjà, en modifiant de façon significative son travail ou ses responsabilités, ou en proposant de nouvelles applications du changement. Il remet en question ses méthodes de travail et souhaite améliorer ou généraliser le changement.

Expression courante : «Essayons ceci...» ou «Et si on faisait cela...»

TABLEAU 3

Guide d'interventions ciblées et séquentielles

Phase de préoccupation	Objectif visé	Types d'intervention
1. Aucune préoccupation	Déstabiliser	• Présenter des faits et des données vérifiables. • Donner suffisamment d'information mais pas trop. • Impliquer les destinataires dans les discussions et les décisions. • Encourager les destinataires à parler du changement à d'autres.
2. Sécurité de son poste	Rassurer ou tenir informé	• Légitimer l'existence et l'expression des préoccupations personnelles. • Tenir les destinataires informés de toutes les implications du changement sur leur poste et leurs responsabilités et ce, dès que les données sont disponibles. Fournir des détails. • Préciser que ces données peuvent ne pas être disponibles. • Discuter des conséquences du changement sur les méthodes de travail.
3. Volonté et sérieux du changement	Clarifier les choix	• Clarifier les enjeux organisationnels et les raisons ayant motivé le choix du changement. • Clarifier les impacts du changement à plus long terme sur l'organisation. • Montrer la détermination quant aux résultats à atteindre.
4. Nature du changement	Informer	• Expliquer en quoi consiste le changement, présenter le plan de mise en œuvre et parler des avantages et des inconvénients. • Inviter des gens de l'extérieur ayant vécu le même genre de changement à venir parler de leur expérience ou aller visiter d'autres sites d'implantation.
5. Soutien disponible d'incompétence	Apaiser le sentiment	• Rassurer les destinataires sur leurs capacités en leur indiquant le temps dont ils disposent pour s'adapter, le genre d'aide et de soutien qu'ils peuvent recevoir, etc. • Clarifier les «comment faire». • Proposer des solutions pratiques.
6. Collaboration avec autrui	Partager	• Fournir aux destinataires des occasions d'échanger avec leurs collègues. • Demander à ces destinataires d'agir en qualité d'agent de changement ou d'aide technique. • Former des équipes de travail.
7. Amélioration continue	Valoriser	• Encourager les nouvelles propositions d'amélioration, de remplacement ou de changement des méthodes de travail. • Créer des réseaux d'experts. • Encourager ces destinataires à faire l'essai de leurs améliorations et à piloter les dossiers.

ce stade, les interventions visent à déstabiliser le destinataire afin qu'il prenne conscience de la réalité du changement. Il est toutefois inutile de le «bombarder» de renseignements de toutes sortes, une meilleure approche consistant à lui présenter quelques données vérifiables et à affirmer la détermination de l'organisation face au changement. Cette première phase de préoccupations rappelle l'étape du choc présentée dans le tableau 1. Le déni est une réaction défensive reconnue que l'on retrouve aussi bien dans les analyses consacrées au processus de rationalisation des effectifs (Kets de Vries, Balazs, 1997) que dans les modèles[9] décrivant les réactions des destinataires face au changement.

À force d'entendre parler du changement, le destinataire se trouve confronté à un phénomène de dissonance cognitive entraînant un état de tension psychologique qui déclenche des conduites visant à réduire l'inconfort. Il passe alors à l'étape de la résistance (voir tableau 1). D'après la théorie des phases de préoccupations, l'inconfort est directement lié aux inquiétudes égocentriques que suscite le changement. La phase 2, qui englobe les préoccupations liées à la sécurité d'emploi, débute lorsque le destinataire est inquiet des incidences du changement sur lui-même et sur son poste. Il s'interroge sur le maintien de son poste et sur les conséquences du changement sur son rôle, ses responsabilités futures, son statut, son pouvoir décisionnel et son réseau social. Des expressions courantes telles que «Qu'est-ce qui va m'arriver?» ou «Est-ce que mon emploi est menacé?» sont typiques de cette phase. Le destinataire peut alors réagir à son insécurité en faisant appel à son syndicat, ou à d'autres coalitions représentant le pouvoir, pour défendre ses intérêts et exiger des garanties sur le nombre de postes qui seront maintenus. Différentes approches peuvent aider à mieux comprendre les réactions typiques qui se manifestent lors de cette phase. Scott et Jaffe (1992), par exemple, parlent de pertes subies (perte de sécurité, perte de relations et perte de territoire) et précisent que ces pertes font naître chez le destinataire un sentiment d'incertitude et de confusion : ce dernier a l'impression de ne plus maîtriser son avenir et ne sait plus où il se situe dans l'organisation. Blanchard (1992) explique, par ailleurs, qu'il est dans la nature humaine de réagir d'abord au changement par un sentiment de perte personnelle. La peur de perdre son emploi est un concept qui a été largement étudié, que ce soit dans le contexte de l'insécurité d'emploi, de la rupture et de la violation du contrat psychologique ou du syndrome du survivant aux rationalisations d'effectifs.

Dans cette deuxième phase, le gestionnaire est amené à reconnaître qu'une perte s'est produite et que tout ne se passe pas comme à l'accoutumée. Il peut légitimer l'existence et l'expression des préoccupations personnelles et discuter des conséquences du changement sur les méthodes de travail, tout en se montrant le plus précis et le plus transparent possible quant au nouveau rôle, aux nouvelles responsabilités et aux nouvelles relations du destinataire. Dans certains cas, il devra fournir des précisions sur les critères de sélection des survivants, ainsi que sur l'aide et le soutien qui seront offerts à ceux qui devront quitter l'organisation, le cas échéant. Le gestionnaire pourra aussi favoriser une discussion entre les destinataires.

Par la suite, ce sont les préoccupations sur le sérieux du changement (phase 3) qui émergent. À cette étape, le destinataire s'interroge sur la volonté et la capacité de l'organisation à supporter le changement à long terme. Il cherche à s'assurer que son investissement en temps et en énergie sera récompensé et que la perte des acquis est vraiment nécessaire. L'expression courante «Est-ce que le changement est là pour durer?» dénote un sentiment d'insécurité et une incertitude quant aux capacités de l'organisation à faire face aux changements. Cette incertitude sera encore plus grande si les antécédents de l'organisation en la matière sont peu glorieux (Rondeau, 1994). Si les changements antérieurs ont été des échecs, des demi-succès, ou ont tout simplement été abandonnés au fil des ans ou au gré des modes (gestion participative, qualité totale, ISO, réingénierie, réalignement stratégique, alliance, etc.), les préoccupations seront encore plus présentes. Il en sera de même si l'organisation a connu une période de grande stabilité ayant donné lieu à une inertie puissante[10]. Pour calmer ces inquiétudes, le gestionnaire doit clarifier ses choix. Il doit préciser les enjeux organisationnels et les raisons ayant motivé l'adoption du projet de changement, ainsi que la place que ce dernier occupera parmi les autres projets de changement, tout en démontrant de la détermination quant aux résultats à atteindre. En d'autres termes, il doit créer une ouverture au changement (Armenakis, Harris, Mossholder, 1993). À ce stade, le destinataire commence à dépasser l'étape de la résistance et à envisager la possibilité de passer à l'étape de l'exploration.

La phase 4 porte sur la nature du changement. Le destinataire cherche maintenant à obtenir des réponses aux questions qu'il se pose. Il ressent le besoin d'en connaître davantage et devient proactif dans sa quête d'information. Il cherche à savoir en quoi consiste exactement le changement, comment il sera mis en œuvre, quels seront les délais d'implantation et quels seront ses avantages et ses inconvénients. Il veut tout savoir : de la prise de décision à la généralisation. C'est alors, et alors seulement, que le gestionnaire doit livrer les détails du projet de changement et passer en revue, avec les destinataires, toutes les étapes qu'il a lui-même traversées pour en arriver à sa décision finale.

Alors qu'on estime généralement que pour bien préparer un changement, il faut donner autant de renseignements que possible, le plus tôt possible (Richardson, Denton, 1996), la théorie des phases de préoccupations préconise de respecter une certaine chronologie dans la diffusion de l'information. Les renseignements concernant la teneur du changement (phase 4) ne devraient pas précéder les données concernant la sécurité d'emploi (phase 2) et l'engagement ferme de la direction (phase 3). L'information concernant la nature du changement peut être présentée de diverses façons. On peut, par exemple, demander à des personnes externes à l'entreprise, ayant vécu le même genre de changement, de venir parler de leur expérience, ou encore proposer aux destinataires d'aller visiter d'autres sites d'implantation. À ce stade, le destinataire passe à l'étape de l'exploration du changement.

La phase 5 correspond aux préoccupations relatives au soutien disponible. Le destinataire se montre désormais disposé à se conformer au changement prescrit et à en faire l'essai, mais il doute de sa capacité à apprendre et éprouve un sentiment d'incompétence par rapport aux nouvelles fonctions, habiletés et attitudes. Il s'interroge sur le temps dont il disposera pour s'adapter au changement, sur les conditions et sur l'aide et le soutien qui lui seront offerts. Il l'exprime ainsi : «Est-ce que je serai capable de ...?» Le destinataire a l'impression de ne plus savoir ce qu'il a à faire ou comment s'organiser. Il éprouve de l'embarras lorsqu'il est confronté à de nouvelles tâches, parce qu'il ne sait pas comment les accomplir. Pour remédier à cela, il faut s'efforcer d'accroître son sentiment d'efficacité personnelle, faciliter son apprentissage et accroître son habilitation (Thiébaud, Rondeau, 1995). Le gestionnaire peut, par exemple, le rassurer sur ses capacités en lui indiquant le temps dont il dispose pour assimiler les changements, le genre d'aide et de soutien qui seront mis à sa disposition, etc. Il peut aussi encourager la prise de risques et récompenser ceux qui s'efforcent de changer. Parfois, il lui faudra modifier les structures organisationnelles qui nuisent à l'émergence des nouveaux comportements. Le gestionnaire doit être prompt à détecter les incompatibilités du système actuel avec les exigences des nouvelles tâches. Deux mécanismes encouragent la permanence des nouveaux comportements : tout d'abord, la possibilité de tester les nouveaux comportements et attitudes et de les intégrer à sa personnalité, et, ensuite, la possibilité de se les faire confirmer par autrui. Cette phase se situe à l'étape de l'exploration.

Ce n'est que par la suite que certains destinataires se montreront véritablement prêts à collaborer et à coopérer avec autrui. Ils aborderont alors l'étape de l'implication. À la différence des phases précédentes, les deux dernières phases de préoccupations ne s'adressent pas nécessairement à tous les destinataires. Une fois parvenus à la phase 6, certains d'entre eux désireront s'impliquer davantage et partager leur expérience avec leurs collègues, car ils y verront des avantages pour eux et estimeront qu'il peut leur être utile d'en savoir plus sur les habitudes de travail et les façons de faire des autres. Des expressions telles que «Ça vaudrait la peine qu'on se réunisse» témoignent de cette phase de préoccupations où le partage des idées et des expériences est souhaité et sollicité. Pour encourager les destinataires dans cette voie, le gestionnaire peut favoriser les rencontres et les réunions entre collègues et confier aux personnes motivées un rôle d'agent de changement ou d'aide technique auprès des autres destinataires. Il peut aussi former des équipes de travail qui sauront mieux définir l'aide requise et l'impact des changements sur l'organisation.

Enfin, la septième et dernière phase concerne les préoccupations liées à l'amélioration du changement lui-même. Certains destinataires trouveront dans le changement de nouveaux défis. Ils désireront perfectionner ce qui existe déjà ou tout remettre en question. Ils proposeront de nouvelles façons de faire ou de nouveaux produits et poursuivront un objectif d'amélioration continue. Le gestionnaire aura avantage à valoriser l'opinion de ces destinataires et à les encourager à formuler de nouvelles propositions d'amélioration ou même de remplacement. Il pourra notamment créer des réseaux d'experts qui feront l'essai des améliorations proposées et piloteront les dossiers, et inciter les destinataires à devenir des guides, des formateurs et des partenaires du changement.

$\boxed{163}$

APPLICATIONS

Bien que l'étude de Bareil (1997; 1998) ait permis de vérifier la validité conceptuelle, concourante et prédictive de la théorie des phases de préoccupations en milieu manufacturier selon une méthodologie quantitative, il importe de demeurer vigilant quant à la généralisation de la séquence des préoccupations. Même si la notion de phases de préoccupations semble s'appliquer à la majorité des destinataires qui traversent une période de changement, nous pensons, tout comme Blanchard (1992), que certains destinataires, certes moins nombreux, sont immédiatement enthousiasmés par le changement, tandis que d'autres le redoutent d'emblée et y résistent aussi longtemps qu'ils le peuvent. Les individus ne sont pas tous touchés de la même façon, ni au même moment, par le changement. Le but des interventions individualisées est d'atteindre une masse critique de destinataires, en répondant le plus efficacement et le plus rapidement possible à toutes leurs préoccupations individuelles. Il faut souligner toutefois que le but du modèle explicatif élaboré à partir de la théorie des phases de préoccupations n'est pas la satisfaction des destinataires, puisque, dans certains cas, le changement fait des victimes. L'objectif en est d'améliorer le degré d'adoption du changement grâce à une adaptation des interventions aux besoins et préoccupations des destinataires.

Par ailleurs, le succès d'une approche de gestion du changement basée sur une telle théorie dépend d'un certain nombre de facteurs, recensés entre autres par Fabi et Jacob (1994). Premièrement, la direction de l'organisation doit être prête à informer rapidement et de façon transparente tous les partenaires concernés par le changement. Deuxièmement, le climat au sein de l'organisation doit être propice au changement, être basé sur la confiance et être caractérisé par un minimum de conflits. Troisièmement, les cadres intermédiaires doivent être impliqués dans la mise en œuvre du changement de sorte qu'ils puissent être à l'écoute des besoins et des préoccupations des employés et puissent y répondre intelligemment. Enfin, le style de leadership des gestionnaires doit être adapté à la situation. En plus d'informer, d'impliquer, de rassurer et de soutenir leurs employés, les gestionnaires doivent faire en sorte que les utilisateurs finaux aient envie de modifier leurs rôles, leurs attitudes et leurs comportements, et d'y consacrer les efforts nécessaires. Cela nécessite ce que certains appellent du «leadership transformationnel» (Bass, 1998). Un leader de ce type se caractérise par son charisme, son esprit d'initiative, sa capacité à motiver le personnel et sa capacité à prendre en considération les besoins de chacun – cette dernière composante étant la plus importante dans le cadre d'une gestion du changement basée sur les phases de préoccupations. Selon Bass (1998, p. 6), «la prise en compte de l'individu se traduit par une acceptation des différences individuelles où la communication bidirectionnelle est encouragée et où les interactions avec les employés sont personnalisées. Le leader se souvient des conversations précédentes, est conscient des préoccupations individuelles et considère l'individu comme une personne à part entière». Le style de leadership et la façon dont il s'exprime en période de changement deviennent des éléments fondamentaux dans le succès de la gestion du changement.

Brassard (1996) souligne que lorsque la confiance, la crédibilité et la communication sont bien établies entre le gestionnaire et les destinataires, les grilles d'interprétation comme celle des préoccupations deviennent utiles, car elles facilitent le décodage et la lecture des événements et des situations.

Le gestionnaire joue donc un rôle fondamental dans la réussite du changement organisationnel, tant au niveau du choix et de la mise en œuvre des modifications qu'au niveau du soutien aux personnes concernées. «Sans cette aide, la transition s'éternise et le changement ne produit pas les résultats escomptés», explique Bridges (1991). De même, Scott et Jaffe (1992) soulignent que «l'erreur la plus commune est de sous-estimer les effets du changement sur les gens. Certains gestionnaires pensent que s'ils se contentent de dire à leur personnel de changer, il le fera. Ils ne réalisent pas combien il peut être déstabilisant d'abandonner ses habitudes de travail». Bien que le changement exige généralement beaucoup des gestionnaires, ces derniers ont tout intérêt à consacrer suffisamment de temps à diagnostiquer les besoins et préoccupations de leurs employés et à y répondre de façon adéquate, tout au long du processus de mise en œuvre du changement.

CONCLUSION

Dans cet article, il a été démontré qu'une gestion efficace du changement passe par une analyse rigoureuse des réactions des destinataires. Au-delà du champ d'étude des résistances au changement, des modèles dynamiques permettent d'appréhender la transition selon une chronologie de réactions cognitives et affectives. La théorie des phases de préoccupations offre, en plus d'un cadre permettant d'analyser la façon dont les individus adoptent le changement, des points d'ancrage précis auxquels les gestionnaires peuvent se rattacher et à partir desquels ils peuvent agir, quel que soit leur niveau hiérarchique. Ils peuvent ainsi anticiper, chez la plupart des destinataires, l'absence de préoccupations, puis l'émergence de préoccupations de nature égocentrique (soi) qui font place à des préoccupations de nature organisationnelle (sérieux du changement, teneur et soutien) et à des préoccupations sociales (collaboration) et techniques (amélioration continue). Cette perspective dynamique de la transition démontre bien jusqu'à quel point le changement organisationnel est lié aux individus et à leurs réactions. Nous savons maintenant que les organisations se transforment difficilement et péniblement, par bonds successifs qui suivent l'évolution des préoccupations des destinataires tout au long du processus de transition. Ce processus peut néanmoins être facilité par un gestionnaire qui comprend les besoins changeants, mais aussi généralement prévisibles, de ses employés.

Notes

1. Les auteurs désirent remercier les professeurs Laurent Lapierre, Alain Rondeau et Estelle Morin pour leurs commentaires judicieux.

2.. Voir Bashein et al., 1994; Blanchard, 1992; Kets de Vries et Miller, 1985; Majchrzak, 1988; Wellins et Murphy, 1995.

3. Le taux d'échec des changements» organisationnels de tous ordres est généralement élevé. Il se situe habituellement entre 33 et 55 % (Cascio, 1995; Majchrzak, 1988), mais peut aller jusqu'à 70 % dans le cas des réingénieries (Bashein, Markus et Riley, 1994; Hammer et Champy, 1993; Wellins et Murphy, 1995), et même jusqu'à 75 % pour l'ensemble des nouvelles technologies (Jacob et Ducharme, 1995).

4. Parmi les autres causes d'échec possibles, citons : les causes organisationnelles explicatives d'inertie (selon le concept du potentiel de changement, Hafsi et Fabi, 1997), les causes liées à l'environnement et au contexte, et celles liées au processus de mise en œuvre (Bashein et autres, 1994; Rondeau, 1994).

5. Voir les grilles d'analyse proposées par Collerette et Schneider, 1996.

6. Voir Kets de Vries et Miller, 1985; Kübler-Ross, 1969; Perlman et Takas, 1990, Scott et Jaffe, 1992; Weisbord, 1987.

7. Voir Kets de Vries et Miller, 1985; Kübler-Ross, 1969; Scott et Jaffe, 1992.
8. Voir Bareil, 1997; 1998; Bareil et Savoie (à paraître).
9. Voir Kets de Vries et Miller, 1985; Scott et Jaffe, 1992; Kübler-Ross, 1969.
10. Pour de plus amples précisions sur l'inertie organisationnelle, voir Hafsi et Fabi, 1997.

Références

Armenakis, A.A., Harris, S.G., Mossholder, K.W., «Creating readiness for organizational change», *Human Relations*, vol. 46, n° 6, 1993, p. 681-703.

Bareil, C., *Dynamique des phases de préoccupations et prédiction de l'adoption d'une innovation : Une étude diachronique*, Thèse de doctorat, Université de Montréal, 1997.

Bareil, C., «Une nouvelle compréhension du vécu des acteurs en transition», Tome 1 : Le changement organisationnel, Collection Gestion des paradoxes dans les organisations sous la direction de Alain Rondeau, *AIPTLF, Actes du 9ᵉ congrès*, 1998, p. 59-68.

Bareil, C., Savoie, A., «Une avancée significative dans la conduite du changement organisationnel», *Psychologie du travail et des organisations*, (à paraître).

Bashein, B.J., Markus, M.L., Riley, P., «Preconditions for business process reengineering success», *Information Systems Management*, vol. 11, n° 2, 1994, p. 7-13.

Bass, B.M., *Transformational Leadership – Industry, Military, and Educational Impact*, Mahwah, Lawrence Erlbaum, 1998.

Beckhard, R., Pritchard, W., *Changing the Essence – The Art of Creating and Leading Fundamental Change in Organizations*, Jossey-Bass, 1992.

Blanchard, K. «The seven dynamics of change», *Executive Excellence*, vol. 9, n° 6, 1992, p. 5-6.

Brassard, A., «Une autre façon de regarder le phénomène de la résistance au changement dans les organisations», Tome 1 : Changements organisationnels, Collection Gestion des paradoxes dans les organisations, Presses InterUniversitaires, 1998, p. 3-15.

Bridges, W., *Making Sense of Life's Changes – Transitions*, Addison-Wesley, 1980.

Bridges, W., *Managing Transitions : Making the Most of Change*, Addison-Wesley, 1991.

Bridges, W., *La conquête du travail : au-delà des transitions*, Village Mondial, 1995.

Cascio, W.F., «Whither industrial and organizational psychology in a changing world of work?», *American Psychologist*, novembre 1995, p. 928-939.

Coch, L., French, J.R.P., «Overcoming resistance to change», *Human Relations*, n° 1, 1947, p. 512-532.

Collerette, P., Delisle, G., *Le changement planifié : une approche pour intervenir dans les systèmes organisationnels*, Agence d'ARC, 1982.

Collerette, P., Delisle, G., Perron, R., *Le changement organisationnel : théorie et pratique*, Presses de l'Université du Québec, 1997.

Collerette, P., Schneider, R., *Le pilotage du changement – une approche stratégique et pratique*, Presses de l'Université du Québec, 1996.

Fabi, B., Jacob, R., «Se réorganiser pour mieux performer», *Gestion*, vol. 19, n° 3, 1994, p. 48-58.

Hafsi, T., Fabi, B., *Les fondements du changement stratégique*, Les Éditions Transcontinental, 1997.

Hall, G.E., George, A.A., Rutherford, W.L., *Measuring Stages of Concern about the Innovation : A Manual for Use of the SoC Questionnaire*, (Report n° 30332), Research and Development Center for Teacher Education, University of Texas (ERIC Document Reproduction Service n° ED 147 342), 1986.

Hammer, M., Champy, J., *Le reengineering*, Dunod, 1993.

Jacob, R., Ducharme, R., *Changement technologique et gestion des ressources humaines*, Gaétan Morin, 1995.

Kets de Vries, M.F.R., Balazs, K., «The downside of downsizing», *Human Relations*, vol. 50, n° 1, 1997, p. 11-50.

Kets de Vries, M.F.R., Miller, D., *L'entreprise névrosée*, McGraw-Hill, 1985.

King, N., «Innovation at work : The research literature», dans West, M.A., Farr, J.L., *Innovation and Creativity at Work : Psychological and Organizational Strategies*, Wiley, 1990.

Kotter,. J.P., *Leading Change*, Harvard Business School Press, 1996.

Kotter, J.P., Schlesinger, L.A., «Choosing strategies for change», *Harvard Business Review*, n° 57, mars-avril 1979, p. 106-114.

Kübler-Ross, E., *On Death and Dying*, Milan, 1969.

Lewin, K., *Field Theory in Social Science*, Harper, 1952.

Majchrzak, A., *The Human Side of Factory Automation*, Jossey-Bass, 1988.

Merron, K., «Let's bury the term "resistance"», *Organization Development Journal*, vol. 11, n° 4, 1993, p. 77-86.

Perlman, D., Takacs, G.J., «The 10 stages of change», *Nursing Management*, vol. 21, n° 4, 1990, p. 33-38.

Richardson, P., Denton, D.K., «Communicating change», *Human Ressource Management*, vol. 35, n° 2, 1996, p. 203-217.

Rondeau, A., *La transformation des organisations : ce qui en influence la réussite*, Cahier de recherche n° 01-94, École des Hautes Études Commerciales, 1994.

Schein, E.H., *Process Consultation*. Reading, Addison-Wesley, 1969.

Schein, E.H., *Organizational Psychology, 3rd Edition*, Prentice Hall, 1980.

Scott, C.D., Jaffe, D.T., *Maîtriser les changements dans l'entreprise*, Agence d'ARC, 1992.

Stewart, T.A., «Reengineering : The hot managing tool», *Fortune*, vol. 128, n° 4, 1993, p. 40-48.

Tellier, Y., «Le développement organisationnel», dans Y. Tellier et R. Tessier, *Changement planifié et développement des organisations*, Tome 8 Méthodes d'intervention en développement organisationnel, Presses de l'Université du Québec, 1992.

Thiébaud, M., et Rondeau, A., «Comprendre les processus favorisant le changement en situation de consultation», *Revue internationale de psychologie du travail et des organisations*, vol. 1, n° 1, 1995, p. 87-106.

Weisbord, M.R., *Productive Workplaces : Organizing and Managing for Dignity, Meaning, and Community*, Jossey-Bass, 1987.

Wellins, R.S., Murphy, J.S., «Reengineering : Plug into the human factor», *Training & Development*, vol. 49, n° 1, 1995, p. 33-37.

167

Le «malaise» du management intermédiaire en contexte de réorganisation : éclatement et renouvellement identitaires[1]

Linda Rouleau

La question des gestionnaires intermédiaires est au centre des préoccupations liées aux réorganisations d'entreprise. L'aplanissement des structures organisationnelles et la réduction des postes de gestion provoquent en effet des changements considérables dans les pratiques de cette catégorie de gestionnaires. Dans ce contexte, plusieurs «gourous[2]» du management prédisent la disparition des cadres intermédiaires en même temps que celle des structures taylorisées et bureaucratiques. Dans la plupart des entreprises québécoises, on est encore loin, cependant, d'un mode de communication directe entre la haute direction et les employés. Selon nous, le problème consiste moins à prendre position dans le débat sur une éventuelle disparition des gestionnaires intermédiaires qu'à s'interroger sur la transformation de leurs méthodes de travail.

À partir des résultats d'une démarche de recherche exploratoire, nous discuterons, dans cet article, des conséquences des réorganisations d'entreprise sur le travail des gestionnaires intermédiaires et de la manière dont ils vivent ces transformations au quotidien. Nous commencerons par une brève description et analyse du «malaise» du management intermédiaire en contexte de réorganisation, puis examinerons les principales transformations qui touchent les pratiques de cette catégorie de cadres. Par la suite, nous examinerons comment ces transformations peuvent donner lieu à une «recomposition identitaire» pour ces gestionnaires de l'entre-deux. Enfin, nous proposerons quelques pistes de réflexion susceptibles d'aider à soulager le «malaise» des gestionnaires intermédiaires en contexte de réorganisation.

Linda Rouleau est professeure à HEC Montréal.

MANAGEMENT INTERMÉDIAIRE ET RÉORGANISATIONS D'ENTREPRISE

Depuis leur apparition dans le système de production industrielle, les gestionnaires intermédiaires sont confrontés à des problèmes identitaires que certains ont regroupés sous l'appellation «malaise du management intermédiaire» (Ollivier 1995). Les travaux réalisés jusqu'à présent sur le management intermédiaire[3] s'efforcent surtout de préciser en quoi consiste le rôle du gestionnaire intermédiaire[4]. Un certain nombre d'auteurs centrent le débat sur la disparition[5] possible de cette catégorie de cadres. D'autres s'intéressent au «malaise» auquel ces gestionnaires sont confrontés et mettent l'accent sur les difficultés d'adaptation, voire le ressentiment, qu'ils ou elles éprouvent dans des situations de changement[6]. Dans l'ensemble, peu d'écrits portent sur la nature des transformations tant professionnelles que personnelles auxquelles correspond ce «malaise». Pour bien comprendre la manière dont les pratiques du management intermédiaire se transforment, il nous semble important de mettre en perspective ce «malaise» en le resituant dans le contexte des réorganisations d'entreprises.

Par réorganisation d'entreprise, on entend généralement l'ensemble des changements rapides et significatifs qui visent la transformation des structures corporatives et organisationnelles de l'entreprise[7]. Une réorganisation suppose donc la mise en œuvre de différents projets de changement impliquant des transformations qui concernent à la fois la stratégie de l'entreprise et son mode de fonctionnement. À titre d'exemple, une fusion s'accompagne généralement de divers projets de changement ayant pour objectif de mettre en place de nouvelles technologies, de revoir le processus de production et/ou d'introduire de nouvelles formes d'organisation du travail. Les réorganisations d'entreprise donnent donc lieu à des changements multiples qui peuvent toucher le management de différentes façons.

Ces transformations polymorphes, que l'on appelle couramment «restructurations», ont ceci de particulier qu'elles s'inscrivent dans un double mouvement de rationalisation et de flexibilisation des entreprises. Les réorganisations reposent sur des stratégies de modernisation répondant à des objectifs d'efficacité et de profit. Nombre des politiques générales de gestion qui en résultent visent à renouveler la taylorisation pour mieux faire face à la concurrence. Mais les réorganisations d'entreprise donnent également lieu à une série de mesures plus ou moins ponctuelles qui ont pour but de rendre l'entreprise plus flexible. Dans ce cas, on mise sur une logique d'adaptation qui vise à transformer les structures et les modes d'organisation du travail dans le but de s'ajuster à la

169

diversification de la demande en biens et services. Rationalisation et flexibilisation sont les deux facettes d'une même réalité, celle de la modernisation des entreprises qui se fait par le biais de leur «réorganisation» tant sur le plan stratégique que sur le plan organisationnel.

Le «malaise» du management intermédiaire prend racine dans ce double mouvement de rationalisation et de flexibilisation. En contexte de réorganisation, les gestionnaires intermédiaires sont constamment soumis à des tensions conflictuelles, voire contradictoires, qui les amènent à se questionner sur l'efficacité et le bien-fondé de leurs pratiques. D'un côté, les efforts de rationalisation des entreprises les obligent à prendre des mesures draconiennes ayant pour effet de renforcer le contrôle des activités de l'entreprise, et de l'autre, la recherche d'une plus grande flexibilité exige d'eux qu'ils adoptent des pratiques plus démocratiques et favorisent l'autonomie des individus. Inquiets face à leur avenir, les gestionnaires intermédiaires sont donc constamment tiraillés entre la nécessité de rechercher des solutions pratiques d'encadrement et leur désir d'opter pour de nouveaux modèles de gestion dont ils ne maîtrisent pas toujours les enjeux. C'est en ce sens que les fusions, les réductions d'effectifs et les expériences de réingénierie suscitent, chez les gestionnaires intermédiaires, autant d'espoir qu'elles provoquent de difficultés d'adaptation.

Pour comprendre en quoi consiste le «malaise» du management intermédiaire en contexte de réorganisation, nous proposons d'expliciter ici la nature des processus identitaires professionnels et personnels qui sous-tendent les pratiques quotidiennes des gestionnaires intermédiaires. À partir des résultats provenant de nos travaux sur les réorganisations d'entreprise[8], nous décrirons d'abord comment ces dernières renforcent le «malaise» du management intermédiaire en provoquant l'éclatement des caractéristiques fondamentales de son identité professionnelle. Nous présenterons ensuite quelques points de repère permettant de comprendre comment, au quotidien, les gestionnaires intermédiaires en viennent à renouveler leurs pratiques.

ÉCLATEMENT IDENTITAIRE

Les gestionnaires intermédiaires[9] que nous avons interrogés dans le cadre de notre recherche sont unanimes : les réorganisations d'entreprise provoquent de profondes transformations au niveau de leurs pratiques, voire dans certains cas, des ruptures qui renforcent leur «malaise» identitaire. Sur le plan professionnel, ces transformations touchent quatre dimensions fondamentales : la position du cadre intermédiaire au sein de l'entreprise; la communication, les réseaux sociaux, l'attitude vis-à-vis de la carrière.

Une position intermédiaire de plus en plus floue

En contexte de réorganisation, la position que les gestionnaires intermédiaires occupent au sein de l'entreprise est souvent sujette à changement. Plusieurs cadres moyens voient leur titre se modifier et on assiste à une polarisation du management intermédiaire, soit vers le haut soit vers le bas. Dans les secteurs où la clientèle est importante, cette tendance à la polarisation s'exerce plutôt vers le haut. C'est le cas notamment des services financiers dans lesquels on retrouve plusieurs vice-présidents et un nombre croissant de directeurs de toutes sortes. En revanche, lorsque le client est peu présent, les réorganisations d'entreprise ont plutôt pour effet de provoquer une chute des cadres intermédiaires dans la hiérarchie. Dans de tels cas, il n'est pas rare que certains, occupant jusqu'alors des postes de coordination, deviennent des agents mandatés.

171

Cette polarisation, toutefois, ne touche que certains éléments de la fonction de gestionnaire intermédiaire. Dans les faits, le déplacement vers le haut ou vers le bas de la position hiérarchique ne modifie pas nécessairement la nature du travail effectué, même si tout le monde s'entend généralement pour dire qu'il y a augmentation de la charge de travail. Ainsi, quel que soit son nouveau titre, le gestionnaire intermédiaire est toujours celui qui se trouve sur «la ligne de feu». De plus, la dimension symbolique de la polarisation ne cadre pas toujours avec la réalité quotidienne du gestionnaire intermédiaire. Certains reçoivent un titre qui leur donne plus de crédit auprès des clients, mais qui s'accompagne, à l'interne, d'un ensemble de mesures de contrôle auxquelles ils doivent se soumettre. D'autres, au contraire, se retrouvent avec un titre moins prestigieux alors que la réorganisation leur donne plus de travail et plus de responsabilités qu'auparavant.

Ce n'est toutefois pas seulement la position de relais que le gestionnaire intermédiaire occupe dans la hiérarchie qui contribue à le démotiver. De plus en plus, il occupe aussi une position de relais au niveau de la relation avec l'environnement. Un des gestionnaires intermédiaires interrogés décrit cette situation dans les termes suivants : «Auparavant, tout le monde avait un boss… Maintenant, tout le monde a des clients et plusieurs boss». Voilà qui crée de nouvelles zones grises quant à la position que le gestionnaire intermédiaire occupe réellement au sein de l'entreprise et qui, par conséquent, renforce la profondeur de son «malaise».

Le piège des doubles messages

Plusieurs des gestionnaires intermédiaires rencontrés ont fait état de problèmes de communication contradictoire et ont souligné le manque de cohérence des messages en provenance de la haute direction. La logique conflictuelle des messages semble prendre deux formes principales. D'une part, il y a les situations dans lesquelles les cadres supérieurs diffusent auprès de leurs subalternes les nouvelles règles du jeu alors que les anciennes continuent de s'appliquer. C'est le cas, par exemple, lorsque la haute direction tente de sensibiliser les gestionnaires intermédiaires à l'importance de la qualité et du service à la clientèle, alors que leur rendement continue d'être évalué en fonction de quotas de production à court terme. C'est le cas également lorsqu'on demande aux gestionnaires de créer un nouveau climat de confiance et de favoriser la participation, alors qu'à plus long terme, il faudra mettre des personnes à pied. Dans de telles situations, le gestionnaire intermédiaire se retrouve dans une impasse : s'il suit la nouvelle directive, il sera pénalisé; s'il ne le fait pas, c'est le même sort qui l'attend[10].

D'autre part, la communication contradictoire peut provenir d'un manque de cohérence dans les communications officielles en provenance de la hiérarchie. Pour stimuler le moral des troupes ou pour renouveler l'image de l'entreprise auprès du public, la direction générale use d'événements grâce auxquels elle souligne le mérite, l'ardeur et la volonté de ses cadres dans ce qu'elle considère comme une expérience de changement réussie. Or, pour les gestionnaires intermédiaires, la situation n'est pas si simple; ils savent très bien que certains problèmes n'ont pas encore été résolus et que les conséquences du changement sont loin d'être maîtrisées. Même si la réorganisation n'est pas un problème en soi, ce genre de discours contribue à miner leur confiance en la direction, comme le soulignent Dopson et Neumann (1998), et à alimenter leur «ressentiment» à l'égard du changement.

Par rapport à ceux et celles avec qui les gestionnaires intermédiaires interagissent au quotidien, le problème vient de la difficulté à traduire le message provenant du sommet. Transmettre des messages clairs et précis qui puissent rassurer les plus inquiets est notamment un défi de taille. C'est en effet aux gestionnaires intermédiaires qu'il revient de clarifier les choses, d'interpréter, c'est-à-dire de créer des passerelles entre des habitudes culturelles dépassées et de nouvelles manières de dire et de faire les choses. Or, très souvent, ils n'ont ni outils ni l'expertise technique nécessaires pour effectuer ce travail de traduction. Comment convaincre un médecin de dire à son patient que la chirurgie d'un jour est aussi bonne, sinon meilleure, que la convalescence sous surveillance, alors qu'il a toujours soutenu l'inverse et qu'il est convaincu que ce choix résulte plus d'une nécessité budgétaire que d'un réel souci pour le malade?

La déstructuration des réseaux sociaux

Plusieurs gestionnaires intermédiaires déplorent la déstructuration des réseaux sociaux qu'entraînent les multiples changements effectués dans le cadre de la réorganisation de leur entreprise. Au fil des ans, ils avaient établi, à l'intérieur comme à l'extérieur de l'entreprise, différents contacts qui leur permettaient d'«éteindre des feux» très rapidement. Or, les nouvelles politiques de sous-traitance, d'impartition, de même que les nombreux départs à la retraite, ont entraîné la dispersion d'un grand nombre de personnes avec qui ils faisaient quotidiennement affaire.

173

La déstructuration des réseaux sociaux remet en question l'efficacité du travail quotidien du gestionnaire intermédiaire. Étant donné qu'une partie de son travail consiste à créer des conditions propices au travail des autres, le gestionnaire intermédiaire se doit, de l'avis général, d'avoir et d'entretenir «un réseau pour faire avancer les choses». Ce réseau résulte d'un échange négocié entre plusieurs personnes qui se formule ainsi : «je fais telle chose pour toi mais tu m'en dois une». C'est là un moyen d'utiliser ou de déjouer les règles formelles de l'organisation ou encore de créer des liens flexibles entre des interfaces organisationnels qui ne se rencontreraient pas autrement.

La déstructuration des réseaux sociaux remet également en cause la capacité du gestionnaire intermédiaire à répondre aux exigences ponctuelles. En cas d'urgence, le gestionnaire intermédiaire doit savoir qui est la personne la plus susceptible de l'aider. À cet égard, la connaissance de la situation personnelle des gens avec qui il travaille ainsi que de la «petite histoire» de l'organisation et des rumeurs qui circulent sont des éléments indispensables pour l'aider à prendre les décisions adéquates et à réagir promptement aux imprévus.

En fait, c'est toute la mémoire organisationnelle qui est mise en péril par cette désorganisation des réseaux sociaux. Or, plus une entreprise a besoin de flexibilité et plus elle est axée sur la clientèle, plus elle a besoin de contacts solides dans le réseau social qui la constitue. La déstructuration des réseaux sociaux a donc des effets pervers qui, comme l'ont déjà reconnu Heenan (1989) et Cascio (1993), risquent d'endommager la capacité de renouvellement de l'entreprise.

Une attitude de plus en plus ambivalente vis-à-vis de la carrière

D'après les déclarations des gestionnaires que nous avons rencontrés jusqu'à présent, il semble que leur attitude vis-à-vis de leur carrière varie selon la façon dont ils sont touchés par la réorganisation de l'entreprise et dont ils la perçoivent. Certains tiennent coûte que coûte à garder leur poste, tandis que d'autres préféreraient le conserver, mais pas nécessairement à tout prix. Selon que les gestionnaires se rapprochent de l'une ou l'autre de ces positions, les attitudes vis-à-vis de la carrière diffèrent.

D'une part, il y a ceux qui adoptent une attitude de repli. Voyant qu'ils maîtrisent de moins en moins leur avenir, ils préfèrent s'en tenir à ce qu'ils ont toujours fait. Au quotidien, la stratégie qu'ils adoptent consiste à viser l'atteinte d'une bonne, voire d'une excellente, performance dans les tâches et les projets qui leur sont confiés. L'âge et la peur de ne pas retrouver un poste similaire conditionnent largement cette attitude. Ils n'espèrent rien de l'avenir si ce n'est la possibilité de conserver leur poste.

D'autre part, il y a ceux qui adoptent un comportement entrepreneurial. Malgré les frustrations que provoquent la réorganisation de leur entreprise, ils y voient l'occasion d'innover, c'est-à-dire d'utiliser leurs habiletés politiques pour modifier les manières de faire, ou alors de réaliser de nouveaux projets. Les gestionnaires de cette catégorie n'hésiteront pas à quitter l'entreprise s'ils ne sont plus satisfaits de leur statut. Qu'ils restent ou qu'ils partent, ils sont conscients des difficultés auxquelles ils auront à faire face, mais l'atteinte de leurs objectifs compte davantage pour eux que la poursuite d'un plan de carrière de plus en plus hypothétique.

En contexte de réorganisation, l'attitude vis-à-vis de la carrière devient de plus en plus ambivalente. Repli ou dépassement? Dans un cas comme dans l'autre, il est clair que le temps de la progression de carrière ascendante est désormais révolu (McKinley, Mone, 1998). Les gestionnaires intermédiaires doivent aujourd'hui se battre au quotidien pour survivre en sachant que le lendemain demeure des plus incertains. Pour ces privilégiés de la Révolution tranquille, les réorganisations d'entreprise assombrissent bien des rêves!

Les quelques constats qui se dégagent des entretiens effectués jusqu'à présent démontrent bien que les réorganisations d'entreprise renforcent le «malaise» du management intermédiaire. De manière générale, il semble qu'elles contribuent à déstabiliser le rôle des gestionnaires intermédiaires et, par voie de conséquence, à déstructurer les modes de contrôle qui, depuis l'avènement de la grande entreprise, caractérisaient leurs pratiques de gestion. Il s'ensuit une «fracturation» identitaire qui ne fait qu'accentuer le «malaise». Doit-on pour autant considérer ces constats comme alarmants? L'avenir du management intermédiaire s'en trouve-t-il menacé? Sans vouloir minimiser les conséquences des réorganisations sur le travail et la qualité de vie des personnes concernées, nous pensons que l'éclatement du management intermédiaire comme fonction de gestion, voire le renforcement de son «malaise», peut également être une source de renouvellement des pratiques des gestionnaires de cette catégorie.

RENOUVELLEMENT IDENTITAIRE $\boxed{175}$

Au-delà des difficultés que rencontrent les gestionnaires intermédiaires dans les réorganisations auxquelles ils sont confrontés, une partie de leur discours permet de comprendre un peu mieux comment ces «survivants» assument, au quotidien, leur «malaise» identitaire. En contexte de réorganisation, ils semblent faire face à un processus de renouvellement identitaire dont les étapes sont les suivantes : d'abord, la rupture de l'équilibre identitaire, puis la double dynamique de reconnaissance/négation, et enfin la mise en action de nouvelles stratégies de reconnaissance.

Sur le plan personnel, la réorganisation provoque une rupture plus ou moins brutale de l'équilibre identitaire auquel le gestionnaire intermédiaire était parvenu et qu'il avait réussi à maintenir dans le cadre de son travail. Le déplacement des gestionnaires intermédiaires ou la transformation de leur poste oblige en effet ces derniers à modifier leurs routines. Certains perdent une partie de leur pouvoir de décision, d'autres sont mutés dans un service au sein duquel les relations sont plus conflictuelles, d'autres encore se voient confier de nouvelles fonctions pour lesquelles ils n'ont pas l'expertise nécessaire. Résultat, l'équilibre identitaire est rompu.

Pour nombre d'entre eux, la réorganisation est alors vécue comme une «trahison» de la part de l'organisation. Ils ont le sentiment d'avoir été «trahis», laissés pour compte, alors qu'ils ont travaillé très fort pour atteindre les objectifs fixés. C'est ce sentiment de trahison qui, en contexte de réorganisation, est au cœur du «malaise» du cadre intermédiaire. C'est comme s'ils avaient à faire le «deuil» de ce qu'ils étaient et de tout ce qu'ils avaient réussi à construire avant la réorganisation.

Tout au long du processus de réorganisation, les gestionnaires intermédiaires sont soumis à des pressions contradictoires qui remettent en question leur identité de cadre. D'un côté, le nouveau discours de gestion réaffirme l'importance des dimensions identitaires développées en contexte de stabilité, mais d'un autre, il nie en grande partie ce que les gestionnaires sont en les exhortant à effectuer un changement profond de leurs pratiques de gestion. C'est donc sous l'influence de cette double dynamique de reconnaissance et de négation qu'ils ont à mettre en place les nouvelles manières de faire.

Prenons, à titre d'exemple, le cas d'un directeur de services techniques dont le style de gestion repose sur des relations collégiales basées sur une culture de métier. Du jour au lendemain, il se retrouve, sans le vouloir, à la tête d'une nouvelle équipe dont les règles de fonctionnement sont plutôt conflictuelles. Alors qu'il doit faire le «deuil» de sa position antérieure, on lui demande de mettre en place un mode de gestion démocratique. Dans un contexte où la réorganisation vient remettre en cause le métier même de technicien, cette demande est pour le moins ambiguë. En même temps que l'on mise sur un aspect particulier de son identité (collégialité enracinée dans le métier), on le place dans une situation où, les tensions conflictuelles aidant, son autorité risque d'être constamment remise en cause. D'un côté, on reconnaît ses capacités de rassembleur, et de l'autre, on lui rend la tâche quasi impossible. Cette double dynamique de reconnaissance/négation est, entre autres, le reflet des tensions contradictoires entre flexibilisation et rationalisation et illustre comment, en contexte de réorganisation, les gestionnaires intermédiaires sont soumis à un va-et-vient constant entre l'existant et le devenir identitaire.

Les réorganisations étant autant le résultat de changements incrémentaux nécessités par des ajustements structurels que de changements planifiés sur papier, elles ont parfois des conséquences inattendues (problèmes techniques, changement dans les habitudes de la clientèle, etc.) et peuvent provoquer des crises ponctuelles qui mettent en évidence les ratés de la réorganisation en cours. Conjuguées à une conjoncture défavorable (ex. : période des fêtes, verglas, etc.), ces dernières peuvent donner lieu à des situations d'urgence.

Alors que la réorganisation rompt l'équilibre identitaire des gestionnaires intermédiaires, les conséquences inattendues qui en découlent peuvent devenir une excellente occasion de mettre en œuvre de nouvelles stratégies de reconnaissance. Lors de crises ponctuelles, l'organisation se trouve fragilisée à l'extrême et la nouvelle direction donne le «feu vert» aux gestionnaires intermédiaires pour régler les problèmes. Pendant un temps, ces derniers ont donc accès à de l'information privilégiée et voient leur marge de manœuvre augmenter considérablement. S'ils parviennent à résorber la crise, ils font figure de «héros du jour» auprès de la haute direction et gagnent la reconnaissance de leurs supérieurs. Évidemment, il ne s'agit là que d'une reconnaissance ponctuelle spécifique au nouveau contexte. Loin d'enrayer à elle seule le «malaise» identitaire du gestionnaire intermédiaire, elle constitue cependant une transition obligatoire vers l'intériorisation des enjeux de la réorganisation, c'est-à-dire vers la mise au point de nouveaux liens de cohérence entre rationalisation et flexibilisation.

Ces crises ponctuelles sont également l'occasion pour le gestionnaire intermédiaire de modifier son rapport à lui-même et, par conséquent, son rapport à ses subalternes. Elles l'obligent à adapter sa morale de travail aux nouvelles demandes organisationnelles. Petit à petit, il en arrive à modifier la définition de ce qu'il est et de ses fonctions pour s'ajuster au nouveau contexte organisationnel. Entre l'existant et le devenir identitaire, il se construit un nouveau statut. En fait, ces crises ponctuelles sont souvent le moteur de la mise en œuvre de nouvelles stratégies de reconnaissance dans l'organisation.

177

Il ne faudrait pas penser, toutefois, qu'une fois franchies ces étapes qui jalonnent le processus de renouvellement identitaire, le «malaise» des gestionnaires intermédiaires se résorbe automatiquement. Il faut plutôt voir ces différentes étapes comme des sortes de cycles qui, en s'intégrant à la routine quotidienne des gestionnaires intermédiaires, contribuent à la transformation de leurs pratiques de gestion, voire à leur renouvellement identitaire.

LE GESTIONNAIRE INTERMÉDIAIRE EST MORT... VIVE LE GESTIONNAIRE INTERMÉDIAIRE!

Même si le rôle traditionnel du gestionnaire intermédiaire semble bel et bien révolu, il n'en demeure pas moins que ce dernier, comme le soulignent Floyd et Wooldridge (1997), joue un rôle fondamental dans le renouvellement organisationnel et plus encore dans les réorganisations d'entreprise (Sayles, 1993.). Le «malaise» du gestionnaire intermédiaire en contexte de réorganisation est donc un problème de taille contre lequel il n'y a malheureusement pas d'antidote miracle. Vouloir le soulager, c'est s'engager à essayer de résoudre les tensions contradictoires entre rationalisation et flexibilisation, projet qui nécessite une exploration minutieuse des différents moyens qui permettront de créer des liens cohérents entre taylorisation et responsabilisation. En d'autres termes, il faut apprendre aux gestionnaires intermédiaires à gérer eux-mêmes le changement tout en leur faisant comprendre qu'ils peuvent aussi avoir recours aux autres. Voici quelques pistes de réflexion qui peuvent contribuer à soulager le «malaise» du gestionnaire intermédiaire en contexte de réorganisation.

Les gestionnaires intermédiaires étant à l'interface de l'ensemble des processus organisationnels, leurs objectifs et mandats sont directement concernés par les réorganisations d'entreprise. C'est le cas notamment des cadres intermédiaires qui occupent des postes en rapport avec la clientèle. Il est particulièrement important de trouver des moyens de valoriser ce rôle d'agent de liaison, surtout s'ils occupent des positions clé pour l'avenir de l'entreprise (ex. : offrir le soutien nécessaire pour faire face aux nouvelles exigences, tenir compte des transformations occasionnées par les nouvelles rétributions symboliques, etc.).

Une grande partie des problèmes des gestionnaires intermédiaires repose sur les difficultés de communication et d'échange avec les cadres supérieurs. Le renforcement des liens entre ces deux catégories de cadres passe par une plus grande ouverture des discours liés au changement et par la création de lieux d'échange autour des principaux enjeux. Il faut notamment éviter les discours justificatifs, qui ne font qu'engendrer la peur et l'angoisse de la disparition de l'entreprise et ferment la porte à la créativité et au dépassement. Offrir au gestionnaire intermédiaire la possibilité de débattre des questions importantes est, par ailleurs, un excellent moyen de reconnaître symboliquement sa place et son rôle au sein de l'entreprise.

Si les réorganisations d'entreprise renforcent le «malaise» du gestionnaire intermédiaire, c'est notamment parce que la mise en œuvre des changements entraîne des problèmes ou a des conséquences qui, souvent, dépassent le cadre de ses compétences. C'est à la fois l'identité professionnelle et personnelle du gestionnaire qui se trouvent remises en cause, et il faut alors l'aider à reconstruire son identité. Il s'agit moins de l'amener à acquérir de nouvelles compétences techniques que de l'amener à reconquérir son autonomie. Il doit en effet commencer par changer lui-même s'il veut convaincre les autres de changer. Selon nous, ce travail d'exploration des ressources personnelles est garant d'un haut degré de professionnalisme en matière de management, voire en matière de changement.

En contexte de réorganisation, la question du rôle et de l'avenir du gestionnaire intermédiaire se pose avec encore plus d'acuité, tant pour les praticiens que pour les chercheurs. Au-delà de l'analyse des facteurs contingents susceptibles d'influer sur leur devenir, la compréhension des transformations identitaires des gestionnaires intermédiaires, tant au niveau professionnel que personnel, constitue une piste de recherche et d'action des plus prometteuses. D'une part, elle vise à définir des lignes directrices qui permettront de transformer le rôle du gestionnaire intermédiaire en créant des liens cohérents entre taylorisation et responsabilisation, et d'autre part, elle permet de rendre compte des enjeux de la modernisation des entreprises.

Notes

1. Cet article est le résultat de la première étape de projets de recherche subventionnés par le Fonds FCAR et le Conseil de recherche en sciences humaines du Canada (CRSH). Ces travaux portent sur la question des réorganisations d'entreprise et de leurs conséquences sur la transformation des modes de contrôle et de l'identité des gestionnaires ayant vécu une réorganisation. L'un des projets consiste à recueillir les propos de gestionnaires intermédiaires au sujet de leurs pratiques (FCAR), l'autre repose sur des études de cas (CRSH).

2. Nous pensons, entre autres, à Drucker et à Hammer et Champy.

3. Dans les revues académiques de gestion, le management intermédiaire est loin d'occuper une place de choix (Torrington et Weightman, 1987). Depuis la fin des années 1950, on n'a répertorié qu'une trentaine d'articles portant principalement sur le management intermédiaire. Dopson et Stewart (1990) recensent 18 écrits sur les gestionnaires intermédiaires parus entre 1958 et 1988 et depuis le début des années 1990, une dizaine d'articles sont venus enrichir le débat.

4. Dans l'univers de la gestion, le fait de se situer au milieu de la hiérarchie, de jouer un rôle de «relais», constitue la cause principale des difficultés du gestionnaire intermédiaire (Leavitt et Whistler, 1964 (1re parution en 1958); Schlesinger et Oshry, 1984; Levine, 1986; Tomkin, 1987). Dans le domaine de la stratégie, ce qui préoccupe les auteurs qui s'intéressent au management intermédiaire, c'est la place et le rôle que ces gestionnaires de l'entre-deux occupent lors de la formulation ou de l'implantation d'un changement organisationnel (Kanter, 1982; Guth et McMillan, 1986; Schilit, 1987; Nonaka,1988; Fulop, 1991; Dopson, Risk et Stewart, 1992; Dutton, et *al.*, 1997).

5. C'est avec l'avènement des nouvelles technologies de l'information que s'est cristallisé le débat relatif à une éventuelle disparition des gestionnaires intermédiaires. Jusqu'à la fin des années 1970, la «routinisation» des pratiques grâce à la montée des nouvelles technologies de l'information constitue une des causes majeures qui est évoquée pour soutenir l'hypothèse du déclin du management intermédiaire (Hicks, 1971; Neumann,1978; Torrington et Weightman, 1982; etc.). Dans les années 1980, les auteurs soutiennent une position différente. En effet, il semble plutôt que les nouvelles technologies libèrent les gestionnaires intermédiaires de leurs tâches de contrôle hiérarchique leur permettant de jouer un rôle plus actif, voire plus créatif, dans la mise en œuvre du changement dans l'entreprise (Millman et Hartwick, 1987; Buchanan et McCalman, 1988; Weiss, 1988). Dans les années 1990, les auteurs cherchent moins à prédire ce que les gestionnaires intermédiaires deviendront qu'à faire ressortir les dimensions et les variables qui influencent positivement ou négativement leur rôle (Dopson et Stewart, 1990; Pinsonneault, 1992; Pinsonneault et Kraemer, 1997).

6. Par exemple, quelques auteurs s'interrogent sur les impacts de la décroissance et des réorganisations d'entreprise sur la résistance au changement et le cheminement de carrière des cadres intermédiaires (Hunt, 1986; Goffee et Scase, 1992; Burlew et *al.*, 1994; Allen et *al.*, 1995; Nelson et *al.*, 1995).

7. Selon Singh (1993), il n'y a pas de définition acceptée et reconnue de la notion de restructuration d'entreprise (*corporate restructuration*).

8. La réflexion qui suit s'appuie sur des travaux de recherche exploratoire menés auprès de gestionnaires intermédiaires ayant vécu une réorganisation d'entreprise. Il s'agit de résultats préliminaires qui reposent sur les données recueillies lors d'entretiens variant entre 4 et 6 heures. Les gestionnaires intermédiaires rencontrés proviennent des secteurs suivants : finance, fabrication alimentaire, médias, gestion municipale, fonction publique fédérale, santé. De plus, deux cas d'entreprise en réorganisation ont aussi été étudiés (OSBL centrée sur la conservation cinématographique et une entreprise de gestion et de consultation en services informatiques). Au total, plus d'une trentaine d'entretiens ont servi à la rédaction de cet article. Nous tenons à remercier, pour leur aide dans la collecte des données et les discussions autour de la question, les personnes suivantes : Yvan St-Pierre, Julie Pouliot et Olivier Ratle.

9. Les gestionnaires intermédiaires qui ont été interrogés jusqu'à présent étaient considérés comme tel à condition qu'en plus d'occuper un poste de relais entre la direction et les employés ou entre l'entreprise et la clientèle, ils rencontrent l'un des deux critères suivants : ils supervisent d'autres gestionnaires; ils occupent une fonction conseil ou assument des responsabilités de gestion de projets. Il est à noter également que les gestionnaires qui participent à l'étude doivent avoir expérimenté des changements dans leur travail. De plus, soulignons que le genre masculin est utilisé ici uniquement pour alléger le texte.

10. Dopson et Neumann (1998) ont largement commenté et décrit cette *double-bind situation*.

Références

Allen et *al.*, «Just another transition? Examining survivors' attitudes over time», *Academy of Management Journal*, 1995, p. 78-82.

Buchanan, D., McCalman, J., «Confidence, visibility and pressure: The effects of shared information in computer aided hotel management», *New Technology Work and Employment*, vol. 3, 1988, p. 38-46.

Burlew, L.D. et *al.*, «The reaction of managers to the preacquisition stage of a corporate merger: A qualitative study», *Journal of Career Development*, vol. 21, n° 1, p. 11-22.

Cascio, W., «Downsizing: What we know, what we have learned», *Academy of Management Executive*, vol. 7, 1993, p. 95-104.

Dopson, S., Neumann, J.E., «Uncertainty, contrariness and the double-bind: Middle managers' reactions to changing contracts», *British Journal of Management*, vol. 9, 1998, p. 53-70.

Dopson, S., Risk, A., Stewart, R., «The changing role of the middle manager in the United Kingdom», *International Studies of Management & Organization*, vol. 22, n° 1, 1992, p. 40-47.

Dopson, S., Stewart, R., «What is happening to middle management?», *British Journal of Management*, vol. 1, 1990, p. 3-16.

Dutton, et *al.*, «Reading the wind: How middle managers assess the context for selling issues to top managers», *Strategic Management Journal*, vol. 18, n° 5, 1997, p. 407-425.

Floyd, S.W., Woolbridge, B., «Middle management's strategic influence and organizational performance», *Journal of Management Studies*, vol. 34, n° 3, 1997, p. 465-485.

Fulop, L., «Middle managers: Victims or vanguards of the entrepreneurial movement?», *Journal of Management Studies*, vol. 28, n° 1, 1991, p. 25-44.

Goffee, R., Scase, R., «Organizational change and the corporate career: The restructuring of managers' job aspirations», *Human Relations*, vol. 45, n° 4, 1992, p. 363-385.

Guth, W.D., MacMillan, I.C., «Strategy implementation versus middle management self-interest», *Strategic Management Journal*, vol. 7, 1986, p. 313-327.

Heenan, D.A., «The downside of downsizing», *Journal of Business Strategy*, 1989, p. 18-23.

Hicks, R.L., «Developing the top management group in a total systems organization», *Personnel Journal*, vol. 50, 1971, p. 675-682.

Hunt, J., «Alienation among managers», *Personnel Review*, vol. 15, 1986, p. 21-25.

Kanter, R.M., «The middle manager as innovator», *Harvard Business Review*, vol. 60, n°4, 1982, p. 95-105.

Leavitt, H., Whistler, L., «Management in the 1980s'», *Readings in Managerial Psychology*, (Leavitt & Pondy), The University of Chicago Press, 1964, p. 578-592.

Levine, H., «The squeeze on middle management», *Personnel*, vol. 1, 1986, p. 62-67.

McKinley, W., Mone, M.A., «Some ideological foundations of organizational downsizing», *Journal of Management Inquiry*, vol.7, n° 3, 1998, p. 198-212.

Millman, Z., Hartwick, J., «The impact of automated office systems on middle managers and their work», *MIS Quaterly*, vol. 11,1987, p. 479-491.

Nelson et *al.*, «Uncertainty, amidst change: The impact of privatization on job satisfaction», *Journal of Occupational and Organizational Psychology*, vol. 68, n° 1, 1995, p. 57-71.

Neumann, P., «What speed of communication is doing to span of control», *Administrative Management*, vol. 39, 1978, p. 30-46.

Nonaka, I., «Toward middle-up-down management: Accelerating information creation», *Sloan Management Review*, 1988, p. 9-18.

Ollivier, B., *L'acteur et le sujet. Vers un nouvel acteur économique*, Paris, Desclée de Brouwer, 1995.

L'engagement organisationnel des personnes œuvrant dans des organisations en transformation : qu'avons-nous appris?

Bruno Fabi, Yves Martin et Pierre Valois

Cet article aborde un des grands paradoxes auxquels sont confrontés les dirigeants d'organisations contemporaines : comment peut-on en même temps mobiliser et rationaliser des ressources humaines? Comment peut-on maintenir l'engagement et la loyauté organisationnelle chez des employés œuvrant dans des organisations ne pouvant plus respecter les anciens contrats psychologiques fondés sur une sécurité d'emploi et une certaine progression hiérarchique? En effet, les dirigeants contemporains se retrouvent souvent devant le dilemme suivant : des contraintes ou des occasions légales, technologiques ou financières les obligent à transformer et à restructurer leur organisation, ce qui implique fréquemment une rationalisation des ressources humaines visant une diminution des coûts et une amélioration de l'efficacité organisationnelle. Pourtant, l'engagement organisationnel de ces mêmes ressources humaines, ou du moins de celles qui restent, constitue un atout stratégique fondamental face aux concurrents évoluant dans les mêmes secteurs d'activité avec des capitaux, des technologies et parfois des produits assez comparables.

À cet égard, une illustration récente de ce principe en contexte canadien nous est fournie par Wal-Mart, une des premières entreprises au niveau mondial, qui réussit à accumuler des succès financiers en achetant des magasins de compétiteurs qui éprouvaient des difficultés en

Bruno Fabi est professeur au département des sciences de la gestion et de l'économie de l'Université du Québec à Trois-Rivières.

Yves Martin est directeur du développement organisationnel et des communications au Complexe santé et services sociaux Nicolet-Yamaska.

Pierre Valois est professeur au département des sciences de l'éducation de l'Université du Québec à Trois-Rivières.

vendant sensiblement les mêmes gammes de produits aux mêmes endroits. Bien que la qualité de la gestion des inventaires constitue une des causes de cet impressionnant succès organisationnel, il semble indéniable que ce dernier repose également en partie sur certaines pratiques de gestion des ressources humaines et sur le degré d'engagement organisationnel que cette entreprise réussit à maintenir chez ses employés.

Malgré la reconnaissance assez généralisée de ce principe dans les milieux organisationnels, force est de constater que plusieurs personnes au travail ont été bousculées au cours de la dernière décennie. Face à de telles turbulences, le bilan des stratégies d'adaptation des organisations s'avère globalement assez peu reluisant. Lorsque les transformations organisationnelles impliquent une rationalisation des ressources humaines, plusieurs auteurs rapportent une série d'effets assez néfastes. Par exemple, Henkoff (1994) observe qu'une majorité d'entreprises américaines ayant procédé à de telles rationalisations ont connu des baisses en ce qui concerne la qualité, la productivité, la confiance et le service à la clientèle. Quant à la rentabilité financière, elle se détériore fréquemment après une amélioration à court terme. Dans la même veine, Cascio (1998) rapporte que de telles opérations de rationalisation dans 311 entreprises entre 1980 et 1990 n'ont pas produit les gains escomptés concernant la rentabilité financière et le prix des actions en bourse.

Dans les cas d'implantation de nouvelles technologies, une synthèse d'études américaines et canadiennes rapporte des taux d'échec variant entre 50 % et 75 % selon les cas observés (Jacob, Ducharme, 1995). En contexte québécois, le Centre francophone de recherche en informatisation des organisations (CEFRIO), dans une étude réalisée en 1994 portant sur plus de 100 cas de réingénierie des processus, fait le constat d'un taux d'échec de plus de 80 % (Audet *et al.*, 1996; Jacob, 1998). De tels taux d'échec se comparent avec ceux rapportés en contextes américain et européen (Shapiro, 1996; Strebel, 1996). Pourquoi tant de transformations organisationnelles se caractérisent-elles par des coûts cachés qui viennent annuler les gains directs de productivité? Parce que plusieurs décideurs semblent davantage centrés sur la faisabilité financière et technique au détriment de la faisabilité organisationnelle et sociale (Pichault, 1993); parce que plusieurs des comités de pilotage de ces processus de transformation organisationnelle souffrent d'une carence d'expertise relative à la gestion des ressources humaines, aux processus de transformation, à la mobilisation, à l'analyse systémique et stratégique ainsi qu'à l'apprentissage organisationnel et culturel[1].

Concernant ces coûts cachés, le bilan des conséquences humaines ne semble effectivement pas toujours réjouissant. Certains auteurs rapportent par exemple une croissance significative des congés de maladie chez des employés gouvernementaux ayant connu des rationalisations (Vahtera, Kivimaki, Pentti, 1997). On relève également une importante perte de mémoire organisationnelle et d'expérience dans certaines transformations organisationnelles où plusieurs employés compétents ont été les premiers à partir (Burke, 1997). Ce phénomène s'explique en partie par le fait que ces employés, ne voulant pas demeurer dans des organisations apparemment en difficulté, recherchent des occasions professionnelles ailleurs pour parfois laisser la place à des collègues moins compétents et moins professionnellement mobiles (Bedeian, Armenakis, 1998). Bref, les coûts humains associés aux rationalisations, qui constituent malheureusement une dimension de plusieurs transformations organisationnelles, s'avèrent souvent importants et profonds. En fait, nos observations de terrain confirment l'incompatibilité de ces rationalisations avec d'autres types de transformation comme la qualité totale ou la réingénierie des processus. L'insécurité et la rancœur finissent par constituer des obstacles majeurs dans le cadre de transformations qui nécessiteraient, en principe, la sécurisation, l'implication active et l'engagement à long terme des acteurs organisationnels (Rondeau, Wagar, 1998).

Heureusement, le bilan que l'on peut dégager des transformations organisationnelles ne s'avère pas essentiellement négatif. Il existe aussi des transformations organisationnelles dont les effets pervers n'ont pas complètement annulé l'atteinte des objectifs visés en ce qui concerne l'augmentation de la productivité, l'amélioration de la qualité, les avantages concurrentiels et la régénération du potentiel de succès (Hoskisson, Hitt, 1994). Comme le soulignent Bernier et Larivière (1998), de tels changements organisationnels peuvent aussi être porteurs de belles occasions d'apprentissage pour ceux qui les vivent dans des organisations se souciant d'informer et d'impliquer les membres de leur personnel afin que ces derniers puissent s'approprier le changement à vivre. Dans ces transformations organisationnelles caractérisées par des coûts sociaux et humains mieux contrôlés, il ressort un certain nombre de précautions suggérées par la recherche en développement organisationnel. On observe que les organisations qui réussissent soutiennent les nouveaux efforts de chacun des employés, en facilitant leur mobilisation pour repenser l'organisation des services, améliorer le fonctionnement des équipes et assurer une heureuse transition des structures. Dans ces transformations organisationnelles mieux réussies, il ressort également que les cadres de premier niveau, en contact direct avec le personnel desservant la clientèle, pilotent ces changements tout en bénéficiant d'un soutien authentique de la part de la haute direction. C'est ainsi que certaines organisations ont réussi à effectivement réduire les coûts d'opération, à améliorer la rentabilité financière, la productivité ainsi que le service à la clientèle (Axsmith, 1995; Cameron, 1998).

Malgré un bilan pour le moins mitigé des conséquences associées aux différentes formes de transformations organisationnelles, le réalisme force à reconnaître que ces dernières continueront de s'imposer aux organisations contemporaines obligées de s'adapter aux multiples turbulences de l'environnement externe. Devant une telle perspective, il semble opportun de préciser les actions de gestion que les dirigeants devraient entreprendre de même que les principes qu'ils devraient respecter afin de maintenir un certain degré d'engagement chez des employés, parfois des survivants, ayant à vivre une transformation organisationnelle. Nous tenterons de répondre à ces questions en nous basant sur certains résultats de recherche de même que sur des observations de terrain dans diverses organisations ayant vécu de telles transformations. Ces organisations privées et publiques évoluent dans des secteurs d'activité tels que les services financiers, les télécommunications, la câblodistribution ainsi que les services sociaux et de santé. Elles ont connu des transformations de natures assez diverses, avec des niveaux de succès fort variables. Les leçons tirées de ces expériences pourraient guider certains décideurs ayant la responsabilité de gérer de telles transformations dans leur organisation. Dans un premier temps cependant, il convient de définir les concepts d'engagement organisationnel et de transformation organisationnelle qui sont mis en relation dans notre schéma intégrateur.

L'ENGAGEMENT ORGANISATIONNEL

L'engagement organisationnel renvoie à l'intensité avec laquelle un individu s'engage dans une organisation et s'identifie à elle. L'engagement organisationnel est caractérisé par l'acceptation, la conviction profonde à l'égard des valeurs et des buts de l'organisation, la disposition à fournir des efforts considérables pour l'organisation ainsi que le désir ferme de maintenir son appartenance à l'organisation (Porter *et al.*, 1974).

Pour les besoins de ce texte, cette définition classique de l'engagement organisationnel s'avère suffisamment explicite pour en apprécier l'importance vitale dans les environnements de concurrence féroce que nous connaissons actuellement. Dans de tels contextes, ce qui risque de distinguer les entreprises gagnantes des perdantes, c'est la main-d'œuvre, le capital humain, les ressources humaines. Cette perception populaire semble appuyée par certains résultats de recherche récents qui confirment une relation significative entre le degré d'engagement organisationnel des employés et leur performance individuelle au travail[2].

Ces résultats de recherche, associés à nos diverses expériences d'intervention et de gestion, expliquent l'importance accordée à l'engagement organisationnel dans le présent article. Bien entendu, à la suite d'auteurs comme Morin, Savoie et Beaudin (1994), nous reconnaissons d'emblée que le succès d'une transformation organisationnelle peut être évalué selon différentes perspectives et selon divers indicateurs. C'est d'ailleurs ce qui explique l'inclusion, dans le schéma intégrateur, de critères d'ordre rationnel, humain, politique et systémique. Mais à notre avis, et à la lumière de certains travaux de recherche mentionnés antérieurement, le degré d'engagement organisationnel constitue non seulement un indicateur humain du succès d'une transformation organisationnelle, mais il peut également influencer l'atteinte d'autres indicateurs d'ordre rationnel tels que la qualité des produits et services, la service à la clientèle et les marges bénéficiaires. De la même façon, les turbulences récentes dans divers secteurs des services publics québécois révèlent qu'une transformation affectant trop négativement l'engagement organisationnel des acteurs compromet sérieusement l'atteinte d'objectifs politiques tels qu'une meilleure prestation de services auprès de la population ou une meilleure image de l'appareil public aux yeux des contribuables. En fait, dans des secteurs d'activité à forte intensité humaine comme les télécommunications, les services financiers de même que la santé et les services sociaux, une transformation organisationnelle doit impérativement viser le maintien du degré d'engagement des employés afin d'assurer l'atteinte des objectifs stratégiques de ce genre d'organisation, voire même leur survie à moyen et long terme.

LA TRANSFORMATION ORGANISATIONNELLE

Devant la pluralité des écoles et des définitions associées aux transformations organisationnelles[3] et en s'inspirant des travaux de Audet *et al.* (1996), il nous semble opportun de définir une transformation organisationnelle comme étant un changement qui concerne certains aspects clés d'un système organisationnel; cela comprend notamment la stratégie, la structure, les ressources humaines, la culture, la technologie, la distribution du pouvoir et le contrôle. C'est un phénomène à caractère exceptionnel qui se distingue des transformations routinières. Une transformation organisationnelle a pour principales causes des modifications de l'environnement externe ou des changements survenus à l'interne, comme la mise en place d'une nouvelle équipe de direction ou une modification des ressources disponibles. Enfin, la finalité d'une transformation organisationnelle est d'augmenter les performances de l'organisation tout en conciliant les aspects humains et sociaux.

Une telle définition fait ressortir le caractère polymorphe des transformations organisationnelles. Ces différents types de transformations organisationnelles ont été commentés aussi bien dans la documentation universitaire que dans la presse d'affaires. À titre d'illustration sur la scène québécoise, les expériences publicisées de transformation organisationnelle chez Bell Canada et au Mouvement Desjardins ont impliqué des rationalisations d'effectifs, l'externalisation de certains services, la réingénierie des processus, de même que des aplatissements structurels, des alliances et des fusions (Bouillé, Meunier, 1998; Déry, 1998).

186 ## SCHÉMA INTÉGRATEUR D'UNE TRANSFORMATION ORGANISATIONNELLE RÉUSSIE

Le schéma proposé intègre ce qui nous semble constituer les principaux principes et actions de gestion dans le cadre d'une transformation organisationnelle. Comme l'illustre ce schéma, le degré de réussite peut s'apprécier à partir d'indicateurs de diverses natures, le présent article s'attardant à l'engagement organisationnel qui constitue un des critères humains fondamentaux. Nos observations nous amènent effectivement à considérer qu'une diminution trop radicale du degré d'engagement des acteurs organisationnels peut non seulement représenter un critère d'échec d'une transformation, mais peut en fait compromettre la productivité et la viabilité même de l'organisation.

Le schéma intégrateur inclut également une typologie de déclencheurs internes et externes qui façonnent les organisations contemporaines et qui provoquent divers types de transformations organisationnelles. Par souci de concision, ces déclencheurs ne seront pas commentés dans le cadre du présent article puisque le lecteur intéressé pourra consulter une synthèse détaillée ailleurs (Fabi, Lescarbeau, Blondel, à paraître).

Évidemment, la complexité et l'ampleur d'un processus de transformation organisationnelle font que le succès dépend d'une multitude de facteurs relatifs à l'environnement externe, aux caractéristiques organisationnelles, ainsi qu'à celles des employés et des cadres (Fabi, 1992; Hafsi, Fabi, 1997). Dans les prochains paragraphes, nous insisterons sur ces derniers et particulièrement sur les principes et les actions de gestion qu'ils devraient entreprendre afin d'améliorer les probabilités de succès des transformations organisationnelles, notamment en ce qui concerne le maintien du degré d'engagement organisationnel des acteurs concernés. L'essentiel de cet article servira donc à décrire et à commenter ces actions de gestion. Toutefois, l'efficacité de ces dernières nous semble tributaire de certains principes de gestion, qui seront donc également abordés dans les prochaines pages.

Expliquer

Les transformations organisationnelles les mieux réussies reposent invariablement sur une équipe de direction en ayant expliqué les causes, la nature ainsi que les principaux objectifs. À cet égard, nos observations font ressortir les écarts parfois considérables entre, d'une part, le degré de compréhension des dirigeants à l'égard des raisons nécessitant une transformation organisationnelle et, d'autre part, celui des autres acteurs organisationnels. Il est assez étonnant de constater à quel point certains dirigeants surestiment le degré de compréhension et de sensibilisation de leurs subordonnés. Nos constatations convergent avec les résultats de différents auteurs s'étant intéressés aux phénomènes de changement et de mobilisation : on ne saurait sous-estimer l'importance cruciale du partage de l'information avec l'ensemble des acteurs organisationnels afin de permettre une sensibilisation et une certaine appropriation de la transformation organisationnelle qui se dessine (Wils *et al.* 1998; Rondeau, Chouakri, 1995).

187

Qu'on le veuille ou non, les cadres supérieurs, et principalement le premier dirigeant de l'organisation, ont un rôle fondamental à assumer en expliquant clairement, avec honnêteté et transparence, les principaux enjeux auxquels font face l'organisation et l'ensemble de ses membres. Parmi les informations pertinentes, on peut penser à l'état de la

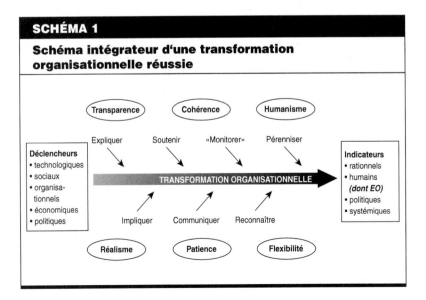

SCHÉMA 1

Schéma intégrateur d'une transformation organisationnelle réussie

concurrence, à l'évolution financière de l'organisation, aux occasions et aux menaces, aux résultats du diagnostic organisationnel, aux changements envisagés, aux objectifs visés, aux relations avec les nouveaux besoins des clientèles de même qu'à un échéancier des principales étapes de la transformation organisationnelle. Dans les transformations organisationnelles nécessitant une rationalisation d'effectifs, certains cas suggèrent que la transparence devrait inciter les directions à préciser rapidement le nombre de postes abolis, les critères régissant ces abolitions, ainsi que les mesures de support et de relocalisation mises en place.

L'hypothèse sous-jacente à cette nécessité d'expliquer est que des personnes bien informées, ayant bien compris que le devenir de l'organisation affectera leur propre sort, s'avéreront plus susceptibles de contribuer à l'amélioration de la performance organisationnelle, notamment en identifiant des façons de faire mieux et à moindre coût (Burke, Nelson, 1997). Une telle hypothèse a d'ailleurs été confirmée empiriquement dans l'étude de Tremblay *et al.* (1996), qui révèle un lien significatif entre l'existence de certaines pratiques d'information et le niveau de mobilisation des organisations. Sinon, l'expérience nous apprend que les transformations organisationnelles risquent de s'amorcer dans un climat de confusion et d'insécurité susceptible de provoquer du cynisme et diverses formes de résistance tout au long du processus.

En fait, nos analyses dans divers milieux confirment la présence d'un facteur de succès incontournable dans n'importe quel type de changement organisationnel : l'engagement de la haute direction[4]. Les dirigeants doivent donc communiquer une vision de la transformation organisationnelle envisagée et s'assurer que cette vision soit véritablement partagée par les autres acteurs. Un tel exercice s'inscrit dans les habiletés du leader transformationnel qui doit présenter la transformation organisationnelle de façon claire, convaincante et stimulante, en faisant ressortir notamment les occasions de développement et d'actualisation qu'elle offrira aux acteurs concernés. À cette étape d'une transformation organisationnelle, l'expérience fait également ressortir l'importance pour la haute direction d'établir sa disposition à mettre en pratique la philosophie de gestion participative qui caractérise plusieurs types de transformation organisationnelle et à faire en sorte que cette philosophie soit adoptée à tous les niveaux de l'organisation. Bien entendu, l'engagement de la direction constitue un facteur de succès lourd tout au long du processus de transformation organisationnelle, mais cet engagement prend une importance capitale à l'étape d'explication puisque certains cas d'échecs s'expliquent en grande partie par une sensibilisation et une compréhension inadéquates des acteurs organisationnels face aux enjeux nécessitant la transformation de leur organisation.

Impliquer

Les probabilités de succès d'une transformation organisationnelle s'avèrent plus élevées lorsque les acteurs concernés peuvent être mis à contribution le plus rapidement et le plus intensivement possible dans le processus. Dans le cadre de transformations organisationnelles à caractère technologique par exemple, plusieurs auteurs s'entendent pour souligner les énormes dangers inhérents à la limitation du rôle des utilisateurs à la phase d'adaptation, excluant leur participation aux phases d'orientation et de conception. De tels processus de transformation se caractérisent habituellement par des modes d'information ou de consultation passive à partir de choix technico-organisationnels prédéterminés (Gill, 1991; Rondeau, Chouakri, 1995). C'est ce que les employés appellent cyniquement, dans certains diagnostics de terrain effectués, de la pseudo-consultation. En plus de ne pas mobiliser les personnes envers la transformation organisationnelle entreprise, une telle stratégie risque de les rendre critiques et sceptiques à l'égard des changements amorcés de même qu'à l'égard de l'équipe de direction.

Le bilan que l'on peut dégager des expériences analysées indique que le temps et l'énergie investis dans les démarches de consultation et d'implication authentiques augmentent significativement les probabilités de succès de tout le processus de transformation organisationnelle. Concrètement, cette implication des acteurs peut prendre la forme d'un comité de pilotage de la transformation organisationnelle qui dispose des ressources et des marges de manœuvre suffisantes pour mener à bien un changement d'une telle envergure. Un tel comité devrait également réunir un échantillon représentatif des acteurs organisationnels concernés. Habituellement, ce comité de pilotage a le mandat d'orienter, de suivre et de faciliter la réalisation de la transformation organisationnelle, de trouver des solutions appropriées aux difficultés rencontrées, d'ajuster, selon les besoins, le processus initial, de coordonner les mécanismes de soutien et de fournir de l'information valide à l'ensemble des acteurs organisationnels. Un tel comité regroupe habituellement les cadres responsables du projet de transformation organisationnelle, des représentants syndicaux, des représentants de différents niveaux hiérarchiques, ce qui inclut ce que certains appellent les «champions» d'une transformation, c'est-à-dire les leaders informels particulièrement intéressés par le changement en cours et qui assument souvent un rôle important dans l'instauration, le suivi, l'information et l'animation (Audet *et al.*, 1996).

Finalement, l'expérience nous apprend qu'un comité de pilotage doit pouvoir compter sur des personnes, internes ou externes à l'organisation, ayant de l'expertise en gestion des ressources humaines, en changement organisationnel ou en facilitation des processus de changement (Beauchamp, 1998; Fabi, Lescarbeau, 1998). Mais peu importe la présence ou l'absence d'intervenants externes, les cas réussis de transformation organisationnelle semblent caractérisés par un recours flexible et adapté aux principes et aux étapes classiques des processus de changement organisationnel. Autrement dit, une organisation ne saurait mener à terme un processus complexe comme une transformation organisationnelle sans avoir recours à ce genre d'expertise. Mais elle doit également s'assurer que l'approche utilisée pour atteindre les résultats visés par la transformation organisationnelle soit adaptée à ses particularités. Une telle approche doit également s'avérer flexible et continuellement ajustée aux réalités du milieu, ce qui peut par exemple impliquer un retour à une étape du processus qui n'aurait pas été adéquatement réalisée.

Soutenir

Dans les nombreux cas de transformations organisationnelles impliquant une réduction d'effectifs, les stratégies de support s'adressent autant aux survivants qu'à ceux qui doivent quitter. Pour les survivants, le maintien de leur engagement passe inévitablement par divers supports de formation continue permettant de les sensibiliser et de les initier aux nouvelles façons de travailler. Ces dernières s'apparentent souvent, parmi les cas analysés, à des équipes autonomes de travail avec qui l'on accepte de partager l'information, le pouvoir décisionnel, les renforcements financiers ainsi que, bien entendu, les connaissances psychosociales et techniques nécessaires au bon fonctionnement de telles équipes. Or, le suivi de plusieurs de ces cas montre la nécessité d'une certaine dose de patience et de réalisme face aux capacités et au rythme de changement d'attitudes et de comportements chez les êtres humains. Certains consultants d'expérience parlent du syndrome «ôte-un-homme» (autonome) dans certaines organisations ayant décrété la mise sur pied d'équipes autonomes de travail dans un trop court laps de temps et où la formation trop intensive et à court terme n'a pas permis une transition satisfaisante dans le cadre du retrait des contremaîtres traditionnels.

Pour véritablement prendre la mesure du temps nécessaire à la consolidation d'un changement organisationnel d'envergure, on peut se référer aux constatations de Bevand (1998), consultant interne chez l'important groupe français EDF-GDF, qui constate, neuf ans après le début de leur mise en œuvre, que le principe des équipes opérationnelles de base (l'équivalent des équipes autonomes de travail) n'a pas encore été complètement assimilé par l'ensemble des employés! En fait, avant une transformation en profondeur du fonctionnement de l'entreprise et même si beaucoup de chemin a été parcouru, Bevand (1998) prévoit une période de transition, de coexistence entre le nouveau et l'ancien mode de fonctionnement s'échelonnant sur plus d'une décennie. De telles observations de terrain convergent avec certains résultats de recherche qui font ressortir la complexité des réactions individuelles des destinataires d'un changement organisationnel (Bareil, 1997).

Les observations de terrain convergent donc ici avec certains résultats de recherche récents : une transformation réussie, offrant un défi et favorisant l'engagement organisationnel, passe inévitablement par du soutien aux acteurs en vue de favoriser le développement de nouvelles connaissances et l'apprentissage de nouveaux rôles. Selon les contextes et les types de transformation organisationnelle, le soutien offert peut prendre plusieurs formes : formation classique, personnes-ressources sur le terrain accompagnant les acteurs dans leur environnement de travail, groupes d'entraide, visites d'organisations ayant vécu des transformations similaires ou visites de fournisseurs de technologie. Peu importe les moyens utilisés, la finalité ultime demeure le développement des compétences techniques et sociales nécessaires à l'adaptation au contexte organisationnel transformé.

Pour ceux qui doivent quitter l'organisation, un consensus se dégage : il est essentiel de bien traiter ces personnes, et cela aussi bien par humanisme que par simple pragmatisme de gestion. L'humanisme commande évidemment de soutenir les deuils psychologiques chez les survivants comme chez leurs collègues qui doivent partir. Et le pragmatisme de gestion suggère la pertinence de sécuriser ceux qui restent quant à leur avenir professionnel, une des façons privilégiées de le faire étant de démontrer une véritable préoccupation à l'égard des personnes ayant souvent œuvré dans l'organisation depuis plusieurs années. Parmi les mécanismes de soutien mis en place dans les organisations, on retrouve l'expertise psychologique nécessaire à la prise en charge des deuils psychologiques importants qui caractérisent plusieurs cas de rationalisation. Chez les survivants, les réactions négatives peuvent se manifester par la résignation, la peur, la dépression, la réduction du sentiment d'appartenance ou du degré d'engagement organisationnel, ou la perte de confiance envers les cadres de l'organisation[5].

Il importe évidemment de prendre toutes les mesures possibles pour amoindrir le choc du départ chez ceux qui quittent l'organisation. Parmi les cas analysés, on observe des mesures telles que des services internes ou externes en réaffectation, des indemnités de départ, de préretraite ou de relocalisation géographique. On retrouve également des ateliers offrant des services psychologiques, de même que des appuis logistiques et techniques favorisant la recherche d'emploi. Certaines organisations sont même allées jusqu'à appuyer la concrétisation de projets d'entreprises pour les personnes mises en disponibilité. Cet appui a par exemple pris la forme d'un maintien de rémunération pour la période de transition, accompagné de soutien technique favorisant la création d'entreprises satellites à qui l'on externalise certains services (Bouillé, Meunier, 1998; Déry, 1998). Malgré la générosité et la sophistication des moyens mis en branle, le suivi de ces cas de transformation organisationnelle confirme la gravité et la profondeur des deuils psychologiques provoqués dans le cadre de plusieurs rationalisations. C'est d'ailleurs ce qui amène des auteurs à recommander aux organisations de considérer toutes les options possibles aux rationalisations, qu'il s'agisse d'attrition naturelle, de préretraites volontaires, de gels salariaux ou de limitation du nombre d'heures de travail (Knowdell, Branstead, Moravec, 1994; Nelson, Burke, 1998). Lorsqu'elles peuvent être appliquées, de telles mesures contribuent à garantir une certaine cohérence entre les actions de gestion et les valeurs organisationnelles véhiculées qui incluent, dans plusieurs organisations contemporaines, la primauté des personnes dans l'atteinte des objectifs stratégiques.

Communiquer

Un des problèmes classiques et fréquemment diagnostiqués dans les organisations concerne la communication interne. Ce problème s'amplifie souvent en contexte d'une transformation organisationnelle qui insécurise et déstabilise une grande partie des personnes. Les dirigeants ne peuvent donc pas faire l'économie d'un plan efficace de communication qui prévoit les moyens nécessaires à la diffusion bidirectionnelle et circulaire de l'information relative au déroulement et aux résultats intérimaires d'une transformation organisationnelle. À cet égard, deux leçons majeures s'imposent. Une première concerne le mode de communication privilégié par la majorité des employés rencontrés dans le cadre de certaines transformations organisationnelles : malgré la présence de divers modes de communication écrite et électronique, les employés veulent rencontrer les dirigeants face à face afin d'obtenir des informations relatives à l'évolution de la transformation et de poser directement des questions. Cette observation converge avec le commentaire de Collerette (1998) selon lequel la stricte transmission d'information, de même que les diverses techniques qui y sont associées, jouent un rôle relativement secondaire.

En contrepartie, les conduites des gestionnaires jouent un rôle central car elles ont une valeur communicative importante (Mucchielli, 1995). La deuxième leçon tirée concerne donc la nécessaire cohérence entre le discours des dirigeants et leurs actions de gestion. Inutile d'insister sur le fait que les incohérences sont rapidement relevées et ne manquent pas d'affecter sérieusement la crédibilité des dirigeants et, par voie de conséquence, la transformation organisationnelle qu'ils mènent et veulent justifier. De telles considérations sont probablement à la base d'initiatives telles que les «Dialogues en direct» chez Bell Canada, qui se veulent un nouvel instrument dynamique de communication entre la direction et les employés. Cette formule, fort appréciée des employés, amène des membres de la direction à sillonner le Québec et l'Ontario pour rencontrer les employés, leur présenter les grandes orientations de l'entreprise et répondre à toutes leurs questions concernant les sujets de l'heure (Martin, 1999).

En contexte de transformation organisationnelle, la communication interne vise habituellement deux fins. D'abord, l'organisation devrait diffuser régulièrement les informations relatives à l'évolution de la transformation organisationnelle dans les différentes unités de l'organisation, ces dernières étant à leur tour en mesure de réinjecter des informations dans le système de communication interne. L'autre finalité, malheureusement négligée dans plusieurs transformations organisationnelles, concerne la célébration des succès. Il s'agit ici pour l'organisation de s'arrêter pour constater formellement les progrès accomplis et pour féliciter collectivement ses membres.

En définitive, il ressort des écrits et des observations de terrain que le défi de communication qui est posé aux cadres en contexte de gestion d'une transformation organisationnelle n'est pas tellement d'ordre technique mais fait plutôt appel à des compétences de communication sociale. De façon opérationnelle, dans une perspective de maintien du degré d'engagement organisationnel des acteurs vivant une transformation, nos analyses de terrain amènent à endosser les principales recommandations de quelques auteurs s'étant intéressés à la communication efficace en contexte de changement[6] :

– avoir des échanges aussi directs et aussi fréquents que possible, ce qui implique d'être présents et visibles dans l'organisation (d'où l'expression *overcommunicate*);

– dire la vérité, même lorsqu'elle est difficile, par respect pour les acteurs et pour enrayer l'effet dévastateur des rumeurs organisationnelles;

– fournir aux destinataires du changement des occasions d'échanger entre eux et avec vous au sujet de la transformation organisationnelle;

– faciliter aux destinataires l'accès à l'information stratégique sur les pressions exercées sur l'organisation;

193

– être cohérents et conséquents de telle sorte que vos comportements de gestion soient conformes aux valeurs inhérentes à la transformation organisationnelle dont vous faites la promotion, les destinataires accordant davantage d'importance à ces comportements qu'à nos paroles.

«Monitorer»

Une autre préoccupation susceptible d'influencer favorablement l'engagement des personnes œuvrant en contexte de transformation organisationnelle concerne l'accès à des indicateurs de mesure permettant d'apprécier l'évolution de la transformation ainsi que certains de ses effets tangibles. Dans le cadre de ce processus de monitorage, plusieurs indicateurs peuvent évidemment être retenus selon les caractéristiques de l'organisation et de ses environnements. Mais pour apprécier le déroulement et les effets d'une transformation organisationnelle, il nous semble opportun d'inclure ici quelques questions qui pourraient être considérées :

– Quelle est la qualité de nos programmes de formation continue?

– Délègue-t-on effectivement davantage de responsabilités aux employés de la base?

– Quelle est la qualité de nos programmes de support psychologique et professionnel?

– Quelle est la qualité de nos stratégies de communication interne?

– Quelle est la qualité de nos programmes de reconnaissance financière et non financière?

– Comment évoluent nos indices d'engagement organisationnel chez les membres de l'organisation?

– Comment évoluent nos taux d'absentéisme de courte et de longue durée?

– Comment évoluent nos indices relatifs à la qualité et au volume de nos extrants?

– Comment évoluent nos indices de satisfaction des clients?

– Comment évoluent nos indices de rendement financier?

– Notre position concurrentielle s'améliore-t-elle?

– Notre flexibilité organisationnelle s'améliore-t-elle dans une perspective d'adaptation continue aux fluctuations de notre environnement externe?

De tels indicateurs, élaborés par l'équipe de direction et par le comité de pilotage, doivent être clairement définis, expliqués et intégrés dans le plan de communication évoqué antérieurement. Un des dénominateurs communs des transformations organisationnelles favorisant l'engagement des acteurs semble effectivement tenir à l'existence de tels indicateurs, à des modalités de contrôle précisément définies et à des résultats connus de tous en permanence (Bevand, 1998). Un tel processus de suivi repose inévitablement sur un système d'information transparent et performant qui permet à l'ensemble des acteurs de pouvoir suivre l'évolution de la transformation organisationnelle, de s'évaluer et, le cas échéant, d'apporter certains correctifs (Beauchamp, 1998).

195

Reconnaître

Les cadres et les consultants d'expérience savent bien que la reconnaissance des personnes, comme la communication interne, constitue un problème récurrent qui traverse les âges et qui se retrouve immanquablement dans l'ensemble des diagnostics organisationnels! Il n'en va malheureusement pas autrement pour plusieurs organisations s'étant engagées dans des transformations. En effet, le diagnostic de plusieurs cas de transformation en cours révèle que les organisations négligent assez souvent certaines formes de reconnaissance qui pourraient contribuer à satisfaire les importants besoins de reconnaissance et d'estime de soi des acteurs organisationnels[7]. De façon concrète, nous avons été surpris de constater la nature parfois assez élémentaire des revendications des employés à ce chapitre. Certains souhaiteraient par exemple de simples mots d'encouragement au quotidien, une petite reconnaissance occasionnelle d'efforts particuliers, quand ce n'est pas simplement un bonjour en début de quart de travail… Ces observations convergent avec celles de Wils *et al.* (1998), où ces besoins de reconnaissance concernaient l'expertise des répondants, leur apport à l'organisation ou simplement la reconnaissance des supérieurs. Dans d'autres contextes, cette reconnaissance non monétaire peut passer par diverses formes institutionnalisées de célébration des contributions individuelles ou d'équipes de travail. Parfois, ce besoin de reconnaissance peut même amener les acteurs organisationnels à souhaiter l'implantation ou la réactivation d'un système d'appréciation du rendement qui contribuerait au rétablissement d'une meilleure communication avec les supérieurs immédiats.

Évidemment, plusieurs auteurs soulignent la pertinence de reconnaître financièrement les efforts d'adaptation et de contribution des acteurs dans le cadre des transformations organisationnelles[8]. Dans cette perspective, une organisation transformée aurait probablement avantage, lorsque c'est financièrement et organisationnellement possible, à adopter une forme quelconque de participation aux destinées financières de l'organisation. Mais l'expérience incite à suggérer l'adaptation des systèmes de participation financière aux besoins des organisations et à leurs caractéristiques particulières. Si l'on se fie à certains experts et à certaines expériences fructueuses, il ressort que les régimes de participation aux bénéfices non sélectifs (ensemble des employés et des cadres) constituent une saine pratique de gestion pour amener les employés à s'identifier davantage à leur organisation et à s'intéresser davantage à son succès financier (St-Onge, 1994). Dans un contexte de transformation organisationnelle où les postes sont souvent en interdépendance et exigent coopération et travail en équipe, il semble préférable que les organisations adoptent des régimes reconnaissant des réalisations collectives, plutôt que de se limiter strictement à des systèmes de reconnaissance individuelle (Gomez-Mejia, Balkin, 1992).

Évidemment, à la suite de Cornet (1998), il faut reconnaître la difficulté et parfois l'impossibilité d'avoir recours à de tels systèmes dans certains contextes organisationnels. On pense par exemple à certaines organisations dont les conventions collectives, les modes de financement ou la culture organisationnelle laissent peu de marge de manœuvre pour la gestion d'une partie variable du salaire. Dans de tels contextes, nos observations confirment l'importance accrue des modes de reconnaissance non monétaire visant la mobilisation des personnes face aux nouveaux objectifs stratégiques de l'organisation transformée.

Pérenniser

Une des avenues de gestion majeures permettant d'assurer la pérennité d'une transformation organisationnelle a trait à l'adaptation de certaines pratiques de gestion des ressources humaines aux nouvelles valeurs et aux nouveaux modes de fonctionnement privilégiés. L'observation empirique de même que certains travaux montrent qu'un des facteurs de succès d'un changement organisationnel majeur réside dans l'adaptation concomitante des politiques de gestion des ressources humaines[9]. À cet égard, les propositions adaptées de Cornet (1998) nous semblent particulièrement appropriées et méritent d'être résumées, par souci de concision, dans le tableau 1. Ce tableau fait ressortir le nombre considérable de politiques en gestion des ressources humaines susceptibles d'être modifiées dans le cadre d'une transformation organisationnelle. Cette prise de conscience devrait également contribuer à justifier l'intégration des professionnels ou des directeurs de ressources humaines dans les comités de pilotage des transformations organisationnelles afin d'en faire des partenaires clés, ce qui ne survient malheureusement pas toujours dans les cas analysés. En revanche, une telle inclusion imposera à ces directeurs de mieux connaître l'organisation et les autres fonctions et d'accroître leur capacité à gérer le changement (Guérin, Wils, 1997).

Mais au-delà des formes que peuvent prendre les transformations organisationnelles, on peut d'ores et déjà dégager certains dénominateurs communs qui semblent caractériser les actions de plusieurs organisations contemporaines devant s'adapter à des environnements de plus en plus turbulents. Plusieurs de ces principes communs sont englobés sous le concept de nouveau contrat psychologique[10].

197

Ce nouveau contrat psychologique pourrait nécessiter des transitions et des échanges entre les employés et l'organisation transformée. Ainsi, on pourrait échanger la sécurité d'emploi pour de la formation continue visant le développement d'habiletés transférables et permettant donc l'amélioration de l'employabilité. D'autres organisations pourraient axer leurs stratégies de gestion vers des emplois comportant davantage de défis professionnels; de la reconnaissance couronnant l'abnégation et l'obéissance vers la reconnaissance de la mise à contribution des compétences; des décisions prises en fonction de l'ancienneté vers des décisions prises en fonction de la performance; d'une gestion centralisatrice vers une gestion participative et responsabilisante.

CONCLUSION

Considérant le caractère polymorphe des transformations organisationnelles, on ne se surprendra pas outre mesure de constater que plusieurs des principes et des actions de gestion recommandables s'apparentent partiellement à ceux retrouvés dans la documentation consacrée à la qualité totale, à la réingénierie des processus, aux changements technologiques, aux restructurations, aux rationalisations et aux réorganisations du travail. Dans la foulée de certains des auteurs ayant étudié ces questions, nos observations confirment une autre tendance lourde : la grande majorité des actions de gestion facilitant une transformation organisationnelle sont sous le contrôle direct des dirigeants (Fabi, Jacob, 1994; Nelson, Burke, 1998). Le succès d'une transformation organisationnelle ne tient pas tellement aux techniques, aux outils ou aux recettes de changement. Il dépend surtout de l'intelligence, de la créativité et de l'engagement des ressources humaines d'une organisation,

TABLEAU 1

Changements prescrits au niveau de la gestion des ressources humaines dans un projet de transformation organisationnelle

Recrutement

- Révision des critères d'embauche justifiée par le fait que les emplois seront plus difficiles et plus stressants : aptitude à travailler en équipe, autonomie dans la prise de décision, audace, capacité à gérer son équipe, capacité à gérer son stress, compétences en gestion des systèmes d'information

Gestion des départs

- Licenciements probables, réduction des niveaux hiérarchiques, réduction de postes spécialistes (services fonctionnels et administratifs), délocalisation et sous-traitance

Définition des fonctions et des postes de travail

- Redéfinition des emplois autour des processus (et non plus des tâches)
- Regroupement de postes
- Remise en cause des affectations à un service (individu potentiellement transférable sur tout processus nécessitant sa compétence)
- Nouveaux rôles et nouvelles responsabilités (*empowerment*, délégation, polyvalence)

Évaluation

- Lien direct entre évaluation et chiffre d'affaires, productivité, satisfaction du client
- Responsabilité collective (résultats de l'équipe)
- Évaluation entre pairs
- Évaluation des supérieurs par les membres de leur équipe
- Évaluation du travail de l'équipe en fonction de la satisfaction des clients et des fournisseurs
- Renforcement positif (acceptation des erreurs)

Rémunération

- Ancienneté et rang hiérarchique ne sont plus les seuls critères déterminants du salaire
- Salaires de base stables, hormis la correction de l'inflation
- Performances exceptionnelles rémunérées sous forme de primes plutôt que d'augmentation de salaire
- Rémunération liée également à la contribution au résultat
- Rémunération augmentée en fonction de l'amélioration des résultats organisationnels
- Diversification de la rémunération : salaire, bonus, primes, rémunération symbolique

TABLEAU 1 *(suite)*

Changements prescrits au niveau de la gestion des ressources humaines dans un projet de transformation organisationnelle

Promotion
- Distinction entre évaluation du potentiel et évaluation du rendement
- Avancement lié à l'aptitude à occuper un autre poste et non à l'excellence dans le poste actuel

Formation
- Axée vers la perspicacité et la capacité à discerner soi-même ce qu'il faut faire
- Apprentissage continu visant le développement d'habiletés transférables
- Centrée sur le travail en équipe, les relations humaines et la résolution de problèmes
- Programme de formation visant la démonstration de l'utilité du changement et de la forme proposée

Leadership et participation
- Niveaux hiérarchiques réduits
- Transformation radicale du rôle des cadres, axé moins sur le contrôle et davantage sur le soutien et l'animation

Communication
- Centrée sur le **pourquoi** et sur les objectifs à atteindre : le **comment** relève maintenant davantage de la responsabilité des individus
- Importance de convaincre des nouveaux enjeux et de la nécessité de la transformation organisationnelle
- Communication circulaire et transparente

Temps de travail
- Moins de contrôle
- Salaire indépendant du temps de travail

Relations industrielles
- Lien employeur-employé plus fort
- Élaboration conjointe de nouveaux modes d'organisation du travail (télétravail, externalisation volontaire, etc.)
- Mise en place de partenariats avec les associations de travailleurs

(adapté de Cornet, 1998)

199

particulièrement des qualités personnelles et du leadership de ses dirigeants. Nous n'avons en effet relevé aucun cas réussi de transformation dans une organisation ne pouvant pas compter sur une équipe de cadres supérieurs compétents, dynamiques, accessibles, capables d'élaborer, de communiquer et d'opérationaliser une vision mobilisante des projets d'avenir. En somme, d'une équipe de dirigeants sensibles à la dimension humaine du changement organisationnel, cette sensibilité constituant un déterminant majeur des capacités d'application de plusieurs actions de gestion abordées dans le présent article.

Il s'agit bien sûr d'une condition nécessaire mais non suffisante, puisque l'on relève effectivement certains cas d'échec relatif explicables par des contraintes d'ordre politique ou financier hors du contrôle des dirigeants concernés. Et contrairement à certains préjugés tenaces, peu de cas d'échec analysés semblent principalement attribuables aux soi-disant résistances au changement des employés. En effet, de telles résistances découlent en fait fréquemment de carences inhérentes à la mise en œuvre et à la pérennisation des transformations organisationnelles (Cornet, 1998; Jacob, 1998).

Une autre constatation globale et encourageante réside dans le fait que certaines transformations organisationnelles semblent avoir produit des effets attendus par leurs initiateurs. C'est ainsi, par exemple, que certaines équipes de travail sont effectivement devenues des lieux où se vivent opérationnellement les grandes orientations stratégiques de l'organisation. Certaines transformations ont également favorisé une meilleure flexibilité organisationnelle face aux évolutions imprévisibles de variables de l'environnement telles que le niveau aléatoire de la demande, l'évolution des comportements socio-économiques et concurrentiels, les modifications des législations, de même que l'accélération des technologies et de l'information. En plus de parfois permettre des améliorations structurelles et financières indéniables, certaines transformations organisationnelles se sont aussi avérées des leviers importants de cohésion sociale dans l'organisation. En positionnant et en valorisant chaque membre de l'organisation, une transformation peut constituer l'occasion de lui attribuer une identité, de lui permettre une véritable appropriation des valeurs et des objectifs stratégiques, de réguler et de favoriser l'engagement organisationnel des individus.

Cependant, en gardant à l'esprit le caractère polymorphe des transformations organisationnelles, on ne sera pas surpris du taux d'échecs au moins partiels observé dans plusieurs des transformations analysées sur le terrain et dans la documentation spécialisée. À cet égard, le schéma intégrateur rappelle que le succès d'une transformation organisationnelle peut s'apprécier à partir de diverses perspectives d'ordre rationnel, systémique, politique et humain. À ce dernier chapitre, l'engagement organisationnel constitue à nos yeux un indicateur fondamental puisqu'une transformation qui affecte trop négativement l'engagement des acteurs risque de compromettre l'atteinte de plusieurs autres indicateurs d'ordre financier et organisationnel. C'est malheureusement la constatation qui s'impose dans certains cas de transformations organisationnelles, quelques-uns faisant d'ailleurs l'objet d'attention médiatique en contexte québécois. Or, en plus d'une baisse sensible du degré d'engagement organisationnel, certaines transformations engendrent des coûts humains importants qui peuvent inclure un alourdissement des tâches, la difficulté de concilier travail et famille, un accroissement du taux d'absentéisme et d'épuisement professionnel, une perte de confiance, le départ de certaines personnes compétentes, une saturation face aux changements successifs, ainsi que des deuils psychologiques qui guérissent mal. Les coûts humains les plus importants sont d'ailleurs presque invariablement associés à des transformations organisationnelles impliquant des pertes d'emplois et des rationalisations d'effectifs. Une telle situation semble confirmer une certaine incompatibilité des rationalisations avec des valeurs privilégiées dans le cadre de plusieurs autres types de transformations organisationnelles, à savoir, la sécurisation, l'implication active et l'engagement des acteurs à l'égard des nouveaux objectifs stratégiques de l'organisation.

Notes

1. Voir Jacob, 1995; Julien 1995.
2. Voir Cropanzano, James, Konovsky, 1993; Meyer, 1997; Saks, 1995.
3. Voir Cummings, Huse, 1993; Romanelli, Tushman, 1994; Poole, 1998; Hafsi, Fabi, 1997.
4. Voir Fabi, Lescarbeau, 1998; Roy *et al.*, 1998; Wils *et al.*, 1998.
5. Voir Gosselin, 1994; Kozlowski *et al.*, 1993; Noer, 1998.
6. Voir Collerette, 1998; Nelson, Burke, 1998; Mishra, Spreitzer, Mishra, 1997.
7. Voir Nelson, Burke, 1998.
8. Voir Cook, 1994; Fabi, Jacob, 1994; Lawler, 1993; Tremblay *et al.*, 1996.
9. Voir Hafsi, Fabi, 1997; Midler, 1993.
10. Voir Feldman, 1996; Laabs, 1996; Nelson, Burke, 1998; Wils *et al.*, 1998.

Références

Audet, M. *et al.*, «Renouvellement des services publics, autoroute de l'information et NTIC : vers un modèle stratégique de transformation des organisations et d'aide à la décision», *Rapport de recherche commanditée*, CEFRIO, 1996.

Axsmith, M., *Dismissal Practices Survey*, Murray Axsmith, 1996.

Bareil, C., *Dynamique des phases de préoccupations et prédiction de l'adoption d'une innovation : une étude diachronique*, thèse de doctorat, Université de Montréal, 1997.

Beauchamp, S., «Analyse longitudinale d'une intégration organisationnelle et d'une réorganisation du travail», dans Fabi, B., Lescarbeau, R. (sous la dir. de), *Réorganisation du travail*, Presses Inter Universitaires, Éditions 2 continents, Lena Éditions et Diffusion, 1998.

Bedeian, A.G., Armenakis, A.A., «The cesspool syndrome: How dreck floats to the top of declining organizations», *Academy of Management Executive*, n° 12, 1998, p. 58-67.

Bernier, C., Larivière, C., «Savoir et savoir-faire négligés : quand l'impact du changement confirme le paradoxe», dans Rondeau, A. (sous la dir. de), *Changement organisationnel*, Presses Inter Universitaires, Éditions 2 continents, Lena Éditions et Diffusion, 1998.

Bevand, R., «Le cas des équipes opérationnelles de base à EDF ou le paradoxe de l'autonomie décrétée», dans Fabi, B., Lescarbeau, R. (sous la dir. de), *Réorganisation du travail*, Presses Inter Universitaires, Éditions 2 continents, Lena Éditions et Diffusion, 1998.

Bouillé, D., Meunier, L., «Intégrer la transformation organisationnelle et la réorganisation... un paradoxe?», dans Fabi, B., Lescarbeau, R. (sous la dir. de), *Réorganisation du travail*, Presses Inter Universitaires, Éditions 2 continents, Lena Éditions et Diffusion, 1998.

Burke, R.J., Nelson, D.L., «Downsizing and restructuring: Lessons from the firing line for revitalizing organizations», *Leadership and Organization Development Journal*, n° 18, 1997, p. 325-334.

Burke, W.W., «The new agenda for organization development», *Organizational Dynamics*, n° 26, 1997, p. 6-20.

Cameron, K., «Strategic organizational downsizing: An extreme case», *Research in Organizational Behavior*, n° 20, 1998, p. 185-228.

Cascio, W.G., «Learning from outcomes: Financial experiences of 311 firms that have downsized», dans Gowing, M.K., Kraft, J.D., Quick, J.C. (sous la dir. de), *The New Organizational Reality: Downsizing, Restructuring, and Revitalization*, American Psychological Association, 1998, p. 55-70.

Collerette, P., «Gestion du changement : communication et paradoxes», dans Rondeau, A. (sous la dir. de), *Changement organisationnel*, Presses Inter Universitaires, Éditions 2 continents, Lena Éditions et Diffusion, 1998.

Cook, W., «Employee-participation programs, group-based incentives, and company performance: A union-non-union comparison», *Industrial and Labor Relations Review*, vol. 47, n° 4, 1994, p. 594-609.

Cornet, A., «Impact d'un processus de reengineering sur les politiques de gestion des ressources humaines et rôle des ressources humaines», dans Fabi, B., Lescarbeau, R. (sous la dir. de), *Réorganisation du travail*, Presses Inter Universitaires, Éditions 2 continents, Lena Éditions et Diffusion, 1998.

Cropanzano, R., James, K., Konovsky, M.A., «Dispositional affectivity as a predictor of work attitude and job performance», *Journal of Organizational Behavior*, n° 14, 1993, p. 595-606.

Cummings, T.G., Huse, E.F., *Organization Development and Change*, West Publishing Company, 1993.

Déry, P., «Réorganisation du travail dans une entreprise du secteur financier : description, bilan et apprentissage», dans Fabi, B., Lescarbeau, R. (sous la dir. de), *Réorganisation du travail*, Presses Inter Universitaires, Éditions 2 continents, Lena Éditions et Diffusion, 1998.

Fabi, B., «Success factors in quality circles: A review of empirical evidence», *International Journal of Quality and Reliability Management*, vol. 9, n° 2, 1992, p. 81-88.

Fabi, B., Jacob, R., «Se réorganiser pour mieux performer», *Gestion*, vol. 19, n° 3, 1994, p. 48-59.

Fabi, B., Lescarbeau, R. (sous la dir. de), *Réorganisation du travail*, Presses Inter Universitaires, Éditions 2 continents, Lena Éditions et Diffusion, 1998.

Fabi, B., Lescarbeau, R., Blondel, C., «La réorganisation du travail : bilan et perspectives», *Psychologie du travail et des organisations*, à paraître.

Feldman, D.C., «Managing careers in downsizing firms», *Human Resource Management*, n° 35, 1996, p. 145-161.

Gill, C., «Résultats d'une enquête récente sur la participation des travailleurs par rapport aux nouvelles technologies dans les douze États membres de la Communauté européenne», *Technologie de l'Information et Société*, vol. 3, n° 2-3, 1991, p. 33-65.

Gomez-Mejia, L.R., Balkin, D.B., «Compensation, organization strategy and firm performance», dans Ferris, G.R., Rowland, K.M. (sous la dir. de), *Human Resources Management I, South-Western Series*, 1992.

Gosselin, A., «La face cachée des rationalisations d'effectifs», *Info Ressources Humaines*, vol. 17, n° 6, 1994, p. 7-8.

Guérin, G., Wils, T., «Repenser les rôles des professionnels en ressources humaines, *Gestion*, vol. 22, n° 2, 1997, p. 43-51.

Hafsi, T., Fabi, B., *Les fondements du changement stratégique*, Éditions Transcontinental, 1997.

Henkoff, R., «Getting beyond downsizing», *Fortune*, janvier 1994, p. 58-64.

Hoskisson, R.R., Hitt, M.A., *Downscoping: How to Tame the Diversified Firm*, Oxford University Press, 1994.

Jacob, R., «L'autoroute de l'information, la transformation des organisations et la personne au travail : la nécessaire réconciliation des paradigmes technocentrique et anthropocentrique», dans Rondeau, A. (sous la dir. de), *Changement organisationnel*, Presses Inter Universitaires, Éditions 2 continents, Lena Éditions et Diffusion, 1998.

Jacob, R., «Le changement technologique : les paradigmes technocentrique et anthropocentrique» dans Jacob, R., Ducharme, J. (sous la dir. de), *Changement technologique et gestion des ressources humaines*, Gaëtan Morin, 1995, p. 103-124.

Jacob, R., Ducharme, J. (sous la dir. de), *Changement technologique et gestion des ressources humaines*, Gaëtan Morin, 1995.

Julien, P.A., «La diffusion et la gestion des nouvelles technologies : état de la situation et défis», dans Jacob, R., Ducharme, J. (sous la dir. de), *Changement technologique et gestion des ressources humaines*, Gaëtan Morin, 1995, p. 13-36.

Knowdell, R.L., Branstead, E., Moravec, M., *From Downsizing to Recovery: Strategic Transition Options for Organizations and Individuals*, CPP Books, 1994.

Kozlowski, S.W. *et al.*, «Organizational downsizing: Strategies, interventions and research implications», dans Cooper, C.L., Robertson, I.T. (sous la dir. de), *International Review of Industrial and Organizational Psychology*, vol. 8, Wiley & Sons, 1993, p. 263-332.

Martin, L., «Les rencontres "Dialogue en direct" : la formule est appréciée», *Le Journal Bell*, vol. 45, n° 4, 1999, p. 4-5.

Meyer, J.P., «Organizational commitment», dans Cooper, C.L., Robertson, I. (sous la dir. de), *International Review of Industrial and Organizational Psychology*, Wiley & Sons, 1997, p. 175-228.

Midler, C., *L'auto qui n'existait pas. Management des projets et transformation de l'entreprise*, Interédition, 1993.

Mishra, K.E., Spreitzer, G.M., Mishra, A.K., «Preservating employee morale during downsizing», *Sloan Management Review*, n° 39, 1997, p. 83-95.

Morin, E.M., Savoie, A., Beaudin, G., *L'efficacité de l'organisation*, Gaëtan Morin, 1994.

Mucchielli, A., *Les sciences de l'information et de la communication*, Hachette, 1995.

Nelson, D.L., Burke, R.J., «Lessons learned», *Canadian Journal of Administrative Sciences*, vol. 15, n° 4, 1998, p. 372-381.

Noer, D.A., «Layoff survivor sickness: What it is and what to do», dans Gowing, M.K., Kraft, J.D., Quick, J.C. (sous la dir. de), *The New Organizational Reality: Downsizing, Restructuring, and Revitalization*, American Psychological Association, 1998, p. 212-238.

Pichault, F., *Ressources humaines et changement stratégique. Vers un management politique*, De Bœck, 1993.

Poole, P., «Words and deeds of organizational change», *Journal of Managerial Issues*, vol. 10, n° 1, 1998, p. 45-59.

Porter, L. *et al.*, «Organizational commitment, job satisfaction, and turnover among psychiatric technicians», *Journal of Applied Psychology*, n° 59, 1974, p. 603-609.

Romanelli, E., Tushman, M.L., «Organizational transformation as punctuated equilibrum: An empirical test», *Academy of Management Journal*, vol. 37, n° 5, 1994, p. 1141-1166.

Rondeau, A., Chouakri, F., «La mobilisation et la technologie : l'impact de l'implication des acteurs dans le développement d'un système d'information», dans Jacob, R., Ducharme, J. (sous la dir. de), *Changement technologique et gestion des ressources humaines*, Gaëtan Morin, 1995, p. 219-244.

Rondeau, K.V., Wagar, T.H., «Predicting the survival of total quality management programs: Results from Atlantic Canadian organizations», *ASAC Proceedings*, vol. 19, n° 9, 1998, p. 53-62.

Roy, M. *et al.*, *Équipes semi-autonomes de travail : Recension d'écrits et inventaire d'expériences québécoises*, Rapport de l'Institut de recherche en santé et sécurité au travail du Québec, 1998.

Saks, A.M., «Longitudinal field in estimation on the moderating and mediating effects of self-eddicacy on the relationship between training and newcomer adjustment», *Journal of Applied Psychology*, n° 80, 1995, p. 211-225.

Shapiro, E., *Surf Managérial*, First, 1996.

St-Onge, S., «L'efficacité des régimes de participation aux bénéfices : une question de foi, de volonté et de moyens», *Gestion*, vol. 19, n° 1, 1994, p. 22-32.

Strebel, P., «Why do employees resist change», *Harvard Business Review*, vol. 74, n° 3, 1996, p. 86-92.

Tremblay, M. *et al.*, *L'influence des pratiques innovatrices en milieu de travail sur la mobilisation des cols bleus*, Cahier de recherche 96-30, École des Hautes Études Commerciales de Montréal, 1996.

Vahtera, J., Kivimaki, M., Pentti, J., «Effect of organizational downsizing on health of employees», *The Lancet*, n° 350, 1997, p. 1124-1128.

Wils, T. *et al.*, «Qu'est-ce que la "mobilisation" des employés? Le point de vue des professionnels en ressources humaines», *Gestion*, vol. 23, n° 2, 1998, p. 30-39.

LES EFFETS DE LA TRANSFORMATION – QU'EST-CE QUE CELA DONNE ?

Les représentations de l'efficacité organisationnelle : développements récents*

André Savoie et Estelle Morin

Tout intervenant organisationnel qui débute dans le métier connaît sa part de succès, de difficultés et d'échecs. Une analyse réflexive de ses interventions révèle généralement le pattern suivant : il y a beaucoup plus de diagnostics incorrects dans les interventions qui ont échoué ou à demi réussi que dans celles qui ont réussi. Très souvent, ces failles diagnostiques proviennent d'une vision parcellaire de ce qu'est l'efficacité d'une organisation, de sorte qu'on ne prend en considération que certains éléments de l'efficacité. Ou encore elles trouvent leur origine dans un processus erratique du traitement de l'information où le diagnosticien saute immédiatement aux conclusions ou erre entre les causes, les effets et les solutions sans pouvoir être vraiment sûr de qu'est-ce qui est quoi.

Cette succession de déconvenues amène les hypothèses selon lesquelles nous ne disposons pas d'un processus cohérent et rigoureux du traitement de l'information organisationnelle et nous avons une vision étriquée et partielle de l'efficacité organisationnelle. D'où la double solution suivante qui s'impose : d'une part, élaborer un processus diagnostique structuré applicable à l'analyse de niveau organisationnel et, d'autre part, élaborer un modèle intégré de l'efficacité organisationnelle.

C'est la démarche dans laquelle nous nous sommes engagés il y a maintenant 15 ans. Nos débuts ont été facilités par différents ouvrages,

André Savoie est professeur et directeur du Groupe de recherche et d'intervention auprès des organisations (GRIO) au département de psychologie de l'Université de Montréal.
Estelle Morin est professeure à HEC Montréal.

* Une version abrégée de cet article a été publiée dans la revue *Psychologica*, Facultade de Psicologia e de Ciencias da Educação, Universidade de Coimbra, Portugal, n° 27, 2001, p. 7-29, et dans *Gestion*, printemps 2001, p. 10-11.

notamment le volume pionnier de Harrison (1994) et celui de Cameron et Whetten (1983).

LE PROCESSUS DIASGNOSTIQUE

Le diagnostic est exclusivement un processus de traitement (découverte, classification, transformation) de l'information, que cette information soit écrite, verbale, comportementale ou logée dans les artefacts organisationnels. La puissance du diagnostic dépend avant tout de la capacité du diagnosticien à localiser le niveau d'information recueillie (individuel, groupal ou organisationnel), à classifier l'information comme étant une cause, un problème, une conséquence ou une solution et, finalement, à effectuer sur l'information les opérations cognitives appartenant aux deux phases du diagnostic, à savoir la formulation du problème et la résolution.

207

Le processus diagnostique requiert que la phase de la formulation du problème soit complétée avant qu'on ne s'engage dans celle de la résolution bien que la collecte et la classification des informations alimentant ces deux phases s'effectuent en parallèle. Le défi inéluctable pour tout diagnosticien de l'organisation, c'est d'être en mesure de préciser le problème organisationnel quelle que soit sa teneur et, par la suite, de déterminer les causes et les solutions opérantes. Le modèle général de diagnostic structure le processus cognitif du traitement de l'information conduisant à l'exécution correcte de ces deux phases (voir le schéma 1).

La phase de la formulation du problème

La représentation qu'on se fait de l'efficacité organisationnelle circonscrit les aspects de la réalité organisationnelle qui retiennent notre attention et qu'on confrontera avec nos normes ou nos attentes. Ainsi, si la rentabilité constitue un aspect important de l'efficacité organisationnelle, on sera particulièrement attentif aux données relatives à la rentabilité que l'on comparera avec nos attentes à l'endroit de cette rentabilité. Et si l'on découvre un écart négatif entre la rentabilité souhaitée et la rentabilité obtenue, on conclura qu'il existe un problème. Et la taille de l'écart déterminera l'ampleur du problème.

Cette première phase du diagnostic s'inscrit dans la grande famille des processus de résolution de problèmes, lesquels stipulent qu'un problème n'existe que s'il y a un écart entre la réalité et les attentes, autrement dit

SCHÉMA 1

Modèle général de diagnostic

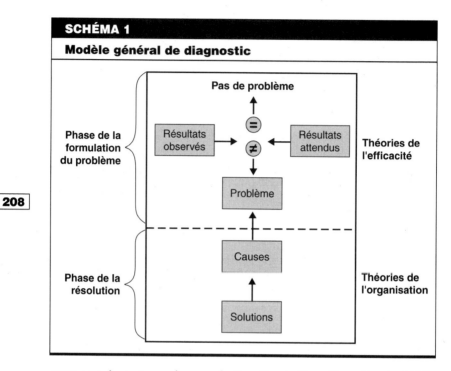

entre ce qui est et ce qu'on voudrait qu'il soit (Beaudin et Savoie, 1995). Les deux défis suivants caractérisent cette phase.

Différencier les niveaux organisationnel, groupal et individuel d'analyse. N'est considéré comme organisationnel que ce qui peut décrire toute l'organisation sur au moins un aspect, par exemple la performance du personnel, la réputation de l'entreprise ou encore sa productivité. Le qualificatif «organisationnel» ne s'applique qu'à une caractéristique qui peut rendre compte de la totalité de l'organisation sur cette caractéristique. À cet effet, la plupart des aspects de caractère organisationnel sont répertoriés dans les théories de l'efficacité organisationnelle (Morin *et al.*, 1994). De même, ce qui est groupal ne peut décrire qu'un ou plusieurs aspects d'une entité restreinte qu'on appelle «groupe» ou «équipe», tel le moral ou le rendement de l'équipe. Enfin, n'est considéré comme individuel que ce qui peut rendre compte d'un ou plusieurs aspects d'un travailleur donné, tel la performance de X au travail ou son absentéisme.

Bien sûr, nombre de données individuelles peuvent être agrégées à un niveau groupal tout comme des données groupales peuvent être intégrées à un niveau organisationnel pour autant que leur agrégation à un niveau plus englobant permette effectivement de rendre compte de la totalité du phénomène à ce nouveau niveau. Ainsi, l'engagement envers l'organisation peut demeurer une mesure à caractère individuel, tout comme il peut être agrégé au niveau groupal pour décrire jusqu'à quel point une équipe donnée est engagée envers l'organisation, tout comme l'agrégation à un niveau organisationnel indique dans quelle mesure l'organisation est l'objet d'un engagement de la part de son personnel.

Différencier les résultats, les causes et les conséquences. Dans la phase de la formulation du problème, la confrontation de la réalité avec les attentes porte essentiellement sur les résultats et les produits, et non pas sur les processus, les actions ou les ressources de l'organisation. Cette distinction est majeure, car la définition du problème s'appuie sur les extrants et non pas sur ce qui concourt à engendrer ces extrants. Ainsi, le chiffre d'affaires et la part de marché d'une organisation constituent des extrants, mais non le leadership de ses dirigeants qui, par ailleurs, a pu conduire à ces extrants. La confusion entre le résultat et la cause est généralisée chez l'être humain. À titre d'exemple, les personnes qui ont eu l'occasion d'animer des sessions de perfectionnement auprès de jeunes conseillers en gestion et en administration ont pu observer l'étendue de ce phénomène.

209

Lors des études de cas où la directive ordonne de déterminer un problème organisationnel, les apprentis arrivent soit avec une solution qui aurait dû être appliquée (à peu près 15 % des mentions), soit avec une cause présumée (environ 70 % des mentions) – les solutions tout comme les causes sont vues comme étant le problème –, ou, enfin, avec un problème repéré (10 % des mentions).

Cette phase de la formulation du problème, qui ne présume rien quant aux causes qui ont occasionné l'écart ou aux solutions qui pourraient être apportées pour réduire cet écart, est la phase la plus souvent escamotée dans l'ensemble du processus diagnostique. La raison en est simple : cette phase semble de prime abord ne rien apporter de concret ou d'utile, de sorte que les diagnosticiens vont céder aux pressions temporelles, aux pressions politiques ou à leurs intuitions pour se lancer immédiatement dans la recherche ou la proposition de solutions (dans ce cas souvent préparées à l'avance). Et pourtant, ne connaissant pas le problème, jamais ils ne sauront s'ils l'ont résolu. Ils ne pourront même pas évaluer le succès relatif de leur intervention, étant donné qu'ils ne disposent pas de critères de résultat pour l'apprécier.

La phase de la résolution

La résolution est la seconde phase du diagnostic, celle où le diagnosticien tente de trouver les causes du problème relevé au cours de la phase précédente et considère subséquemment un éventail de solutions pouvant transformer, neutraliser ou annihiler les causes opérantes du problème.

Un obstacle endémique à l'exécution correcte de cette phase est l'appartenance à une discipline ou la préférence pour l'une d'elles. Tout diagnosticien, du moins à ses débuts, a tendance à s'accrocher à des ensembles de causes et de solutions marquées d'un fort biais relié à la discipline : la structure pour les consultants formés en management, les communications pour les consultants formés en communications, les relations humaines pour les diplômés de psychologie, le pouvoir pour les sociologues de l'entreprise, la culture pour les anthropologues de l'organisation, et ainsi de suite.

Pour trouver ce lien d'inférence entre le problème, d'une part, et les causes et les solutions, d'autre part, il faut faire appel à un cadre théorique, celui des théories de l'organisation. Il existe huit grandes écoles de pensée dans les théories de l'organisation : l'école mécaniste, l'école psychosociale, l'école politique, l'école culturelle, l'école de la contingence, l'école des systèmes sociotechniques, l'école systémique et l'école de l'organisation apprenante. Chacune de ces écoles de pensée propose à la fois des causes ou des déterminants de l'efficacité organisationnelle et des moyens ou des solutions pour éradiquer les causes nocives et réinstaller l'efficacité, le tout à l'intérieur d'une théorie qui développe la dynamique cause-effet.

L'usage d'un modèle causal multithéorique combat cette tendance au raisonnement linéaire (par exemple problème économique, causes économiques, donc solutions économiques). De même, l'usage d'un modèle multithéorique de résolution de problèmes permet de contrer l'autre tendance à revenir aux solutions que l'on préfère ou à écarter systématiquement certains types de solution, et ce, quel que soit le problème. Ce modèle multithéorique de résolution sera traité à fond dans un prochain ouvrage de Savoie *et al.*

L'EFFICACITÉ ORGANISATIONNELLE

Le concept d'efficacité organisationnelle retient l'attention de chercheurs appartenant à des disciplines variées (Zellars et Fiorito, 1999; Voyer, 1994), même si plusieurs d'entre eux demeurent perplexes quant à sa pertinence (Hirsch et Levin, 1999). Le sujet est amplement étudié depuis plusieurs décennies, mais il a connu un véritable déblocage au début des années 1980.

Plusieurs mots clés sont utilisés presque comme synonymes d'efficacité organisationnelle, tels le rendement, la productivité, l'efficience, la santé, le succès, la réussite et l'excellence organisationnels (Morin, 1989). Depuis quelques années, le terme «performance organisationnelle» semble supplanter celui d'efficacité dans les revues spécialisées (Hirsch et Levin, 1999). Simultanément, le concept d'efficacité se retrouve de plus en plus fréquemment dans les tableaux de bord stratégiques en entreprise (Kaplan et Norton, 1992, 1993; Voyer, 1994).

Au-delà des différences de vocabulaire relativement à l'efficacité organisationnelle, il y a peu de consensus quant à la définition même du concept et à la façon de le mesurer (Morin *et al.*, 1994).

211

Récemment, Boulianne (1997) a recensé cinq modèles de mesure de la performance organisationnelle : la pyramide de la performance de Lynch et Cross (1991), la matrice des déterminants et des résultats de Fitzgerald *et al.* (1991), la carte de pointage équilibrée de Kaplan et Norton (1992), le modèle de Morin *et al.* (1994) et le modèle de la performance d'Atkinson *et al.* (1997).

Parmi ces modèles, seuls deux sont le produit de la recherche scientifique et ne créent pas de lien de cause à effet entre les différentes composantes proposées et la performance financière. Ce sont ceux de Morin *et al.* (1994) et d'Atkinson *et al.* (1997). Ce deuxième modèle, fort utilisé en comptabilité, ne tient toutefois pas compte de plusieurs aspects touchant la gestion des ressources humaines. Le modèle de Morin *et al.* (1994) apparaît comme étant celui qui reflète le mieux l'ensemble des dimensions de la performance organisationnelle.

De son côté, Ramalho (1998) a confronté systématiquement le seul autre modèle intégrateur relatif à l'organisation, celui de Quinn (1988) qui porte sur les valeurs organisationnelles antinomiques, avec celui de Morin *et al.* (1994). Il conclut, entre autres, que ce dernier est plus opérationnel car il est conçu pour l'intervention dans les organisations et il mesure de la façon la plus complète les dimensions de l'efficacité organisationnelle.

La définition de l'efficacité organisationnelle proposée par Morin (1989), et sur laquelle repose son modèle, est la suivante : «L'efficacité organisationnelle est un jugement que porte un individu ou un groupe sur l'organisation, et plus précisément sur les activités, les produits, les résultats ou les effets qu'il attend d'elle.»

L'efficacité organisationnelle n'existe pas en elle-même; elle est en fait un construit, résultant des représentations ou des prises de position à l'égard d'une organisation. Elle est un jugement que portent les personnes ou les groupes légitimés pour le faire (les constituants ou les parties prenantes) sur les activités, les produits et les résultats organisationnels (Morin *et al.*, 1994). Ce jugement, même s'il est porté sur des résultats organisationnels, reflète des préférences axiologiques et des intérêts politiques quant aux dimensions, aux critères et aux indicateurs de l'efficacité organisationnelle qui seront privilégiés. Toutefois, pour le diagnosticien, toutes les dimensions doivent être considérées si celui-ci veut avoir une perspective complète de l'efficacité de l'organisation à l'étude.

Le modèle qui est présenté dans cet article a été élaboré à partir d'une recension exhaustive de la documentation sur l'efficacité organisationnelle et les mots clés qui y sont fréquemment associés (par exemple «performance», «efficience», «qualité totale» ou «succès organisationnel»). Puis, une enquête approfondie, employant la méthode Delphi, a été menée auprès de 55 experts de l'organisation actifs dans l'Est du Canada, dans le but de déterminer les critères de mesure de l'efficacité organisationnelle. Cette enquête a permis de déterminer quatre dimensions concrètes de mesure de l'efficacité organisationnelle (Morin, 1989). Enfin, l'Ordre des comptables généraux licenciés du Québec (CGA) s'est appuyé sur les résultats de cette recherche pour mettre au point des indicateurs de performance, permettant de collecter des données tangibles pour chacune des dimensions de l'efficacité organisationnelle (Morin *et al.*, 1996). Parallèlement, des diagnostics organisationnels ont été posés selon ce modèle dans les secteurs de la santé, de l'éducation, de l'énergie et de la construction. Certaines de ces applications sont publiées, notamment celles de Brunet *et al.* (1991) qui relatent leur méthodologie et leurs résultats dans des écoles primaires et secondaires, alors que Savoie et Brunet (1994) font état de leurs trouvailles en milieu universitaire.

Dans le contexte de l'intervention dans le milieu organisationnel, le modèle multidimensionnel de l'efficacité organisationnelle présente de nombreux avantages :

– Il est valide (testé à maintes reprises) et développé selon des critères scientifiques stricts.

– Il a été développé avec les experts et les utilisateurs, ce qui lui assure une grande validité externe, et il est en relation avec la théorie, ce qui favorise une validité de construit.

– La définition sur laquelle se base ce modèle tient compte du jugement des décideurs dans le choix des dimensions et des indicateurs qui serviront à mesurer la performance organisationnelle. Cette caractéristique du modèle permet une flexibilité et une adaptabilité plus grandes, autant entre les entreprises qu'à travers les changements contextuels inhérents au domaine.

Depuis sa conception, ce modèle a été modifié pour tenir compte de l'évolution et des développements des systèmes de représentations de l'efficacité organisationnelle. Le modèle tel qu'il se présente aujourd'hui est défini à l'aide de cinq dimensions traduisant la complexité de l'évaluation de la performance organisationnelle (voir le schéma 2). Ses dimensions centrales sont la pérennité de l'organisation, l'efficience économique, la valeur du personnel et la légitimité organisationnelle. L'évaluation de la performance organisationnelle comporte également une dimension politique à laquelle il est difficile de se soustraire. En fait, la détermination même des critères censés définir les dimensions centrales de l'efficacité organisationnelle est traversée par les enjeux de l'évaluation et les jeux politiques. C'est pourquoi il a paru nécessaire de placer au centre de l'évaluation cette dimension politique de l'efficacité organisationnelle, comme l'a suggéré Ramalho (1998). Cette dimension a été appelée «arène politique» afin de rappeler les rapports d'influence qui surgissent lorsqu'il s'agit d'évaluer une organisation. En tout, le modèle

213

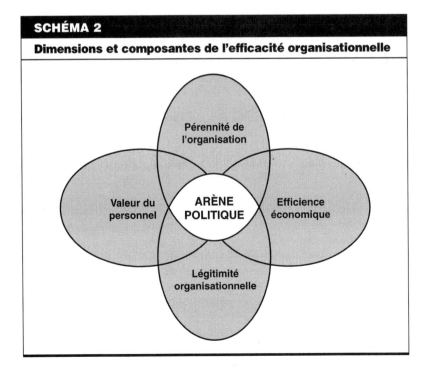

SCHÉMA 2

Dimensions et composantes de l'efficacité organisationnelle

Pérennité de l'organisation

Valeur du personnel

ARÈNE POLITIQUE

Efficience économique

Légitimité organisationnelle

présente 16 critères de performance choisis selon des règles de sélection scientifiques et rigoureuses :

- le principe de parcimonie;

- le degré d'opérationnalisation des critères;

- la nature des critères;

- le niveau d'objectivation des critères (Morin, 1989).

214 **La conception systémique : la pérennité de l'entreprise**

Selon la conception systémique, l'efficacité organisationnelle est évaluée à travers les processus de l'organisation à la manière du modèle général des systèmes plutôt que d'après les buts qu'elle veut atteindre. Plus précisément, cette dimension reflète le degré auquel la stabilité et la croissance de l'organisation sont assurées.

Dans la gestion d'une organisation, cette conception se manifeste concrètement dans le principe de permanence auquel se conforment les experts-comptables dans la préparation des états financiers. Selon ce principe, les activités de l'organisation sont permanentes, continues dans le temps. Ce postulat concorde bien avec l'idée de la pérennité de l'organisation. Et pour assurer cette pérennité, trois préoccupations actives et proactives doivent être présentes à l'esprit des membres de l'organisation : l'amélioration constante de la qualité des produits et des services, le maintien de la compétitivité et la satisfaction des partenaires d'affaires.

La qualité des produits et des services. Ce critère est révélateur de la capacité de l'organisation à s'adapter aux nouvelles exigences du milieu et, dès lors, de sa capacité à conserver un bon fonctionnement. Il se définit comme étant la conformité des produits et des services aux tests de qualité et aux exigences de la clientèle. Les normes de qualité, qu'elles soient établies par les experts ou par la clientèle, devraient être périodiquement révisées de façon à refléter l'évolution des techniques et des attentes. Ce critère peut être évalué à l'aide de différents indicateurs, dont le nombre de retours et le nombre de plaintes faites par la clientèle.

La compétitivité. La compétitivité fait référence à la protection et au développement des marchés servis par l'organisation. La compétitivité de l'organisation s'évalue d'après les résultats de l'organisation comparativement à ceux des concurrents au regard des coûts de production, du niveau des revenus par secteur d'activité, du niveau d'exportation des services ou de la part de marché.

La satisfaction des partenaires d'affaires. La satisfaction des partenaires d'affaires exprime la valeur accordée à l'organisation et à ses membres par des groupes d'intérêts entretenant des relations d'affaires avec l'organisation (Campbell, 1979). Parmi les multiples groupes d'intérêts, certains contribuent directement à la situation financière d'une organisation. C'est le cas des clients (qui contribuent aux revenus de l'entreprise), des fournisseurs (aux coûts de production), des actionnaires (au capital-actions) et des créanciers (au passif). La satisfaction de ces quatre groupes d'intérêts est déterminante pour l'équilibre financier de l'entreprise, et par conséquent pour sa pérennité.

La satisfaction de la clientèle. La satisfaction de la clientèle indique dans quelle mesure l'organisation a su répondre aux besoins et aux attentes de la clientèle. Ce critère porte sur différents aspects, dont la satisfaction apportée par le produit ou le service et la qualité du service à la clientèle. Ce critère peut être mesuré à l'aide de plusieurs indicateurs, dont le niveau des ventes ou la somme des revenus de l'organisation. Le niveau des ventes est un indicateur de la fidélité de la clientèle qui a l'avantage d'être peu coûteux à obtenir. Cependant, même si le niveau des revenus croît d'une année à l'autre, on ne peut pour autant inférer que les mêmes clients en soient la cause. C'est pourquoi il peut être intéressant d'ajouter à cet indicateur celui du rapport entre le nombre de clients d'une période et le nombre de clients de la période précédente. Un autre indicateur qui semble prédire assez bien la satisfaction de la clientèle est la fréquence du non-respect du délai de livraison convenu avec la clientèle, étant donné la frustration que cela entraîne.

La satisfaction des fournisseurs. La satisfaction des fournisseurs renvoie aux intentions des fournisseurs quant au maintien d'une relation d'affaires avec l'organisation. Ce critère est directement lié à la capacité des gestionnaires à se procurer, aux meilleures conditions, les ressources dont l'organisation a besoin pour assurer sa pérennité et sa croissance. On apprécie ce critère à travers les évaluations que font les fournisseurs des qualités des conventions (par exemple la convention collective ou le contrat d'approvisionnement) les unissant à l'entreprise.

La satisfaction des actionnaires. Les actionnaires sont les propriétaires de l'entreprise. Dans le secteur privé, les actionnaires peuvent être nombreux, particulièrement si l'entreprise est inscrite à la bourse; ceux-ci sont généralement intéressés par le rendement des capitaux propres et le bénéfice net qui pourrait leur être versé à la fin d'un exercice financier. Les actionnaires sont évidemment sensibles au profit qu'ils retirent de leur investissement; c'est le bénéfice par action qui mesure le profit provenant de l'exploitation normale de l'organisation pour chaque action ordinaire du capital émis. Dans le secteur public cependant, comme une société d'État ou un centre hospitalier, l'actionnaire est le gouvernement; si la notion de profit n'est pas appropriée pour évaluer l'efficacité d'un établissement gouvernemental, celle de l'équilibre budgétaire prédomine, c'est-à-dire l'équilibre des revenus et des dépenses à la fin d'un exercice financier.

La satisfaction des créanciers. Les créanciers sont les personnes, les sociétés et les organismes publics qui fournissent de l'argent à l'organisation pour assurer son fonctionnement; les banques et les fiducies en font partie. Par ce critère, on cherche à évaluer dans quelle mesure les créanciers estiment que leurs fonds sont utilisés de façon rentable par les gestionnaires. Deux indicateurs en donnent une bonne idée : le ratio du fonds de roulement et le ratio d'endettement. Le ratio du fonds de roulement mesure la capacité des gestionnaires à régler rapidement et facilement les dettes de l'entreprise à court terme. Le ratio d'endettement à long terme permet d'évaluer le risque que supportent les actionnaires de la société, en indiquant la portion de financement à long terme qui provient des créanciers.

La conception économique : l'efficience économique

Dans la conception économique de l'organisation, dont l'école bureaucratique est un représentant phare, l'efficacité organisationnelle se mesure par la réalisation des objectifs formels, lesquels sont présumés connus et partagés par les membres (Cyert et March, 1963) et alignés sur l'efficience économique.

L'efficience économique de l'organisation est au centre des préoccupations des gestionnaires, car c'est grâce à la valeur ajoutée qu'elle rend possibles l'obtention et le maintien de la contribution nécessaire à la réalisation des objectifs d'équilibre financier et de croissance. Pour augmenter l'efficience des activités, les gestionnaires doivent économiser les ressources et améliorer la productivité et la rentabilité générales, trois critères fondamentaux de cette dimension de l'efficacité organisationnelle.

L'économie des ressources. Ce critère, qui concerne la gestion des intrants du système organisationnel, permet d'évaluer la capacité des gestionnaires à acquérir et à conserver les ressources dont ils ont besoin pour atteindre les objectifs de l'organisation. Quatre indicateurs servent à mesurer ce critère : la rotation des stocks, la rotation des comptes clients, le taux de rebuts et le pourcentage de réduction du gaspillage.

Les gestionnaires peuvent réaliser des économies appréciables grâce à une meilleure gestion des ressources, des matières premières, des produits en cours et des produits finis. Le pourcentage de réduction du gaspillage concerne la gestion des matières premières et des produits fabriqués, mais il concerne également la gestion de l'énergie, du temps (comme les temps morts et, donc, perdus) et des équipements. En fait, le souci de l'environnement et la responsabilité sociale des entreprises doivent se manifester dans l'attention que portent les gestionnaires à la réduction du gaspillage et à une meilleure utilisation des ressources naturelles, humaines et technologiques.

La productivité. La productivité est généralement définie comme étant le rapport extrants/intrants; elle permet d'apprécier la capacité à produire une quantité de produits d'une qualité donnée avec un minimum de coûts, de temps et de moyens de production. Parmi les indicateurs proposés pour mesurer la productivité, quatre indicateurs semblent recueillir un consensus : la rotation de l'actif immobilisé, la rotation de l'actif total, le niveau d'activités par rapport aux coûts de production et le niveau d'activités par rapport au temps de production.

Une idéologie nouvelle, influencée par la perspective écologique, émerge au regard de la conception de la productivité, bien qu'elle ne soit pas encore l'objet de critères et d'indicateurs : il s'agit de l'importance d'améliorer continuellement les processus, de développer des biens durables et le moins polluants possible et de donner des services adaptés aux besoins de la clientèle et peu coûteux.

La rentabilité générale. Pour mesurer la rentabilité générale d'une organisation, on emploie le plus souvent le ratio du rendement sur le capital investi, car il mesure la performance des gestionnaires quant à l'utilisation du capital qui est mis à leur disposition. La marge de bénéfice net (bénéfice ou perte net sur les ventes) est aussi considérée comme un indicateur de rentabilité, particulièrement dans les cas où les actifs ne représentent pas la principale ressource de l'organisation. Par exemple, pour un cabinet d'avocats, la principale ressource est le personnel, et la valeur de cette ressource n'est pas reflétée au bilan financier de l'organisation.

Contrairement à ce qu'on peut croire, les indicateurs financiers ou économiques posent problème sur le plan métrologique, car ils ne possèdent pas de référent unique et stable ni dans la définition de l'unité, ni dans la mesure, ni dans la période temporelle, ni dans son interprétation. On résout cet imbroglio en sélectionnant la mesure qui couvre les informations recherchées et répond à l'usage ultérieur qu'on veut en faire (Muckler, 1982). Il y a donc une multitude d'unités de mesure concernant la productivité ou l'économie de ressources, chacune étant le reflet du contexte de son utilisation, ce qui met en cause la fidélité et la validité des mesures (Pennings, 1984). Ces difficultés ne sont pas le seul fait des mesures économiques, mais également des autres catégories d'indicateurs dits objectifs.

La conception psychosociale : la valeur du personnel

La conception psychosociale de l'efficacité, développée par l'école des relations humaines, met en avant les ressources inexploitées des personnes et la satisfaction de leurs besoins. Dans cette perspective, l'efficacité de l'organisation est appréciée à travers la valeur des employés qui travaillent pour l'organisation. Par le mot «employé», on désigne toute personne qui œuvre pour l'organisation et qui en reçoit une rémunération; ce terme inclut les dirigeants, le personnel d'encadrement, les professionnels, en plus des employés sans responsabilité de supervision. Cette dimension de l'efficacité organisationnelle permet de reconnaître qu'avant tout l'organisation existe dans les activités et les relations entre des personnes qui contribuent, chacune selon ses moyens, à l'accomplissement de sa raison d'être et à la réalisation de ses objectifs.

Cette dimension de l'efficacité organisationnelle comprend cinq critères : l'engagement des employés, le climat de travail, le rendement des employés, les compétences des employés et, enfin, la santé et la sécurité des employés.

L'engagement des employés. Le personnel a-t-il le cœur à l'ouvrage? L'engagement des employés reflète l'intérêt qu'ont les employés pour leur travail et pour l'organisation, et il se manifeste par leur disposition à y investir des efforts pour atteindre et dépasser les objectifs fixés. On l'évalue par le taux de rotation des employés (pour autant qu'il s'agisse de départs volontaires) et le taux d'absentéisme (pour autant qu'il ne soit pas tributaire d'une convention de travail). Des indicateurs tels que l'initiative déployée, le taux de participation à des situations d'urgence, la ponctualité et l'assiduité sont également fort utilisés. De plus, l'engagement est souvent mesuré par des questionnaires valides de motivation au travail, d'engagement envers l'organisation (*organizational commitment*) ou envers l'emploi (*job involvement*).

Le climat de travail. Comment les gens se croient-ils traités dans cette organisation? Le climat de travail rend compte des perceptions partagées par les membres d'un corps social quant à la façon dont ils sont traités dans et par l'organisation (Brunet et Savoie, 1999). Tout cela se traduit par l'évaluation qu'effectue le personnel de l'expérience du travail lui-même et du fait de travailler dans et pour une organisation. Ce critère peut être apprécié à l'aide d'indicateurs comportementaux ou de mesures psychologiques. Parmi les indicateurs comportementaux qui témoignent du climat ambiant, il y a le taux d'absentéisme, le nombre de griefs, le taux de rotation des employés, le nombre de jours perdus pour arrêt de travail, les motifs du départ volontaire, le nombre de comportements antisociaux au travail (sabotage, vol, harcèlement, etc.).

Toutefois, les meilleures mesures du climat proviennent des questionnaires standardisés, par exemple le LOP de Likert (1967) et le QCT de Roy (Brunet et Savoie, 1999). Ces instruments permettent d'évaluer l'autonomie autorisée au travail, la considération manifestée, l'environnement physique, les relations entre les groupes, la rigidité organisationnelle, les incitations au travail. Dans les études nord-américaines, le climat de travail s'est avéré le meilleur prédicteur de l'engagement envers l'organisation ou de son contraire, la déviance organisationnelle.

Le rendement des employés. Le personnel est-il productif? L'évaluation du rendement qui est couramment employée dans les organisations se limite trop souvent à une évaluation de la personne : la liste des indicateurs utilisés dans un formulaire d'appréciation suffit pour en témoigner (Savoie *et al.*, 1993). Le rendement des employés devrait être, en fait, la performance fournie par l'employé ou la mesure de la valeur économique des services rendus par les employés. Ce critère peut être apprécié à l'aide des indicateurs objectifs tels la quantité d'extrants (produits, activités, services) sur une période donnée, la valeur économique des extrants, la qualité (nombre de reprises, de pertes ou de retours) des extrants ou les coûts de production des extrants.

Lorsque de tels indicateurs de rendement ne sont pas disponibles, on peut faire appel au jugement des supérieurs ou de ceux qui utilisent l'extrant pour apprécier la productivité individuelle ou de groupe. Trois approches sont possibles :

– l'appréciation intuitive, lorsque les résultats recherchés sont difficilement mesurables ou que la personne évaluée dispose d'une grande marge de manœuvre;

– l'appréciation suivant les objectifs, lorsque les résultats attendus peuvent être indiqués clairement à l'employé;

– l'appréciation suivant les comportements, lorsque la tâche est clairement définie, que les méthodes de travail sont formalisées et que l'employé dispose d'une faible marge discrétionnaire.

Toutefois, peu importe l'approche utilisée, l'appréciation doit porter sur la quantité de la production, la valeur de la production, la qualité de la production ou, au pire, la qualité des actes jugés essentiels au processus de production.

Les compétences des employés. Le personnel est-il compétent? Ce critère vise à déterminer dans quelle mesure les employés ont perfectionné des compétences déjà acquises ou ont acquis de nouvelles compétences, améliorant ainsi leur contribution dans l'organisation. Ce critère se rapporte vraiment aux acquis (donc à un résultat) et non pas aux efforts (temporels, financiers, intellectuels) consentis pour atteindre ce résultat. On utilise différents indicateurs pour apprécier ce critère important de l'efficacité sociale :

220

– le pourcentage de personnes à qui l'on a attribué des responsabilités nouvelles ou élargies;

– la mobilité interne des employés;

– le pourcentage de personnes ayant le statut de personnes-ressources;

– le degré d'apprentissage résultant du perfectionnement;

– le taux de transfert des apprentissages vers le milieu de travail;

– le taux de promotions ou de mutations internes par rapport au taux d'affichage total;

– le degré d'appel à des groupes internes de travail;

– le degré d'utilisation du parrainage;

– le pourcentage d'employés pouvant occuper d'autres postes que le leur;

– le nombre de mandats hors cadre (reliés à l'individu, pas nécessairement au poste).

La santé et la sécurité des employés. La santé et la sécurité des employés constituent un critère important, voire primordial, pour la valeur du personnel. S'il importe de bien gérer les actifs de l'entreprise, les gestionnaires doivent prêter une attention particulière aux conditions dans lesquelles les employés travaillent afin de préserver leur santé et leur sécurité. Il s'agit avant tout d'une question de respect de la dignité et de l'intégrité des personnes. C'est aussi en préservant leur santé et leur sécurité, qu'elles soient physiques ou psychologiques, que les gestionnaires peuvent assurer non seulement la continuité de la contribution des employés, mais aussi la création de la véritable valeur qu'ils ajoutent à leur travail, que ce soit par leurs efforts, leur dépense d'énergie ou l'exercice de leur jugement ou de leur créativité. Or, il semble que ces préoccupations soient secondaires à bien des égards, comparativement à l'importance qu'on attribue aux développements technologiques.

Le taux de consultation médicale et psychologique, le nombre et la durée des arrêts de travail pour des maladies physiques ou psychologiques, le taux d'accidents et leur gravité de même que les coûts directs d'arrêts comptent parmi les indicateurs incontournables du degré de santé et de sécurité des employés prévalant dans une organisation.

221

La conception écologique : la légitimité organisationnelle

Les pressions invitant à élargir la notion de l'efficacité organisationnelle proviennent souvent de l'extérieur des organisations. C'est le cas de la conception écologique de l'efficacité organisationnelle. Cette conception postule que toute organisation tire ses ressources de l'environnement et retourne à l'environnement les produits de cette transformation, de sorte que la qualité des échanges avec l'environnement est primordiale autant pour l'organisation que pour l'environnement. C'est là la principale préoccupation de l'approche écologique : jusqu'à quel point les échanges qu'entretient l'organisation avec l'environnement sont-ils avantageux pour cet environnement (à long terme, c'est la survie de l'organisation qui en dépend)?

L'enjeu de la conception écologique de l'organisation est la revitalisation, la préservation et la valorisation de l'environnement physique, économique, social, culturel et spirituel dans lequel évolue l'organisation. Les critères de cette dimension de l'efficacité organisationnelle sont le respect de la réglementation, la responsabilité sociale et la responsabilité environnementale.

Le respect de la réglementation. C'est le degré auquel les membres de l'organisation observent les lois et les règlements qui régissent ses activités. Chaque organisation est soumise aux lois du pays dans lequel elle exerce ses activités, mais plusieurs organisations, surtout dans les domaines public et parapublic, sont aussi soumises à un ensemble de règlements s'appliquant à leurs activités. Ainsi, la responsabilité sociale d'une organisation dans la communauté variera selon son respect des pratiques commerciales bénéficiant d'un consensus social, selon son respect des différentes chartes régissant sa conduite comme citoyen organisationnel. Actuellement, l'indicateur le plus utilisé, bien que fort limité, est le montant des pénalités versées pour infraction.

La responsabilité sociale. On s'entend, par suite de la proposition de Carroll (1979), à considérer la responsabilité sociale sous trois volets :

– le volet légal (déjà traité au point précédent), par lequel l'organisation entend assumer ses responsabilités économiques à l'intérieur de la loi;

– le volet moral, qui, reflétant les codes, les normes et les valeurs d'une société, va plus loin que le cadre légal en commandant impérieusement d'être respecté tout en étant nébuleusement défini;

– le volet philanthropique, qui est à la discrétion des dirigeants de l'organisation et prend des formes idiosyncratiques, donc difficilement prédictibles ou normalisables.

Les auteurs qui ont écrit sur la responsabilité sociale insistent sur l'importance des bénéfices sociaux comme critère d'efficacité en dépit de la difficulté d'évaluer objectivement le niveau de responsabilité sociale atteint par l'organisation. D'où la question : qu'est-ce qu'un bénéfice social? À cet effet, certains auteurs ont proposé des instruments servant à évaluer le degré de responsabilité sociale d'une organisation[1]. Par exemple, le Council on Economic Priorities évalue la responsabilité sociale et morale de l'organisation sur une dizaine d'indicateurs correspondant à différents avantages sociaux pour la communauté ou la société en général :

– le montant des dons de charité;

– le nombre de membres de minorités visibles dans les postes de direction;

– le degré d'engagement dans la production d'armes offensives;

– l'expérimentation des produits sur des animaux;

– le degré d'engagement dans l'industrie du nucléaire;

– la transparence de l'entreprise concernant ses politiques et ses programmes sociaux;

– la contribution à la réalisation de services et d'activités communautaires;

– le degré des activités commerciales avec des pays mis au ban de l'Organisation des Nations unies;

– les avantages sociaux concernant la famille (congés de maternité, services de garderie, partage de l'emploi);

– les retombées économiques sur la communauté (salaires, emplois directs ou indirects).

La responsabilité environnementale. D'autres auteurs ont formulé des critères servant à évaluer le degré de responsabilité environnementale d'une organisation. Ainsi, la Coalition of Environmentally Responsible Economics (Karrh, 1990) a proposé 10 principes servant de guides de décision concernant les questions écologiques. Ces principes ont été nommés les principes de Valdez, en mémoire du fameux désastre survenu en Alaska :

– la protection de la biosphère;

– l'emploi durable des ressources naturelles;

– la réduction et l'élimination des déchets;

– l'emploi intelligent de l'énergie;

– la réduction des risques;

– le marketing des produits et des services sécuritaires;

– la compensation des dommages causés;

– la transparence concernant les dangers potentiels et les incidents;

– le nombre d'accidents ou de crises industrielles ou environnementales;

– l'efficacité des mesures préventives mises en place.

La responsabilité sociale et environnementale des organisations constitue un facteur déterminant qui influencera dans l'avenir la légitimité des entreprises situées dans les pays développés. Jusqu'à présent, les gestionnaires ont justifié adéquatement leurs responsabilités à l'endroit de l'économie et des actionnaires, mais l'évaluation de la performance sociale et écologique n'a pas encore été systématisée de façon satisfaisante. Pour assurer la pérennité, il devient de plus en plus évident que les gestionnaires ont des comptes à rendre à différents groupes d'intérêts sur la performance sociale et écologique de l'entreprise. Le courant concernant les comportements de citoyen responsable attribués aux entreprises ainsi que la question de la légitimité des activités de certaines entreprises en témoignent.

L'INÉVITABLE PROCESSUS POLITIQUE DANS L'ÉVALUATION DE L'EFFICACITÉ ORGANISATIONNELLE

Pour le diagnosticien, l'exécution correcte d'un diagnostic organisationnel repose à la fois sur la maîtrise du processus diagnostique et sur une représentation complète et intégrée de ce qu'est l'efficacité organisationnelle. Parmi tous les acteurs qui seront associés au diagnostic, le consultant est généralement le seul qui a pu acquérir une expertise sur le processus et le contenu grâce à laquelle il pourra fournir au client une vision exacte, relativement objective et surtout complète de l'état de l'organisation à la suite d'une procédure structurée de collecte et d'analyse de l'information.

Toutefois, le diagnostic final ne peut pas échapper à l'influence des groupes d'intérêts touchés par l'évaluation, étant donné les répercussions d'un diagnostic sur le devenir d'une organisation et sur la position actuelle de ses acteurs. En effet, l'évaluation de la performance organisationnelle fixe les normes de désirabilité des actions et des produits, ce qui oriente le choix de la stratégie à adopter en indiquant les ajustements nécessaires à son amélioration (Morin *et al.*, 1994). C'est pourquoi l'activisme politique est intense en cours de diagnostic, au moment du dépôt du rapport et durant les discussions qui suivent.

La conception politique de l'efficacité nous alerte sur l'action des constituants et sur les processus susceptibles de se produire et de modifier le diagnostic final du consultant. Ayant pour noms patron, syndicat, bailleur de fond, client, concurrent, organisme régulateur, communauté, pays partenaire, fournisseur, groupe de pression (Tsui, 1990), ces constituants ont des intérêts envers l'organisation, intérêts qu'ils promeuvent ou défendent. Il s'ensuit que les préférences en matière de critères d'évaluation, le choix des indicateurs et l'appréciation qui en découle dépendront des intérêts et des valeurs des constituants. Cette confrontation et cette négociation des critères et des indicateurs d'efficacité ont été mises en exergue par la conception politique de l'efficacité organisationnelle.

Selon Zammuto (1984), quatre métacritères synthétisent la dynamique mise en évidence par les auteurs de la conception politique de l'efficacité organisationnelle : la satisfaction de la coalition dominante (Pennings et Goodman, 1977), la satisfaction des constituants selon leur pouvoir relatif (Connolly *et al.*, 1980), la minimisation des préjudices (Keely, 1978) et l'adéquation de l'organisation avec l'environnement (Zammuto, 1982).

La satisfaction de la coalition dominante

L'organisation peut être conçue comme un ensemble de coalitions : ce sont les membres de cette coalition qui décident, ensemble, par consensus, des critères d'efficacité et qui, par conséquent, déterminent la stratégie de l'organisation (Thompson, 1967). Pour l'ensemble des constituants de l'organisation, internes ou externes, les membres de la coalition dominante sont ceux qui détiennent les ressources irremplaçables et centrales pour l'organisation (Goodman et Pennings, 1980) : ce sont ceux qui, à toutes fins utiles, détiennent le pouvoir. Dans cette perspective, la satisfaction de la coalition dominante devient l'élément central qui déterminera la prévalence des critères d'efficacité et de leurs indicateurs.

La satisfaction des constituants selon leur pouvoir relatif

D'après cette perspective, l'organisation tentera de satisfaire en premier les constituants qui sont essentiels à l'exercice de ses activités ou qui possèdent des ressources essentielles de biens et de services, pour ensuite satisfaire ceux qui sont plus éloignés du processus ou qui détiennent des ressources remplaçables. Les critères et les indicateurs que l'on retiendra seront ceux qui satisfont les besoins des constituants, en fonction de leur importance relative au sein de l'organisation (Cummings, 1983).

La minimisation des préjudices

Sous l'angle politique, l'organisation est un système d'interactions où chaque constituant négocie avec les autres les possibilités de satisfaire ses besoins. Selon l'approche de Keeley (1984), chaque constituant aurait des droits inconditionnels au bien-être, indépendamment de ses ressources personnelles, de son talent, des priorités de l'organisation, etc. La reconnaissance de ce principe ne suppose pas que tous soient traités de la même façon, mais elle implique de repérer les «victimes potentielles» de l'organisation et de réduire au minimum les préjudices qu'elles pourraient subir en raison des activités de l'organisation. Le choix des critères d'efficacité et leurs indicateurs se conformera au principe de justice sociale (Rawls, 1971) selon lequel les constituants doivent subir le moins de torts possible de la part de l'organisation. Sur le plan opérationnel, les critères et les indicateurs seront munis de dispositifs qui permettront la prévention (par exemple former les constituants à ce sur quoi ils seront évalués) et la responsabilité après le fait (*after-the-fact liabilities*) selon laquelle tout préjudice découlant de l'évaluation pourra être ultérieurement réparé ou compensé.

L'adéquation de l'organisation avec l'environnement

Zammuto (1982) propose un modèle évolutionniste qui prend en considération non seulement les évaluations actuelles de l'organisation, mais aussi le contexte dans lequel elle se développe. Il soutient que l'efficacité d'une organisation est un jugement lié à la situation, de sorte qu'une action jugée efficace aujourd'hui peut ne plus l'être demain (Zammuto, 1984). En conséquence, les critères et les indicateurs d'efficacité retenus seront ceux qui passeront l'épreuve de trois facteurs en interaction :

– L'effet des préférences des constituants sur l'évolution sociale de l'organisation. Il arrive que des entreprises changent de mission ou même de secteur d'activité sous l'impulsion de dirigeants visionnaires.

– L'effet des contraintes inhérentes aux créneaux à l'intérieur desquels l'organisation existe et qui orientent son développement. La venue de nouvelles technologies, de structures sociales différentes ou de nouveaux objets ou services crée des occasions, lesquelles survivront ou non selon leur compatibilité avec les valeurs des constituants.

– L'effet du temps sur la performance organisationnelle. De nouvelles conditions ou de nouveaux critères exigent de l'organisation qu'elle s'adapte à ces nouvelles données en élaborant des façons novatrices de satisfaire ses constituants.

CONCLUSION

En 1983, Goodman, Atkin et Schoorman constataient qu'au regard de l'efficacité organisationnelle «il n'y a pas de consensus ni sur la définition du concept, ni sur la façon de l'évaluer» et affirmaient l'opportunité d'un moratoire sur la recherche dans le domaine de l'efficacité organisationnelle. De grands progrès ont été accomplis depuis ce temps.

On sait que l'efficacité organisationnelle est un construit multidimensionnel couvrant simultanément la valeur des personnes (et de leurs interactions) qui font partie de l'organisation, la performance économique de l'organisation, la légitimité de l'organisation dans la communauté et la pérennité de l'organisation. On alléguera que la plupart des entreprises ne se préoccupent, dans la pratique, que des ratios financiers.

Cela est exact : 76 % des indicateurs utilisés pour évaluer l'efficacité organisationnelle sont actuellement de nature financière.

Pourtant, nombre d'entreprises très performantes sur le plan financier disparaissent faute d'avoir développé et assuré leur légitimité dans la société, tout comme certaines entreprises, à cause de leur légitimité, sont maintenues en exploitation bien qu'elles ne soient pas rentables. D'autres, financièrement bien portantes, s'enfoncent dans des affrontements internes sans fin pour avoir ignoré, voire méprisé, la valeur de leur personnel, alors qu'à l'inverse des organisations agonisantes recouvrent la santé financière grâce à l'engagement et à la compétence de chacun de leurs employés. Finalement, certaines entreprises qui ont pu dominer leur créneau d'activité sont progressivement évincées ou brusquement absorbées par leurs concurrents pour avoir tenu leur pérennité pour acquise.

Dans les représentations des constituants, cette prédominance actuelle de la dimension financière au détriment des autres dimensions de l'efficacité organisationnelle a été confirmée dans la documentation (Morin *et al.*, 1994); plus encore, la dynamique conduisant à cette prévalence est expliquée par le processus politique inclus dans la théorie de l'efficacité organisationnelle. C'est pourquoi les substantielles différences de critères et d'indicateurs observées d'une organisation à l'autre ne surprennent plus le diagnosticien au fait des théories de l'efficacité. En effet, on sait maintenant que l'émergence de certains critères et indicateurs parmi la panoplie des 16 critères et des centaines d'indicateurs résultera d'une dynamique politique favorisant soit les plus puissants constituants de l'organisation, soit un plus grand nombre de constituants selon leur importance relative, soit de façon au moins minimale l'ensemble des constituants, ou encore l'entité organisationnelle à la suite d'un recadrage de ses enjeux réels.

On en a appris davantage au cours des dernières années. On connaît maintenant les pièges de la collecte et du traitement de l'information conduisant au diagnostic organisationnel.

Ainsi, on sait que l'efficacité ne peut être appréhendée que si l'on prend exclusivement en considération les résultats ou les produits (extrants) de l'organisation, jamais les processus, les actions ou les ressources engagés pour conduire à ces résultats. Par exemple, indiquer les heures ou le budget consacré au perfectionnement annuellement ne renseigne aucunement sur l'ampleur des nouvelles compétences acquises qui, elle, est un résultat.

On sait également que l'efficacité organisationnelle ne peut être appréhendée que si l'on prend exclusivement en considération les extrants de niveau organisationnel, et que les extrants individuels ou groupaux ne sont pertinents que s'ils sont agrégés au niveau organisationnel.

Par ailleurs, on sait que les informations écrites, verbales, factuelles ou comportementales que vont livrer les informateurs devront être classifiées avec justesse par le diagnosticien en causes, problèmes, conséquences et solutions pour prendre un sens dans cette montagne d'informations. Il s'ensuit que les premiers outils conceptuels dont se munira le diagnosticien organisationnel seront :

– un **modèle général de diagnostic**, qui expose un processus régulé et ordonné de traitement de l'information recueillie tous azimuts lors d'un diagnostic organisationnel;

– un **modèle de l'efficacité organisationnelle**, qui est un inventaire structuré conceptuellement et validé empiriquement des extrants inclus dans les représentations qu'entretiennent les diagnosticiens chevronnés par rapport à l'efficacité organisationnelle (Morin *et al.*, 1994);

– un **modèle des stratégies de résolution organisationnelle**, qui dresse un inventaire et la justification théorique des causes des problèmes organisationnels et des solutions préconisées par chacune des huit grandes écoles de pensée dans le domaine des théories de l'organisation (Savoie *et al.*, en préparation).

L'évaluation de l'efficacité à l'aide de critères et d'indicateurs appropriés est un exercice clé afin d'assurer le succès des organisations, quels que soient leurs secteurs d'activité. Pourtant, malgré la mutation profonde que connaît la production des produits et des services, beaucoup d'organisations continuent d'évaluer leur performance à l'aide d'une palette restreinte de critères et d'indicateurs et, pire encore, de déterminants et de causes. Mais pour un diagnosticien, ces limites cognitives au regard de la nature multidimensionnelle de l'efficacité organisationnelle et ces limites méthodologiques au regard de l'exécution correcte et contrôlée du processus diagnostique sont aujourd'hui inacceptables, compte tenu des progrès qui ont été accomplis dans ces deux domaines.

Les grands mouvements sociaux qui ont marqué le XXᵉ siècle, comme l'émancipation de la femme, la reconnaissance des droits et des libertés de l'être humain, le développement de la conscience écologique, le multiculturalisme ou le développement des mesures de santé et de sécurité, ne semblent pas avoir encore modifié les conceptions de l'organisation chez les gestionnaires ni les pratiques d'amélioration de la performance organisationnelle.

Cette rupture entre la réalité socioculturelle et la réalité administrative peut expliquer en partie la difficulté qu'éprouvent, d'une part, les gestionnaires à mobiliser les employés et, d'autre part, les individus à trouver du sens dans leur travail. L'emprise actuelle de l'entreprise sur les valeurs de la société en général de même que la rigidité de la notion de la performance organisationnelle dans les systèmes de représentations des gestionnaires sont deux phénomènes qui renforcent l'orthodoxie dans les systèmes administratifs et stimulent l'engouement pour des modes de gestion comme celles de la qualité totale, de la recherche d'excellence ou de la réingénierie des processus d'affaires.

Le fait que les gestionnaires prêtent peu attention à d'autres dimensions de la performance ne veut cependant pas dire que ces dimensions ne soient pas importantes. Cela veut dire que leur attention n'est pas dirigée vers de telles dimensions; en raison de la sélectivité des mécanismes perceptifs, on ne cherche de l'information que sur des idées qui nous préoccupent ou qu'on valorise. Il est nécessaire de se rappeler que le choix des indicateurs repose essentiellement sur des représentations sociales de ce qu'est une entreprise performante. La performance est un construit, défini de différentes façons, selon les intérêts, les valeurs, la formation, le statut et l'expérience des évaluateurs et l'usage qu'ils veulent en faire.

Note

1. Voir Aupperle *et al.* (1985), Corson *et al.* (1989), Ellmen (1987).

Références

Atkinson, A.A., Waterhouse, J.H., Wells, R.B., «A stakeholder approach to strategic performance measurement», *Sloan Management Review*, printemps 1997, p. 25-37.

Aupperle, K.E., Carroll, A.B., Hatfield, J.D., «An empirical examination of the relationship between corporate social responsibility and profitability», *Academy of Management Journal*, vol. 28, n° 2, 1985, p. 446-463.

Beaudin, G., Savoie, A., «L'efficacité des équipes de travail : définition, composantes et mesures», *Revue québécoise de psychologie*, vol. 16, n° 1, 1995, p. 185-201.

Boulianne, É., *Élaboration d'un modèle de la performance organisationnelle fondé sur la théorie des parties prenantes : revue de littérature et proposition de validation*, mémoire de maîtrise, HEC Montréal, 1997, 101 pages.

Brunet, L., Brassard, A., Corriveau, L., *L'efficacité organisationnelle des institutions scolaires au Québec : le rôle du climat organisationnel et du leadership des directions d'école*, Agence d'Arc, 1991.

Brunet, L., Savoie, A., *Le climat de travail*, Éditions Logiques, 1999.

Cameron, K.S., Whetten, D.A. (dir.), «Organizational effectiveness: One model or several?», dans *Organizational Effectiveness. A Comparison of Multiple Models*, Academic Press, 1983, p. 1-26.

Campbell, J.P., «On the nature of organizational effectiveness», dans Goodman, P.S., Pennings, J.M. (dir.), *New Perspectives on Organizational Effectiveness*, Jossey-Bass, 1979.

Connolly, T., Conlon, E.M., Deutsch, S.J., «Organizational effectiveness: A multiple constituency approach», *Academy of Management Review*, vol. 5, 1980, p. 211-218.

Corson, B., Tepper-Marlin, A., Schorsch, J., Swaminathan, A., Will, R., *Shopping for a Better World. A Quick and Easy Guide to Socially Responsible Super-market Shopping*, Council on Economic Priorities, 1989.

Cummings, L.L., «Organizational effectiveness and organizational behavior: A critical perspective», dans Cameron, K.S., Whetten, D.A. (dir.), *Organizational Effectiveness. A Comparison of Multiple Models*, Academic Press, 1983, p. 187-203.

Cyert, R.M., March, J.G., *A Behavioral Theory of the Firm*, Prentice-Hall, 1963.

Ellmen, E., *How to Invest Your Money with A Clear Conscience*, James Lorimer and Co., 1987.

Fitzgerald, L., Johnston, R., Brignall, S., Silvestro, R., Voss, C., *Performance Measurement in Service Business*, CIMA, 1991.

Goodman, P.S., Atkin, R.S., Schoorman, F.D., «On the demise of organizational effectiveness studies», dans Cameron, K.S., Whetten, D.A. (dir.), *Organizational Effectiveness. A Comparison of Multiple Models*, Academic Press, 1983, p. 163-183.

Goodman, P.S., Pennings, J.M., «Critical issues in assessing organizational effectiveness», dans Lawler III, E.E., Nadler, D.A., Cammann, C. (dir.), *Organizational Assessment. Perspectives on the Measurement of Organizational Behavior and the Quality of Work Life*, John Wiley, 1980, p. 185-215.

Harrison, M.I., *Diagnosing Organizations: Methods, Models and Processes*, 2ᵉ éd., Sage Publications, 1994.

Hirsch, P.M., Levin, D.Z., «Umbrella advocates versus validity police: A life-cycle model», *Organizational Science*, vol. 10, n° 2, 1999, p. 199-212.

Kaplan, R.S., Norton, D.P., «The balanced scorecard – Measures that drive performance», *Harvard Business Review*, janvier-février 1992, p. 71-79.

Kaplan, R.S., Norton, D.P., «Putting the balanced scorecard to work», *Harvard Business Review*, septembre-octobre 1993, p. 134-147.

Karrh, B.W., «Du Pont and corporate environmentalism», dans Hoffman, W.M., Frederick, R., Petry Jr., E.S. (dir.), *The Corporation, Ethics and the Environment*, Quorum Books, 1990, p. 69-76.

Keeley, M., «A social justice approach to organizational evaluation», *Administration Science Quarterly*, vol. 23, 1978, p. 272-292.

Keeley, M., «Impartiality and participant theories of organizational effectiveness, *Administrative Science Quarterly*, vol. 29, n° 1, 1984, p. 1-25.

Likert, R., *The Human Organization*, McGraw-Hill, 1967.

Lynch, R.L., Cross, K.F., *Measure Up! Yardsticks for Continuous Improvements*, Blackwell, 1991.

Morin, E.M., *Vers une mesure de l'efficacité organisationnelle : exploration conceptuelle et empirique des représentations*, thèse de doctorat présentée à la Faculté d'études supérieures de l'Université de Montréal, 1989.

Morin, E.M., Guindon, M., Boulianne, É., *Les indicateurs de performance*, Ordre des comptables généraux licenciés du Québec/Guérin, 1996.

Morin, E.M., Savoie, A., Beaudin, G., *L'efficacité de l'organisation. Théories, représentations et mesures*, Gaëtan Morin Éditeur, 1994.

Muckler, F.A., «2. Evaluating productivity», dans Dunnette, M.D., Fleishman, E.A. (dir.), *Vol. 1. Human Capability Assessment*, Lawrence Erlbaum, 1982, p. 13-47.

Pennings, J.M., «Productivity: Some old and new issues», dans Brief, A.P. (dir.), *Productivity Research in the Behavioral and Social Sciences*, Praeger, 1984, p. 127-140.

Pennings, J.M., Goodman, P.S., «Toward of workable framework», dans Goodman, P.S., Pennings, J.M. (dir.), *New Perspectives on Organizational Effectiveness*, Jossey-Bass, 1977, p. 146-182.

Quinn, R.E., *Beyond Rational Management. Managing the Paradoxes and Competing Demands of High Performance*, Jossey-Bass, 1988.

Ramalho, N., *Organizational Effectiveness: An Overview*, Instituto superior de ciencias de travalho e de empresa, Lisboa, 1998.

Rawls, J.A., *A Theory of Social Justice*, Balknopp Press, 1971.

Savoie, A., Brunet, L., «Représentations de l'efficacité chez les cadres supérieurs d'une institution universitaire», *Revue politique et management public*, vol. 12, n° 2, juin 1994, p. 175-186.

Savoie, A. *et al.*, *Le diagnostic et l'intervention organisationnels : un modèle intégré*, en préparation.

Savoie, A., Pettersen, N., Eyres, S., «Les problématiques endémiques en évaluation des personnes», *Psychologie du travail et des organisations*, vol. 1, n° 1, 1993, p. 7-17.

Thompson, J.D., *Organizations in Action*, McGraw-Hill, 1967.

Tsui, A., «A multiple-constituency model of effectiveness: An empirical examination at the human resource submit level», *Administrative Science Quarterly*, vol. 35, 1990, p. 458-483.

Voyer, P., *Tableaux de bord de gestion*, Presses de l'Université du Québec, 1994.

Zammuto, R.F., *Assessing Organizational Effectiveness: Systems Change, Adaptation, and Strategy*, Sunny Press, 1982.

Zammuto, R.F., «A comparison of multiple constituency models of organizational effectiveness», *Academy of Management Review*, vol. 9, n° 4, 1984, p. 606-616.

Zellars, K.L., Fiorito, J., «Evaluation of organizational effectiveness among HR managers: Cues and implications», *Journal of Managerial Issues*, vol. 11, n° 1, 1999, p. 37-55.

La mise en place d'une gestion par programmes : impacts sur les rôles, responsabilités et rapports d'influence

Le cas de l'hôpital Maisonneuve-Rosemont

Danielle Luc et Alain Rondeau

La dernière décennie est marquée par une série de transformations majeures dans le secteur de la santé et des services sociaux au Québec. Certes, la nécessité de redresser les finances publiques et de contrôler l'escalade rapide des coûts est à l'origine de nombreuses réformes structurelles et modifications organisationnelles. Mais, outre les pressions économiques, le réseau public est également confronté à d'autres perturbations de l'environnement dont l'effet est non négligeable. Ainsi, au niveau technologique, on a connu des changements rapides et importants notamment dans l'implantation d'une infrastructure informationnelle couvrant tout le secteur socio-sanitaire, dans la demande pour des équipements médicaux de pointe et bientôt dans la numérisation des dossiers patients. Au niveau politique, la décennie a été marquée par des questionnements importants sur le fonctionnement du système de santé[1], une succession de décisions[2] et de nombreux virages[3] qui ont fait de cette réalité une source d'incertitude et d'instabilité. Enfin, au niveau social, de nombreux phénomènes ont aussi contribué à accroître la pression sur le système. Citons simplement, à titre illustratif, les préoccupations de l'accessibilité universelle des soins et le vieillissement de la population lequel se traduit par une croissance des demandes en soins et services et un alourdissement des cas à traiter dans un contexte de pénurie de ressources médicales, infirmières, financières et matérielles.

Ces forces, auxquelles sont soumis les gestionnaires des organisations de santé, poussent ces derniers à s'ajuster continuellement

Danielle Luc est professionnelle de recherche à HEC Montréal.
Alain Rondeau est professeur et directeur du Centre d'études en transformation des organisations de HEC Montréal.

Reproduit avec permission de *Revue Interaction*, vol. 6, n°2, hiver 2003.

(Rondeau, 1999). La complexité, la turbulence et la politisation du système de santé québécois imposent donc un stress important aux dirigeants et ce, d'autant plus lorsque ces derniers s'engagent dans des restructurations de leur établissement ou dans la mise en place de nouveaux modèles de soins et de services.

Ces réorganisations ont pris diverses formes : ainsi, dans une perspective d'un meilleur contrôle des coûts, de reddition de comptes et de mesures de performance et surtout, pour répondre aux prérogatives d'un déficit zéro, les dirigeants des centres hospitaliers n'ont eu d'autre choix que d'adopter une stratégie de redressement. Nombre de gestionnaires en santé ont suivi l'évolution des tendances et mis l'accent sur le développement de formules de types amélioration continue de la qualité et de suivi intégré des clientèles, instaurant une nouvelle vision des pratiques, orientées vers de nouvelles valeurs comme le travail d'équipe, la gestion participative et la résolution de problèmes. L'émergence de ces nouvelles pratiques semble toutefois s'être heurtée rapidement aux limites structurelles du système actuel. Certains dirigeants de centres hospitaliers en sont venu à considérer qu'une philosophie de gestion orientée vers la clientèle et l'amélioration des résultats nécessitait un réaménagement plus profond, touchant la structuration même de l'établissement. Dans cette perspective, le concept le plus fréquemment observé est celui de la restructuration par programmes-clientèles qui est, en fait, la mise en place d'une organisation du travail plus organique, plus dynamique, mettant davantage l'accent sur l'intégration et la coordination des ressources et des activités et la collaboration entre les divers intervenants. Enfin, l'adoption, par plusieurs centres hospitaliers, du modèle ambulatoire vers un réseau intégré de services a confirmé le besoin d'assurer un continuum de la prestation de soins et de services, par un maillage entre les acteurs de la première ligne. On assiste alors à un changement de paradigme important entraînant des conséquences énormes sur toutes les variables managériales.

Le présent article se fonde sur l'observation directe d'une expérience majeure de réaménagement dans le système de santé. Il s'agit de la restructuration par programmes-clientèles entreprise au centre hospitalier Maisonneuve-Rosemont. Les chercheurs ont conduit, en deux temps, une évaluation de cette mise en œuvre, durant la période 1999-2001. L'approche méthodologique, utilisant une grille multi-acteurs – multi-observations, tient compte d'une part, des différents champs d'observation, soit les niveaux stratégique (l'intention de l'organisation), fonctionnel (la valeur des processus déployés) et opératoire (le niveau d'appropriation des acteurs concernés) et d'autre part, s'assure de couvrir les activités administratives et cliniques des programmes-clientèles ainsi que les activités des directions conseils, des programmes diagnostiques et des divers services au sein de l'hôpital. Un total de 58 entrevues individuelles et semi-structurées, d'une durée variant entre une heure trente et deux heures, ont été réalisées auprès de personnes identifiées conjointement par la direction du centre hospitalier et l'équipe de recherche[4]. Les auteurs aborderont plus spécifiquement les incidences de cette réorganisation sur les rôles, les responsabilités et les rapports d'influence (ce qu'on peut simplifier en nommant les «3 R») des personnes touchées par cette modification.

L'APPROCHE PAR PROGRAMMES CLIENTÈLES : UNE GESTION PAR PROCESSUS

La continuité et la coordination des soins et des services de santé sont quelques-uns des déterminants de la qualité des prestations. Ces deux éléments sont fortement liés à la dimension organisationnelle des processus de soins et à la gestion de ceux-ci (Shortell *et al.*, 2000). Il ne suffit pas de regrouper des activités, car une simple activité n'a pas de valeur en soi. Structurer l'organisation autour des processus clés (*core business*) exige d'agencer les activités selon une logique de création de valeur et de passer d'une division des tâches ou d'une organisation sur une base fonctionnelle (finances, ressources humaines, marketing, opérations) à une intégration transversale des activités.

Passer d'une organisation fonctionnelle du travail à une organisation par processus

L'organisation du travail, de type fonctionnel, est une division linéaire du travail, fondée sur l'accomplissement de tâches spécifiques confiées à des sous-systèmes ayant chacun sa culture, ses normes et son agenda propre. Plus précisément, en milieu hospitalier, on retrouve une structure bureaucratique avec ses règles et ses fonctions de support et une structure professionnelle avec une division par spécialités. Ici, chaque profession a son champ de pratique souvent fondé sur des actes protégés. Cette structure repose sur des connaissances individualisées, centrées sur l'exercice d'une profession bien spécifique. La responsabilité est ici attachée à une spécialité médicale ou clinique et à une identité légale d'où découlent des rôles liés aux compétences statutaires et aux fonctions. Chaque fonction, profession ou spécialité médicale est généralement regroupée au sein d'une direction qui a pour objet d'allouer et de coordonner les ressources dans le respect de l'identité professionnelle de ses membres, rendant difficile l'implantation d'une logique de coopération entre les groupes de spécialistes et renforçant la différentiation au dépend de l'intégration.

Ainsi, par exemple, dans un hôpital traditionnel, les infirmières seront regroupées sous la Direction des soins infirmiers (DSI) qui aura charge de clarifier les rôles et responsabilités de ses membres et d'agir comme interface avec les autres groupes professionnels pour régler les conflits potentiels pouvant émerger. Dans cette perspective, les difficultés de coordination sont nombreuses et on tente de les résoudre en multipliant les règles et les procédures. La compréhension de la finalité organisationnelle finit parfois par disparaître (Senge, 1995), compte tenu des enjeux des groupes en présence. En dépit d'une certaine hiérarchie interprofessionnelle et d'une structure de collaboration informelle pour la production des soins (Lamothe, 1999), la marge de manœuvre des professionnels est limitée et leur sphère d'action et d'influence laisse ainsi peu de place aux apprentissages collectifs. Certes, dans un environnement stable, le modèle de gestion bureaucratique permet d'assurer un certain contrôle et une linéarité dans l'organisation des tâches. Mais plus l'environnement de travail devient turbulent et imprévisible, plus il est difficile d'avoir la flexibilité nécessaire à des ajustements continus (Nolan *et al.*, 1988).

Toutefois, on reconnaît généralement (Hafsi et Demers, 1997, Mintzberg, 1979) que, dans un environnement dynamique et instable, la recherche d'une plus grande autonomie et d'une flexibilité accrue fondée sur une structuration plus organique peut permettre de meilleurs ajustements stratégiques. Pendant de nombreuses années, les organisations du secteur de santé ont travaillé à être plus efficaces, à standardiser les tâches, à instaurer des procédures, à définir les rôles bref, elles sont devenues des bureaucraties professionnelles. On a poussé la spécialisation pour une efficacité accrue. Dès l'instant où des besoins de coordination latérale l'ont emporté sur les bénéfices engendrés par la spécialisation des fonctions et des individus, la primauté des processus est apparue (Tarondeau et Wright, 1995). Recherchant alors une simplification de l'organisation fonctionnelle, une dizaine d'hôpitaux québécois ont entrepris d'implanter l'approche dite «par programmes», un modèle d'organisation horizontal, décloisonné et plus flexible (AHQ, 2000).

La démarche de restructuration des activités dans une logique de gestion par processus exige la mise en place d'une organisation du travail centrée sur les résultats (l'approche clientèle), sur la mise en commun des expertises pour produire ces résultats (interdisciplinarité, décentralisation et imputabilité) et sur l'apprentissage organisationnel (orientation standards de performance, orientation feedback et amélioration continue) (Luc, Rondeau, 2002). Les équipes devenant les unités de base, l'organisation par processus limite la hiérarchie en donnant aux membres d'une même équipe, la possibilité de prendre des décisions directement liées à leur intervention au sein du processus (Ostroff, 2000). La flexibilité recherchée, par ce type d'organisation en équipes vise, bien sûr, à répondre aux variations de la demande, mais entend le faire tout autant, en étant innovatrice qu'en adaptant rapidement les moyens de production (Roy et Audet, 2002).

Dans le milieu hospitalier, organiser la gestion des soins et des services dans une gestion par programmes signifie regrouper, en plusieurs programmes, une masse critique d'activités cliniques interreliées et ce, dans une approche centrée sur l'usager. En d'autres termes, les opérations et les ressources sont fusionnées autour soit, de groupes homogènes de clientèles, de types de maladies ou encore les deux. Dans la plupart des cas observés (AHQ, 2000), les directions conseils, les directions cliniques et les services de support demeurent centralisés, mais ils sont maintenant au service des programmes. On conserve alors une structure fonctionnelle, appelée ici structure d'identification, mais les ressources sont essentiellement déployées au sein des divers programmes, appelés ici structure de contribution. Par exemple, une infirmière continuera toujours de faire partie de la DSI mais se verra «déployée» au sein d'un programme où ses rôles et responsabilités seront tributaires non seulement de son titre professionnel mais aussi des décisions conjointes prises par l'équipe de soins où elle contribue. Ainsi, dans ce type de structure, les directions de programmes entretiennent des relations de type matriciel avec les autres directions de l'établissement.

Puisqu'une partie des opérations demeure sous une forme matricielle, les rôles sont conjointement élaborés par les participants au processus de soins et non pas simplement attachés au titre attribué dans l'organisation. Les responsabilités des intervenants sont élargies, sont transversales et sont collectivement liées aux résultats à produire. Ces nouvelles responsabilités sollicitent des connaissances systémiques reliées à un secteur, des savoirs davantage axés sur le «comment faire» plus que le «quoi faire». En d'autres mots, les compétences multiples nécessaires, pour avoir une vue holistique sur les soins et les services d'un même programme-clientèle, concernent les tâches et les responsabilités mais n'incluent pas les décisions professionnelles propres à chacun des groupes de spécialistes. Pour une telle intégration des savoirs professionnels multidisciplinaires, essentielle dans ce mode de gestion organique, une grande maîtrise des informations critiques est indispensable. Comme aucun acteur ne possède toute la connaissance, cela nécessite alors le développement d'un réseau et d'un système d'apprentissage croisé. Par ailleurs, le pouvoir est décentralisé. Les individus ont maintenant une influence directe sur les processus dans la recherche de solutions globales ou transversales. Les rapports avec les autres demandent le développement de capacités de coopération, des habiletés de négociation et de gestion des conflits. Les mécanismes de coordination deviennent la pierre angulaire du succès dans ce type de structure ou de cette adhocratie et on devra prévoir des ajustements constants (Thompson, 1967). Enfin, ces structures sont dites adaptatives en ce qu'elles sont sensées inclure à la fois un *monitoring* serré des résultats obtenus et des mécanismes de feedback visant l'ajustement continu des pratiques adoptées.

Une telle transformation du mode d'organisation des soins amène donc les acteurs à travailler autrement. Partant des besoins de l'usager, l'équipe d'intervenants cliniques, à l'intérieur d'un programme-clientèle, coordonne son action pour la prestation des soins et des services requis. L'usager n'a pas à répéter son problème d'un intervenant à l'autre. Normalement, chaque intervenant clinique ne doit plus travailler en parallèle avec ses collègues mais œuvrer dans un continuum de soins, au sein d'une équipe interdisciplinaire, partageant collectivement la responsabilité des résultats. Outre les médecins et le personnel infirmier, cette équipe peut inclure des professionnels (psychologues, travailleurs sociaux ou autres) impliqués dans les traitements à dispenser au cours de cet épisode de soins. Autour de ces équipes, évoluent les services et les ressources nécessaires au maintien de ces programmes et eux aussi devront revoir leurs façons de voir afin de répondre aux besoins nouvellement créés par les programmes. Les responsables de programmes doivent gérer et piloter autant les décisions cliniques qu'administratives et ils deviennent maintenant tributaires des résultats globaux du programme auprès de la direction.

Le cas de l'hôpital Maisonneuve-Rosemont

Ayant développé une philosophie de gestion basée sur la responsabilisation et implanté des modes de gestion axés sur l'amélioration continue de la qualité et le suivi intégré des clientèles, la direction de l'hôpital Maisonneuve-Rosemont s'est vue confrontée aux limites de sa structure, incapable de flexibiliser davantage le fonctionnement existant. Les systèmes en place rendaient difficiles la coordination transversale des activités et le mode d'organisation du travail n'incitait pas à la coopération interfonctionnelle. Ce centre hospitalier affilié à l'Université de Montréal, qui compte 800 lits et plus de 4 000 employés, a donc décidé de passer d'une gestion traditionnelle par fonctions à une gestion par programmes-clientèles.

À Maisonneuve-Rosemont, toutes les activités cliniques ont été regroupées en huit programmes-clientèles[5]. Les départements médicaux sont restés en place mais les services professionnels tels que l'ergothérapie, la physiothérapie ont été démantelés. Les services d'admission, des archives, de la pharmacie ainsi que ceux de biologie médicale et d'imagerie médicale[6] demeurent centralisés mais en soutien aux

237

programmes-clientèles. Les directions cliniques et médicales, telles que la direction des soins infirmiers (DSI) et la direction des services professionnels (DSP), ont évolué d'une fonction hiérarchique vers une fonction conseil. On a créé la direction des services multidisciplinaires (DSM) afin de maintenir un lien fonctionnel avec les professionnels. La direction des ressources humaines (DRH) a décentralisé une partie de ses ressources dans les programmes-clientèles. Enfin, la direction des services financiers et techniques (DSFT) a révisé ses processus et implanté un système intégré de gestion. Tous les effectifs cliniques et les ressources professionnelles sont maintenant répartis dans les programmes et non plus dans les services. On parle donc ici d'une réorganisation majeure de la structure et du fonctionnement de l'établissement.

Des exemples concrets vont permettre d'illustrer plus précisément la nature des impacts de ce mode de gestion sur les «3 R» (les rôles, les responsabilités et les rapports d'influence) en regard des activités suivantes : l'intégration médicale, l'intégration des activités cliniques et l'intégration des fonctions de support.

L'intégration médicale

L'infrastructure médicale est grandement modifiée dans un mode de gestion par programmes-clientèles. Certes, à l'hôpital Maisonneuve-Rosemont, on a pris soin de choisir les chefs de programmes parmi les chefs de départements. Inévitablement, l'influence de cette dernière fonction diminue au profit de la fonction de chef de programmes-clientèles. Tout d'abord, l'apparition des chefs médicaux de programmes a demandé une définition et une clarification des «3 R» entre cette nouvelle fonction et celle des chefs de départements. Dans cette nouvelle structure organisationnelle, les chefs de programmes deviennent responsables du fonctionnement de leur programme et des résultats cliniques obtenus et conséquemment, les «patrons» hiérarchiques de tous ceux qui œuvrent au sein de leur programme. Tandis que les chefs de départements reviennent à leur rôle initial, tel que prescrit dans la Loi 120, celui de gardien de la qualité de l'acte médical, tout en préservant un lien fonctionnel avec les professionnels de leur secteur.

Les instances supérieures ont aussi été remodelées : l'Assemblée des chefs de département a dû redéfinir son territoire d'influence devant l'instauration du Comité de coordination des programmes qui regroupe tous les chefs des programmes. Ce dernier comité devient l'instance décisionnelle dans l'organisation de la prestation des soins et assure la cohérence entre les programmes.

D'une part, les chefs médicaux des programmes, en tant que «nouveaux responsables des opérations», ont eu, en quelque sorte, à construire des rapports de travail relativement différents au sein de leurs équipes tout en respectant les identités professionnelles existantes. D'autre part, ils devaient également établir des relations avec les autres programmes, les directions conseils et les services de support. Cette logique matricielle n'est pas simple à instaurer. Et comme l'indique Brilman (2000) dans les stades de passage d'une organisation traditionnelle vers une organisation orientée processus, de nombreux dysfonctionnements sont apparus aux interfaces, entre les programmes eux-mêmes et entre les programmes et les fonctions. L'organisation des opérations sous forme matricielle, cherche à y remédier en renforçant la coordination latérale et en instaurant des besoins élevés d'interdépendance. Au fur et à mesure que les rôles se précisaient, les difficultés s'atténuaient. Comme beaucoup de décisions demeuraient encore arbitraires, c'est par une sorte de négociation continue, d'ajustements mutuels que se sont lentement définis les responsabilités ainsi que l'autorité de chacun.

L'hôpital Maisonneuve-Rosemont a aussi innové en choisissant le mode de cogestion pour piloter les programmes : une direction médicale et une direction clinico-administrative. La cogestion commande un apprentissage au partage du pouvoir et à l'exercice de la dualité dans les arbitrages quotidiens. Lié à son statut d'infirmière ou de professionnel[7] par rapport à la fonction médicale, le co-gestionnaire clinico-administratif a déployé de nombreux efforts de négociation et de médiation afin de faire accepter son rôle auprès des médecins. Celui qui a la lourde tâche de voir à toute la logistique opérationnelle[8] a donc dû se construire un pouvoir discrétionnaire par rapport au corps médical qui, traditionnellement a toujours affiché une position dominante sur les autres professionnels. Même s'il n'est pas simple de concevoir le fonctionnement d'une telle direction bicéphale, la plupart des acteurs clés de l'hôpital Maisonneuve-Rosemont affirment que la forte valeur symbolique de la cogestion a constitué un levier de changement culturel important. Le processus décisionnel, devenant plus rapide et plus décentralisé, a donc favorisé une plus grande appropriation par la base. Les nouveaux comités ont permis un rapprochement entre les médecins, les professionnels et les infirmiers. Par ailleurs, les co-chefs de programmes se sont vus attribuer une grande latitude dans les opérations et la gestion des ressources. Autonomie assortie, toutefois, d'une responsabilité dans l'atteinte des résultats prédéfinis. L'imputabilité, pour être efficace, doit être accompagnée d'activités d'habilitation. Or, les chefs de programmes conviennent qu'ils n'ont pas toutes les compétences de gestion nécessaires.

Dès le début, on a recherché l'implication des médecins mais, en général, ils se sont sentis peu concernés par ce qu'ils ont qualifié de débats de structure. L'invitation par les chefs de programmes à siéger régulièrement à des comités pour débattre de préoccupations leur tenant particulièrement à cœur, comme les budgets, l'allocation des ressources et l'achat d'équipements médicaux a déclenché une mobilisation certaine. Une nouvelle dynamique s'est alors installée : aujourd'hui, les médecins s'adressent davantage aux chefs de programmes pour des demandes spécifiques et de moins en moins au DSP ou au directeur général. Leur rôle inclut maintenant le partage des décisions thérapeutiques avec une équipe de collaborateurs professionnels et la délégation de tâches médicales. Leurs responsabilités deviennent plus étendues. Toutefois, le mode actuel de rémunération des médecins constitue nettement un frein à leur participation à ces comités.

L'intégration clinique ou l'intégration des soins et des services

La transformation par programmes-clientèles mais surtout, l'activation du principe d'interdisciplinarité[9], a introduit un nouveau mode d'organisation du travail des cliniciens et des professionnels (Dussault, 2000). Avant tout, les intervenants se sont ajustés à la nouvelle structure d'encadrement : les professionnels et le personnel infirmier répondent au chef clinico-administratif du programme et non plus à un supérieur de la même discipline. Dans cette nouvelle logique matricielle, la simple mise à jour des compétences peut créer une tension. Outre la perte de l'identité professionnelle, il peut y avoir perte potentielle de l'expertise. Ainsi, la contribution à un programme-clientèle favorise l'émergence de compétences professionnelles spécifiques, ce qui est du ressort de chaque programme, alors que l'identité professionnelle nécessite le maintien de compétences professionnelles plus génériques, ce qui est du ressort de chaque groupe professionnel. Comme les cliniciens et les professionnels doivent préserver les compétences globales face à leur profession respective et développer des compétences spécifiques face aux besoins des usagers regroupés en programme, il est clair que le partage de l'effort de formation constitue en quelque sorte un enjeu qui illustre bien la nécessaire mise à niveau des rôles, responsabilités et rapports d'influence entre les instances concernées.

En outre, une gestion par programme accroît généralement la complexité des interventions. Dans cette perspective, les responsabilités et le degré d'autonomie des intervenants se sont accrus, alourdissant la charge de travail pour certains et accentuant le niveau d'anxiété pour d'autres. Avec le temps, un sentiment d'appartenance s'est créé envers le programme désigné. Mais cela a tout de même perturbé grandement les rôles et les rapports d'influence d'autant plus qu'on n'avait pas de compréhension mutuelle des responsabilités de chacun. On est passé d'un système régulateur (où les fonctionnements sont hautement normalisés, formalisés et standardisés) à un système beaucoup plus coopté où l'équipe de professionnels et d'intervenants, provenant de disciplines et de spécialités différentes, sont appelés à travailler de façon plus concertée. Les ajustements mutuels, nombreux et nécessaires dans ce type d'organisation du travail, se sont fait à l'intérieur de mécanismes de consultation et de participation : comité de gestion, comité de coordination, équipes d'amélioration continue, nombreuses rencontres informelles. Certes, il ne suffit pas de mettre sur pied des comités pour que les échanges entre les participants et le maillage des connaissances se fassent naturellement : le climat organisationnel, l'alignement des pratiques de gestion et l'organisation du travail représentent des conditions *sine qua non* à une mise à niveau réussie sous ce rapport (Audet et Jacob, 2001). Majchrzak et Qianwei (1996) ajoutent que les gens n'apprennent pas instantanément à travailler en équipe, leur *mind-set* demeure longtemps orienté vers les fonctions et il faut instaurer certains éléments afin de promouvoir et construire l'apprentissage collectif notamment par le réaménagement physique, les programmes incitatifs, la rotation des individus dans les équipes, le redesign des procédures de travail.

241

L'intégration des fonctions de support

Pendant que les champs d'expertise et décisionnels des programmes-clientèles se précisaient au fur et à mesure de leur implantation et de leur organisation, ceux des services support devenaient plus flous. Comment, en effet, fournir un support approprié à une organisation axée sur les programmes-clientèles où toutes les activités sont maintenant orientées vers la production de soins et de services (*core business*)? Comment ajuster l'offre des services de support à cette structure de contribution qu'est chaque programme-clientèle avec des systèmes de support d'abord conçus pour soutenir une structure d'identification? L'adaptation de son service ou de sa direction au nouveau modèle organisationnel a demandé des changements importants dans les valeurs, les comportements et les attitudes.

Pour les directions cliniques, cela a signifié un changement radical, passant de directions de nature hiérarchique à un rôle conseil. Ainsi, la direction des soins infirmiers (DSI), traditionnellement responsable de la gestion des ressources aux unités de soins et services ambulatoires, a vu ses effectifs infirmiers directement affectés aux programmes-clientèles. Elle a perdu son pouvoir hiérarchique auprès du personnel infirmier et a dû réinventer son rôle dans une perspective d'expertise conseil incluant le contrôle de la qualité des actes et le développement professionnel. Cela a entraîné une refonte complète de son positionnement au sein de l'hôpital et nécessité le développement de nouveaux mécanismes de coordination et de représentation du personnel infirmier au sein des programmes-clientèles. Le rôle de la direction des services professionnels (DSP) a perdu sa fonction hospitalière. Elle agit maintenant comme agent de liaison entre le CMDP et l'administration. Cette direction dirige les programmes diagnostiques de biologie médicale et d'imagerie médicale ainsi que les services de l'admission, des archives et de la pharmacie. Tous ces services sont demeurés centralisés.

Tel que noté plus haut, la décentralisation a également touché les autres groupes professionnels. Pour compenser la perte des chefs de services professionnels et maintenir une identité professionnelle responsable du maintien des compétences génériques requises, on a créé la direction des services multidisciplinaires (DSM). Cette nouvelle direction, qui regroupe 77 professionnels, a notamment mis à jour les définitions de tâches et défini des ententes inter-programmes pour coordonner les charges de travail des professionnels intervenant dans plus d'un programme. Pour les professionnels, la création de la DSM a permis le maintien d'une identité professionnelle distincte de la contribution spécifique que l'on attend d'eux dans chaque programme, ce qui a été déterminant dans l'appropriation des «3 R». Tel que constaté plus haut, les membres des équipes interdisciplinaires doivent à la fois préserver leurs compétences et leurs habiletés spécifiques à leur profession et aussi contribuer au développement collectif d'une vision holistique des soins à apporter.

La direction des ressources humaines (DRH) a opté pour la mise sur pied d'un guichet unique se traduisant par un déploiement de ses effectifs à titre de «premier répondant» au sein des programmes-clientèles. Les professionnels sont donc passés d'un rôle de spécialiste à un rôle de généraliste (dotation, rémunération, relations de travail, santé et sécurité) capable de fournir un service plus intimement lié aux besoins et aux contraintes particulières de chaque programme-clientèle. Cette transformation a été pénible pour plusieurs qui avaient le sentiment de devenir inefficaces, ne maîtrisant pas l'éventail complet des compétences requises par les demandes adressées. En outre, comme on n'avait pas redéfini le panier de services auprès des chefs de programmes, ces derniers ont rapidement formulé des demandes dépassant les capacités (ressources et expertises) disponibles. Les cadres du service de gestion des ressources humaines se sont vus obligés de supporter à la fois des professionnels dont les rôles se trouvaient changés et une demande de services elle-même hautement bouleversée. Aujourd'hui, on est revenu au modèle mixte de généralistes et de spécialistes : les activités de santé et sécurité et de développement ont été centralisées à nouveau afin de pouvoir construire des systèmes de référence professionnels mieux équipés, capables de fournir un service à valeur ajoutée. La restructuration par programmes-clientèles a eu, jusqu'ici peu d'impact sur la direction des services financiers et techniques (DSFT) et sur les services d'admission, des archives, de la pharmacie ainsi que ceux de biologie médicale et d'imagerie médicale. Certes, ce mode de gestion a nécessité un niveau d'encadrement élargi et l'instauration de la formule d'un répondant par programme au sein de plusieurs de ces services. Même si les rôles ont eux-même peu changé, quelques modifications notables, dans l'organisation du travail, ont été relevées : une spécialisation dans les tâches, le développement de savoir-faire et de compétences plus pointues et la participation à des comités et des équipes d'amélioration continue.

CONCLUSION

Tout changement de structure nécessite une redéfinition des rôles, des responsabilités et des rapports d'influence. Aucune structure ne réussit par elle-même à dicter des comportements. Au mieux, elle définit les limites des «3R». On doit donc travailler sur les modes de fonctionnement, s'attaquer aux pratiques, qu'elles soient managériales, cliniques ou médicales en d'autres termes, sur la façon dont les gens travaillent, coopèrent, coordonnent leurs travaux et prennent leurs décisions.

La redéfinition d'un rôle se fait par les attentes qu'on fixe sur un individu dans l'exercice de ses fonctions. Dans un modèle traditionnel de fonctionnement, les rôles deviennent clairement distincts, les pouvoirs bien identifiés et l'identité professionnelle bien dominante. Un équilibre se crée alors entre la définition du champ d'autorité et les responsabilités spécifiques à ce rôle. En organisant le travail de façon différente, les attentes changent. Les acteurs voient leurs rôles et responsabilités modifiées mais ces exigences nouvelles sont beaucoup plus émergentes qu'imposées. Une période de négociation des pouvoirs s'amorce et un déséquilibre apparaît entre les rôles définis et les rôles émergents. Cette période est normale, voire essentielle à l'établissement des nouveaux rôles. Des arbitrages effectués par la direction, sont généralement suffisants pour régler les conflits majeurs. Au fil du temps, les gens utilisent leur jugement et définissent des mécanismes permettant de régler cette situation. On retrouve alors doucement cet état d'équilibre entre les notions d'autorité et de responsabilité. Ce processus de redéfinition des «3 R» s'établira donc de façon graduelle et se fera en partie de façon émergente au fur et à mesure qu'on retrouvera la stabilité organisationnelle.

Somme toute, la nouvelle structure dicte implicitement des rôles à chaque instance mais, force est de reconnaître à quel point le vide temporaire créé par le changement laisse place à des tergiversations de toutes sortes. La nouvelle logique de rôles et de rapports ne se développe pas toute seule dans l'harmonie. Elle nécessite d'être prise en main.

Notes

1. Parmi lesquels le Rapport de la Commission Clair au Québec, le Rapport de la Commission royale sur la santé au fédéral, le Comité Bédard.

2. Quatre ministres se sont succédés, en quatre ans, à la tête de ce ministère.

3. Fusion de petits établissements en région, mises à la retraite massives, création de deux mégas centres hospitaliers universitaires montréalais, approche ambulatoire, groupes de médecine familiale...

4. La méthode retenue visait l'identification de personnes clés, en mesure de fournir une appréciation valable de la situation de mise en œuvre et n'avait donc pas pour but une quelconque représentativité : 25 entrevues à la première évaluation et 33 à la deuxième, incluant à peu près les mêmes personnes, soit des gens de la haute direction, des chefs de programmes, des directeurs conseils, des médecins, des professionnels, des infirmières, des représentants de syndicats, des administrateurs et du personnel de soutien.

5. Par exemple, dans le programme de chirurgie, un des plus volumineux programmes, on est passé d'une organisation par spécialité chirurgicale (le département était constitué de neuf spécialités) à une organisation basée sur les besoins des clientèles (quatre groupes de clientèles ont été identifiés).

6. Les services de biologie médicale et d'imagerie médicale ont été réunis sous deux programmes appelés «diagnostiques».

7. Tous les chefs clinico-administratifs choisis sont des infirmières qui travaillaient dans des postes administratifs et un inhalothérapeute qui était chef de ce service.

8. Le co-gestionnaire médical n'est assujetti qu'à une journée de travail par semaine.

9. La direction de l'hôpital Maisonneuve-Rosemont distingue bien l'interdisciplinarité de la multi-disciplinarité : dans ce dernier cas, malgré une certaine ouverture à une planification commune, chaque professionnel priorise son plan d'intervention en fonction de ses propres normes et exigences profes-sionnelles. En interdisciplinarité, les membres de l'équipe se rencontrent régulièrement, coordonnent leurs activités, ont de réelles relations de collaboration et partagent leur expertise.

Références

Association des hôpitaux du Québec, *Organisation par programme-clientèle : l'expérience des centres hospitaliers du Québec*, rapport de recherche, mars 2000.

Audet, M., Jacob, R., *Défis des directions RH à l'ère de l'entreprise virtuelle*, Communication faite dans le cadre du XIIᵉ Congrès de l'AGRH tenu à Liège, les 13 et 14 septembre 2001.

Brilman, J., *Les meilleures pratiques de management*. Éditions d'organisation, 2000.

Dussault, G., «Impact de la pratique interdisciplinaire sur la gestion», In M. Côté & T. Hafsi (Eds.) *Le management aujourd'hui*. Les Presses de l'Université Laval – Economica, 2000, p. 458-462.

Hafsi, T., Demers, C., *Comprendre et mesurer la capacité de changement des organisations*, Les Éditions Transcontinental inc., 1997.

Lamothe, L., «La reconfiguration des hôpitaux : un défi d'ordre professionnel», *Ruptures, revue transdisciplinaire en santé*, 6 (2), 1999, p. 132-148.

Luc, D., Rondeau, A., «La restructuration par programmes-clientèles à l'hôpital Maisonneuve-Rosemont : Une étude diachronique de cette transformation» *Revue Gestion*, automne 2002.

Majchrzak, A., Qianwei, W., «Breaking the functional mind-set in process organizations», *Harvard Business Review*, Septembre-Octobre 1996.

Mintzberg, H., *The Structuring of Organizations*. Prentice-Hall, 1979.

Nolan, R., Pollock, A., Ware, J., «Creating the 21st Century Organization Stage-by-Stage», cité par: Applegate, L.M. «Managing in the Information Age: Transforming the Organi-zation for the 1990s», dans Baskerville, R., Smithson, S., Ngwenyama, O.,DeGross, J.I. (Eds), *Transforming organisations with Information Technology* (A-49), Elsevier Science B.V. 1994, pp. 15-94.

Ostroff, F., *L'entreprise horizontale : L'entreprise du futur et sa proposition de valeur*, Dunod, 2000.

Rondeau, A.,«Transformer l'organisation. Comprendre les forces qui façonnent l'organisation et le travail», *Revue Gestion,* automne 1999, 12-19.

Roy, M., Audet, M., *La quête de la flexibilité par les nouvelles formes d'organisation du travail, Revue Gestion*, Hiver 2003.

Senge, P., *The Fifth Discipline*, Century Business, 1995.

Shortel, S., Gillies, R., Anderson, D., Erickson K., & Mitchell, J., *Remaking Health Care in America*. Jossey-Bass, 2000.

Tarondeau, J.-C., Wright, R.W., «La transversalité dans les organisations ou le contrôle par les processus», *Revue française de Gestion*, juin-juillet-août 1995.

Thompson, J.D., *Organizations in Action*. McGraw-Hill, 1967.

PROBLÉMATIQUES CONTEMPORAINES EN TRANSFORMATION DES ORGANISATIONS

Dix ans de réingénierie des processus d'affaires : qu'avons-nous appris?

Annie Cornet

L'ambition de cet article est de réaliser une analyse et une critique de l'un des modèles managériaux les plus populaires des dernières années dans le monde des entreprises et dans les écoles de gestion : le *reengineering* (BPR), ou la réingénierie des processus d'affaires. Derrière ces termes se cache une vague de restructuration et de réorganisation des entreprises qui s'appuie largement sur les potentialités des technologies de l'information et de la communication et sur l'ingénierie informatique. Depuis le début des années 1990, la réingénierie des processus d'affaires fascine, attire les gestionnaires qui semblent y voir un outil capable de sortir leur organisation de la crise ou, mieux encore, de renforcer un avantage stratégique et d'améliorer leur compétitivité. Il est vrai que le discours est séduisant. Les premiers écrits sur la réingénierie des processus d'affaires promettaient en quelque sorte le «paradis organisationnel» : moins de perte de temps (gains de 50 à 70 %), des réductions de coûts pouvant aller jusqu'à 30 %, une satisfaction accrue de la clientèle et une plus grande qualité dans les produits et les services. Dans certains écrits (Hammer, 1996), les auteurs parlent aussi d'une organisation sans conflit et sans classe sociale, où tous les salariés seront motivés et «heureux». Dix ans plus tard, il est temps d'établir un premier bilan.

LE MODÈLE MANAGÉRIAL

Pour commencer ce bilan, il est nécessaire de clarifier les composantes du modèle managérial et ses implications en matière

Annie Cornet est chargée de cours adjoint à l'École d'Administration des Affaires de l'Université de Liège en Belgique.

d'organisation du travail. S'attarder sur ce contenu, c'est tenter de comprendre ce qui a séduit nombre de dirigeants et consultants, ce qui était espéré et attendu. Cette partie a été réalisée à partir d'une analyse de contenu des écrits managériaux[1], c'est-à-dire à partir d'ouvrages et d'articles destinés avant tout aux gestionnaires. Ces documents sont centrés sur l'action et ont une portée normative. Il s'agit de convaincre les managers qu'il faut reconfigurer leurs entreprises et organisations et de donner des conseils sur la manière d'y arriver. Ces ouvrages sont régulièrement émaillés d'exemples d'entreprises qui ont, selon leurs auteurs, réussi ce changement organisationnel.

Comme le montre le schéma 1, la réingénierie des processus d'affaires propose de quitter une forme structurelle *A* pour passer à une forme structurelle *B*, en suivant un modèle d'accompagnement *C* qui définit notamment les rôles des acteurs organisationnels. Le changement se présente comme radical.

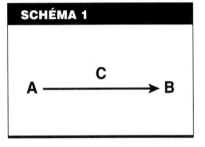

SCHÉMA 1

La fin de l'organisation fonctionnelle et bureaucratique (A)

La réingénierie se veut en rupture par rapport aux structures fonctionnelles, qualifiées par Hammer et Champy (1993) d'entreprises «tayloriennes» ou de bureaucraties. Cette forme organisationnelle est présentée comme incapable de s'adapter aux nouvelles contraintes de l'environnement parce que remplie de formalisme, de procédures et de contrôles. Un des objectifs de la réingénierie des processus d'affaires est le gain de temps dans le traitement des demandes de la clientèle ou dans le développement d'un produit. Dans cette logique de recherche de temps, la fragmentation du travail entre opérateurs et unités – qui caractérise les entreprises fonctionnelles – est perçue comme génératrice d'immenses pertes de temps (temps de transfert, hiérarchie des priorités, etc.). Les autres effets pervers de ce modèle d'organisation sont le cloisonnement, le territorialisme, le protectionnisme, présentés comme des résultats «inévitables» de la structuration verticale autour des fonctions. Ces défauts sont perçus comme incompatibles avec les nouvelles exigences du marché qui réclament de la collaboration, du partenariat, du transfert d'information et de compétences tout au long des processus transversaux. Enfin, les partisans de la réingénierie des processus d'affaires dénoncent les multiples opérations de contrôle qui caractérisent ces organisations. On reproche aussi à l'organisation fonctionnelle d'être une organisation très coûteuse en ce qui concerne les coûts d'exploitation et d'administration. Les services administratifs et fonctionnels sont l'une des cibles principales de la réingénierie des processus d'affaires. Ce diagnostic plaide pour un changement majeur dans les modes d'organisation du travail, les promoteurs de la réingénierie l'ont bien compris et s'installent dans ce créneau.

L'avènement de l'organisation processuelle (B)

Pour pallier tous ces défauts des structures fonctionnelles, les promoteurs de la réingénierie des processus d'affaires proposent une organisation structurée non plus autour des fonctions, mais autour des processus. Ce modèle d'organisation est pressenti comme plus souple, plus flexible, plus fluide, libre des défauts des structures bureaucratiques. La charpente de cette nouvelle structure est le processus. À partir de plusieurs définitions de cette notion de processus, nous pouvons en dégager les principales composantes et caractéristiques :

- un processus est un flux d'information, de biens et/ou de services;

- il est orienté vers un client;

- c'est une suite logique d'activités ou de tâches;

- la raison d'être d'une activité dans un processus est qu'elle produit une valeur ajoutée pour le client;

- un processus peut être mesuré (temps du cycle);

- il traverse les fonctions, les départements et les services (notion de transversalité);

- il peut comprendre des acteurs externes à l'organisation (fournisseurs, sous-traitants, clients).

La structure processuelle résulte de l'agencement d'une série de processus transversaux optimisés. Elle se caractérise par une réduction importante, voire par une suppression des services administratifs et des services fonctionnels, au travers notamment d'opérations d'impartition, de mise en place de systèmes experts et de logiciels de gestion des flux (Workflow et ERP). Potentiellement, tous les paramètres de configuration d'une organisation sont visés par ce projet de changement (Mintzberg, 1982; Nizet, Pichault, 1995), comme en témoigne le tableau 1 qui résume le diagnostic posé sur les structures fonctionnelles et les changements espérés au niveau de la structure reconfigurée ou processuelle.

En ce qui concerne les politiques de gestion des ressources humaines, les promoteurs de la réingénierie des processus d'affaires proposent le passage d'un modèle de gestion des ressources humaines objectivant[2], basé sur des règles et des procédures uniformisées pour un groupe de travailleurs, à un modèle individualisant, centré sur l'individualisation des droits et la valorisation de la performance individuelle. Tous les domaines de la gestion des ressources humaines sont concernés et les changements escomptés apparaissent comme «radicaux» (Cornet, 1998).

Le modèle d'accompagnement (C)

Le modèle d'accompagnement repose sur quelques actions clés : optimiser les processus, utiliser au maximum les potentialités des technologies de l'information, planifier et contrôler le changement, maîtriser la composante ressources humaines, impliquer certains acteurs organisationnels et opérer un changement radical.

OPTIMISER LES PROCESSUS

L'optimisation des processus s'inscrit dans la recherche d'un optimum. L'ambition est de marier des objectifs externes d'efficacité (qualité et satisfaction de la clientèle) avec des objectifs internes d'efficience (coûts et temps) dans un tout cohérent et compatible. Ces objectifs doivent être quantifiables – donc observables – et ambitieux. L'optimisation d'un processus repose sur des opérations de décomposition, d'évaluation, de simplification, de standardisation et d'intégration. Ce travail de décomposition et de recomposition fait penser à un jeu de Lego (Peppard, 1996). Le critère de tri est la notion de valeur ajoutée : certaines activités sont définies comme ayant de la valeur ajoutée parce qu'elles offrent un intérêt direct pour le client (amélioration de la qualité ou de l'offre de service); d'autres, à l'inverse, sont considérées comme sans valeur ajoutée parce qu'elles génèrent des coûts et prennent du temps sans impact direct sur le produit ou le service proposé au client. Ce tri est présenté comme simple et non ambigu :

> «Les activités à valeur ajoutée sont faciles à identifier. Ce sont toutes les activités qui produisent les biens et les services que désirent les clients. [...] Les activités sans valeur ajoutée sont toutes celles qui sont inutiles et dont l'absence ne serait pas remarquée par le client (la production de rapports que personne ne lit, le travail mal fait, les activités de vérification redondantes). [...] Dans les processus conventionnels, les

TABLEAU 1

Paramètres de configuration	Configuration bureaucratique	Entreprise «reconfigurée» autour des processus
Division horizontale du travail (niveau des opérateurs)	• Spécialisation des tâches • Division horizontale forte / entreprise taylorienne	• Activités multidimensionnelles / élargissement des tâches • Division horizontale faible / postes multitâches / élargissement des tâches / polyvalence
Division verticale du travail (niveau des opérateurs)	• Séparation conception / exécution • Peu d'autonomie dans l'organisation du travail et dans la prise de décisions • Beaucoup de contrôles	• Enrichissement des tâches / plus d'autonomie dans l'organisation du travail • Plus de responsabilités pour les opérateurs • Moins de contrôle sur la façon de réaliser les tâches mais plus sur les résultats
Différenciation entre unités (horizontale)	• Forte différenciation • Distinction nette des services selon leurs fonctions : services opérationnels et fonctionnels	• Faible différenciation • Disparition des services et des départements • Structuration horizontale autour des processus • Équipe multifonctionnelle, liée à un processus, transversale à l'ancienne structure
Coordination du travail entre opérateurs	• Standardisation des procédures • Standardisation des résultats (DPO), pour certaines catégories de personnel (cadres)	• Standardisation des procédures (processus très formalisé) • Standardisation des résultats pour toutes les catégories de personnel • Ajustement mutuel (valorisation du travail d'équipe) • Standardisation des normes (satisfaction de la clientèle, etc.)
Mécanismes de liaison entre unités	• Formalisation des procédés • Formalisation des résultats avec la mise en place d'unités d'entreprise (unité de référence = l'unité)	• Formalisation des procédés (liens entre les différentes étapes du processus) • Formalisation des résultats (unité de référence = le processus) • Mécanismes de liaison reposant sur les relations inter-personnelles : travail d'équipe, *task forces*, postes de liaison • Mécanismes reposant sur les représentations mentales : autonomie, orientation client, innovation, *learning process*, flexibilité

TABLEAU 1 (suite)

Différenciation verticale : nombre de niveaux hiérarchiques	• Beaucoup de niveaux hiérarchiques : structure basée sur la supervision et le contrôle	• Aplatissement des structures • Organigramme à plat • Leadership transformationnel, charismatique, *coaching*
Degré de centralisation de la prise de décision	• Centralisation des décisions stratégiques • Décentralisation des décisions managériales et opérationnelles au niveau des divisions fonctionnelles	• Centralisation des décisions stratégiques • Décentralisation des décisions managériales et opérationnelles dans les équipes de processus
Localisation du pouvoir	• Sommet stratégique et analystes de la technostructure • Système d'influence bureaucratique	• Sommet stratégique et équipes de processus • Système d'influence : contrôle idéologique / formalisation des résultats
Buts	• Buts de système dominants : survie du système en place	• Buts de mission : satisfaire le client
Culture organisationnelle et valeurs	• Monde industriel : objet technique, efficacité fonctionnelle, maîtrise • Monde civique : formes légales, procédures • Monde domestique : hiérarchie, tradition, devoir, subordination	• Monde marchand : concurrence, intérêt, richesse, opportunisme, possession, argent, bénéfice • Monde de l'opinion : désir de considération, nomination et marques, persuasion, succès • Monde de l'inspiration : spontanéité, risque, éclair de génie
Frontières de l'organisation	• Rigides, claires	• Souples, fluides • *Outsourcing* / relocalisation / délocalisation / télétravail • Accentuation des liens avec les fournisseurs et les firmes externes
Environnement	• Stable • Simple • Peu hostile	• Instable • Complexe • Hostile

activités sans valeur ajoutée sont la colle qui fait tenir ensemble les activités à valeur ajoutée. C'est toute la dimension administrative : vérification, supervision, contrôle et rapports.» (Hammer, 1996, p. 34, traduction libre.)

UTILISER AU MAXIMUM LES POTENTIALITÉS DES TIC

La plupart des ouvrages managériaux sur la réingénierie se situent clairement dans le courant du déterminisme technologique : les technologies auraient la capacité, de par leurs qualités intrinsèques, de changer l'organisation. En conséquence, ces écrits préconisent l'usage massif des innovations dans le secteur des technologies de l'information. Ils insistent sur le fait que pour atteindre les objectifs annoncés, l'usage de ces technologies doit être fondamentalement différent de celui des débuts de l'informatisation des tâches : il ne s'agit plus d'informatiser l'existant mais de redéfinir les modes d'organisation du travail et l'enchaînement des tâches, c'est-à-dire de repenser les processus.

PLANIFIER ET CONTRÔLER LE CHANGEMENT

La réingénierie des processus approche le changement comme un processus séquentiel, piloté et dirigé par des experts. La réingénierie des processus découle de choix stratégiques décidés et planifiés par l'équipe de direction, qui sont traduits en objectifs opérationnels et en critères d'évaluation (indicateurs de temps, de qualité, de degré de satisfaction à atteindre). Les variables structurelles (organisation et répartition du travail) et les politiques de gestion des ressources humaines sont supposées s'ajuster automatiquement aux décisions prises puisque celles-ci sont optimales en ce qui concerne les objectifs de réduction de coûts et d'optimisation des profits (c'est la rationalité du processus de décision). Le consensus sur le contenu du changement et sur son processus (la manière d'y arriver) repose sur la rationalité des choix posés selon des critères d'efficience et d'efficacité.

MAÎTRISER LA COMPOSANTE HUMAINE

L'individu dans l'organisation est perçu comme un être rationnel, qui recherche une optimisation économique de son implication dans l'entreprise. Il sera soumis et impliqué s'il a compris que les motifs qui guident le projet de changement sont légitimes en regard de la volonté de croissance et de survie de l'organisation (rationalité des décisions), que les choix qui ont été effectués sont des solutions optimales, et enfin qu'il trouve dans le changement un gain financier ou symbolique. En conséquence, les actions centrées sur l'humain visent avant tout à lever les résistances au changement en faisant appel notamment à la rationalité des acteurs, en utilisant le ciment potentiel que constitue la culture organisationnelle et en utilisant le jeu des sanctions et des récompenses (par exemple la valorisation salariale).

IMPLIQUER LES ACTEURS CLÉS DE L'ORGANISATION

La définition assez précise des rôles de chacun des acteurs du projet de changement est une composante importante du modèle d'accompagnement. Le client est présenté comme étant au centre du projet de changement. Il devrait en être le premier bénéficiaire. Treacy et Wiersema (1995) parlent d'un «culte du client» qui doit se traduire par des avancées au niveau de l'innovation relative au produit (amélioration de la qualité), de l'excellence opérationnelle (réduction de coûts et du temps de production et de livraison), de l'intimité avec le client (amélioration de la qualité du service offert à la clientèle). Dans les écrits les plus récents (McHugh *et al.*, 1995), le poids et le rôle du client sont accentués. Celui-ci n'est plus un *customer* mais un *prosumer* car il devient un partenaire actif dans l'entreprise.

La réingénierie des processus d'affaires est présentée comme un projet qui doit émaner de la direction ou, en tout cas, être ouvertement et fermement soutenu par elle. L'implication de la direction et des cadres supérieurs est régulièrement présentée comme une condition de base pour pouvoir entamer un projet de réingénierie. L'un des premiers rôles qui est dévolu à la direction est d'orchestrer une opération de communication qui vise à convaincre de la nécessité du changement et de la rationalité des décisions prises. Il est aussi préconisé que la direction s'implique en clarifiant les orientations stratégiques, en formulant et en soutenant une «vision d'entreprise» et en suivant le changement grâce à un comité de pilotage réunissant tous les acteurs clés de l'organisation. La hiérarchie est appelée à jouer un rôle de facilitateur du changement : de contrôleurs et de garants de l'ordre et de la discipline, ses membres passent à des rôles de *coaching* et de supervision.

Hammer et Champy (1993) pensent que la réingénierie ne doit pas venir de la base. Ce point est clairement identifié comme une erreur à éviter. Le personnel est décrit, dans les premiers écrits, comme trop proche et trop directement impliqué dans les processus existants pour être suffisamment innovateur. Il existe bien dans le modèle des groupes de travail constitués notamment de membres du personnel (groupes de *key-users*) mais leur tâche est fortement circonscrite : description et analyse des processus existants et proposition pour un nouvel agencement des tâches et activités. Il est d'ailleurs fréquemment conseillé que ces groupes ne travaillent pas seulement avec des personnes internes mais soient accompagnés d'acteurs externes, garants de l'innovation et de la non-reproduction des schémas traditionnels. Ceci explique notamment pourquoi les consultants sont pressentis comme des acteurs importants dans ce processus de changement. Ils sont considérés comme des alliés externes qui peuvent amener une autre façon de concevoir les processus de travail. Si l'implication du personnel pendant la phase de diagnostic et de design des processus n'est pas identifiée comme une condition indispensable pour la réussite d'un tel projet, sa participation et son implication pour la mise en œuvre sont par contre fortement attendues, avec notamment une forte responsabilisation quant aux conséquences des actions posées sur la satisfaction de la clientèle et sur la rapidité et la fluidité du processus. On note toutefois une nette évolution dans les écrits normatifs sur ce thème de l'implication, conséquence des échecs et des attaques formulées contre le modèle d'implication préconisé. Ainsi, Hammer déclare en 1995 : «Impliquez les gens dans la réingénierie, de sorte qu'ils se trouvent à critiquer de l'intérieur plutôt qu'à résister de l'extérieur. Si les gens sentent que le processus de réingénierie leur appartient, ils pourront faire la catharsis de leurs sentiments négatifs. La participation donne aussi aux gens un sentiment de contrôle : la réingénierie n'est pas quelque chose qu'on vous fait, c'est quelque chose qu'on fait ensemble.» (Hammer, 1995, p. 44, traduction libre.)

CHANGER RADICALEMENT L'ORGANISATION

La réingénierie des processus d'affaires se définit au départ comme un point de rupture, un changement radical dans la façon de penser et de structurer les organisations : «Le reengineering signifie tout reprendre depuis le début. Il suppose qu'on mette de côté une grande partie du savoir hérité de deux siècles de gestion industrielle.» (Hammer, Champy, 1993, p. 9-11.)

Les phrases et les mots sont spécialement choisis pour refléter ce message. Le langage se veut révolutionnaire avec l'usage de mots comme «radical», «transformation», «violent», «agressif», «innovation», «supprimer» ou «effacer» (*obliterate*[3]). L'idée de rupture est aussi utilisée grâce à des mots comme «nouveauté», «rupture avec le passé», etc. La réingénierie des processus d'affaires est présentée comme un changement de second degré[4] qui veut rompre avec les systèmes organisationnels en place : «Au cœur de la réingénierie se trouve la notion de pensée discontinue; il s'agit de reconnaître les règles dépassées et les idées préconçues qui sous-tendent les opérations, et de les rejeter. Si nous ne changeons pas ces règles, nous ne faisons que réarranger les chaises sur le pont du Titanic. Il est impossible d'effectuer des percées dans la performance en «coupant le gras» ou en automatisant des processus existants. Nous devons plutôt remettre en question les vieux préjugés et les vieilles règles qui sont au départ responsables de la sous-performance de l'entreprise.» (Hammer, 1990, p. 197, traduction libre.)

L'avantage de présenter la réingénierie des processus d'affaires comme révolutionnaire et radicale est que cela rend crédible le fait qu'elle peut générer des gains exceptionnels (Jones, 1995).

257

La mise en œuvre du modèle

Intéressons-nous maintenant aux faits et donc à la mise en œuvre de ce modèle de changement organisationnel dans le quotidien des organisations.

UN ENGOUEMENT CERTAIN ET DES CHANGEMENTS APPARENTS

Les études empiriques[5] montrent que la réingénierie des processus d'affaires est populaire et rencontre un franc succès auprès des organisations nord-américaines mais aussi européennes. On sent une adhésion du monde des affaires aux objectifs annoncés et à l'analyse des raisons qui devraient pousser les entreprises à s'embarquer dans cette aventure (pression concurrentielle, survie de l'organisation, etc.). La cible de la réingénierie des processus d'affaires semble être surtout le secteur des services et les services administratifs du secteur secondaire avec un public spécifiquement concerné : les employés (Hendry, 1995). Des réussites fulgurantes et des succès plus modestes témoignent de l'atteinte de certains objectifs, en particulier de gains de temps et parfois de coûts. Il s'agit d'un changement *top-down*, initié et supervisé par l'équipe dirigeante, avec une faible implication du personnel directement concerné en dehors des *key-users* placés dans des groupes de travail transfonctionnels et pluridisciplinaires. Les consultants apparaissent comme des partenaires très présents dans ces projets, notamment les consultants en ingénierie informatique. Les études empiriques confirment l'usage massif des potentialités des technologies de l'information (mise en réseau, recours à des logiciels de production intégrée, etc.). Des changements dans l'organisation du travail sont également identifiés : modifications dans les modes de répartition du travail entre opérateurs et unités (élargissement des tâches, révision de la répartition du travail entre entités), dans les mécanismes de coordination et de liaison (valorisation de l'ajustement mutuel et du travail d'équipe), décloisonnement des services et des départements, évolution des organigrammes, réduction de la hiérarchie et redéfinition de son rôle, etc. Les politiques de gestion des ressources humaines subissent quelques évolutions. Toutefois, sur ce dernier point, les discours sont plus avancés que les pratiques qui se cherchent encore (Roy *et al.*, 1995; Cornet, 1998).

258

DES CHANGEMENTS PARTIELS ET INCRÉMENTAUX

Si l'on peut observer des changements, il ne faut toutefois pas en conclure trop vite qu'ils prennent la forme radicale préconisée par Hammer et Champy (1993). On est même ici dans une situation apparemment paradoxale : l'idée de changement radical séduit et les chefs de projet et les responsables aiment dire qu'ils ont mené des changements majeurs, mais dans les faits, les changements apparaissent souvent comme assez partiels, limités à une partie de l'organisation et à un ou deux processus. Si des changements sont amorcés, les difficultés s'avèrent aussi nombreuses et certains auteurs, dont Hammer et Champy (1995, 1996), parlent de 70 % d'échecs. Les résultats ne sont pas toujours là, ou encore sont diffficiles à stabiliser. La phase de diagnostic et de design s'avère souvent plus lente et plus complexe que prévu, d'importants blocages apparaissent dans la phase d'implantation, certains projets sont tout simplement abandonnés. C'est que le processus de changement ne porte pas sur des formes organisationnelles «parfaites» (passage d'un modèle bureaucratique à un modèle organique, d'une gestion des ressources humaines objectivante à individualisante), mais détermine des processus d'hybridation (par superposition de différents modèles). Le modèle d'accompagnement préconisé apparaît largement insuffisant. La composante humaine échappe à la formalisation et pose beaucoup de problèmes, dès les premières phases du changement.

Reprenant le schéma dégagé à la fin de la première partie, on peut dire que si la forme organisationnelle espérée est bien *B*, du moins pour les équipes dirigeantes, le point d'arrivée semble être bien plus souvent *B'*. *B'* s'inspire de *B* mais s'en écarte aussi sur toute une série de points (*B'* = superposition de *A* et de *B*). Le modèle d'accompagnement mis en œuvre pour arriver à *B* s'écarte de celui qui était préconisé, les accompagnateurs notamment ne semblent pas jouer leur rôle. Comme l'écrivent Davenport et Stoddard (1994), «si on commence à rêver à partir de la feuille blanche, dans la phase d'implantation il va falloir gérer et assumer une situation de compromis entre le rêve et l'existant».

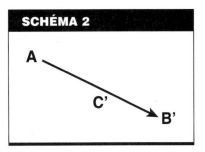

Ce constat va générer toute une série de recherches et d'écrits normatifs qui tentent d'identifier les facteurs de succès et d'échec et d'inventorier les erreurs les plus souvent commises par les entreprises. Certaines critiques portent sur le non-respect des composantes du modèle, d'autres sur le rôle joué par les acteurs clés et d'autres enfin sur les modalités d'accompagnement. Ceci débouche sur un certain nombre de pistes d'action ou de remèdes qui devraient permettre d'atteindre les gains escomptés. Résumons les principaux enseignements de ces recherches.

259

DES OBJECTIFS RÉACTIFS, PARTIELS, PEU DÉFINIS ET CONTRADICTOIRES

Si les entreprises n'atteignent pas les gains escomptés, ce serait parce qu'elles ont opté pour des changements partiels (centrés sur un ou deux processus et pas sur toute l'organisation) et trop progressifs (changements incrémentaux plutôt que radicaux). Ceci aurait pour effet de diluer le changement et d'en limiter les bénéfices. On reproche aussi aux dirigeants et aux chefs de projet d'être trop prudents, de ne pas se fixer des objectifs suffisamment ambitieux et de continuer à raisonner dans une logique d'améliorations marginales. Les objectifs sont essentiellement réactifs : diminution des frais de personnel, réduction des coûts technologiques, gains sur les frais généraux, etc. En se centrant sur de tels objectifs, les entreprises oublient leurs finalités : la satisfaction de la clientèle et l'accroissement des parts de marché. La stabilisation de ces gains et la conciliation des quatre objectifs annoncés (temps, coûts, qualité, satisfaction de la clientèle) apparaissent comme problématiques.

LA RÉINGÉNIERIE : BIEN PLUS QU'UN CHANGEMENT DE LOGICIELS ET DE TECHNOLOGIES

Les erreurs liées à l'introduction de nouvelles technologies dans le processus à optimiser sont celles qui ont généré le plus d'études. Un premier constat de ces études est que certaines entreprises ont opté pour les mauvais choix technologiques. Les problèmes à résoudre sont complexes, l'offre de produits est vaste, les technologies sont nouvelles et encore peu maîtrisées, autant d'éléments qui peuvent éclairer ce constat qui est souvent lourd de conséquences. Plusieurs échecs peuvent aussi s'expliquer parce que les entreprises, souvent poussées par des firmes qui vendent des logiciels ou par certains bureaux de consultance, ont réduit la réingénierie des processus d'affaires à un changement technologique. Les dirigeants et chefs de projet ont espéré qu'un changement dans les applications informatiques allait générer automatiquement des changements dans les modes d'organisation du travail et dans la circulation de l'information (Davenport, 1994). Les évaluations montrent qu'il n'en est rien et que l'implantation d'un outil technique sans égard à l'organisation et au système d'information ne peut suffire à produire les gains annoncés. On reproche aussi aux dirigeants d'avoir placé le choix technologique en amont du processus de décision alors que ce sont les stratégies d'entreprise qui auraient dû guider leur choix. Le thème de l'implication des utilisateurs et du manque de prise en considération de la composante humaine de ce changement technologique est également largement débattu.

Certains dénoncent la rigidité des modèles qui sont appliqués. Trop souvent, la forme prend le pas sur le fond. Des chefs de projet s'enferment dans le respect de méthodes de gestion du changement qui tentent de tout prévoir et de tout programmer. Tout écart par rapport à ces plans est évité ou corrigé, ce qui enlève toute créativité, toute forme de flexibilité et freine les ajustements qui auraient dû avoir lieu.

DES ACTEURS ABSENTS ET DÉFAILLANTS

L'attitude de l'équipe dirigeante et de la hiérarchie est fréquemment mise en cause dans les études. On leur reproche de ne pas suffisamment s'impliquer au-delà des premières phases du changement. La direction, comme dans beaucoup d'autres changements organisationnels, se désinvestit trop tôt. Les chefs de projet et les équipes de travail ne se sentent plus soutenus, et le changement se dilue sous le poids des résistances. Rondeau, Lemelin et Lauzon (1995) constatent également que l'équipe dirigeante limite trop souvent son implication à des gestes qui l'engagent peu, comme la sollicitation de l'appui des cadres de premier niveau ou la diffusion de messages qui visent à justifier et à encourager le changement. Peu de gestes concrets sont posés, par exemple pour rassurer les employés (garanties sur les emplois, consultation des syndicats, mobilisation de moyens humains et financiers, etc.). La direction prend rarement position quand des questions concrètes surgissent sur les conséquences du processus de changement ou quand des conflits apparaissent. Les chercheurs regrettent l'absence dans les comités de pilotage de certains responsables et dirigeants, notamment les directeurs des ressources humaines (Roy *et al.*, 1995; Willmott, 1995).

Les barrières érigées par les dirigeants des unités fonctionnelles sont souvent critiquées : on parle de «baronnies», de sauvegarde de territoire et de pouvoir. La ligne hiérarchique aurait peur de perdre ses privilèges, ne se remet pas suffisamment en question, n'ajuste pas son style de leadership à la nouvelle organisation, ne délègue pas suffisamment. Les équipes de direction sont la cible directe du second ouvrage de Champy (1995), qui les accuse d'être le principal lieu de blocage des projets de changement. Plusieurs études soulignent aussi que les chefs ne sont pas suffisamment encadrés pour assumer leurs nouveaux rôles. Le manque de clarification quant aux responsabilités hiérarchiques constitue une source de blocage non négligeable, et ce d'autant plus que le changement met en jeu des scénarios d'hybridation (équipe de travail processuelle qui se superpose à des structures fonctionnelles ou divisionnelles). Le manque de compétence de la hiérarchie pour gérer les peurs et les stress liés à la réingénierie (peur de perdre son emploi, de ne pas être à la hauteur, etc.) est parfois souligné. Gérer cette facette de l'humain s'avère problématique pour plusieurs cadres. Faute d'avoir les comportements adéquats, les résistances au changement s'accentuent, les attitudes de retrait se multiplient.

Un problème fréquemment évoqué est le manque d'expertise des entreprises dans la gestion des équipes de travail, *a fortiori* si elles sont interfonctionnelles et interdisciplinaires. Les erreurs communes sont de mauvais choix quant à la composition des équipes (compétences des opérateurs, niveau hiérarchique, personnalité), un manque de préparation au travail de groupe et à ses contraintes (gestion des conflits, création et respect d'un ordre du jour, planification du temps de réunion, circulation de l'information, gestion du temps de parole, confusion des rôles) et un manque de clarté dans les objectifs et les missions de ces groupes de travail. Les équipes de projet sont aussi confrontées au manque d'information, notamment d'information stratégique. Pour pouvoir reconfigurer les processus, elles ont besoin d'avoir une idée du devenir de l'organisation, mais la direction hésite encore à partager cette information classée «top secret». Pour les équipes de processus, outre toutes les lacunes en matière de gestion des groupes, les auteurs pointent un manque dans les langages intermétiers qui permettraient aux opérateurs de se comprendre et de communiquer autour d'une logique de processus et non plus autour d'une logique fonctionnelle (Lorino, 1995).

UNE POLITIQUE DE COMMUNICATION DÉFAILLANTE

La nécessité d'une communication forte et continue est fréquemment soulignée dans la recherche managériale, et les manques en cette matière seraient l'une des erreurs les plus fréquemment commises dans l'accompagnement de projets de réingénierie. La politique de communication est trop souvent unilatérale (*top-down*) et axée sur les premières phases du changement, délaissant les phases d'implantation où le besoin d'information demeure et même s'accroît. Les informations données sont trop générales (objectifs, motifs, design des nouveaux processus, choix technologiques). Les informations jugées trop sensibles (déplacement de personnel, conditions de reclassement et de requalification, changement dans les politiques salariales) sont évitées. Plusieurs auteurs constatent que les messages sont insuffisants, que les motifs et objectifs de l'opération de réingénierie ne sont pas suffisamment expliqués au personnel, que la diffusion de l'information est restreinte à un petit nombre d'initiés. Certains parlent de «silences» sur les objectifs et sur les conséquences du changement qui génèrent un climat de méfiance et de suspicion. Ceci entraîne des blocages et des résistances de la part du personnel qui voudrait des lieux et des moments pour poser des questions, pour choisir les thèmes à aborder. Jesse (1997) montre les difficultés qui surgissent quand les langages adoptés sont en décalage par rapport au public visé : il donne comme exemple la présentation du projet de réingénierie en langage technique devant un public d'employés n'ayant aucune connaissance technique ou informatique.

DES LACUNES DANS LES DISPOSITIFS DE FORMATION

Plusieurs dispositifs de formation mis en place apparaissent comme insuffisants. Les formations dispensées apparaissent comme trop ciblées sur les aspects techniques. Pour Rondeau *et al.* (1995), les formations ne sont pas données au bon moment; elles arrivent trop tôt ou trop tard. Doherty et Horsted (1996) dénoncent un contenu de formation qui est essentiellement *top-down*, structuré autour de ce qui est perçu comme important par la direction et les chefs de projet et de départements, sans concertation préalable sur les attentes des individus. Les limites des formations destinées à justifier le projet de changement mais centrées sur l'analyse économique et financière sont dénoncées (Cooper, Markus, 1995). Davenport (1994) constate que les programmes de formation sont pensés comme des apprentissages de nouveaux supports informatiques alors qu'il serait bien plus utile et nécessaire de réfléchir à la façon dont le personnel utilise l'information.

UNE COMPOSANTE HUMAINE NÉGLIGÉE

Alors que la composante humaine du projet de changement est généralement désignée comme un des facteurs de risque les plus importants, il est rare que des dispositifs concrets soient mis en place pour l'encadrer et que des objectifs à atteindre dans ce domaine soient formulés. Les ajustements dans les politiques de gestion des ressources humaines sont réalisés trop tard et sont souvent en décalage par rapport aux comportements espérés : on ajuste trop tard ou même pas du tout les systèmes de rétribution (primes, etc.), les systèmes d'évaluation ina-déquats et dépassés pénalisent et dévalorisent les nouveaux emplois créés, ou ils continuent à évaluer l'aptitude de l'individu à réaliser sa fonction alors qu'il faudrait récompenser l'*output*, c'est-à-dire le résultat du processus (satisfaction du client, temps, etc.). Les responsables n'ont souvent pas les moyens d'encourager et de récompenser les attitudes et comportements qui s'inscrivent dans le sens souhaité.

263

CORRIGER LES ERREURS POUR RÉUSSIR LA RÉINGÉNIERIE?

Ce regard sur les erreurs commises débouche sur un inventaire d'actions à poser, appelées aussi «facteurs de succès»; il s'agit de formuler des objectifs clairs, évaluables et ambitieux, d'accentuer les efforts mis sur la communication et la formation, de mobiliser et d'impliquer l'équipe dirigeante tout au long du processus, etc. Cette liste de «remèdes» offre sans doute des perspectives intéressantes et permet de combler certaines lacunes indiscutables. Toutefois, on ne peut que constater que s'installe alors clairement une logique de type compensatoire, qui part du postulat que le modèle est bon et qu'une fois que les entreprises auront corrigé leurs erreurs et respecté les nouvelles règles, elles atteindront le point d'arrivée escompté, c'est-à-dire la structure processuelle perçue et définie comme un idéal à atteindre.

Pour revenir à notre schéma, nous pourrions dire que l'idée de base de ce raisonnement est qu'une fois qu'on aura corrigé le tir (C-C'), on arrivera à *B*. Ce point de vue peut être illustré par l'interview d'un consultant à qui nous demandions de donner son évaluation de la réingénierie des processus d'affaires :

«De fait, la réingénierie est, dans les livres, trop simpliste. La réalité sur le terrain est plus difficile. Soixante-dix pour cent des expériences échouent mais ce qui est sûr et certain, c'est qu'il n'y a pas de défaut inhérent au modèle, aux stratégies de changement. Tout ce qui est dans le modèle, c'est vrai! C'est correct!

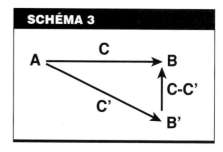

SCHÉMA 3

Si 80 % échouent, ce n'est pas à cause du modèle. Une comparaison peut être donnée. Vous envoyez trois patients chez un chirurgien. Ils ont tous des problèmes de genoux. Le médecin fait la même opération aux trois. Trois mois plus tard, un patient joue au foot, un autre est dans une chaise roulante, et un troisième vit encore une situation différente. Le diagnostic et l'opération étaient similaires. La différence est dans la préparation et le suivi de l'opération. Je pense qu'avec la réingénierie, c'est la même chose» (un consultant, décembre 1996).

LE MODÈLE EN QUESTION

Ne pourrait-on pas comprendre et analyser différemment les difficultés rencontrées? Les problèmes ne sont-ils pas finalement liés à des lacunes du modèle et du projet de changement? Pour reprendre notre schéma, nous pourrions nous demander si *B* est fondamentalement différent de *A*, et si *C*

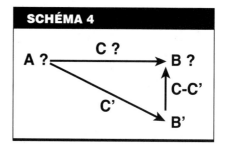

SCHÉMA 4

n'est pas un chemin utopique et fort éloigné de la réalité organisationnelle.

Pour aller plus loin dans ce raisonnement, il faut s'interroger sur les fondements du modèle, sur ses postulats, sur les visions du monde et les valeurs sous-jacentes qu'il véhicule, sur les cadres mentaux qui sont mobilisés pour guider et justifier les pistes d'action préconisées[6]. Il s'agira ici bien plus d'un questionnement que d'une démonstration, mais il y a, nous semble-t-il, matière à réflexion.

À la lumière de l'analyse de contenu des écrits managériaux, il nous semble que la réingénierie des processus d'affaires, loin d'opérer une rupture de paradigme, reste fortement ancrée dans un paradigme de type rationaliste[7] (tout comme l'organisation fonctionnelle et taylorienne). Le modèle de gestion qui en découle est fondamentalement de type «instrumental» (Brabet, 1993).

LA RÉMANENCE DU MODÈLE TAYLORIEN D'ORGANISATION

L'organisation processuelle présente beaucoup de similitudes avec l'organisation taylorienne et bureaucratique. L'organisation reste perçue comme une machine (Burell, Morgan, 1979; Morgan, 1989). Son efficacité dépend de la qualité des pièces et du bon agencement de celles-ci. Les éléments défectueux peuvent être changés pour arriver aux résultats attendus. Les composants techniques et humains sont supposés interchangeables et modifiables (on change d'applications informatiques et de programmes, on recrute de nouvelles personnes et on en licencie d'autres, etc.). Le comportement de l'organisation-machine apparaît prévisible à partir du moment où on en connaît le fonctionnement[8]. Cette idée d'un optimum, du «*one best way*», s'enracine dans l'organisation scientifique du travail telle que prônée par Taylor[9]. L'environnement est perçu comme neutre, le marché s'impose à l'entreprise. La vertu de la croissance économique et la logique d'accumulation du capital constituent des présupposés données.

LA PLANIFICATION STRATÉGIQUE POUR MODÈLE

Le processus de changement (passage d'une structure bureaucratique à une structure processuelle) est défini comme un processus séquentiel qui part de la formulation des stratégies d'entreprise pour déboucher sur la mise en œuvre. Les stratégies sont formelles et explicites. Elles sont conditionnées par l'environnement. Pour obéir aux orientations stratégiques, des recherches sont entreprises pour identifier les meilleurs choix technologiques et les meilleurs processus. Les structures et les politiques de gestion des ressources humaines sont essentiellement considérées comme des variables à ajuster, comme des variables dépendantes. Les politiques de gestion des ressources humaines sont positionnées en aval du processus de changement. Ce processus de changement est piloté, dirigé et totalement contrôlé par l'équipe dirigeante. On retrouve le modèle de la planification stratégique qui a largement dominé les changements organisationnels de ces dernières années.

L'HOMME : UN ÊTRE RATIONNEL MOTIVÉ PAR LE GAIN?

La vision rationaliste de la réingénierie des processus d'affaires rejaillit également sur la vision de l'individu dans l'organisation. L'adhésion du personnel au projet de changement repose sur sa compréhension des raisons qui le fondent et sur l'intime conviction que la décision prise est la meilleure pour l'organisation. Les employés sont supposés malléables et conditionnables pour autant qu'on ait compris leurs «règles» de fonctionnement (Wood *et al.*, 1995). Le modèle d'accompagnement est basé sur la persuasion et sur le jeu des sanctions et des récompenses, les premières ayant pour effet de supprimer progressivement le comportement non désiré, les secondes ayant pour effet de renforcer et de consolider les comportements souhaités. On retrouve le modèle behavioriste. Les buts de l'organisation (croissance et survie) sont supposés compatibles avec les buts individuels.

UNE RUPTURE QUI N'EST PEUT-ÊTRE QU'APPARENTE

Alors que la réingénierie des processus d'affaires prétend rompre avec l'organisation bureaucratique, il nous semble qu'on reste dans le même système de raisonnement. On remplace un optimum (organisation fonctionnelle) par un autre (organisation processuelle) parce que le contexte a changé (évolution technologique, contraintes de l'environnement, pression des actionnaires). Cependant, les présupposés restent les mêmes, et les gestionnaires restent fortement ancrés dans une vision technique et instrumentale de l'organisation et de la gestion.

ET SI LA RÉALITÉ DE L'ORGANISATION PROCESSUELLE ÉTAIT BIEN PLUS COMPLEXE?

À la lumière d'études de cas longitudinales et de multiples interviews de directeurs de ressources humaines, de chefs de projet et de consultants, nous proposons une autre lecture de l'organisation processuelle et des projets de réingénierie des processus d'affaires (Cornet, 1998).

Un des premiers enseignements de notre recherche est que l'opération de déconstruction et de reconstruction des processus n'est pas neutre et objective. Il s'agit d'une opération de construction de sens qui s'appuie sur les rapports de pouvoir internes et externes à l'organisation et sur des représentations partielles et partiales du projet de changement. Le critère de valeur ajoutée, loin d'être objectif et clair, est rempli de subjectivité et d'ambiguïté.

Notre deuxième constat est que l'organisation processuelle comme forme pure (B) n'existe pas. La réalité des organisations reconfigurées est bien plus dans l'hybridation que dans la forme pure. Cela signifie concrètement qu'il faut concevoir des outils capables de gérer cette hybridation et la complexité qui en découle (combinaison de groupes de processus et de structure fonctionnelle, équipes de processus et évaluation individuelle, contrôle et autonomie, etc.).

267

Troisièmement, le processus de changement n'est pas un processus séquentiel et consensuel mais relève bien plus d'un va-et-vient entre contexte (stratégies des acteurs, structure et politiques de la gestion des ressources humaines) et action (processus de légitimation et de pressions). Chaque variable joue tour à tour le rôle de variable dépendante ou indépendante selon l'usage qui en est fait par les acteurs. Le changement devient une dialectique de l'ordre et du désordre, la rencontre de phénomènes d'autorégulation et de contrôle. Il est fait d'évolutions progressives, de ruptures et de bifurcations.

Si les ressources humaines résistent tant aux projets de réingénierie, ce n'est souvent pas parce qu'elles sont affligées d'une supposée «résistance au changement» ou qu'elles ont une mauvaise compréhension de sa rationalité, mais parce qu'elles résistent aux modalités de ce changement et à ses effets.

Nous en concluons qu'il est indispensable de prendre du recul par rapport au produit managérial tel qu'il est vendu. La complexité organisationnelle et humaine ne peut se réduire à un ensemble de certitudes. Aucune baguette magique ne pourra résoudre les contradictions et les tensions qui ne manqueront pas d'apparaître dans tout processus de changement organisationnel. Vouloir faire croire qu'il y a moyen de réorganiser fondamentalement une entreprise en s'en tenant aux préceptes édictés dans les ouvrages largement diffusés, c'est enfermer les gestionnaires dans des visions réductrices de la réalité organisationnelle. Il est sûr que ce discours a un côté rassurant car il prétend maîtriser la complexité, mais cela n'est qu'une illusion dont les effets négatifs peuvent s'avérer très douloureux, notamment pour ce qui touche la confiance et la reconnaissance de la place de l'individu dans l'entreprise et dans la société.

Notes

1. Les textes consultés sont les suivants : Hammer, 1990, 1995, 1996; Hammer, Champy, 1993; Champy, 1995; Davenport, Short, 1990; Davenport, 1993; Johansson, McHugh, Pendlebury, Wheeler III, 1993; Peppard, Rowland, 1995; Brunet, Gardin, 1995; Treacy, Wiersema, 1995; Dubrin, 1996; McHugh *et al.* 1995.

2. Pour cette distinction entre objectivant et individualisant, voir notamment Pichault, 1995.

3. Terme utilisé dans l'article de Hammer, 1990.

4. Watzlavitch *et al.* (1974) distinguent les changements de premier degré et ceux de deuxième degré. Les premiers sont des modifications à l'intérieur d'un système, les seconds constituent une transformation du système lui-même.

5. Une cinquantaine d'études empiriques ont été consultées. Nous ne reprenons ici que les plus connues notamment AMA, Deloitte & Touche, 1994; Ascari, Rock, Dutta, 1995; Bergeron, Falardeau, 1994; Braganza, Myers, 1996, 1997; Burke, Peppard, 1995; CEFRIO, 1995; CSC Index, 1993, 1994; Coulson-Thomas, 1996; Cornet, 1998; Davenport, Stoddard, 1994; Grey, Mitev, 1995; Hall, Rosenthal, Wade, 1993; Hendry, 1995; Peppard, 1996; Willmott, 1994, 1995;

6. Voir notamment les travaux de Brabet *et al.*, 1993, de Moisdon *et al.*, 1997, ou encore de Martinet, 1993.

7. Les auteurs suivants arrivent à des conclusions similaires : Peppard, Peerce (1995), Grey, Mitev (1995), Peppard (1996), Holtham (1996) et Jones (1995).

8. Voir Coulson-Thomas, 1996; Peppard, 1995; Keen, 1995; Hendry, 1995.

9. Comme le souligne De Coster (1993, p. 64), ce qui caractérise l'organisation scientifique du travail (Taylor, 1965) est moins l'émiettement des tâches ou le travail parcellaire que la distinction radicale entre, d'une part, la conception et la préparation du travail, et d'autre part, son exécution, ainsi que le principe selon lequel il n'existe qu'une seule solution rationnelle (*the one best way*) à chaque problème d'organisation du travail. Pour une analyse de la dimension taylorienne de la réingénierie, voir Tinaikar, Hartman et Nath (1995), Mitev (1996) et Hendry (1995).

Références

AMA (American Management Association), Deloitte & Touche, *Survey on Change Management*, sous la dir. de Deloitte & Touche Consulting, 1994, 12 pages.

Ascari, A., Rock, M., Dutta, S., «Reengineering and organizational change: Lessons from a comparative analysis of company experiences», *European Management Journal*, vol. 13, n° 1, mars 1995, p. 1-30.

Bergeron, F., Falardeau, J., *La réingénierie des processus d'affaires dans les organisations canadiennes. Les avantages et les conditions de réussite : une étude de 134 projets*, en collaboration avec le CEFRIO, Éditions Transcontinentales, 1994.

Brabet, J., «La gestion des ressources humaines en trois modèles», dans *Repenser la gestion des ressources humaines*, sous la dir. de Brabet, J., Economica, 1993, p. 69-142.

Braganza, A., Myers, A., «Issues and dilemmas facing organizations in the effective implementation of BPR», *Business Change & Reengineering*, vol. 3, n° 2, 1996, p. 38-51.

Burell, G., Morgan, G., *Sociological Paradigms and Organizational Analysis. Elements of the Sociology of Corporate Life*, Heinemann Educational Books, 1979.

Burke, G., Peppard, J. (sous la dir. de), *Examining Business Process Re-engineering. Current Perspectives and Research Directions*, Kogan Page, 1995.

CEFRIO, «Les composantes essentielles de réussite d'un projet de réingénierie», dans *Rapport final du projet CER*, sous la dir. de Gingras, L., Roy, M.-C., Bédard, C., document B-29, CEFRIO, 1995.

Champy, J., *Le reengineering du management. La meilleure façon de détenir le pouvoir et d'y renoncer*, Dunod, 1995.

Cooper, R., Markus, L.M., «Human reengineering», *Sloan Management Review*, été 1995, p. 39-49.

Cornet, A., «Reengineering : un défi pour les professionnels des ressources humaines?», *Gestion 2000*, dossier «La gestion du changement», n° 3, mai-juin 1998, p. 53-76.

Cornet, A., *Le reengineering face à ses contradictions. Intégrer l'humain au centre du processus*, Université de Liège, Faculté d'économie de gestion et de sciences sociales, 1998, 313 pages.

Coulson-Thomas, C., *Business Process Re-engineering: Myth & Reality*, Kogan Page, 1996.

CSC Index, *HR Issues in Transformational Change*, Index Foundation Final Report 94, CSC Index Management Consultants, 1993.

CSC Index, *State of Reengineering Report, Executive Summary*, CSC Index Management Consultants, 1994.

Davenport, T., *Process Innovation: Reengineering Work Through Information Technology*, Harvard Business School Press, 1993.

Davenport, T.H., «Saving IT' soul: Human-centered information management», *Harvard Business Review*, mars-avril 1994, p. 119-131.

Davenport, T.H., Short, J., «The new industrial engineering: Information technology and business process redesign», *Sloan Management Review*, vol. 31, n° 4, 1990, p. 11-27.

Davenport, T.H., Stoddard, D.B., «Reengineering: Business change of mythic proportions», *MIS Quarterly*, vol. 18, n° 2, juin 1994, p. 121-127.

De Coster, M., *Sociologie du travail et gestion des ressources humaines*, De Boeck, coll. «Management», 1993.

Doherty, N., Horsted, J., «Reengineering people – The forgotten survivors», *Business Change & Re-engineering*, vol. 3, n° 1, 1996, p. 39-46.

Dubrin, A., *Reengineering Survival Guide. Managing and Succeeding in the Changing Workplace*, Thomson Executive Press, 1996.

Grey, C., Mitev, N., «Re-engineering organisations: A cultural appraisal», *Personnel Review*, vol. 24, n° 1, 1995, p. 6-18.

Hall, G., Rosenthal, J., Wade, J., «How to make reengineering really work», *Harvard Business Review*, novembre-décembre 1993, p. 119-131.

Hammer, M., «Reengineering work: Don't automate, obliterate», *Harvard Business Review*, juillet-août 1990, p. 104-112.

Hammer, M., «One on one: Michael Hammer», *Computerworld*, vol. 28, n° 4, janvier 1994, p. 84-86.

Hammer, M., «Beating the risks of reengineering», *Fortune*, mai 1995, p. 43-47.

Hammer, M., *Beyond Reengineering. How the Process-Centered Organization is Changing*, Harper Business, 1996.

Hammer, M., Champy, J., *Le reengineering*, Dunod, 1993.

Hendry, J., «Process reengineering and the dynamic balance of the organization», *European Management Journal*, vol. 13, n° 1, mars 1995, p. 52-57.

Holtham, C., «Business process re-engineering – Contrasting what it is with what it is not», dans *Business Process Re-engineering: Myth & Reality*, sous la dir. de Coulson-Thomas, C., Kogan Page, 1996, p. 60-74.

Jesse, J., «Achieving the vision and surviving a major manufacturing re-engineering project: The semiconductor group, Texas Instruments», dans *Business Process Redesign. A View from the Inside*, sous la dir. de Braganza A., Myers, A.,Thomson Business Press, 1997, p. 15-54.

Johansson, J.H., McHugh, P., Pendlebury, A.J., Wheeler III, W.A., *Business Process Reengineering. Breakpoint Strategies for Market Dominance*, John Wiley & Sons, 1993.

Jones, M.R., «The contradictions of business process-reengineering», dans *Examining Business Process Re-engineering. Current Perspectives and Research Directions*, sous la dir. de Burke, G., Peppard, J., Kogan Page, 1995, p. 43-59.

Lorino, P., «Le déploiement de la valeur par les processus», *Revue française de gestion*, juin-juillet-août1995, p. 55-71.

Martinet, A.C., «Stratégie et pensée complexe», *Revue française de gestion*, 1993, p. 64-72.

McHugh, P., Merli, G., Wheeler III, W., *Beyond Business Reengineering: Towards the Holonic Enterprise*, Wiley, 1995.

Mintzberg, H., *Structure et dynamique des organisations*, Éditions d'Organisation / Agence d'Arc, 1982.

269

Mitev, N., «Empowerment, change and information technology: Socio-technical design and business process-reengineering», *Personnel Review*, vol. 25, n° 4, 1996, p. 56-67.

Moisdon, J.-C. (sous la dir. de), *Du mode d'existence des outils de gestion. Les instruments de gestion à l'épreuve des organisations*, Seli Arslan, 1997.

Nizet, J., Pichault, F., *Comprendre les organisations. Mintzberg à l'épreuve des faits*, Gaëtan Morin, 1995.

Peppard, J., «Broadening visions of business process re-engineering», *Omega, International Journal of Management Science*, vol. 24, n° 3, 1996, p. 255-270.

Peppard, J., Rowland, P., *The Essence of Business Process-Reengineering*, Prentice Hall Europe, Coll. «Essence of Management», 1995.

Pichault, F., «La GRH et son contexte : réflexions sur l'autonomie d'une variable», dans *Actes du 6ᵉ Congrès de l'AGRH*, 1995, p. 594-605.

Rondeau, A., Lemelin, M., Lauzon, N., «Mobilisation organisationnelle», dans *Rapport final du projet CER*, document B-29, CEFRIO, 1995, p. 129-152.

Roy, M.-C., Roy, K., Bouchard, L., *Human Factors in Business Process Reengineering*, document de travail, Université Laval, 1996.

Taylor, F.W., *La direction scientifique des entreprises* [1911], Dunod, 1965.

Tinaikar, R., Hartman, A., Nath, R., «Rethinking business process-reengineering: A social constructionist perspective», dans *Examining Business Process Re-engineering. Current Perspectives and Research Directions*, sous la dir. de Burke, G., Peppard, J., Kogan Page, 1995, p. 107-116.

Treacy, M., Wiersema, F., *The Discipline of Market Leaders*, Addison-Wesley, 1995.

Watzlavitch, P., Helmick Beavin, J., Jackson, D., *Une logique de la communication*, Seuil, 1972.

Willmott, H., «Business process reengineering and human resource management», *Personnel Review*, vol. 23, n° 3, 1994, p. 34-46.

Willmott, H., «What has been happening in organization theory and does it matter», *Personnel Review*, vol. 24, n° 8, 1995, p. 33-53.

Wood, J.R.G., Vigden, R.T., Wood-Harper, A.T., Rose, J., «Business process re-engineering: Radical change or reactionary tinkering?», dans *Examining Business Process Re-engineering. Current Perspectives and Research Directions*, sous la dir. de Burke, G., Peppard, J., Kogan Page, 1995, p. 82-106.

Acquisitions et fusions : les choix stratégiques en conflit avec leur mise en œuvre?

Taïeb Hafsi et Jean-Marie Toulouse

Les deux plus grands problèmes auxquels font face les gestionnaires en matière d'acquisitions-fusions sont ceux de la réalisation de la transaction, puis de l'intégration des activités résultantes (Haspeslagh et Jemison, 1991) de manière à obtenir les bénéfices que l'acquisition ou la fusion est supposée apporter, c'est-à-dire créer de la valeur pour l'entreprise. La réalisation de la transaction pose un problème relativement technique dont la solution exige l'aide de partenaires spécialisés en la matière : les comptables, les avocats et les courtiers. L'intégration est une question beaucoup plus complexe mais cruciale pour le succès des acquisitions-fusions (Haspeslagh et Jemison, 1991) et elle s'inscrit davantage dans la dynamique du changement (Hafsi et Demers, 1989), du renouvellement de la stratégie (Haspeslagh et Jemison, 1991) ou, plus fondamentalement, du transfert de capacités en vue de développer, de bonifier ou de protéger une compétence distinctive (Jemison, 1988). Les deux opérations ne peuvent cependant être séparées facilement. En réalité, la réalisation de la transaction fait partie intégrante de ce qui va se passer par la suite.

L'acquisition-fusion a souvent été étudiée dans une perspective financière selon laquelle l'intérêt d'une telle opération est d'augmenter la valeur des actions et donc l'avoir des actionnaires (Jensen et Ruback, 1983). L'acquisition-fusion a aussi été examinée par les spécialistes de la stratégie (Andrews, 1987; Porter, 1986; Rumelt, 1974) et du comportement organisationnel (Walter, 1985). À notre avis, c'est surtout un instrument de la stratégie d'une organisation, même si parfois elle implique un changement tel qu'on peut alors la considérer comme

Taïeb Hafsi est professeur à HEC Montréal.
Jean-Marie Toulouse est directeur et professeur à HEC Montréal.

l'élément essentiel de la stratégie. Nous ne nous intéressons ici qu'aux acquisitions-fusions qui constituent un changement majeur pour l'organisation. Alors, comme pour tout changement stratégique majeur, il faut d'abord que l'acquisition soit légitime aux yeux des responsables clés de l'organisation pour qu'ensuite les grands défis exigés par sa mise en œuvre soient relevés avec détermination et enthousiasme. Des problèmes fondamentaux apparaissent à la fois à l'étape de la formulation de la partie de la stratégie de l'entreprise relative aux acquisitions-fusions et à celle de la mise en œuvre. La formulation est en fait axée sur la réalisation de la transaction, tandis que la mise en œuvre est essentiellement la réalisation de l'intégration.

272

La séparation entre la formulation et la mise en œuvre d'une stratégie (acquisitions et fusions, notamment), quoique techniquement possible, est très rarement acceptée par les responsables principaux d'une organisation. L'appropriation de la stratégie, donc le succès de la mise en œuvre, n'est possible que si ceux qui doivent implanter cette stratégie participent de manière importante à sa formulation.

Malheureusement, en pratique, tout semble concourir à ce que formulation et mise en œuvre soient séparées. Elles font souvent appel à des acteurs différents. De plus, la préoccupation formulation domine et reçoit l'attention des dirigeants, des consultants et parfois même des législateurs, tandis que la mise en œuvre est laissée à elle-même et fait figure de parent pauvre du processus (Haspeslagh et Jemison, 1991). Il ne s'agit pas d'un effort délibéré pour négliger les questions de mise en œuvre, mais plutôt du résultat naturel des modèles utilisés pour soutenir la formulation. C'est aussi le résultat de l'action structurante des partenaires qu'on se choisit habituellement pour préciser la formulation. Au plan conceptuel, cela tient à la séparation un peu contre nature, quoique commode, de la formulation et de la mise en œuvre.

Dans cet article, nous discuterons d'abord des éléments conceptuels dominants dans la formulation d'une stratégie d'acquisition-fusion : les modèles modernes d'analyse stratégique d'une part, et les pratiques des partenaires structurants (courtiers, avocats et comptables) d'autre part. Nous soutiendrons tout au long des premières sections que la séparation de la formulation et de la mise en œuvre, associée à l'action des partenaires qui participent à la réalisation des acquisitions, contribue aux échecs des acquisitions et fusions (Porter, 1987). Nous tenterons aussi de montrer pourquoi. Ensuite, nous utiliserons notre analogie intégration-changement stratégique pour décrire les mécanismes qui influent sur le succès d'une intégration et leurs effets respectifs, ce qui nous permettra de proposer quatre modes d'intégration différents. Nous terminerons par l'examen des défis à relever pour réaliser les types d'intégration proposés, en suggérant que le succès des acquisitions-fusions exige une compréhension adéquate de la nature des problèmes posés par l'intégration de ces acquisitions, ce qui est l'objet premier du présent article.

L'INSUPPORTABLE SÉPARATION DE LA FORMULATION ET DE LA MISE EN ŒUVRE D'UNE STRATÉGIE

Plusieurs définitions de la stratégie séparent la formulation de la mise en œuvre (ou implantation). La formulation consiste à choisir les objectifs, les domaines d'activités, les comportements globaux, voire éthiques, de l'organisation, en tenant compte à la fois des occasions ou des menaces que présente l'environnement, ainsi que des ressources, des compétences et des faiblesses, ou contraintes internes, de l'organisation. La mise en œuvre est généralement associée à l'établissement de mécanismes de fonctionnement et aux décisions sur la répartition des ressources, qui concrétiseront les choix formulés.

Dans le monde des chercheurs et des pédagogues en stratégie d'entreprise, on hésite beaucoup à admettre la possibilité d'une séparation entre les actions de formulation de la stratégie et celles qui permettent sa mise en œuvre. Les plus prudents ont tendance à affirmer qu'en pratique cette séparation est impossible et ne devrait exister qu'à des fins pédagogiques (Andrews, 1987). Pourtant, de nombreux développements, notamment ceux liés à l'analyse que requièrent les systèmes de planification stratégique, consacrent la séparation. Maints auteurs (voir notamment Hrebiniak et Joyce, 1984) tendent aujourd'hui à accepter la séparation comme un état de fait.

Logiquement, la mise en œuvre suit la formulation. Bien que cela soit généralement admis, l'intervention des personnes et la complexité des organisations suggèrent que les gestionnaires ne sont pas toujours capables de comprendre toutes les relations de cause à effet. Ils ne sont pas toujours en mesure d'exprimer sans ambiguïté leurs désirs. De ce fait, il arrive qu'ils apprennent ou découvrent ce qu'il faut faire en agissant (Quinn, 1979; Mintzberg et Waters, 1985). De là découle l'argument répandu que formulation et mise en œuvre, non seulement ne peuvent, mais aussi ne doivent être séparées.

Pourtant, dans le monde des affaires, la séparation va pour ainsi dire de soi. En effet, il n'est pas d'entreprise d'envergure où les mécanismes de réflexion stratégique et de planification à long terme ne soient distincts des mécanismes de réalisation opérationnelle. Chandler (1962, 1977, 1990) a amplement montré que, dès qu'une entreprise atteint une certaine taille et une certaine complexité de fonctionnement, ses gestionnaires ne peuvent la faire fonctionner convenablement sans une séparation claire entre l'exploitation et les affaires stratégiques, consacrant ainsi la séparation entre la formulation de la stratégie (la santé à long terme de l'entreprise) et la mise en œuvre opérationnelle (l'obtention des résultats à court terme). Sans cette séparation, l'entreprise risque de sombrer dans une situation de chaos, où l'activisme opérationnel chasse l'analyse et la rigueur stratégiques, mettant ainsi en cause sa capacité à survivre. Même s'il est utile de séparer formulation et mise en œuvre, le problème de la mise en œuvre de la stratégie reste entier. En effet, pour mettre en œuvre la stratégie, il faut suivre un chemin semé d'embûches; il faut découvrir les voies et les moyens susceptibles d'obtenir la coopération des personnes et de susciter leur enthousiasme pour la réalisation des choix. Concrètement, cela signifie trouver la structure la plus appropriée pour l'action, déterminer des formules de mesure, de contrôle, de stimulation, de mobilisation qui, tout en étant raisonnables au plan de la consommation de ressources, aient les effets souhaités. Rien dans la science du management ne suggère que cette tâche est aisée (Thompson, 1967).

Les relations de cause à effet (surtout les relations entre les actes de gestion et leurs effets sur les personnes clés) sont mal connues et même les objectifs sont difficiles à exprimer clairement pour tous. Cette affirmation se vérifie d'autant plus que l'organisation a un degré de complexité élevé. Il faut donc procéder par approximations successives (essai et erreur) pour que les actions entreprises puissent susciter les bons comportements. Pour accroître les chances de réussite, il faut trouver un moyen d'accéder à une meilleure compréhension des relations de cause à effet.

Au plan conceptuel, la participation devrait aider. En stratégie, cela signifie que le processus de formulation devrait faire appel aux personnes qui auront un rôle crucial dans la réalisation. Pourtant les structures mises en place, notamment la séparation de l'opérationnel et du stratégique, rendent cette politique extrêmement difficile à appliquer. Dans de nombreuses entreprises, c'est même cela qui est à la source des problèmes les plus difficiles à résoudre et parfois de la médiocrité de la gestion qui en résulte (Pascale et Athos, 1984).

Les outils de formulation ont connu au cours des 20 dernières années une progression spectaculaire. Parmi les modèles les plus puissants, mentionnons :

• le concept de courbe d'expérience (BCG, 1972; Hax et Majluf, 1982),

• le modèle PIMS (Buzzell, Gale et Sultan, 1975; Gale, Bradley et Branch, 1987),

• le modèle de portefeuille (Slatter, 1980; Lubatkin et Pitts, 1983; Hamermesh, 1986),

• le modèle d'analyse de la structure et de la dynamique de l'industrie (Porter, 1980),

• le modèle de la chaîne de valeur (Porter, 1986), le modèle de stratégie (Andrews, 1987; Ansoff, 1965).

L'utilisation de ces modèles pose néanmoins des problèmes spéciaux lorsque la formulation et la mise en œuvre sont séparées. Ceux qui formulent, étant éloignés de la réalité, ont souvent tendance à faire des choix sans nuance, des choix qui par exemple ne tiennent pas compte des liens entre les produits et les services. Parallèlement, ceux qui sont chargés de la mise en œuvre ont du mal à comprendre la logique des orientations qu'on leur donne. Ils ont alors tendance à mettre en cause les choix par toutes sortes de moyens, souvent destructifs pour l'organisation.

Alors, on a fait le tour! Pour fonctionner, il faut séparer le stratégique de l'opérationnel et avoir ainsi une chance de sauvegarder les deux. Cependant, si on le fait, on sépare la formulation de la mise en œuvre de la stratégie, souvent au détriment de cette dernière et donc de la santé à long terme de l'organisation. Comment sortir de ce cercle vicieux?

Concrètement, chaque entreprise découvre son propre cheminement, qui est à la source de ses avantages concurrentiels. Y-a-t-il cependant des choses à apprendre de l'expérience collective des entreprises? Oui, mais avant de suggérer des éléments de réponse, voyons d'abord comment l'utilisation habituelle des modèles de gestion dominants et l'influence des partenaires principaux dans la réalisation d'une acquisition-fusion aggravent l'effet pernicieux de la séparation entre formulation et mise en œuvre de la stratégie.

L'EFFET DES MODÈLES DE RÉFÉRENCE DOMINANTS

Examinons brièvement les modèles aujourd'hui très utilisés dans les grandes entreprises, soit la courbe d'expérience (Hax et Majluf, 1983), le modèle de portefeuille (Hamermesh, 1986) et le modèle de Porter (1980) sur la structure de l'industrie.

Comme tous les modèles d'origine universitaire ou apparentée, les modèles d'analyse stratégique sont formulés avec beaucoup de précautions. Leurs auteurs prennent souvent grand soin de mettre en garde les utilisateurs contre les usages abusifs. Malheureusement, les modèles les plus puissants sont aussi ceux qui offrent une simplification telle qu'elle fascine les dirigeants et leur fait perdre le sens des réalités. Ils ont alors tendance, et leurs analystes aussi, à oublier la réalité et à croire que le modèle est la réalité. S'ensuivent des applications mécanistes, irréfléchies et souvent destructrices.

Les exemples abondent. L'utilisation de l'idée de courbe d'expérience à des fins stratégiques a permis à des entreprises de dominer largement leurs concurrents. Texas Instrument a ainsi envahi le marché des calculatrices électroniques en fixant ses prix non pas sur la base de ses coûts actuels, mais plutôt sur la base de coûts qu'elle espérait atteindre en gagnant une part de marché importante. Elle a effectivement obtenu des parts de marché considérables, ce qui lui a permis, comme le prévoyait la courbe d'expérience, de produire à des coûts unitaires faibles, compatibles avec les prix fixés au départ. Plus proche des acquisitions-fusions, l'idée de la courbe d'expérience a été surtout utilisée pour justifier une acquisition qui permettait d'accroître l'effet d'expérience et donc de réduire les coûts de manière substantielle. Ainsi, les acquisitions de Bombardier dans l'aéronautique comprenaient, en 1993, des entreprises comme Canadair, de Haviland, Learjet au Kansas et Shorts en Irlande. D'une part, cela permettait à l'entreprise de concentrer sa participation dans des créneaux (avions spécialisés et privés) non occupés par les entreprises majeures et, d'autre part, grâce à l'effet d'expérience, de réduire suffisamment les coûts de production pour constituer un pôle compétitif, permettant même à Bombardier de devenir un partenaire pour ces entreprises. En fait, ces acquisitions visaient à raffermir la présence de Bombardier dans son industrie, ce qui est parfois appelé «Domaine strengthening» (Haspeslagh et Jemison, 1991). Il arrive cependant que les économies d'échelle ou d'envergure ne puissent pas se matérialiser. Ainsi, Louis Vuitton et Moët Hennessy ne sont pas parvenus à fusionner leurs produits de luxe parce qu'ils en avaient des définitions diamétralement opposées.

La stratégie basée sur la courbe d'expérience peut avoir beaucoup de succès, comme dans le cas de Texas Instrument, mais cela ne doit pas nous faire oublier les risques qu'elle comporte (Abernathy et Wayne, 1974; Fruhan, 1972; Hax et Majluf, 1983). Si les concurrents sont capables de développer une technologie qui remet en cause le système de production considéré ou si le marché évolue de manière inattendue avec une différenciation plus grande, les économies d'expérience, liées au volume cumulatif de production, n'ont alors au mieux qu'une utilité réduite. Les dirigeants de Texas Instrument l'ont ainsi expérimenté lorsqu'ils ont voulu procéder, pour les montres électroniques, comme ils avaient fait pour les calculatrices. Ils ont découvert que la montre, plus soumise à la mode, pouvait permettre des différenciations, pour lesquelles les économies d'échelle et d'expérience n'avaient pas la même importance.

En général, le concept de courbe d'expérience suppose que les produits ont des caractéristiques qui ne changeront pas (ou ne changeront que marginalement) pendant une longue période. Il suppose aussi que les procédés de fabrication resteront semblables longtemps (Abernathy et Wayne, 1974). En outre, il ne faut pas perdre de vue que, si plusieurs concurrents adoptent en même temps une stratégie basée sur la courbe d'expérience, le résultat peut être catastrophique pour tous. Abernathy et Wayne suggèrent aussi qu'une politique axée exclusivement sur les réductions de coûts dues à l'expérience peut également être à l'origine de graves problèmes en restreignant les capacités d'innovation de l'entreprise.

Souvent les acquisitions-fusions sont justifiées par l'existence de courbes d'expérience compatibles (Salter et Weinhold, 1979). Cela est bien séduisant, mais tout ce que nous disions auparavant reste valable. Entre le moment où l'on envisage la possibilité d'accroître les parts de marché et celui où l'on réussit à produire les gains de coûts grâce à des volumes cumulatifs plus importants, le marché, la concurrence ou la technologie peuvent changer. Il ne faut donc pas oublier que cela n'a rien d'automatique.

Le modèle de portefeuille a aussi ses effets pernicieux (Hax et Majluf, 1982; Hamermesh et White, 1984; Haspeslagh, 1982; Bettis et Hall, 1981). Il trouve sa justification dans la très grande complexité de répartition des ressources, lorsque le nombre d'activités stratégiques est important. Pour simplifier la tâche des dirigeants, il faut leur offrir un cadre qui permette la réflexion et facilite la prise de décision. Malheureusement, là aussi l'outil peut facilement devenir une finalité. Ceci est particulièrement vrai lorsque le modèle de portefeuille vient compléter ou soutenir les conclusions du modèle des forces concurrentielles de Porter (1980). Ainsi, par exemple, l'analyse pourrait révéler que certaines activités ont des effets défavorables par rapport à la concurrence et s'avérer tellement convaincante qu'une seule conclusion s'impose : se désintéresser de ces activités et en privilégier d'autres. La décision paraît claire, compréhensible par tout le monde, ce qui est très séduisant pour les dirigeants et pour leurs collaborateurs, mais elle ne tient pas compte notamment des possibilités et des défis associés à une redéfinition ou une amélioration du produit ou du service. La redéfinition du marché ou de l'industrie peut mener à des conclusions complètement opposées. Ainsi, dans le secteur des magasins à rayons, on a longtemps cru que le domaine pertinent pour l'analyse était le pays tout entier, voire l'Amérique du Nord, jusqu'à ce qu'on s'aperçoive au début des années 1980 que Sears, le chef de file en termes de part de marché globale était beaucoup moins rentable que Wal-Mart, moins gros mais mieux implanté dans certaines régions. On en est venu à conclure que la logique de cette industrie était régionale plutôt que nord-américaine. Wal-Mart est alors apparu au premier rang dans de nombreuses régions tout en étant absent dans d'autres, alors que Sears, présent partout, occupait rarement la première place.

Une grande entreprise québécoise qui vend des produits de consommation courante[1] avait des parts de marché considérables au Québec pour la plupart de ses produits. À cause de sa position dominante, elle se sentait en sécurité. Elle avait alors progressivement perdu de vue la concurrence, principalement étrangère, et ses dirigeants avaient surtout concentré leurs efforts sur la gestion de l'équilibre interne.

La nomination d'un nouveau président a amené un nouveau style de gestion et un questionnement qui a montré que les marchés où l'entreprise était active obéissaient à une dynamique canadienne, voire nord-américaine, en mondialisation rapide. La part du marché pertinent est alors apparue comme minuscule par rapport à celles des concurrents actuels et potentiels. De plus, une étude plus approfondie a confirmé que les coûts de l'entreprise étaient nettement supérieurs à ceux de ses concurrents. Comme suite à cette analyse, l'entreprise a procédé à une série d'acquisitions qui ont raffermi sa position en accroissant ses parts de marché à l'échelle canadienne. Jusque là, l'analyse est bénéfique et utilisée judicieusement.

Une étude de l'ensemble de ses activités révéla par ailleurs que son portefeuille était constitué de trois activités principales, généralement rentables et ayant des parts de marché substantielles, proches de celles des concurrents. Toutes les autres activités (au nombre de 15) étaient marginales, certaines rentables et d'autres pas. Une conclusion s'imposait : se concentrer sur les activités les plus prometteuses, abandonner les marginales, qui ne sont pas rentables, et mettre sous surveillance toutes les autres en vue de décisions ultérieures. De plus, au plan organisationnel, on pensait rassembler les activités prometteuses dans deux groupes appelés les «activités centrales» et les autres activités, dans le groupe des «activités périphériques». Les germes des futurs problèmes étaient en place.

Les gestionnaires se mirent à chercher comment «se débarrasser des activités périphériques». Ils consacrèrent peu d'efforts à mieux gérer ces activités ou à les revitaliser et n'envisagèrent pas un changement stratégique qui aurait permis de repositionner plus favorablement certaines des activités. Parallèlement, incapables de supporter l'incertitude qui en résultait pour elles, les personnes qui géraient ces activités ont commencé à les quitter, soit pour des postes à l'extérieur de l'entreprise, soit pour des activités considérées comme plus «prometteuses» dans l'entreprise. La valeur des activités «périphériques» déclina à un point tel que la santé même de l'entreprise fut mise en cause.

Cet exemple illustre une utilisation mécaniste à la fois de l'analyse de la structure de l'industrie et de celle du concept de portefeuille d'activités. D'abord, la définition des limites d'une industrie n'a rien d'accessoire. Décider si une industrie couvre plusieurs produits ou un seul change complètement l'analyse, et décider si une industrie est locale, régionale ou mondiale a des répercussions considérables sur l'analyse. Or ce sont là des décisions, bien sûr éclairées par des données sur le comportement des coûts de production, de transport et de distribution, sur l'importance du service à la clientèle, sur la nature des réseaux de distribution, etc., mais ce sont des choix stratégiques qui, dans une certaine mesure, dépendent beaucoup de l'entreprise. L'exemple illustre aussi l'argument de Jemison (1988) selon lequel l'enjeu majeur, lors d'une acquisition-fusion, c'est la création de valeur, notamment celle qui bonifie la compétence distinctive de l'entreprise et donc ses résultats à long terme.

Hamermesh (1986) décrit le cas d'une entreprise à succès, la société Dexter, qui a utilisé de manière particulièrement efficace les modèles de portefeuille et du PIMS. Dexter produisait des matériaux ayant des applications spécialisées, vendus en petites quantités et nécessitant un service sur mesure hautement technique pour des clients peu sensibles aux prix mais très sensibles à la qualité. Ses produits comprenaient des enrobants chimiques pour l'intérieur des cannettes destinées aux produits alimentaires et à la boisson, des sachets en papier pour le thé, des matériaux pour la manipulation biologique, des adhésifs, etc., regroupés dans quatre grandes divisions : les enrobants et les encapsulants, les produits sciences de la vie, les tissus et papiers non tissés, le traitement de l'eau. L'entreprise était particulièrement performante et chef de file dans chacun de ses marchés. L'utilisation des informations du PIMS et un processus de planification systématique et rigoureux permettaient de suivre la situation de la firme dans chaque marché et d'apporter les ajustements qui pouvaient s'imposer. Pourtant, dans l'une des divisions, Hysol, le marché des poudres à mouler avait une performance médiocre et ce, parce qu'on avait mal défini le marché et ses limites. En effet, les dirigeants pensaient que le marché de la poudre à mouler était homogène et, comme l'entreprise en était le plus grand producteur, ils ne comprenaient pas les raisons d'une performance aussi décevante.

En fait, le marché des poudres à mouler était divisé en deux grands segments : les produits destinés à l'industrie des équipements électriques et les produits pour semi-conducteurs. Hysol était effectivement le leader sur le marché électrique, en pleine maturité ou en déclin, mais n'était que deuxième, loin derrière le premier producteur pour les applications semi-conducteur, secteur le plus rémunérateur et en forte croissance. À cause de cette mauvaise définition du marché, les ressources allouées étaient inadéquates, ce qui a entraîné une perte de compétitivité. La situation s'est révélée tellement critique que l'entreprise envisagea sérieusement de se retirer d'un marché où elle avait été longtemps le chef de file incontesté.

Ceci montre les limites des modèles et les difficultés de leur application. Des conclusions hâtives ou simplistes peuvent mener à des décisions susceptibles de nuire à la position stratégique de l'entreprise. De même, les modèles pourraient suggérer que la position d'un concurrent est imprenable et décourager toute tentative de délogement là où il serait néanmoins possible de contourner sa position comme l'ont fait les concurrents de Hysol. En général, en accordant une attention particulière à la clientèle, il est possible de lui fournir des services liés au produit qui peuvent la fidéliser en accroissant pour elle les coûts de changement ou en augmentant la valeur fournie. Dans l'industrie de l'acier en Europe, par exemple, se sont créées, par acquisitions, fusions et regroupements, des entreprises de stockage et distribution d'équipements courants divers, dont l'objectif était de répondre rapidement aux besoins urgents des entreprises manufacturières. Cela permettait notamment d'obtenir, en priorité, lorsque l'urgence le justifiait, des éléments de tuyauterie ou autres. Le client gagnait du temps par rapport aux délais habituels de livraison des grands fournisseurs et était de ce fait disposé à payer le supplément qui justifiait l'existence de ces entreprises. Le juste-à-temps, les flux tendus, est un autre exemple de valeur pour laquelle certains clients sont disposés à payer.

L'autre problème inhérent à l'utilisation du modèle de portefeuille découle du fonctionnement habituel des grandes entreprises. L'entreprise québécoise mentionnée précédemment n'avait pas, jusqu'à l'arrivée du consultant, précisé la direction qu'elle entendait prendre. Le résultat de l'étude a «forcé» cette direction. Tous les hauts responsables ont reconnu la puissance du résultat fourni, au début sans se rendre compte du fait que les implications n'étaient pas automatiques. Mettre en cause le résultat de l'étude, c'était en fait remettre en cause l'utilité même du travail du consultant et peut-être aussi le mode de fonctionnement de l'entreprise. Parce qu'elle produisait des résultats brillants, que personne ne se sentait en mesure de contredire directement, l'étude donnait alors l'illusion du consensus. Personne ne voulait se risquer à mettre en cause le consensus apparent et «ouvrir la boîte de pandore» en discutant les résultats mêmes de l'étude. Plus important, la remise en cause pouvait porter atteinte à la crédibilité du président, risque que personne ne voulait prendre. Ne pouvant mettre en cause l'étude, il fallait donc mettre en application ses conclusions sans tarder, malgré ses insuffisances et malgré l'imprécision de ses implications au plan stratégique. C'est peut-être cela qui faisait dire à Haspeslagh et Jemison (1991 : 47) :

> «La qualité de l'évaluation stratégique est un élément clé pour la justification de l'acquisition, parce qu'elle va permettre d'apprécier le potentiel de création de valeur de l'acquisition. Cette évaluation doit considérer en détail la contribution de l'acquisition à la stratégie de la firme et à sa position concurrentielle». (traduction libre)

Voilà pourquoi les modèles posent problème. Ils ne sont pas en soi le problème, mais leur logique est parfois tellement puissante qu'on oublie qu'il s'agit là d'une simple construction destinée à aider la réflexion et non à la remplacer. Ils servent aussi souvent d'arme pour les dirigeants en panne d'idées sur la direction à prendre ou sur la gestion du fonctionnement (et donc de la coopération) interne. Les modèles sont des instruments de formulation de la stratégie; ils ne sont pas eux-mêmes la stratégie. Celle-ci est une résultante du comportement cohérent de l'organisation, donc une résultante de la formulation d'objectifs et de leur mise en œuvre (Mintzberg, 1987).

C'est dans les acquisitions-fusions et dans leur image symétrique, les désinvestissements, que l'on observe les utilisations les plus abusives des modèles. Cela tient à la fois à l'urgence, réelle ou simulée, des transactions à conclure, à la nécessité, réelle ou simulée, de maintenir la confidence et à l'enthousiasme, réel ou simulé, que les perspectives offertes par les objectifs formulés suscitent chez les dirigeants et chez les actionnaires.

Ainsi, les modèles ont tendance à forcer la main aux gestionnaires en faisant du choix stratégique un choix intellectuel seulement et en simplifiant ce choix de manière parfois outrancière. En matière d'acquisitions-fusions, les incertitudes sont tellement grandes et les angoisses des dirigeants parfois si paralysantes que les modèles apparaissent comme des bouées de sauvetage pour des gestionnaires incapables de discernement. Pire, les modèles ne sont pas les seuls coupables des comportements déraisonnables ou irréfléchis dans les entreprises. Les partenaires auxquels on s'associe pour concevoir ou réaliser l'acquisition-fusion introduisent des rigidités et des engagements progressifs difficiles à briser et menant souvent à des décisions qu'on ne prendrait pas en d'autres circonstances.

L'EFFET DES PARTENAIRES STRUCTURANTS

Pour les acquisitions-fusions, l'entreprise s'entoure d'un certain nombre de partenaires qui sont destinés à l'aider à réaliser une bonne transaction. Le rôle de ces partenaires, généralement utile et important pour la réalisation de la transaction, est aussi à l'origine de sérieux problèmes en matière de gestion de l'acquisition (Haspeslagh et Jemison, 1991).

Les partenaires les plus courants sont les comptables, les avocats et les courtiers. Naturellement, chacun de ces partenaires contribue à accroître la formalisation. La préoccupation des comptables est de s'assurer que les documents utilisés sont conformes aux normes de la profession. Les avocats n'ont pas l'impression d'avoir accompli grand-chose tant que les contrats ne sont pas rédigés et signés. Finalement, les courtiers sont surtout préoccupés par la réalisation de la transaction, sans laquelle leur contribution ne peut être reconnue.En pratique, les comptables et les avocats participent aussi beaucoup à la réalisation des transactions et peuvent jouer le rôle des courtiers. Mais c'est autour de ces derniers que toutes les actions tournent. Les courtiers sont généralement des banques d'investissement spécialisées. Elles conseillent les parties intéressées sur les prix les plus appropriés pour la transaction, mais aussi sur le financement, sur les bénéfices à retirer de la transaction, etc. Certains grands courtiers comme First Boston peuvent aussi jouer le rôle de financiers et non seulement le rôle de conseillers.

Les phases d'élaboration de la transaction sont cumulatives; elles engagent de plus en plus le client au fur et à mesure que les études sont terminées, les formules inventées et les accords partiels obtenus. La structure de la transaction s'impose progressivement à tous. Il arrive bien entendu qu'on ne perde pas de vue l'objet stratégique poursuivi, comme ce fut le cas récemment lors de l'acquisition-fusion de Marion avec une partie de Dow Chemicals et peut-être même de l'acquisition des magasins de la chaîne Allied par Campeau. Le plus souvent, toutefois, les aspects financiers, fiscaux et juridiques dominent et mobilisent tellement l'attention des dirigeants et des membres des conseils d'administration que les questions d'intégration sont presque complètement négligées, voire oubliées. Seules quelques entreprises, très grandes et très sophistiquées comme General Electric, sont capables de maintenir le cap face à des partenaires dont la préoccupation principale est de conclure la transaction.

Dans l'élaboration de la transaction, tous les esprits sont mobilisés pour trouver les formules les plus convaincantes pour le marché et pour les entreprises concernées et cela implique une grande créativité financière dont les enjeux sont considérables. Comme le disaient des courtiers (*Mergers & Acquisitions*, janvier-février 1990) :

> «Les entreprises commencent à présent à comprendre les mécanismes des transactions[...] Elles deviennent de plus en plus sophistiquées et capables d'user de formes extrêmes de créativité avec les lois fiscales et avec les lois comptables, en essayant d'obtenir la valeur désirée[...] Beaucoup de créativité est liée à la fiscalité[...] nous passons beaucoup plus de temps que dans le passé à penser à l'impôt et aux moyens de le minimiser pour soutenir le prix que nous sommes tous supposés accepter[...]» (traduction libre)

283

Les grands courtiers comme First Boston sont souvent aussi en situation de conflit d'intérêts lorsqu'ils interviennent comme financiers aux différents niveaux de la transaction. En effet, comme financiers et conseillers, ils peuvent récolter de 40 à 50 millions de dollars d'une transaction, alors que comme conseillers seulement, ils doivent se contenter d'honoraires d'environ 5 millions de dollars (*Mergers & Acquisitions*, novembre-décembre 1989). Ces gains potentiels les amènent à intervenir beaucoup plus pour réaliser la transaction que pour conseiller le client sur la meilleure des actions à entreprendre. Cette situation a favorisé l'essor de nombreux petits courtiers ou «boutiques» et donc la séparation progressive du conseil et du financement.

Cette vague de transactions explique probablement le fait que, depuis 1982, les entreprises américaines ont doublé leur endettement qui a atteint, en 1989, deux trillions de dollars, tout en retirant 400 milliards de dollars de leur capital social (*Mergers & Acquisitions*, janvier-février, 1989). C'est aussi ce qui explique que le quart des fonds autogénérés des entreprises est utilisé pour le service de la dette. Comme l'endettement est un redoutable maître, il comporte de multiples effets (licenciements, fermeture d'usines, réduction des frais d'infrastructure) qui ne sont pas toujours souhaitables ou dont le moment n'est pas toujours opportun. Il est alors évident que la transaction, par extension la «formulation de la stratégie», domine les actions d'intégration de l'acquisition et de réalisation des bénéfices souhaités, c'est-à-dire la mise en œuvre.

Comment peut-on alors penser à la mise en œuvre d'une ou de plusieurs acquisitions? Comment réduire les effets dévastateurs d'une formulation détachée de la mise en œuvre? Nous ne cherchons pas, dans le cadre de cet article, à apporter des réponses directes à ces questions. Dans la section qui suit, nous proposons plutôt, en considérant que l'intégration d'une acquisition suppose un changement majeur au sein de l'organisation résultante, une réflexion sur la nature et les défis d'un tel changement et sur les moyens disponibles pour le mener à bien.

L'INTÉGRATION COMME CHANGEMENT STRATÉGIQUE

L'acquisition-fusion est une mesure dont les effets sur les intéressées, les entreprises acquéreurs et acquises ou celles qui fusionnent, sont profonds et souvent déstabilisateurs. C'est un changement majeur, mais qui est souvent traité comme s'il s'agissait d'une opération routinière[1]. La mise en œuvre d'une acquisition en particulier présente sans doute des similitudes avec celle d'autres acquisitions, mais les aspects importants sont souvent différents parce qu'ils dépendent de la situation propre à l'entreprise et de la transaction envisagée. Cependant, nous suggérons qu'il est possible d'approfondir notre compréhension du phénomène en utilisant les éléments de réflexion qui ont été proposés pour les changements stratégiques.

Haspeslagh et Jemison (1991) et Jemison (1988) ont montré que l'intégration est un long processus d'adaptation et d'apprentissage des firmes et des personnes qui y travaillent. Les enjeux sont individuels, organisationnels et stratégiques et paraissent de la même nature que ceux qu'on rencontre dans les changements organisationnels majeurs. Dans un ouvrage récent sur le sujet (Hafsi et Demers, 1989)[3], on suggère, pour mieux parler du changement stratégique, de ne plus s'occuper de la vieille dichotomie formulation-implantation, mais plutôt de le décomposer en quatre grandes composantes (mécanismes) :

– **les croyances.** Il s'agit là de l'ensemble des croyances partagées par les responsables clés sur l'environnement, sur les personnes et sur l'état de nos connaissances et de notre compréhension du monde (physique) qui nous entoure[4];

– **les valeurs.** Il s'agit de l'ensemble des valeurs partagées par les responsables clés de l'organisation et qui couvrent d'abord les activités de l'organisation, ensuite la définition du rôle et de la contribution des individus, finalement les valeurs concernant les relations de l'organisation avec la société en général. Walter (1985) a justement montré le rôle clé des valeurs dans les démarches d'acquisition-fusion;

– **la stratégie concurrentielle**, ou positionnement, qui comprend essentiellement la définition ou la modification du domaine d'activité. Cela implique souvent une redéfinition du processus d'allocation des ressources (Bower, 1986) et une reconfiguration de la chaîne de production de valeur (Porter, 1986);

– **les arrangements structurels**, qui définissent le mode de direction choisi pour l'organisation (notamment la structure du processus d'attribution des ressources, l'importance de l'espace de décision disponible pour les membres clés, la nature des mesures, contrôles et sanctions) ainsi que la distribution du pouvoir entre les différentes forces et les acteurs de l'organisation.

Vue sous cet angle, l'intégration qui suit une acquisition apparaît comme un processus complexe qui modifie en profondeur les organisations concernées. Ultimement, les recherches sur le changement stratégique montrent que des changements dans l'un des mécanismes entraînent à plus ou moins long terme des changements dans les autres, de sorte que l'ensemble reste en cohérence. Un changement de croyance entraîne des changements rapides ou simultanés dans tous les autres mécanismes. Un changement de valeur entraîne des changements rapides, quasi simultanés, de la stratégie et de la structure et des changements plus progressifs dans les croyances. Un changement de stratégie entraîne un changement rapide des arrangements structurels et des changements progressifs de croyances et de valeurs. Un changement des arrangements structurels entraîne un changement progressif des autres mécanismes.

Ces définitions nous permettent à présent de proposer une façon de classifier les types d'intégration qui permet d'en comprendre les difficultés. Cette classification nous permettra aussi de faire ressortir les difficultés inhérentes à la nature de l'intégration envisagée et d'en déduire les modes de gestion les plus appropriés.

Changer la façon de voir le monde en changeant rapidement tous les mécanismes (croyances, valeurs, stratégie et structure) de l'une ou l'autre des organisations ou des deux. Les croyances sont le moteur de ce type de changement, qui est le plus radical et le plus total. Il force une modification profonde et rapide des pratiques de l'une ou l'autre des organisations ou des deux et des personnes qui les constituent. Les prises de contrôle sont souvent dans cette catégorie. Lorsque M. Pickens voulait acquérir Gulf, ses préoccupations étaient de nature financière. Il voulait notamment forcer un changement des pratiques de l'entreprise qui favorise les actionnaires en créant un trust alimenté par les redevances versées par l'entreprise. Ce trust devait alors verser des dividendes aux actionnaires. Cela constituait un abri fiscal très attrayant pour les actionnaires, mais forçait l'entreprise à réduire de manière sensible ses fonds autogénérés, en somme, c'était une sorte de liquidation progressive.

Dans cette même transaction, Socal proposait de faire l'acquisition de Gulf et de mettre fin aux dépenses de cette entreprise en prospection pétrolière, qui s'élevaient à 1,5 milliard de dollars par an. Cette opération permettait de récupérer environ 10 milliards de dollars (valeur actualisée nette) par rapport au scénario de continuation des activités de forage. Cela correspondait cependant, aux yeux des dirigeants de Gulf, à une liquidation de l'entreprise. Comment, disaient-ils, être une entreprise active dans l'industrie pétrolière et ne pas faire de prospection?

Socal a réussi à faire l'acquisition. Elle entreprenait alors de changer la façon de voir le monde des gestionnaires et de tous les membres de Gulf (et en fait de ceux de Socal aussi), un changement radical par rapport aux pratiques passées. Le changement supposait un changement de croyances : «on peut être dans l'industrie du pétrole sans faire de prospection»; un changement de valeurs : «la rentabilité est plus importante que la qualité des opérations de l'entreprise et sa survie à long terme. De plus, une société pétrolière n'est pas nécessairement impliquée en amont»; un changement de stratégie : «Gulf exploite ses réserves actuelles et devient progressivement un acheteur majeur sur le marché pétrolier. Les approvisionnements et la recherche des opérations les plus payantes deviennent la raison d'être de l'entreprise»; un changement de structure qui met l'accent sur des opérations simplifiées focalisées sur l'aval de l'industrie pétrolière, avec un renforcement des capacités d'approvisionnement.

Revitaliser en changeant les pratiques des organisations qui fusionnent. Les valeurs sont ici le moteur de ce type de changement. Ainsi, lorsque Culinar a fait l'acquisition des Aliments Imasco en 1984, elle a imposé à cette dernière une philosophie de gestion et une vision du monde où l'on accordait une attention particulière aux ressources humaines. Les valeurs d'Aliments Imasco étaient plutôt traditionnelles, mettant l'accent sur la productivité de la main-d'œuvre et la rentabilité. En réalité, les valeurs résultantes furent une sorte de combinaison entre les valeurs de Culinar et les valeurs d'Aliments Imasco. Bien entendu, cette opération a aussi entraîné pour l'organisation résultante un changement de stratégie, la décision de pénétrer le domaine des produits secs, et un changement structurel majeur puisque soudain, à côté de Vachon, l'essentiel de ce qu'était Culinar en 1984, apparaissaient des activités dont le volume et l'importance pour l'entreprise étaient équivalents. Plus tard, les croyances de Culinar évoluèrent vers une synthèse entre les anciennes croyances de Vachon – «Dans le monde réussissent ceux qui donnent plus d'importance à leur personnel» – et celles de Aliments Imasco – «dans le monde réussissent ceux qui prêtent attention à la rentabilité avant tout».

Les acquisitions de Provigo, redéfinie comme une entreprise de distribution au temps de P. Lortie, et à la même époque celles de Métro, entrent aussi dans ce cadre. Dans les deux cas, le changement a été vécu comme insupportable et plus tard remis en cause.

Réorienter en changeant le domaine d'activité ou le position-nement, donc la stratégie des deux partenaires. Cela entraîne automa-tiquement un changement des arrangements structurels. Lorsqu'elle a acquis Genstar, Imasco en a bouleversé la stratégie, qui était basée sur le maintien d'un portefeuille très diversifié et laissait beaucoup d'autono-mie aux différentes compagnies constituantes. Elle a aussi entrepris une restructuration majeure comportant la liquidation des entités qui ne cadraient pas avec la stratégie nouvellement énoncée de pénétration de l'industrie du financement individuel et corporatif.

Les dirigeants d'Imasco ont vécu l'ensemble de l'opération comme un chemin de croix. Vivement critiqués, ils ont dû trouver une nouvelle identité, mettant plus l'accent sur les aspects financiers. Imasco était désormais une entreprise préoccupée par une juste rémunération des investissements de ses actionnaires. Elle ne pouvait plus être identifiée seulement avec un domaine d'activité, comme le tabac ou la restauration rapide. Pourtant tous ses domaines pouvaient être reliés à sa dernière acquisition, puisque c'était là une entreprise dont la mission pouvait justement être au cœur de la nouvelle entreprise, mission qui consistait à trouver des utilisations rentables aux fonds fournis par ses activités génératrices de fonds (vaches à lait), comme le tabac et la restauration rapide.

Les acquisitions de courtiers par de grandes institutions financières peuvent aussi entrer dans ce cadre. Ainsi, l'acquisition de Lévesque-Beaubien par la Banque Nationale est une mesure de modification de la stratégie des deux organisations. La structure la mieux adaptée reste encore à définir.

Restructurer pour la survie à court terme, en modifiant de manière fondamentale le fonctionnement de l'entreprise résultante et donc de ses composantes. Le cas le plus spectaculaire est probablement celui de l'acquisition de Texaco par Imperial. On ne changeait pas les croyances ou les valeurs. Même la stratégie restait essentiellement la même. On voulait surtout renforcer la stratégie de l'une et de l'autre, qui était de dominer le marché de vente au détail de produits pétroliers et de réduire les coûts grâce à des économies d'échelle et d'envergure.

Les éléments importants de la restructuration sont des éléments de rationalisation. On coupe partout où il est possible de réduire les coûts, notamment dans le personnel de la haute direction, du marketing, de la comptabilité et de recherche et développement. Il en ressort une organisation amaigrie mais peut-être plus forte. Normalement, lorsque la restructuration a été réalisée avec succès, apparaissent des occasions qui engendrent des rajustements stratégiques et idéologiques.

Chacun de ces changements pose des défis importants. La difficulté est d'autant plus grande que la nécessité du changement est moins évidente, ce qui est souvent le cas lorsque le changement est dominé par les croyances ou les valeurs. Le changement de stratégie par arrangements structurels est le plus aisé parce que, généralement, sa nécessité est évidente pour tous les intéressés. Dans la section qui suit, nous verrons les défis de l'intégration considérée comme changement, qui se posent à divers degrés dans chacun des types décrits plus haut.

LES DÉFIS DE L'INTÉGRATION

Tout changement organisationnel d'envergure requiert une certaine légitimité. Les dirigeants ne peuvent vraiment accomplir le changement que s'ils sont perçus comme ayant la légitimité pour le faire. La nécessité de la légitimité est facile à comprendre. En effet, comme le changement cause des «souffrances» à de nombreuses personnes, en particulier des cadres, il produit aussi beaucoup de contestation, ce qui peut à la limite le remettre en cause. Haspeslagh et Jemison (1991) attribuaient les difficultés de l'intégration à un vide au niveau du leadership, caractéristique fréquente des situations d'acquisitions-fusions.

En conséquence, **le premier défi** pour mener à bien une acquisition-fusion, et l'intégration qui lui est liée, **est de nature conceptuelle**. Il faut trouver les formulations les plus convaincantes pour expliquer et justifier le changement, c'est-à-dire proposer une conceptualisation du changement qui le rende évident, voire «naturel» pour tous les membres clés de l'organisation. Cela suppose notamment l'énoncé d'une vision claire et imposante, dans laquelle les membres de l'organisation reconnaîtront leurs aspirations.Concrètement, ce défi peut supposer une démarche de réflexion stratégique dans laquelle les cadres responsables des produits, ceux responsables des unités stratégiques, participeront aux choix et aux orientations. Ce défi suppose aussi l'élaboration de plans d'action dans chaque segment stratégique. Toute cette démarche doit permettre une interaction entre la haute direction et les responsables des unités, de manière à ce que tous internalisent les choix et se sentent soutenus (*empowered*) par la convergence des orientations et des efforts.

Ce défi n'a pas la même envergure pour tous les types d'intégration. Ainsi, nous suggérons que changer la façon de voir le monde exige une justification beaucoup plus forte que lorsqu'on cherche à restructurer pour assurer la survie. Par exemple, dans l'acquisition de Gulf mentionnée plus haut, le débat a été très animé et toute l'industrie a été impliquée. Les dirigeants de Socal ont dû faire appel à de nombreux spécialistes pour préciser l'essence de leur argument et justifier l'abandon des activités de production de pétrole de Gulf. Par contre, dans le cas de la fusion de la Banque Canadienne Nationale et de la Banque Provinciale (Bennett, 1992), la fusion a mis la banque résultante dans une situation tellement précaire que les mesures difficiles qui s'imposaient, notamment la fermeture de succursales et la mise à pied de personnel, paraissaient évidentes.

289

Le deuxième défi est de construire l'organisation de sorte qu'elle puisse prendre en charge le changement. Le système organisationnel doit encourager les comportements souhaitables pour le changement. Malheureusement, exception faite des organisations très simples, nos connaissances en la matière sont très embryonnaires. Les mesures concernant le contexte organisationnel sont donc souvent de nature expérimentale. Historiquement, pour gérer la diversité de leurs activités et leurs acquisitions, les entreprises ont d'abord opté pour des structures relativement centralisées comme ce fut le cas à GE dans les années 1950-1960, sous la direction de Cordiner et de Borch, puis pour des structures plus décentralisées, comme c'est actuellement le cas de beaucoup d'entreprises, notamment Bombardier. Au siège social de cette entreprise, seulement 76 personnes sont «rattachées». Centralisation et décentralisation cachent cependant des caractéristiques très particulières. Pierre Macdonald, ancien ministre de l'Industrie et du commerce et responsable chez Bombardier de la commercialisation du TGV en Amérique du Nord, explique le comportement organisationnel de Bombardier (Tremblay, 1993) :

> «La petitesse du siège social entraîne une grande autonomie pour les six groupes; en même temps, le processus de planification stratégique demande une analyse en profondeur et une justification serrée des gestes à venir. Ça balise beaucoup l'autonomie et évite les mauvaises surprises[...]»

Chaque entreprise invente ses propres mécanismes pour relever le défi structurel. Celui-ci est souvent plus important dans les intégrations du type «changement de la façon de voir le monde» et «redressement pour la survie» que dans les autres, parce que les modifications cruciales qui signalent les intentions de la haute direction sont justement de nature organisationnelle. Dans les deux autres types d'intégration, les autres aspects peuvent prendre un peu plus d'importance.

Le **troisième défi** est celui **du changement de culture.** Pour les personnes concernées, changer de culture signifie partir à l'aventure. Les résistances les plus fortes se trouvent à ce niveau. Le changement organisationnel peut ne pas engendrer les comportements souhaités; le changement culturel, pour sa part, peut engendrer des comportements agressifs, les personnes étant opposées à l'idée même du changement. Le changement de culture exige d'abord une justification claire (lien avec le défi conceptuel), ensuite une formation appropriée, une direction par l'exemple et beaucoup de patience. Tremblay (1993) décrit comment Bombardier a du mal à faire partager sa philosophie et sa culture à des organisations aussi différentes que Canadair au Québec, de Haviland en Ontario, Shorts en Irlande, BN en Belgique, Rotax en Autriche ou Scanhold Oy en Finlande :

> «[...] Toutefois, avec les années, les cultures de chacune de ces organisations pourront intégrer le noyau commun que constitue la philosophie de gestion Bombardier. Présentement, le degré d'intégration varie sensiblement d'un établissement à l'autre. Il est très élevé aux usines de Valcourt et de la Pocatière, les lieux où la philosophie a germé... Après sept ans, l'enracinement de la philosophie de gestion est encore plus faible chez Canadair et BN, deux entreprises où les traditions bureaucratiques sont profondes. On retrouve un passé analogue chez Shorts ou ANF (acquisition en France), mais dans ces deux cas les anciennes structures étaient tellement malades que les nouveaux dirigeants ont embrassé la philosophie avec enthousiasme, y voyant leur planche de salut[...]»

Bien entendu, l'importance du défi culturel réside surtout dans les changements qui mettent en cause la culture en place.

Le quatrième défi, humain, se pose chez les personnes sensibles aux souffrances associées au changement. Il fait appel au courage et à la créativité des dirigeants. Les gestionnaires doivent envisager avec courage les difficultés de leurs choix stratégiques. Les choix dérangent un grand nombre de personnes, amenant certaines à quitter l'entreprise. Les choix changent les équipes de travail, forçant certains à partir. Les choix entraînent des déplacements, des aménagements nouveaux; ils peuvent affecter les plans de carrière, etc. La créativité est le meilleur allié pour résoudre ces difficultés, car les solutions sont rarement évidentes au départ.

Le défi humain consiste donc à trouver des solutions de changement qui peuvent réduire les traumatismes et, d'une certaine manière, préparer l'avenir. Les standardisations et les solutions nettes sont souvent plus expéditives, mais néfastes à long terme (Scheiger and Walsh, 1990).

Il arrive souvent que les entreprises dans des situations d'acquisitions-fusions délicates fassent appel à un duo de dirigeants, l'un orienté vers la vision à long terme, cherchant à stimuler la coopération en rendant crédible un avenir plus favorable, l'autre orienté vers la réalisation difficile des ajustements nécessaires à la survie. Ainsi, dans la fusion de la Banque Nationale mentionnée plus haut, M. Bélanger jouait le premier rôle, tandis que M. Mercure procédait aux «coupures».

291

Finalement, **le défi de leadership** consiste souvent à aller à contre-courant pour amorcer et mener à bien le changement. Nul n'accepte la souffrance s'il peut l'éloigner dans l'espoir qu'elle disparaîtra. Il faut à celui ou celle qui guide beaucoup de courage et de détermination pour se battre parfois seul ou seule contre tous, surtout si la situation de l'entreprise n'est pas catastrophique. Un autre défi de leadership consiste à donner l'exemple. Lorsque l'organisation est souffrante, il est important que tous partagent cette souffrance. M. Royer de Bombardier raconte :

«Dans beaucoup de gestes qu'on a posés, on a tout simplement gagé l'entreprise (comme dans la diversification dans le transport en commun)... la réaction des gens de l'extérieur était de dire : t'es fou! Ça va bien, pourquoi risquer ce que tu as?»

M. Beaudoin ajoute :

«Souvent, lorsqu'on perd un contrat, les gens sont tous découragés. Je leur dis : "Écoutez, on l'a perdu; il y avait des raisons. Maintenant, regardons le prochain. Il ne faut pas s'arrêter parce que l'entreprise n'avancera plus"[...]»

C'est surtout lorsque le chemin n'est pas évident que le leadership doit jouer un rôle crucial. C'est ainsi que, dans les changements qui impliquent les croyances et les valeurs d'abord, le leader est souvent seul à défendre la nécessité du changement, comme le fait actuellement Welch à General Electric, au moment où l'entreprise réalise ses meilleurs bénéfices. Dans une situation de redressement pour la survie, les mesures à prendre sont suffisamment claires pour que le défi de leadership soit considéré comme plutôt faible.

«CELUI QUI COMPTE SEUL TROUVE TOUJOURS DE L'ARGENT EN TROP»

Les modèles de formulation stratégique, qu'il s'agisse d'acquisition-fusion ou d'autres orientations, donnent un sentiment de toute-puissance à ceux qui les utilisent. Aux problèmes qui se posent à l'organisation, on trouve des solutions satisfaisantes, généralement proposées et bien documentées par des experts très qualifiés. Le travail intellectuel, auquel participent de manière intense les dirigeants, est très gratifiant. Il stimule et fait rêver à de belles réalisations.

On oublie cependant que les solutions imaginées, quelle que soit leur qualité, ne sont pas encore une réalité. Il faut d'abord qu'elles soient appropriées pour l'entreprise et surtout pour ceux qui y œuvrent. La vraie tâche commence là. Obtenir la coopération des autres est un problème conceptuel et un problème pratique. La conceptualisation du changement, notamment l'énoncé d'une vision dans laquelle chacun se reconnaît, est un élément essentiel du changement que suppose une intégration.

Parmi les nombreux problèmes pratiques, l'organisation de l'action, les arrangements structurels, les méthodes, les règles de fonctionnement et la répartition des responsabilités, puis le recrutement, la formation, la mesure du rendement, le contrôle de ce rendement, la sanction des résultats influent tous sur la réalisation du changement et la conditionne. En particulier, il faut s'assurer que les mesures pratiques sont cohérentes avec la direction choisie, qu'elles encouragent les comportements souhaités.

Il faut aussi que les dirigeants soient intimement identifiés avec le changement et qu'ils en prennent personnellement la responsabilité. Il faut qu'ils en souffrent autant que les autres, mais aussi qu'ils transmettent la confiance dans l'avenir sans laquelle aucun sacrifice n'est supportable. Donner l'exemple, convaincre, croire en l'importance du changement sont des ingrédients importants pour le succès du changement. Ils sont contagieux et peuvent être à la source de l'enthousiasme et de l'énergie que requièrent toutes les démarches difficiles.

Comme il est plus facile de formuler une stratégie que de s'occuper des détails de la mise en œuvre; comme les détails de la mise en œuvre sont souvent peu gratifiants, alors que la formulation est tellement gratifiante; comme les énergies requises pour la mise en œuvre sont énormes et que les dirigeants, souvent très sollicités, ne disposent pas d'un inventaire illimité en la matière; comme, pour les résultats à court terme, cela ne fait pas une grande différence, alors que les résultats à court terme comptent tellement dans l'appréciation générale des dirigeants; alors on peut s'attendre à ce que la formulation cache l'importance de la mise en œuvre pour en arriver à un vrai succès organisationnel.

C'est pourquoi les intégrations sont si difficiles à réaliser et les acquisitions-fusions tellement décevantes pour ceux qui les réalisent. Cependant, la difficulté n'est pas une fatalité; il est possible de bien faire. Il faut simplement établir les bonnes priorités. Il a été dit (Hafsi, 1989) que c'était justement leur attention au détail de la mise en œuvre qui donnait aux Japonais un avantage concurrentiel en situation de complexité.

L'intégration d'une acquisition ou la réalisation d'une fusion crée une situation complexe au plan de la gestion. En l'occurrence, contrairement aux situations de gestion simple, la mise en œuvre est souvent bien plus importante que la formulation des objectifs. Il faut en avoir conscience et agir en conséquence. Sinon, on ferait comme celui qui, dans le dicton oriental, compte ses richesses sans prendre en compte les autres et on réaliserait comme lui que «celui qui compte seul trouve toujours de l'argent en trop».

293

Notes

1. Les auteurs ont mené des travaux sur cette entreprise très connue au Québec, mais par respect de la confidentialité, ils ne peuvent révéler le nom de l'entreprise.

2. Un évaluateur anonyme nous a suggéré d'insister sur le fait qu'une acquisition est plutôt l'instrument d'une stratégie que la stratégie elle-même. Nous sommes d'accord sur cette appréciation, même s'il faut user de prudence. Il existe en effet de nombreux cas où les acquisitions-fusions constituent l'essentiel de la stratégie.

Quoi qu'il en soit, notre aimable évaluateur argumente ensuite que bien que l'acquisition-fusion soit bien un processus de changement, le changement y est double... Il y a le changement organisationnel de l'intégration (création d'une nouvelle entité par la fusion ou l'absorption d'une unité différente (Napier, 1989) et le changement stratégique (positionnement, modification du fonctionnement, de la culture, etc.) qu'amène l'intégration... Les deux types de changement sont liés mais il y a néanmoins une différence dans la gestion des deux. L'application du modèle de changement décrit dans l'article porte donc sur le changement stratégique, sur l'atteinte de l'objectif de l'acquisition-fusion et non sur l'intégration proprement dite des entités concernées.

3. Hafsi et Demers parlent de changement radical. Dans cet article, nous nous intéressons au changement stratégique en général et nous utilisons leur cadre d'analyse par extension. Nous croyons que l'essence de leur argument reste valable dans ce cas.

4. Haspeslagh et Jemison (1991) mentionnent que les acquisitions-fusions pourraient amener à s'interroger en profondeur sur les justifications et les croyances initiales, surtout si les résultats ne sont pas ceux prévus.

Références

Abernathy, W.J., Wayne, K., «Limits of the Learning Curve», *Harvard Business Review*, septembre-octobre 1974, p. 100-107.

Andrews, K.R., *The Concept of Corporate Strategy*, 3e édition, Irwin, Homewood, 1987.

Ansoff, I., *Corporate Strategy*, McGraw-Hill, New York, 1965.

Bennett, R.C., avec la contribution de Barrière M. et Pelletier, J., «Banque Nationale du Canada», Centrale de cas et de documents pédagogiques, n° 9-45-92-001, École des Hautes Études Commerciales, Montréal, 1992.

Bettis, R.A., Hall, W.K., «Strategic Portfolio Management in the Multibusiness Firm», *California Management Review*, automne 1981, p. 23-38.

Boston Consulting Group, «Perspectives on Experience», BCG, *Inc.*, 1972.

Bower, J.L., *Managing the Resource Allocation Process*, 2ᵉ édition, Harvard Business School Press, Boston, 1986.

Buzzell, R.D., Gale B.T., Sultan, R.G.M., «Market Share - A Key to Profitability», *Harvard Business Review*, janvier-février 1975, p. 97.

Chandler, A.D., *Strategy and Structure*, MIT Press, 1962.

Chandler, A.D., *The Visible Hand*, Belknapp, Cambridge, 1977.

Chandler, A.D., *Scale and Scope*, Harvard University Press, Cambridge, 1990.

Fruhan, W.E. Jr., «Pyrrhic Victories in Fights For Market Share», *Harvard Business Review*, septembre-octobre 1972, p. 100-107.

Gale, B.T., Bradley, S., Branch, B., «Allocating Capital More Effectively», *Sloan Management Review*, automne 1987, p. 21-31.

Hafsi, T., «Les Japonais ont-ils un avantage compétitif en situation de complexité?», *Gestion*, vol. 14, nᵒ 2, mai 1989.

Hafsi, T., Demers, C., *Le changement radical dans les organisations complexes*, Gaétan Morin, Boucherville, 1989.

Hamermesh, R.G., *Making Strategy Work*, John Wiley et Sons, 1986.

Hamermesh, R.G., White, R.E., «Manage Beyond Portfolio Analysis», *Harvard Business Review*, janvier-février 1984, p. 103-109.

Haspeslagh, P., «Portfolio Planning: Uses and Limits», *Harvard Business Review*, janvier-février 1982, p. 58-74.

Haspeslagh, P., Jemison, O., *Managing Acquisitions: Creating Value Through Corporate Renewal*, Free Press, 1991.

Hax, A.C., Majluf, N.S., «Competitive Cost Dynamics: The Experience Curve», *Interfaces*, octobre 1982, p. 50-61.

Hax, A.C., Majluf, N.S., «The Use of The Industry Attractiveness-Business Strength Matrix in Strategic Planning», *Interfaces*, avril 1983, p. 54-71.

Hrebiniak, L.G., Joyce, W.F., *Implementing Strategy*, Macmillan Publishing Company, New York, 1984.

Jemison, O., «Value Creation and Acquisition Integration: The Role of Strategic Capability Transfer», in Liberaj, G., *Advances in The Study of Entrepreneurship, Innovation and Economic Growth*, JAI Press, Greenwich, 1988.

Jensen, M., Ruback, R., «The Market for Corporate Control: The Scientific Evidence», *Journal of Financial Economics*, 1983, nᵒ 11, p. 5-50.

Lubatkin, M., Pitts, M., «PIMS: Fact and Folklore», *The Journal of Business Strategy*, hiver 1983, p. 38-43.

Mergers & Acquisitions, Numéros des années 1989 et 1990. En particulier, les numéros de janvier-février et novembre-décembre 1989 et le numéro de janvier-février 1990.

Mintaberg, H., «Les organisations ont-elles besoin de stratégie?», *Gestion*, vol. 12, no 4, novembre 1987.

Mintzberg, H., Waters, J.A., «Of Strategies, Deliberate and Emergent», *Strategic Management Journal*, nᵒ 6, 1985.

Napier, R., *Journal of Management Studies*, vol. 26, nᵒ 3, 1989, p. 271-289.

Pascale, R.T., Athos, A.G., *Le management est-il un art japonais?*, éditions d'organisation, Paris, 1984.

Porter, M., *Competitive Strategy*, Free Press, New York, 1980.

Porter, M., *Competitive Advantage*, Free Press, New York, 1986.

Porter, M., «From Competitive Advantage to Competitive Strategy», *Harvard Business Review*, mai-juin 1987, p. 43-59.

Rumelt, R., *Strategy, Structure and Economic Performance*, Harvard Business School Division of Research, Boston, 1974.

Salter, M.S., Weinhold, W.A., *Diversification Through Acquisition*, Free Press, New York, 1979.

Scheiger, D., Walsh, J., «Mergers and Acquisitions: An Interdisciplinary View», in Rombard, K. and Ferry, G., *Research in Personnel and Human Resource Management*, JAI Press, Greenwich, 1990.

Slatter, S.P., «Common Pitfalls in Using the BCG Product Portfolio Matrix», *London School of Business Journal*, hiver 1980.

Thompson, J.D., *Organizations in Action*, McGraw-Hill, 1967.

Tremblay, M., «Le sang jaune de Bombardier», première version d'une monographie dans le cadre de la série : *Les grands gestionnaires et leurs œuvres*, École des Hautes Études Commerciales, Montréal, 1993.

Walter, C.A., «Culture Collision in Mergers and Acquisitions», in Frost, P., Moore, L., Louis, R. and Lunberg, C., *Organizational Culture*, Sage Publications, 1985.

La transformation vers de nouvelles formes d'organisation plus flexibles : un cadre de référence

Mario Roy et Madeleine Audet

La dernière décennie a été marquée par une accélération des changements au sein des organisations, engendrée par l'introduction massive des nouvelles technologies de l'information et des communications (notamment Internet), la déréglementation, l'ouverture des marchés, la mondialisation d'une économie fondée de plus en plus sur le savoir et l'arrivée sur le marché d'une main-d'œuvre mieux informée, en quête d'autonomie et de plus en plus diversifiée sur le plan culturel. Ces forces sont à l'origine d'un nouveau contexte concurrentiel qui a incité les organisations à se transformer en profondeur sur les plans stratégique, structurel et opérationnel. En plus de fournir un produit de haute qualité à moindre coût, il faut aujourd'hui, pour être compétitif, démontrer suffisamment de flexibilité pour répondre, dans des délais extrêmement courts, à des besoins individualisés, c'est-à-dire le «sur mesure de masse». À titre d'illustration de ce phénomène, Lefebvre (1999) cite le cas de la société Dell Computer Corporation qui est en mesure de livrer ses micro-ordinateurs au domicile des clients en respectant les particularités et les spécifications de chacun, et ce, dans les 24 heures suivant l'obtention de la commande reçue par Internet.

La pression exercée par la compétitivité et par la capacité à réagir des entreprises dans un environnement turbulent s'est traduite sur le plan opérationnel par la nécessité de réorganiser le travail de façon à faire face à un niveau d'incertitude et de complexité qui n'a rien à voir avec la relative stabilité de l'ère industrielle pour laquelle les bureaucraties modernes

Mario Roy est titulaire de la Chaire d'étude en organisation du travail à la faculté d'administration de l'Université de Sherbrooke.
Madeleine Audet est étudiante au DBA à la faculté d'administration de l'Université de Sherbrooke.

avaient été conçues. La quête de la flexibilité et le rejet de la hiérarchie caractéristiques des grandes institutions bureaucratiques sont abondamment cités dans la littérature qui traite de la réorganisation du travail (Boltanski et Chiapello, 1999). Au Québec, Grant et Lévesque (1997) ont réalisé une étude dans laquelle 82 % des 104 entreprises composant leur échantillon visaient une plus grande flexibilité au moment d'entreprendre une réorganisation, tandis que dans 52 % des cas étudiés les entreprises envisageaient d'augmenter l'autonomie des travailleurs en desserrant l'encadrement hiérarchique.

Depuis quelques décennies déjà, les structures mécanistes sont progressivement évincées par de nouvelles formes d'organisation qui font leur apparition aussi bien dans le monde industriel que dans le secteur des services et l'appareil de l'État. Cet article vise à présenter aux décideurs et aux spécialistes de l'organisation du travail un cadre de référence qui permet de classifier les diverses formes d'organisation qui ont émergé au cours des dernières années en réponse aux nouvelles exigences de l'environnement actuel. L'élaboration d'un tel cadre se justifie par l'abondance de la documentation qui traite de la question sous divers angles et par le manque relatif de modèles intégrateurs permettant de contraster les diverses tendances de la réorganisation du travail adoptées par les entreprises.

Les configurations organisationnelles sont intimement liées à la façon dont on choisit d'organiser le travail à accomplir. Par exemple, la parcellisation des tâches au début de l'ère industrielle a donné naissance à la chaîne de montage et à l'organisation mécaniste. Dans le cadre de cet article, nous définissons l'organisation du travail de la façon suivante : l'organisation du travail s'intéresse à la répartition du travail (les tâches, les activités ou les processus nécessaires à l'accomplissement des biens ou des services pour lesquels l'organisation existe) et à la coordination des différentes unités de travail entre lesquelles ce travail est réparti (ces dernières pouvant être composées d'individus, d'équipes ou d'organisations).

À l'aide de cette définition, nous proposons une classification des nouvelles formes d'organisation à partir du croisement de deux axes qui doivent être considérés comme des continuums (voir le schéma 1). Le premier axe, relatif à la répartition du travail, traite de la flexibilité que recherchent les organisations pour faire face à l'incertitude et à la complexité de l'environnement externe et du marché.

La notion de flexibilité a été traitée de multiples façons (par exemple selon les volumes, les produits, l'aménagement de la production, les délais de livraison, la main-d'œuvre, le temps de travail, etc.) dans la littérature spécialisée sans que les auteurs en arrivent à élaborer une

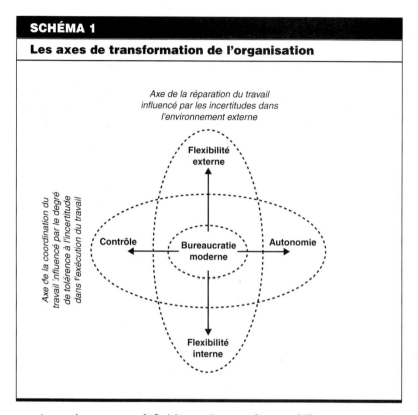

SCHÉMA 1

Les axes de transformation de l'organisation

Axe de la réparation du travail influencé par les incertitudes dans l'environnement externe

Axe de la coordination du travail influencé par le degré de tolérance à l'incertitude dans l'exécution du travail

Flexibilité externe

Contrôle

Bureaucratie moderne

Autonomie

Flexibilité interne

représentation ou une définition univoque de ce qu'elle représente (De Toni et Tonchia, 1998). Nous l'aborderons ici sous l'angle dynamique des choix organisationnels qui permettent l'adaptation de l'organisation aux conditions incertaines de son environnement (Hayes *et al.*, 1988).

Dans sa quête de la flexibilité, le gestionnaire doit d'abord se demander s'il est préférable de conserver tout le travail à réaliser à l'interne ou de le répartir entre divers fournisseurs externes. Dans le premier cas, on peut obtenir la flexibilité interne ou qualitative (Tarondeau, 1999) en utilisant de nouvelles technologies ou en adoptant diverses pratiques telles que la rotation des tâches, l'accroissement des compétences du personnel, l'aplatissement des structures de décision, le juste-à-temps, l'utilisation d'employés temporaires ou le télétravail. Dans le second cas, les organisations qui privilégient la flexibilité externe, que l'on appelle aussi la flexibilité numérique ou quantitative (Tarondeau, 1999), partent du principe qu'il vaut mieux «voyager léger» et concentrer leurs efforts sur un noyau de compétences clés qu'elles maîtrisent parfaitement bien. Les autres tâches sont réalisées par des partenaires externes qui changent en fonction de la demande et des besoins du marché. La flexibilité externe s'obtient alors par le recours intensif à l'impartition, à la sous-traitance et à l'utilisation de travailleurs autonomes et de consultants.

Une fois le travail réparti entre ceux qui doivent le réaliser aussi bien à l'interne qu'à l'externe, la question du deuxième axe concernant la coordination des efforts et de l'encadrement des unités de travail fait surface. En effet, l'interaction entre les unités de travail laisse la place à un certain degré d'ambiguïté en ce qui a trait à la définition des rôles et à l'accomplissement du travail. On peut réaliser la coordination et l'évaluation du travail en faisant appel soit à divers mécanismes de contrôle qui relèvent d'entités ou de niveaux hiérarchiques supérieurs à ceux qui accomplissent les tâches, soit à ceux-là mêmes qui effectuent le travail; cette dernière option se traduira par un accroissement de l'autonomie (autocontrôle) du personnel.

Les organisations qui privilégient le contrôle considèrent que la meilleure façon de gérer l'incertitude associée à l'accomplissement du travail consiste à épurer les processus jusqu'à leur plus simple expression (par exemple la réingénierie) et à mettre en place des indicateurs de mesure tout au long de la chaîne de valeur de façon à maintenir le flot des activités dans des paramètres stricts préalablement établis. Celles qui privilégient l'autonomie considèrent qu'il est préférable de développer les compétences distinctives des individus qui effectuent le travail, de façon qu'ils ajustent leurs actions les uns et les autres au fur et à mesure que les circonstances l'exigent et qu'ils se donnent eux-mêmes les règles de fonctionnement qui leur conviennent.

L'autonomie telle que nous l'entendons ici dépasse largement la simple discrétion qui est accordée aux individus lorsqu'ils accomplissent des tâches comportant une faible marge de manœuvre à l'intérieur de règles strictes et contraignantes préalablement établies par la direction (Lacombez et Maggi, 2000). L'autonomie véritable implique le droit de prendre des décisions sur l'organisation du travail en plus d'accomplir le travail lui-même. Cette façon de faire implique une grande tolérance à l'incertitude puisque l'organisation du travail et la définition des rôles évoluent constamment et demeurent relativement floues. L'autonomie est cependant le mode de coordination le plus approprié lorsque le travail est complexe, qu'il comporte un niveau élevé de variation dans l'exécution des tâches et des décisions fréquentes de la part de ceux qui effectuent le travail.

La combinaison des deux axes permet de situer les formes d'organisation vers lesquelles les bureaucraties modernes[1] ont tendance à migrer depuis quelques années. Le schéma 2 présente les configurations typiques des transformations organisationnelles que nous pouvons observer :

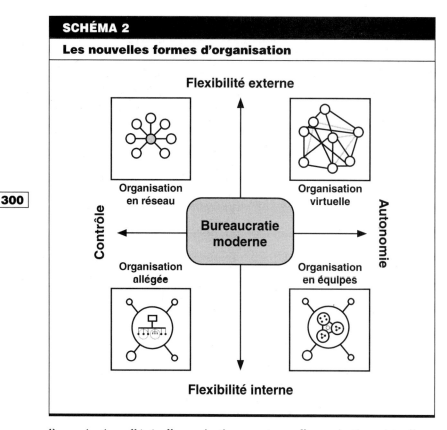

SCHÉMA 2

Les nouvelles formes d'organisation

Flexibilité externe

Organisation en réseau

Organisation virtuelle

Contrôle

Bureaucratie moderne

Autonomie

Organisation allégée

Organisation en équipes

Flexibilité interne

l'organisation allégée, l'organisation en réseau, l'organisation virtuelle et l'organisation en équipes. Ces prototypes n'ont pas la prétention de regrouper tous les types d'organisations possibles. Ils se retrouvent aux extrémités des continuums, ce qui permet d'illustrer plus clairement le cadre de référence proposé.

L'ORGANISATION ALLÉGÉE : À LA CROISÉE DE LA FLEXIBILITÉ INTERNE ET DU CONTRÔLE

Alors que certains qualifient cette organisation de «maigre» ou «dégraissée» (Boltanski et Chiapello, 1999), nous avons retenu le terme «allégé» en référence au terme anglais *lean*, qui signifie «production[2]», lui-même étroitement associé à ce qui a été appelé le «modèle japonais».

À l'origine, le modèle japonais a été présenté comme une approche indissociable du management à la japonaise (Ouchi, 1982; Coriat, 1991), avec les emplois à vie, les cercles de qualité, le système *ringi* de consultation, la promotion par ancienneté, etc. Dans les faits, l'industrie occidentale a obtenu des succès relatifs en tentant d'adopter cette approche de management (Kochan *et al.*, 1997). L'impact réel du modèle japonais s'est plutôt fait sentir par la transformation des méthodes de production par le biais d'une recherche constante de l'amélioration continue (*kaizen*), de l'élimination du gaspillage et de la diminution radicale des stocks.

L'organisation allégée est une organisation axée sur la rationalisation des procédés (réingénierie des processus), le contrôle des coûts (zéro stock, zéro gaspillage, zéro délai, zéro papier, etc.) et la qualité à toutes les étapes de la production (zéro défaut). La flexibilité recherchée par ce type d'organisation vise avant tout à répondre rapidement aux variations de la demande. Ce type d'organisation s'appuie habituellement sur des systèmes intégrés d'information de gestion (ERP) et sur des technologies de production à la fine pointe du développement.

Ce qui se présentait comme une façon révolutionnaire de faire les choses dans l'industrie automobile (Womack, 1990) a été repris et adapté pour finalement trouver un écho dans bon nombre d'organisations, notamment à travers le mouvement de la qualité totale. Si un nombre grandissant de chercheurs constatent que l'on observe actuellement une hybridation des modèles (Tremblay, 1999; Kochan *et al.*, 1997) et qu'il y a des écarts considérables entre la théorie et la réalité[3], il n'en demeure pas moins qu'un nouveau type d'organisation qui ne faisait pas partie de notre paysage il y a 20 ans est maintenant bien présent dans nos milieux.

Le secteur de l'industrie automobile est un creuset important de la mise en application des principes de l'organisation allégée, dont le cas le plus célèbre est probablement celui de l'usine NUMMI. Issue d'une alliance entre Toyota et GM, cette usine demeure l'exemple type de l'introduction aux États-Unis du modèle japonais de production (*lean production*). Elle fut créée en 1983 à partir d'une usine fermée de Freemont, en Californie, en embauchant sensiblement les mêmes travailleurs. Le système de production mis en place reprend les éléments clés du modèle japonais (le *kanban*, le juste-à-temps, etc.) ainsi qu'un travail standardisé. Les ouvriers regroupés en équipes de cinq à huit personnes ont peu d'autonomie décisionnelle, l'équipe servant surtout à assurer une rotation des tâches et l'amélioration des compétences techniques. Les employés sont invités à participer à des cercles de qualité où on leur demande de soumettre de nombreuses petites suggestions. Dès les premières années de production, cette usine a largement dépassé les résultats des trois géants de l'automobile, particulièrement au chapitre de la qualité (Kochan *et al.*, 1997).

Au Québec, dans le secteur des services bancaires, le Mouvement Desjardins, en accomplissant la réingénierie de ses services financiers, a engendré des formes allégées d'organisation de travail. Dans une analyse de l'implantation de la réingénierie telle qu'elle s'est effectuée dans les caisses vitrines (destinées à servir d'exemple aux autres caisses), Lévesque *et al.* (1998) ont constaté que la réorganisation du travail s'est faite autour des services personnalisés à offrir aux clients. Toutes les opérations relevant des services courants ont été standardisées et informatisées, déléguées autant que possible à des automates.

Le rôle transactionnel des caissières disparaît graduellement pour laisser la place à des conseillers. Ceux-ci sont de deux niveaux : un premier niveau, polyvalent et généraliste, en contact direct avec la clientèle, et un deuxième niveau, plus spécialisé, chargé de fournir une expertise plus pointue aux conseillers de premier niveau. Les horaires sont plus flexibles et débordent sur les soirs et les fins de semaine pour accroître la disponibilité à la clientèle. Dans leur rôle de conseiller, les employés sont plus polyvalents et exercent un travail plus qualifié comportant des responsabilités plus importantes.

Les principales caractéristiques de l'organisation allégée sont les suivantes :

– Elle présente une structure hiérarchique aplatie mais où la supervision directe demeure un moyen de coordination privilégié, le contrôle des cadres s'étant simplement étendu par rapport à des formes d'organisation plus traditionnelles.

– Elle exerce un contrôle étroit du travail par la technologie, la standardisation des procédés de travail et des normes de fabrication.

– Elle repose sur une division des tâches en activités simples. Dans le secteur manufacturier, les séquences de travail demeurent courtes.

– La rotation des postes favorise la polyvalence des employés, souvent regroupés au sein d'équipes.

– Les employés sont responsables de la qualité de leur travail. Leur niveau d'autonomie est faible tout en comprenant une marge de discrétion dans certains cas.

– Les employés sont consultés par le biais de programmes d'amélioration continue, des cercles de qualité, des *kaizen*, etc.

L'ORGANISATION EN RÉSEAU : À LA CROISÉE DE LA FLEXIBILITÉ EXTERNE ET DU CONTRÔLE

Dans la mouvance de l'environnement externe et devant la difficulté de demeurer compétitives sur tous les plans, plusieurs entreprises sont arrivées à la conclusion qu'il vaut mieux concentrer leurs activités sur ce qu'elles savent bien faire et qui constitue le cœur de leurs activités, et de s'en remettre à d'autres pour accomplir le reste du travail.

La compagnie Nike est un bon exemple d'organisation en réseau. Aubert *et al.* (1998) rapportent que ce géant américain de la chaussure sport a su établir au fil des ans un réseau de partenaires auquel il a confié toutes les étapes de la fabrication et de la distribution. Nike n'a conservé que deux compétences fondamentales : la recherche et développement ainsi que le marketing. La coordination entre les différents partenaires se fait par le biais de contrats commerciaux à moyen et long terme.

Les organisations en réseau se bâtissent souvent autour d'un donneur d'ordres même si d'autres configurations existent. La durabilité des liens entre les partenaires et le donneur d'ordres est fonction des investissements requis. Ces investissements (par exemple la transformation ou l'achat d'équipements pour pouvoir répondre à la demande du donneur d'ordres, la standardisation des pièces ou le respect de normes de certification) entraînent dans la relation la nécessité de la stabilité (requise par les fournisseurs) et du contrôle (de la part du donneur d'ordres). Le cas de la division des produits récréatifs de Bombardier, à Valcourt, constitue une autre illustration d'un fonctionnement en réseau. Cette dernière concentre ses activités sur l'assemblage des produits et compte sur un nombre considérable de petites et moyennes entreprises pour la fabrication des pièces. Ces petites entreprises sont elles-mêmes au cœur de réseaux secondaires qui viennent accroître la flexibilité de l'ensemble.

L'organisation en réseau se retrouve aussi dans le secteur des services. Visa International est une entreprise qui, proportionnellement à la taille de ses opérations[4], a une infrastructure minuscule. Visa est d'abord et avant tout le nom d'un consortium de 21 000 institutions financières qui acceptent d'observer et de partager un ensemble commun d'informations, de règles et de protocoles. Visa elle-même n'offre pas de carte ou de services financiers, elle joue un rôle pivot de création de produits et de technologie permettant au réseau de fonctionner et de développer sa part de marché, qu'elle estime à 60 %.

La définition de l'organisation en réseau varie selon les auteurs[5], notamment en raison du fait qu'il n'y a pas de modèle pur, mais une variété d'adaptations selon le contexte propre à chaque organisation. Dans le cadre de cet article, nous retiendrons les caractéristiques suivantes :

– L'organisation en réseau a un noyau (dont la taille et l'importance peuvent varier).

– Elle a un désir de pérennité et doit donc établir des liens durables (à moyen et long terme) avec ses partenaires.

– Les membres d'un réseau sont constitués d'entités juridiques distinctes, légalement constituées ou non.

– Les partenaires d'un réseau se concentrent sur leurs compétences distinctives.

– Les liens entre les partenaires et le noyau sont contractuels.

– Les partenaires acceptent de se soumettre à un ensemble de règles et de contrôles édictés par le donneur d'ordres ou le noyau.

L'ORGANISATION VIRTUELLE : À LA CROISÉE DE LA FLEXIBILITÉ EXTERNE ET DE L'AUTONOMIE

Les définitions de l'organisation virtuelle varient selon les auteurs sous plusieurs aspects. Tandis que certains font de l'utilisation intensive des technologies de l'information une condition essentielle à l'existence d'une entreprise virtuelle (Goldman, 1998; Dubé et Paré, 1999), d'autres considèrent que celles-ci facilitent la création d'entreprises virtuelles (Hoogeweegen *et al.*, 1999) ou sont une caractéristique parmi d'autres et croient plutôt que la particularité de l'organisation virtuelle réside dans «le mode d'organisation des échanges qu'elle institue» (Aubert *et al.*, 1998). L'organisation virtuelle telle que nous la présentons dans cet article s'inscrit dans cette dernière approche. Certes, le développement rapide des technologies de l'information rend possibles des associations et des façons de travailler qui étaient encore impensables il y a 10 ans, notamment le travail à partir de lieux dispersés. Mais vu l'importance grandissante que les aspects technologiques revêtent pour l'ensemble des organisations, ce critère ne nous paraît pas discriminant à long terme.

L'organisation virtuelle est considérée par d'autres auteurs comme le prolongement de l'organisation en réseau sur un continuum qui irait de l'organisation traditionnelle au libre marché (Aubert *et al.*, 1998). S'il est vrai que les liens qui unissent les partenaires d'une organisation virtuelle s'apparentent à ceux qui unissent des agents libres, et donc se rapprochent du marché, la transformation d'une organisation en réseau en une organisation virtuelle est peu concevable dans notre esprit en raison de la nature même de la mission qui est à la base de ces deux types d'organisation. Alors que l'organisation en réseau est constituée pour durer, l'organisation virtuelle provient d'une demande précise et disparaît dès que le besoin pour lequel elle a été créée est satisfait (Hoogeweegen *et al.*, 1999; Sparrow, 2000).

Le secteur de la production télévisuelle fournit une bonne illustration de ce que nous entendons par organisation virtuelle. On y trouve plusieurs organisations montées de toutes pièces pour la réalisation de téléséries qui disparaissent une fois le projet complété. Dans les secteurs de la construction et du génie civil, des entreprises s'associent pour fonder des organisations qui n'existeront que le temps requis par le projet qui les a fait naître.

305

En Pennsylvanie, 20 entreprises manufacturières se sont regroupées au sein d'Agileweb.com afin d'offrir un éventail de possibilités à toute personne ou entreprise à la recherche d'un produit manufacturier particulier. Le besoin exprimé appelle la création d'une organisation temporaire qui sera constituée sur mesure à partir du réservoir de collaborateurs inscrits.

Sur le même principe, le Round Table Group réunit plus de 3 000 universitaires, consultants et analystes répartis sur les cinq continents. Quiconque a un besoin d'étude ou de consultation peut soumettre une demande à www.interaccess.com/rtg où un service de coordination verra à rassembler les meilleures personnes pour répondre à ce besoin. Ces personnes ne sont pas des employés de Round Table Group. Elles se sont inscrites librement et gratuitement sur la liste des ressources disponibles et ne seront payées que pour le travail effectué.

Dans Internet foisonnent une vaste gamme de courtiers en programmes d'affiliation dont le but est de regrouper des entreprises susceptibles d'offrir des produits et des services complémentaires, sur demande, et ce, sous le signe de la gratuité et de la liberté. C'est seulement le besoin du client qui déclenche le lien commercial, souvent le paiement d'une commission en fonction de l'achat. La Vitrine virtuelle sur la Toile du Québec offre un éventail de services de ce type dont on peut avoir un aperçu en consultant le site www.befree.com.

La création d'organisations virtuelles n'est pas du seul ressort de P.M.E. ou de travailleurs autonomes qui désirent augmenter leurs possibilités d'affaires. Les géants aussi recourent à la création d'organisations virtuelles pour répondre à des besoins spécifiques. Ainsi, EDS, Sprint et Sun Microsystems ont fondé une compagnie virtuelle à l'occasion du Mundial de football pour gérer la sécurité, l'administration et le système d'information (Maria Joseph Christie et Levary, 1998). IBM, Motorola et Apple ont formé en 1994 une entreprise virtuelle pour concevoir le design, produire et vendre le microprocesseur Power PC (www.motorola.com). Autre illustration dans le secteur public, le passage à l'an 2000 a donné lieu à la création d'une organisation temporaire de plus d'une centaine de spécialistes (consultants, membres de la fonction publique) qui ont permis à l'ensemble des ministères, des organismes et des sociétés d'État de faire face à ce besoin spécifique. Une fois le passage réalisé, l'organisation a été démantelée.

Essentiellement, les caractéristiques de l'organisation virtuelle peuvent se résumer de la façon suivante :

– Elle est formée à partir d'un ensemble de partenaires relativement égaux.

– Elle prend naissance rapidement et n'est pas faite pour durer au-delà de la satisfaction du besoin unique pour lequel elle a été créée.

– Ses membres sont des entités juridiques distinctes, légalement constituées ou non.

– Les partenaires d'une organisation virtuelle se concentrent sur leurs compétences distinctives.

– Les liens entre les partenaires sont éphémères et prennent la forme d'alliances stratégiques pour la mise en œuvre de projets qui ne pourraient être réalisés autrement.

– Il n'y a pas de donneur d'ordres dans une organisation virtuelle. La structure d'encadrement est minimale, les coordonnateurs ou chefs de projet sont nommés au besoin selon la nature de la demande et les partenaires en cause.

L'ORGANISATION EN ÉQUIPES : À LA CROISÉE DE LA FLEXIBILITÉ INTERNE ET DE L'AUTONOMIE

Bon nombre d'organisations ont recours à des équipes, à des degrés divers, pour accomplir en tout ou en partie le travail à faire sans qu'on puisse les considérer comme une nouvelle forme d'organisation. Il peut s'agir d'équipes multifonctionnelles chargées de mettre en commun des informations dans un contexte d'organisation matricielle ou d'équipes de projet, constituées sur une base temporaire, auxquelles on confie la réalisation d'un mandat précis. Plusieurs programmes visant à augmenter la participation des employés au travail recourent à des équipes sur une base consultative. Toutefois, ces aménagements du travail se font en parallèle avec la structure de l'organisation et ne la modifient en rien. Parmi toutes les organisations qui ont recours aux équipes, seules les entreprises qui décident de baser l'organisation du travail sur des équipes de travail semi-autonomes peuvent être considérées comme une forme d'organisation (Appelbaum et Batt, 1994). L'organisation en équipes (*team-based organization*) nécessite une restructuration complète et l'abandon des liens hiérarchiques traditionnels symbolisés par l'organigramme. L'équipe plutôt que l'individu devient l'unité de base sur laquelle l'organisation se construit (Mohrman *et al.*, 1995).

$\boxed{307}$

Le concept d'équipe semi-autonome a vu le jour dans les années 1950 et s'est grandement popularisé à travers les expériences de ce que l'on a appelé le «modèle suédois», notamment à l'usine Uddevalla de Volvo (Berggren, 1992). Après un certain ralentissement dans les années 1980, dû, entre autres, à la montée du modèle japonais, sa popularité s'est de nouveau accrue, en partie grâce à la diffusion, dans des revues américaines à gros tirage, des succès obtenus par des compagnies telles que Xerox, AT&T, Texas Instruments ou General Electric (Roy *et al.*, 1998).

Tout comme l'organisation allégée, l'organisation basée sur les équipes doit respecter des critères élevés d'efficacité, de productivité et de qualité. La flexibilité recherchée par ce type d'organisation vise, bien sûr, à répondre aux variations de la demande, mais elle entend le faire aussi bien en étant innovatrice qu'en adaptant rapidement les moyens de production. Les équipes semi-autonomes ont le droit de prendre des décisions sur une grande variété de sujets, allant de la simple attribution des tâches jusqu'à la révision des règles de fonctionnement et à la modification des procédés de fabrication (Yeatts et Hyten, 1998). À de nombreux égards, les équipes semi-autonomes ont démontré leur supériorité sur les modes d'organisation traditionnels et sur des organisations qui fonctionnent avec des équipes traditionnelles, en particulier à cause de la synergie que créent le travail d'équipe et les occasions accrues d'apprentissage organisationnel (French et Bell, 1999; Orsburn et Moran, 1999).

L'usine Saturn de GM située à Spring Hill, au Tennessee, est un bon exemple d'organisation en équipes. Son histoire est d'autant plus intéressante que cette usine de construction automobile a recours, elle aussi, à de nombreuses méthodes japonaises de production, notamment pour la gestion des stocks, le juste-à-temps et le *kaizen*. Toutefois, l'organisation du travail est totalement différente (Charland et Ward, 2000).

L'usine Saturn est née de la volonté des dirigeants de GM de mettre au point une petite voiture capable de concurrencer les voitures importées. Le projet, qui a été élaboré depuis les débuts conjointement avec la partie syndicale, a nécessité la création à partir de zéro d'une convention collective qui remettait en question aussi bien les politiques de GM que les revendications traditionnelles des syndicats de l'automobile. L'idée était de fonder une organisation où la prise de décision se ferait de façon consensuelle à tous les niveaux hiérarchiques. Les différents comités décisionnels sont composés d'autant d'employés syndiqués que de représentants patronaux et ils se réunissent chaque semaine. L'organisation du travail est basée sur environ 700 équipes semi-autonomes de 6 à 15 personnes (Rubinstein, 2001). Ces équipes partagent des compétences, s'occupent de la rotation des tâches, engagent leurs membres, élisent leurs représentants, voient à l'attribution des tâches, au respect des normes de sécurité, à l'établissement et au suivi des procédures, au contrôle de l'inventaire et à l'entretien du matériel. Les cycles de tâches peuvent durer jusqu'à 6 minutes (contrairement à 60 secondes pour Toyota) et les ouvriers sont appelés à effectuer plusieurs opérations sur le même véhicule. Dès les premières années d'exploitation en 1990-1992, les voitures Saturn ont atteint de hauts degrés de qualité et de satisfaction de la clientèle, supérieurs à ceux qui étaient obtenus par des voitures de même catégorie (Kochan *et al.*, 1997).

L'usine de rabotage La Doré d'Abitibi Consolidated au Lac-Saint-Jean n'a pas de contremaître. Depuis 1995, toutes les opérations quotidiennes sont assumées par trois équipes semi-autonomes réparties sur les trois quarts de travail. Ensemble, les équipiers assument les responsabilités qui étaient autrefois dévolues aux cadres de premier niveau : inspection, planification des travaux de fin de semaine, démarrage d'un nouvel équipement, repérage des problèmes d'exploitation, découverte et implantation des solutions, etc. Chaque matin, une réunion d'une quinzaine de minutes entre les équipiers du quart de nuit et ceux du quart de jour permet de faire le point sur les 24 dernières heures et de préparer la suite. Chaque semaine, un plan de match pour la semaine à venir est préparé par le *coach* et un membre de chaque équipe. Le rôle du *coach* est de guider et de soutenir les équipiers, tandis que la direction s'assure dorénavant que les équipes disposent des ressources et des outils nécessaires à l'accomplissement de leur mandat. Après quelques années d'exploitation, l'usine a largement dépassé la capacité théorique de production prévue à l'origine.

Voici les principales caractéristiques de l'organisation en équipes :

– Elle présente une structure hiérarchique aplatie, les responsabilités autrefois dévolues au supérieur de premier niveau étant confiées aux équipes.

– L'équipe s'autocontrôle principalement par la standardisation des résultats, la technologie, la standardisation des normes et l'ajustement mutuel.

– L'organisation du travail repose sur une division du travail par séquences complètes d'un processus.

309

– Les employés réunis en équipes sont collectivement responsables, en permanence, de la séquence complète de travail qui leur a été confiée.

– L'équipe décide elle-même de l'organisation de son travail et de la rotation des postes.

– L'équipe est responsable de la qualité du travail fourni.

– Le degré d'autonomie des équipes varie en fonction de la maturité atteinte, mais éventuellement l'équipe pourra prendre en charge la gestion complète de sa séquence de travail.

CONCLUSION

Le cadre de référence propose de situer les nouvelles formes organisationnelles qui sont apparues ces dernières années dans quatre quadrants composés par le croisement de deux axes. Le premier axe s'intéresse à la répartition des tâches entre les unités de travail sur un continuum allant de la flexibilité interne à la flexibilité externe. Le second axe traite de la coordination du travail sur un continuum allant du contrôle à l'autonomie. Les quatre formes d'organisation présentées ne sont pas exhaustives; elles constituent plutôt des prototypes que l'on peut contraster en utilisant les dimensions retenues dans le cadre de référence. Il faut aussi signaler que les formes d'organisation présentées ne sont pas mutuellement exclusives pour une même entreprise. Les organisations peuvent adopter des configurations qui recoupent plusieurs formes selon la tâche à accomplir, les contraintes de l'environnement, les compétences du personnel, la technologie utilisée, les valeurs des dirigeants, etc.

À titre d'exemple, une entreprise du monde artistique comme le Cirque du Soleil pourrait adopter l'organisation virtuelle pour la conception de ses spectacles, l'organisation en réseau pour la fabrication des costumes, l'organisation allégée pour la gestion logistique et l'organisation en équipes pour l'installation matérielle des lieux de spectacles. Dans le secteur manufacturier, la division des produits récréatifs de Bombardier, par exemple, constitue une bonne illustration d'une forme d'organisation allégée dans ses usines d'assemblage tout en établissant un réseau important de sous-traitants pour la fabrication des composantes de ses produits.

310   Les organisations prises comme exemples dans cet article ont toutes connu du succès en adoptant une forme d'organisation appropriée aux contingences de l'environnement dans lequel elles évoluent. L'un des défis du gestionnaire consiste à choisir les formes d'organisation les plus appropriées compte tenu des contingences associées au travail à réaliser. Il va de soi qu'il faudra des études additionnelles pour déterminer quelles configurations organisationnelles seraient les mieux adaptées à divers types d'environnement.

S'il peut sembler difficile de déterminer les avantages d'une forme par rapport à une autre sur les plans de l'efficacité et de la rentabilité, il nous paraît toutefois pertinent de nous interroger sur l'impact de ces formes d'organisation, sur l'emploi et les personnes. À ce chapitre, les différentes formes ne nous semblent pas équivalentes.

Ainsi, l'organisation en équipes sous-tend une vision positive des travailleurs et entend faire de l'organisation un lieu à la fois productif et humainement satisfaisant (Roy *et al.*, 1998), bien qu'elle ait parfois engendré des situations difficiles de contrôle par les pairs (Barker, 1993). Par contraste, l'organisation allégée est dépeinte par certains auteurs (Linhart et Linhart, 1998; Wood, 1992) comme étant une forme sophistiquée de néotaylorisme déshumanisant, malgré les enquêtes sur la satisfaction des travailleurs dans le secteur de l'automobile qui ont démontré des taux de satisfaction élevés avec ce mode d'organisation (Kochan *et al.*, 1997). Des géants tels que Nike profitent des forces compétitives de l'organisation en réseau, mais elles doivent aussi se défendre contre des accusations touchant l'exploitation d'enfants par des sous-traitants peu scrupuleux qui opèrent dans les pays en voie de développement (Bachman, 2000). Quant à l'organisation virtuelle, si elle peut se targuer d'être l'organisation la plus souple, elle doit souvent composer avec le manque de confiance entre les partenaires, conséquence de la fragilité des liens qui les unissent (Aubert *et al.*, 1998).

Toutes ces formes d'organisation visent à rendre les entreprises plus efficaces et efficientes que le modèle bureaucratique moderne. En contrepartie, elles comportent habituellement une réduction du nombre total d'emplois lors de transformations organisationnelles. Malgré ce constat, il apparaît aussi qu'elles permettent la création d'entreprises et d'emplois qui n'auraient jamais pu voir le jour dans le modèle traditionnel.

Les nouvelles formes d'organisation se retrouvent dans tous les secteurs de l'économie et accompagnent aussi la nouvelle économie, celle du multimédia, de l'information, de la production sur mesure à valeur ajoutée. Lorsqu'il s'agit d'offrir les biens et les services adaptés aux goûts et aux besoins changeants des consommateurs, on ne peut ignorer la nécessité d'accroître la flexibilité des organisations, une flexibilité que possèdent les nouvelles formes d'organisation. Si leur supériorité continue de se confirmer, ces formes d'organisation ne s'imposeront pas seulement dans le secteur privé, mais aussi dans le secteur public, qui doit également composer avec un environnement en perpétuel changement.

Notes

1. Le terme «bureaucratie moderne» permet de décrire une organisation qui s'est construite sur les principes de division du travail hérités du taylorisme et où le management est de type traditionnel (le PODC de Fayol : planifier, organiser, diriger, contrôler). La bureaucratie moderne présente donc une division du travail par tâches, des individus spécialisés par postes, une conception du travail faite par des experts, des employés à qui l'on demande d'exécuter ce qui a été décidé par la direction, un contrôle exercé par supervision directe et la structure hiérarchique. Cette bureaucratie est qualifiée de moderne parce qu'elle a néanmoins subi au cours des ans des influences qui ont laissé des traces, qu'il s'agisse de l'école des relations humaines avec la concept de la motivation au travail ou encore de l'école néoclassique avec le concept de qualité totale, pour ne citer que ces deux exemples (Boyer et Equilbey, 1999).

2. Ce terme a été popularisé dans les années 1990 à la suite de la parution de l'ouvrage *The Machine that Changed the World* (Womack *et al.*, 1990).

3. Voir Wood (1992), Neuville (1997), Linhart et Linhart (1998).

4. En 1998, 1,4 milliard de produits et de services ont été achetés au moyen des cartes Visa, et il y a 800 millions de cartes Visa en circulation dans le monde. Visa a un siège social en Californie et quelques bureaux régionaux à travers le monde. (Voir www.visa.com.)

5. Voir Hage et Alter (1997), Aubert *et al.* (1998), Dubé et Paré (1999).

Références

Appelbaum, E., Batt, R., *The New American Workplace: Transforming Work Systems in the United States*, ILR Press, 1994, 279 pages.

Aubert, B., Patry, M., Rivard, S., «L'organisation virtuelle», dans Poitevin, M. (dir.), *L'impartition*, Les Presses de l'Université Laval, 1998.

Bachman, S.L., «The political economy of child labor and its impacts on international business», *Business Economies*, vol. 35, n° 3, 2000, p. 3-41.

Barker, J., «Tightening the iron cage: Concertive control in self-managing teams», *Administrative Science Quarterly*, vol. 38, n° 3, 1993.

Berggren, C., *Alternatives to Lean Production: Work Organization in the Swedish Auto Industry*, ILR Press, 1992.

Boltanski, L., Chiapello, E., «Le discours de management des années 1990», *Le nouvel esprit du capitalisme*, Gallimard, 1999, p. 93-153.

Boyer, L., Equilbey, N., *Organisation, théories et applications*, Les Éditions d'Organisation, 1999, 363 pages.

Charland, B., Ward, S., «Change is inevitable, but growth is optional», *The Conference Board of Canada*, août 2000.

Coriat, B., *Penser à l'envers*, Christian Bourgois éditeur, 1991, 186 pages.

De Toni, A., Tonchia, S., «Manufacturing flexibility: A literature review», *International Journal of Production Research*, vol. 36, n° 6, 1998, p. 1587-1617.

Dubé, L., Paré, G., «Les technologies de l'information et l'organisation à l'ère du virtuel», *Gestion*, vol. 24, n° 2, 1999, p. 14-22.

French, W.L., Bell, C.H., *Organization Development: Behavioral Science Interventions for Organization Improvement*, Prentice Hall, 1999, 343 pages.

Goldman, S.L., «From bricks to bytes: Creating the virtual healthcare organization», *Health Forum Journal*, vol. 41, n° 3, 1998, p. 45-47.

Grant, M., Lévesque, B., «Aperçu des principales transformations des rapports du travail dans les entreprises : le cas québécois», dans Grant, M. *et al.* (dir.), *Nouvelles formes d'organisation du travail : études de cas et analyses comparatives*, L'Harmattan, 1997, p. 221-277.

Hage, J., Alter, C., «A typology of interorganizational relationships and networks», dans Hollingsworth, J.R., Boyer, R. (dir.), *Contemporary Capitalism: The Embeddedness of Institutions*, Cambridge University Press, 1997, p. 94-126.

Hayes, R.H., Wheelurring, S.D., Clark, K.B., *Dynamic Manufacturing: Creating the Learning Organization*, Free Press, 1988.

Hoogeweegen, M.R., Teunissen, W.J.M., Vervest, P.H.M., Wagenaar, R.W., «Modular network design: Using information and communication technology to allocate production tasks in a virtual organization», *Decision Sciences*, vol. 3, n° 4, 1999, p. 1073-1103.

Kochan, T.A., Lansbury, R.D., MacDuffie, J.P., *After Lean Production: Evolving Employment Practices in the World Auto Industry*, Cornell University Press, 1997, 350 pages.

Lacombez, M., Maggi, B., «Prendre le temps de lire le temps dans les recherches de Hawthorne», dans De Terssac, G., Tremblay, D.-G. (dir.), *Où va le temps de travail?*, Octarès Éditions, 2000, 284 pages.

Lefebvre, L.A., Lefebvre, E., «Commerce électronique et entreprises virtuelles : défis et enjeux», *Gestion*, vol. 24, n° 3, automne 1999, p. 20-33.

Lévesque, B., Bélanger, P.R., Mager, L., «La réingénierie des services financiers : un secteur exemplaire de l'économie des services. Le cas des Caisses Populaires et d'Économie Desjardins», *Cahiers du CRISES*, collection «Working papers», n° 9906, 1998.

Linhart, D., Linhart, R., «L'évolution de l'organisation du travail», dans Kergoat, J., Boutet, J., Jacot, H., Linhart, D. (dir.), *Le monde du travail*, La Découverte, 1998, p. 301-309.

Maria Joseph Christie, P., Levary, R.R., «Virtual corporations: Recipe for success», *Industrial Management*, vol. 40, n° 4, 1998, p. 7-11.

Mohrman, S.A., Cohen, S.G., Mohrman, A.M. Jr., *Designing Team-based Organizations: New Forms for Knowledge Work*, Jossey-Bass, 1995, 389 pages.

Neuville, J.-P., *Le modèle japonais à l'épreuve des faits*, Economica, 1997.

Orsburn, J.D., Moran, L., *The New Self-Directed Work Teams: Mastering the Challenge*, 2ᵉ éd., McGraw-Hill, 1999, 385 pages.

Ouchi, W., *Théorie Z : faire face au défi japonais*, InterÉditions, 1982, 252 pages.

Roy, M., Guindon, J.-C., Bergeron, J.-L., Fortier, L., Giroux, D., *Équipes semi-autonomes de travail : recension d'écrits et inventaire d'expériences québécoises*, IRSST, 1998, 82 pages.

Rubinstein, S.A., «A different kind of union: Balancing co-management and representation», *Industrial Relations*, vol. 40, n° 2, avril 2001, p. 163-203.

Sparrow, P.R., «New employee behaviours, work designs and forms of work organization», *Journal of Managerial Psychology*, vol. 15, n° 3, 2000, p. 202-218.

Tarondeau, J.-C., «Approches et formes de la flexibilité», *Revue Française de Gestion*, n° 123, 1999, p. 66-71.

Tremblay, D.-G., «La transformation des organisations en fonction du modèle japonais de gestion de la production et des ressources humaines : un processus d'hybridation des modèles», *Gestion*, vol. 24, n° 3, septembre 1999, p. 34-42.

Womack, J.P., Jones, D.T., Roos, D., *The Machine that Changed the World*, Rawson Associates, 1990.

Wood, S.J., «Toyotisme et/ou japonisation?», dans Hirata, H.S. (dir.), *Autour du «Modèle Japonais» : automatisation, nouvelles formes d'organisation et de relations de travail*, L'Harmattan, 1992, p. 49-81.

Yeatts, D.E., Hyten, C., *High-Performing Self-Managed Work Teams: A Comparison of Theory to Practice*, Sage Publications, 1998, 379 pages.

La transformation d'une grande organisation de services publics selon la perspective de la gestion des connaissances[1]

Réal Jacob

Au même titre que les organisations privées, les organisations publiques font face à une réinvention de leur offre de service et de leurs modes de fonctionnement. Dans ce nouvel espace économique, le client (le citoyen, les organisations, les groupes organisés, etc.) émerge alors comme le principal arbitre du jeu. Cela amène certains praticiens de la gestion à répéter que les organisations publiques devront apprendre à maîtriser le nouveau paradigme de gestion qui évolue de la «dictature de l'offre» à la «démocratie de la demande». Selon Rosnay (1995), les services proposés par nos grandes bureaucraties publiques doivent donc nécessairement être repensés en fonction du nouveau «champ des possibles» qu'offre la société informationnelle telle que décrite notamment par Castells (1998). Il observe ainsi que les organisations innovatrices s'organisent en réseaux plutôt qu'en pyramides de pouvoirs, en cellules interdépendantes plutôt qu'en postes cloisonnés et en systèmes informationnels plutôt qu'en secteurs industriels aux frontières imperméables. C'est notamment la voie qu'a choisie le gouvernement du Québec dans son projet d'inforoute gouvernementale qui vise à passer de «l'État-couloirs» à «l'État-réseau». Les fins recherchées par ce projet d'inforoute gouvernementale, opérationnalisé actuellement à travers plusieurs centaines d'applications, peuvent se résumer ainsi : faciliter la vie des citoyens et accroître leur autonomie (qualité du service – simplifier, faciliter, accélérer –, guichet unique), renforcer la capacité concurrentielle des entreprises (par exemple, simplification des procédures et des transactions avec l'État, réduction des coûts et des délais) et donner aux employés de l'État les moyens d'innover et d'être

Au moment de la rédaction de cet article, Réal Jacob était professeur et titulaire adjoint à la Chaire Bombardier Produits Récréatifs en gestion du changement technologique à l'Université du Québec à Trois-Rivières, il est maintenant professeur à HEC Montréal.

plus efficaces. Le schéma 1 illustre l'idée de l'État-réseau lors de la naissance d'un enfant. Ainsi, dans le même espace-temps et à partir d'une seule transaction, toutes les dimensions administratives multi-ministères ou multi-organismes relatives à l'arrivée d'un nouveau-né sont traitées instantanément suivant l'idée d'un guichet unique.

Les organisations publiques sont donc appelées à inscrire leur réinvention dans le contexte de l'économie du savoir et de l'innovation, comprise ici comme la transformation des savoirs en valeur ajoutée pour le client (Leonard-Barton, 1995; Amidon, 1998). Étudiant la dynamique de l'évolution de l'innovation, Dekkers (1998) montre que les années 1970 à 1985 ont été marquées par des innovations de type radical, contrairement aux innovations des dernières années qui sont davantage diffuses, s'appuyant avec force sur une culture d'apprentissage collectif. Dans une critique sévère de l'innovation classique et de ses mythes, après avoir analysé l'historique de nombreuses innovations de produits (comme le minitel ou le guidage inertiel de missiles nucléaires), Callon (1995) observe également, et sans équivoque, que ces innovations sont le produit de collectifs qui capitalisent le travail d'une myriade d'autres collectifs à

317

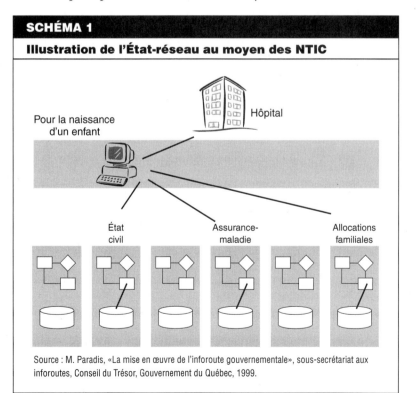

SCHÉMA 1

Illustration de l'État-réseau au moyen des NTIC

Pour la naissance d'un enfant

Hôpital

État civil

Assurance-maladie

Allocations familiales

Source : M. Paradis, «La mise en œuvre de l'inforoute gouvernementale», sous-secrétariat aux inforoutes, Conseil du Trésor, Gouvernement du Québec, 1999.

travers des trajectoires «tourbillonnaires». Cette conception de l'innovation appartient donc à la lignée des modèles interactifs (Loilier et Tellier, 1999).

D'autres observateurs de la scène économique indiquent que l'on évolue maintenant de «l'âge de l'information» à «l'âge de l'intelligence», en bref que les organisations deviennent des organisations apprenantes, se transformant elles-mêmes à partir de leurs propres savoirs et au contact de nouveaux savoirs externes structurants (Tyson, 1998).

L'objectif de cet article est de présenter un cadre de référence générique qui vise à mieux appréhender la transformation des savoirs en valeur ajoutée pour le client dans le domaine public par le biais notamment du potentiel qu'offrent les nouvelles technologies de l'information et des communications (NTIC). Suivant cette perspective, sous l'angle de l'innovation diffuse, la qualité des processus de transformation des savoirs individuels en savoirs collectifs structurants dépend de la qualité, au sens de l'apprentissage, des processus informationnels qu'une organisation peut mettre en place. Mais pour que ces derniers processus produisent l'effet de levier escompté sur le plan des processus transformationnels, ils doivent être déployés selon une logique à la fois transactionnelle et interactionnelle.

Ce cadre de référence met donc en relation deux domaines de la connaissance : celui de la gestion des connaissances et celui de l'apprentissage organisationnel. Alors que ces domaines ont évolué séparément, on constate de plus en plus qu'ils sont reliés (Dove, 1999). Par exemple, ce dernier chercheur les intègre à l'intérieur du concept d'agilité (*agile enterprise*).

Ainsi, le domaine de la gestion des connaissances met l'accent sur l'importance de la mise en place de processus informationnels de gestion des savoirs (par exemple, identifier, répertorier, diffuser, partager, créer), alors que le domaine de l'apprentissage organisationnel nous indique notamment que la création de savoirs innovants passe nécessairement par des processus transformationnels (par exemple, maillage des savoirs tacites et explicites, évolution des savoirs individuels vers des savoirs collectifs à travers notamment des processus de socialisation, d'extériorisation, de combinaison et d'intériorisation tels que relevés par Choo, 1998, et Nonaka et Takeuchi, 1998).

UN CADRE DE RÉFÉRENCE GÉNÉRIQUE ET L'ÉTUDE DE CAS

Le schéma 2 permet de visualiser les principales dimensions d'un cadre de référence générique qui peut servir de guide lors de la transformation d'un service public au moyen des NTIC suivant la perspective de la gestion des savoirs[2]. Ce cadre de référence est en construction, c'est-à-dire qu'il s'enrichit au fur et à mesure à partir de boucles d'apprentissage. Sur le plan de la validité de construit, ce cadre de référence s'appuie sur une recherche documentaire intégrant les thèmes de la gestion des connaissances et de l'apprentissage organisationnel (Jacob et Turcot, 2000; Jacob et Pariat, 2000)[3]. Sur le plan de la validité externe, il a été soumis à des groupes de décideurs publics dans le cadre de sessions de transfert université-milieu. Finalement, il a été utilisé dans le cadre d'interventions sur le terrain suivant la perspective de la recherche-action.

Le cadre de référence se présente comme un schéma intégrateur de soutien à la décision. Dans ce sens, il est descriptif et prescriptif. Il met en relation des processus transformationnels et informationnels de gestion des savoirs. Ces processus agissent à travers trois dimensions déterminantes : la stratégie, l'organisation du travail et la culture. Les différentes composantes de ce cadre de référence seront commentées dans l'esprit de la gestion des savoirs. La résultante sera traitée sous l'angle de l'innovation diffuse (par exemple, création de nouveaux savoirs collectifs) et de la valeur ajoutée des services (par exemple, réduction du temps de réponse).

Bien que le schéma 2 laisse croire que les différentes composantes de ce cadre de référence agissent de manière linéaire, il faut comprendre que la réalité se présente autrement. On doit donc «lire» les relations entre ces composantes suivant la logique systémique. À titre d'exemple, pour que les savoirs tacites soient partagés au sein d'une communauté de pratique virtuelle (processus de socialisation) et qu'ils soient extériorisés sous la forme d'un référentiel de connaissances explicites (processus d'extériorisation), il faut que le niveau d'intégration des technologies et des processus informationnels atteigne le niveau interactionnel (par exemple, opérationnalisation à travers l'application Appel à tous), que la culture organisationnelle soit facilitante et que les pratiques de gestion soient alignées (rémunération, évaluation du rendement) et qu'au bout du compte tous ces efforts de mise en commun des savoirs soient légitimés et jugés utiles (lien avec la stratégie de repositionnement de l'organisation publique).

Dans les prochaines lignes, nous décrirons succinctement chacune de ces composantes tout en établissant des liens avec l'étude de cas. Nous commencerons par les trois dimensions du contexte puisque, somme toute, elles composent l'infrastructure à partir de laquelle les différents processus informationnels et transformationnels prendront forme.

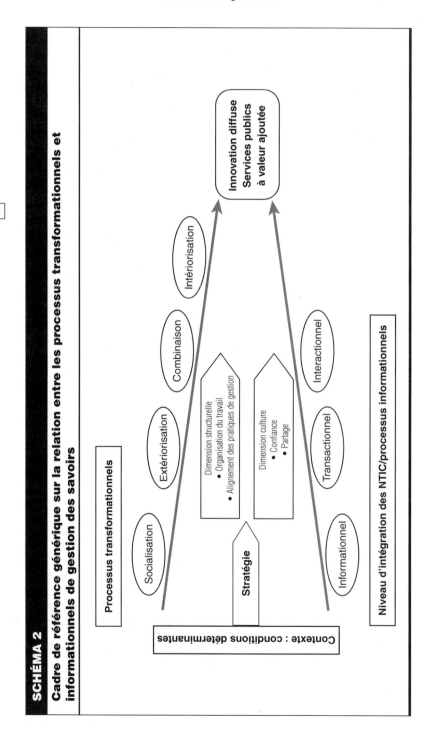

SCHÉMA 2

Cadre de référence générique sur la relation entre les processus transformationnels et informationnels de gestion des savoirs

Processus transformationnels

Socialisation

Extériorisation

Combinaison

Intériorisation

Dimension structurelle
• Organisation du travail
• Alignement des pratiques de gestion

Dimension culture
• Confiance
• Partage

Stratégie

Contexte : conditions déterminantes

Innovation diffuse
Services publics
à valeur ajoutée

Interactionnel

Transactionnel

Informationnel

Niveau d'intégration des NTIC/processus informationnels

Le cas de la Commission de la santé et de la sécurité du travail (CSST) du Québec sera utilisé ici comme outil pédagogique permettant de faire ressortir les composantes du cadre de référence. Cette organisation compte 3 778 employés regroupés dans un siège social à Québec, un centre administratif à Montréal et 21 directions régionales réparties sur le territoire québécois. Il s'agit donc d'une organisation déconcentrée. Cette société d'assurance publique intervient dans les domaines des services aux accidentés du travail (fonctions d'indemnisation et de réparation), des services aux employeurs (fonction de financement) et de la prévention-inspection. Sur le plan des transactions avec ses clients, elles sont de l'ordre de 700 000 transactions informatiques par jour. Les cotisations se situent à 1,8 milliard de dollars canadiens. Pour ce qui est des résultats obtenus dans le cadre de sa transformation organisationnelle au moyen des NTIC, cette organisation a reçu en 1995 un prix canadien d'excellence en gestion du changement.

LES DIMENSIONS DU CONTEXTE DE LA GESTION DES SAVOIRS

La stratégie qui capitalise la gestion des savoirs

Que veut-on mettre en valeur avec la gestion des savoirs qui soit fondamental pour le développement de l'organisation? Pour Michael Zack (1999), l'un des universitaires les plus importants dans ce domaine, et à la suite d'une étude en profondeur de plus de 25 cas d'entreprises appliquant à des niveaux différents d'intégration la gestion des connaissances, le principal prédicteur de l'efficacité des systèmes de gestion des savoirs demeure l'alignement sur les orientations stratégiques de l'entreprise. Les travaux d'O'Dell et Grayson (1998) insistent sur l'idée de «focus». Derrière ces observations se profile l'exigence de l'utilité perçue par les personnes qui vivent l'action au quotidien.

En relation avec les orientations stratégiques, il devient important de réfléchir sur les cibles devant faire l'objet d'applications dans le domaine de la gestion des savoirs. À titre d'exemple, dans une enquête réalisée par la firme KPMG en 1998, les participants indiquaient qu'il est impératif d'organiser la gestion des connaissances autour des cibles suivantes : les clients (93 % des participants), les marchés (88 %), les produits et les services (88 %), les concurrents (81 %), les compétences des employés (81 %), l'environnement réglementaire (70 %) et les méthodes de travail (69 %).

D'un autre point de vue, certains relèvent des objectifs plus généraux, davantage liés à la gestion des savoirs en tant que telle (Prusack, 1997; APQC, 1998). Ce sont :

– Créer des possibilités pour permettre aux personnes de collaborer entre elles et de générer de nouvelles idées.

– Donner aux différentes catégories de personnel l'occasion de trouver rapidement des réponses aux difficultés éprouvées lors de situations problématiques.

– Veiller à préserver, à enrichir et à exploiter efficacement la mémoire organisationnelle de l'organisation.

– Contribuer à l'amélioration des savoirs détenus par les employés.

Étude de cas

La dimension stratégique est nommée très rapidement en tant que principal moteur du succès de la transformation de la société d'assurance publique dans le sens de la gestion des savoirs et de l'intégration des NTIC. En 1992, l'organisation atteint un niveau incomparable de difficultés : une situation financière désastreuse qui met le régime en péril, une insatisfaction grandissante des deux clientèles – travailleurs et employeurs –, des taux de contestation énormes et une démotivation de plus en plus perceptible chez les salariés. Trois repositionnements sont alors envisagés : privatiser la société, réamender la loi en vue de diminuer les bénéfices aux travailleurs ou, tout simplement, hausser les cotisations. Aucune de ces trois perspectives ne remet en question les présupposés de cette institution, d'où la très grande inquiétude du gouvernement.

L'arrivée d'une nouvelle équipe de direction, qui interpelle elle-même l'ensemble des salariés à travers une stratégie de groupe-discussion, provoque un effet d'apprentissage en double boucle. Ce processus collectif de réflexion est alors accompagné d'une analyse fine des coûts associés aux différentes problématiques touchant la santé et la sécurité du travail en vue de déterminer le meilleur potentiel de valeur ajoutée. Le mandat de l'organisation est alors réaligné sur la canalisation des ressources au regard des activités valorisées par les clientèles (employeurs, employés). Ainsi, l'organisation se redéfinit autour des trois pôles suivants : la gestion d'une loi visant à servir un client, le passage de la pyramide aux réseaux (les modes d'organisation) et le passage de référentiels de connaissances physiques aux référentiels de connaissances virtuels.

C'est donc autour de ce nouvel accent mis sur le client que sont articulés les objectifs en matière de transformation de l'organisation et de la gestion des savoirs au moyen des NTIC, objectifs qui peuvent se résumer ainsi :

– Faire connaître la société à ses clients et au grand public : développement d'un site Internet.

– Communiquer et collaborer avec ses partenaires (comme le réseau de la santé), ses clients et ses fournisseurs : développement d'un extranet sous le mode du commerce électronique.

– Communiquer et collaborer à l'intérieur de l'organisation : développement d'un intranet informationnel, transactionnel et interactionnel visant principalement les salariés à tous les niveaux.

En ce qui concerne la gestion interne des savoirs au moyen de l'intranet, les objectifs spécifiques mis en avant par cette organisation, tels que l'accessibilité aux connaissances sur le juste-à-temps, la possibilité de regrouper rapidement les connaissances lors d'un problème, le développement du travail de collaboration à distance et la facilitation de l'apprentissage dans l'action, sont également en relation directe avec l'accent mis sur le client.

Quant aux référentiels de connaissances, aux applications de partage, etc., ils sont développés en fonction de l'approche client et des trois grands processus clés de cette organisation, soit la prévention, la réparation et l'indemnisation. La variation de l'information à l'intérieur de ces trois processus est influencée par le résultat de l'analyse des coûts dont nous avons parlé auparavant.

Une infrastructure organisationnelle favorisant l'interaction

Comme nous l'avons vu précédemment, l'innovation diffuse s'appuie sur des collectifs d'apprentissage. Pour que ces collectifs puissent capitaliser les savoirs d'une organisation, l'infrastructure organisationnelle qui soutient la gestion des savoirs doit favoriser l'interaction. Comme le montrent les travaux d'O'Dell et Grayson (1998) et de McDermott (1999), l'accent doit être placé autant sur l'organisation du travail que sur la technologie. Le Boterf (1999) ajoute que pour qu'il y ait compétence collective, il faut qu'il y ait mise en commun pour coagir et coproduire. Ainsi, et à titre d'exemples, les pratiques de gestion suivantes sont considérées comme facilitant l'interaction dans un contexte de gestion des savoirs (Davenport, 1999; Tissen *et al.*, 1998) :

– le transfert temporaire d'employés d'un groupe de travail à un autre, les savoirs des deux groupes s'enrichissant mutuellement;

– l'organisation du travail basée sur la notion d'équipe (équipe d'amélioration, équipe responsabilisée, équipe semi-autonome, équipe virtuelle, etc.);

– les réseaux de pairs (*communities of practice*), soit des groupes le plus souvent autoorganisés, mis sur pied par des employés qui communiquent entre eux parce qu'ils ont des pratiques, des intérêts ou des objectifs communs au travail.

On peut faire ici certains liens entre les processus transformationnels de gestion des savoirs et la perspective organisationnelle. Comme plusieurs liens pourraient être établis, on s'en tiendra aux exemples suivants. Ainsi, plusieurs travaux de recherche montrent que l'organisation du travail à partir d'équipes favorise les processus transformationnels de gestion des savoirs (Morgan, 1988; Nonaka et Takeuchi, 1998). L'apprentissage dans l'action crée un contexte favorable au processus de socialisation, l'apprentissage par les pairs a un impact direct sur les processus d'extériorisation et de combinaison, et la supervision de type *coaching* facilite le processus d'intériorisation. Les «communautés virtuelles de pratiques» ont à peu près le même effet sur les processus déterminés par Nonaka et Takeuchi (1998) dont nous reparlerons plus loin.

Pour que les savoirs collectifs favorisant l'innovation puissent voir le jour, il apparaît donc que l'organisation du travail et les pratiques de gestion l'accompagnant doivent s'inspirer des modèles interactionnels d'organisation du travail et de l'information.

Étude de cas

Dans la foulée des orientations stratégiques que nous avons décrites précédemment, pour la direction de la société d'assurance publique, il devenait impératif de réaligner les modes bureaucratiques d'organisation du travail et de communication. Les décisions concernant les modes d'organisation du travail se sont déployées autour de l'idée de l'organisation en réseau s'appuyant sur deux piliers : l'ordinateur et les réseaux de communication et l'équipe virtuelle de travail sous le mode de la résolution de problèmes.

L'équipe de direction a beaucoup travaillé à sensibiliser l'ensemble des salariés à la valeur ajoutée des nouvelles technologies, qui se situe non pas dans la technologie mais bien au cœur des processus d'affaires. Cette mise en valeur insiste sur les dimensions suivantes : accélérer le temps de réponse en vue d'intervenir le plus tôt possible, faciliter l'accessibilité juste-à-temps de la connaissance, permettre la personnalisation des communications, améliorer la gestion du temps et favoriser le travail en partenariat. Ce dernier point est basé sur la notion de partage des savoirs qui se développe sur quatre plans : le partage des données d'un ordinateur à l'autre (rendre accessible rapidement l'information sur le client – par exemple, le référentiel Portrait de l'employeur, le référentiel Portrait du travailleur – auprès des intervenants de première ligne), le partage des dossiers des clients entre les intervenants (élaborer des plans d'intervention en simultanée auprès d'organisations dont les sites sont déconcentrés dans plusieurs régions), le partage des connaissances qui, d'une part, rend accessible le savoir d'expertise (forum d'experts, «pages jaunes d'expertises») et, d'autre part, permet l'interaction constructive des intervenants de première ligne face à de nouvelles problématiques, et enfin le partage des responsabilités.

Le second pilier consiste à créer des équipes de travail virtuelles orientées vers la résolution de problèmes à distance. Il s'agit d'un défi important puisque, l'organisation étant déconcentrée sur le territoire du Québec, les différentes unités territoriales avaient élaboré un mode de fonctionnement en «silo» très hermétique. Le défi consiste donc à sensibiliser les acteurs à la richesse de la mise en réseau des savoirs individuels en vue de mettre au point des réponses locales innovatrices, à valeur ajoutée. La sensibilisation à ce mode de fonctionnement et son appropriation se font graduellement sous l'impulsion de la stratégie de gestion du changement qui est mise en avant, dont nous reparlerons plus loin, et de la modification du rôle des gestionnaires intermédiaires et de premier niveau. Cette dernière stratégie, appelée *leadershift*, vise à faire évoluer les rôles de gestion vers les notions de gestionnaire-*coach* et d'animateur.

Une culture organisationnelle basée sur les valeurs de confiance et de partage

«Je crois qu'il y a une mauvaise perception dans plusieurs directions d'entreprise selon laquelle l'avantage concurrentiel est procuré par la base de connaissances la plus importante. La plus grande capacité d'échange est celle qui inclut les déterminants de la culture et du comportement, la culture mettant à l'honneur le partage et le travail d'équipe» (Novins, cité dans Wah, 1999, traduction libre). En effet, les principaux déterminants du partage réussi des savoirs, en particulier tacites, appartiennent au registre de la culture organisationnelle, à commencer bien sûr par celle de l'équipe de direction. De la direction provient le dessein stratégique (*strategic intent*) et bien sûr l'exemple. Donner l'exemple, c'est donc pratiquer soi-même les activités (et les valeurs!) prévues par le programme de gestion des savoirs en vigueur dans une organisation.

Là encore, même si la technologie est en soi un fabuleux levier pour la diffusion rapide et efficiente des savoirs, il convient de se rappeler que «le management de la connaissance implique essentiellement la création de comportements qui amènent les gens à transformer l'information en résultats d'affaires» (traduction libre). Et l'établissement de cette culture de partage n'est pas simple. En effet, à la suite de plusieurs sondages et discussions menés auprès d'un échantillon de 370 gestionnaires sur les principaux obstacles à la gestion des connaissances, la culture arrive au premier rang (53 % des participants), suivie du manque de maturité technologique (20 %) (Delphi Consulting Group, cité dans Ganzel *et al.*, 1998). L'enquête réalisée en novembre 1999 par l'American Management Association va dans le même sens. Le schéma 3 présente les valeurs les plus citées dans la documentation portant sur la gestion des savoirs.

À la suite d'une étude conduite auprès de 33 firmes dans le cadre d'un projet appelé *Creating the Knowledge-Based Business*, Debra Amidon (1998), experte mondiale en innovation, ajoute que sans une culture qui encourage le partage et l'échange, les savoirs tacites demeureront cachés et les nombreux efforts de gestion de connaissances ne manipuleront que des savoirs explicites, limitant ainsi le potentiel de mise en valeur du capital intellectuel d'une organisation à moins de 30 %.

Étude de cas

Comme la majorité des bureaucraties publiques et comme les travaux portant sur la sociologie des organisations l'ont largement démontré, notre société d'assurance publique évoluait dans un univers culturel dominé par l'individualisme, le recours aux règles explicites, la

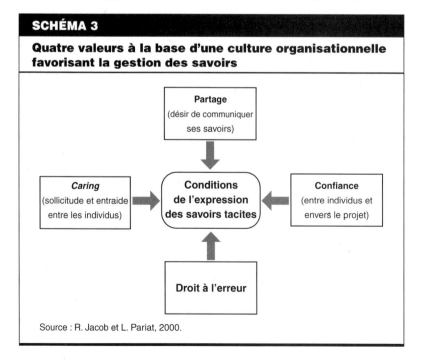

SCHÉMA 3

Quatre valeurs à la base d'une culture organisationnelle favorisant la gestion des savoirs

Source : R. Jacob et L. Pariat, 2000.

linéarité des activités dans les processus opérationnels où l'information sert souvent à des jeux politiques plutôt qu'au développement de l'organisation. Il s'agit donc d'une organisation où l'on peut observer le phénomène de déplacement du but : le respect des règles bureaucratiques, l'application des règlements et la poursuite des objectifs individuels sont beaucoup plus importants que la poursuite d'un intérêt supérieur commun, ici des services publics valorisés par les deux clientèles dans le domaine de la santé et de la sécurité du travail.

Consciente de l'emprise du modèle bureaucratique, l'équipe de direction a misé sur un processus de changement de type incrémentiel, misant sur la participation du personnel. Historiquement, le changement au sein de cette organisation avait toujours été mené suivant une logique radicale avec l'aide de consultants externes. De l'avis de l'équipe de direction, la stratégie de gestion du changement avait pour objectif, d'abord et avant tout, de provoquer un virage culturel. Les principales assises de cette stratégie ont été :

– la légitimation du changement par la participation directe de l'équipe de direction sur le terrain (par exemple, l'animation, à l'étape du diagnostic, par des membres de la haute direction, de groupes-discussion avec les différentes catégories de personnel);

– la mise en place d'une équipe de projet, pilote du changement, accompagnée de champions sur le terrain;

– la participation proactive du personnel par le biais de groupes représentatifs dès l'étape de l'orientation du projet de transformation de l'organisation;

– une conception anthropocentrique du changement technologique; par exemple, lors du développement des différents référentiels de connaissances, c'est le personnel qui a assumé le leadership, les experts en technologie étant placés dans un rôle de soutien;

– le recours à une approche de gestion du changement (étape de la mise en œuvre) basée sur l'expérimentation et l'apprentissage dans l'action; cette approche, appelée «De l'idée à la réalité», comprend les étapes suivantes : le concept (la perspective théorique), le modèle (la perspective expérimentale) et le processus (la perspective d'application);

– une animation continue des processus de gestion des savoirs par le biais de responsabilités formelles attribuées à diverses personnes de l'organisation, et cela peu importe leur statut; ces responsabilités d'animation peuvent se retrouver autant chez un cadre que chez un professionnel ou une secrétaire.

LES PROCESSUS INFORMATIONNELS DE GESTION DES SAVOIRS : TROIS NIVEAUX D'INTÉGRATION

Lorsque l'on fait une analyse croisée de divers ouvrages et articles portant sur la gestion des savoirs, on peut repérer un certain nombre de processus informationnels. Certains auteurs en présentent six (identifier, créer, colliger, organiser, appliquer, partager), d'autres quatre (découvrir/ acquérir, structurer/entreposer, diffuser/transférer, exploiter)[4]. Pour une meilleure compréhension des liens entre ceux-ci et les processus transformationnels, il paraît souhaitable de resituer les processus informationnels selon leur niveau d'intégration.

Ainsi, quand on analyse le portefeuille d'applications en matière de NTIC et de gestion des savoirs, divers travaux de recherche permettent de les regrouper en trois niveaux : informationnel, transactionnel et interactionnel. Le premier niveau est généralement associé à des référentiels d'informations et de connaissances. Le deuxième niveau renvoie à l'idée de l'interaction passive, c'est-à-dire la possibilité d'échanger de l'information, d'apprendre sous le mode de l'autoformation (cours de téléformation, recours à un cédérom, etc.) sans pouvoir intervenir dans la banque de données ou le système de notre partenaire. Le dernier niveau, appelé «interactionnel», peut être associé à l'apprentissage constructif, où une organisation se transforme elle-même à partir de son propre savoir par le biais d'une interaction dynamique des détenteurs de savoirs. Les fonctions du type Appel à tous appartiennent à ce dernier niveau.

Étude de cas

L'architecture des applications technologiques à la société d'assurance publique comprend les trois niveaux : informationnel, transactionnel et interactionnel. De l'avis du personnel, cette intégration constitue l'un des éléments fondamentaux de la réussite du virage stratégique de cette institution, puisque la valeur ajoutée se construit graduellement pendant cette intégration. On retrouve les trois niveaux tant dans l'architecture globale des NTIC de cette institution (Internet, extranet et intranet) que dans son intranet.

Prises dans leur sens global, les applications de type Internet sont surtout de nature informationnelle. On y retrouve notamment les différentes publications de l'institution (par exemple, la revue *Prévention au travail*, «La réadaptation après un accident de travail»), le rapport annuel d'activités, la table des taux de cotisation, la promotion des services offerts aux clientèles, les formulaires destinés aux employeurs, le répertoire toxicologique et l'accès au centre de documentation.

Les applications de type extranet sont davantage de nature transactionnelle. Elles s'inscrivent dans la stratégie de déploiement du commerce électronique entre la société d'assurance publique et ses principaux clients : les employeurs et les travailleurs. Ces applications sont donc à accès limité et génèrent un revenu. Elles comprennent entre autres les référentiels Portrait de l'employeur, Portrait du travailleur et L'encaissement des cotisations. Alors que les employeurs percevaient la société publique comme le gardien d'une loi, l'orientation vers le client, qui s'incarne notamment à travers les fonctions du commerce électronique, amène l'employeur à considérer dorénavant cette même société comme un partenaire d'affaires. Ainsi, lorsqu'un employeur consulte son portrait, il a accès à ses propres données qui sont regroupées selon les thématiques du financement, de la réparation et de la prévention. Ces données regroupées sont présentées de manière évolutive (les cinq dernières années) sous la forme notamment d'histogrammes prêts à être utilisés (par exemple, les cotisations par rapport aux sommes imputées, l'évolution de l'indice moyen d'expérience, le taux personnalisé par rapport au taux de l'unité). Les différentes données du référentiel Portrait de l'employeur fournissent des indices facilement interprétables en vue d'aider l'employeur à améliorer sa stratégie de gestion en matière de santé et de sécurité du travail. Nommons, à titre d'exemples, des statistiques détaillées sur la nature et la fréquence des lésions survenues dans l'entreprise depuis les cinq dernières années qui permettent de repérer facilement les domaines d'intervention les plus urgents et les plus pertinents, le nombre de réclamations de plus de 10 000 $, ce qui peut mettre en évidence le besoin de faire des efforts particuliers pour faciliter le retour au travail prompt et durable des employés visés, et une carte géographique montrant la répartition des dossiers d'accidents sur une base territoriale.

329

Quant à l'intranet, en relation avec les objectifs stratégiques de l'institution et avec les besoins du personnel, il a été lui-même déployé aux trois niveaux. Le tableau 1 présente quelques-unes des applications technologiques à ces trois niveaux.

Le recours au niveau interactionnel a permis notamment de faire passer certains temps de réponse de quelques semaines à quelques jours.

TABLEAU 1

Intranet informationnel, transactionnel et interactionnel : quelques applications dans le cas d'une société d'assurance publique

Informationnel	Transactionnel	Interactionnel
Accès aux référentiels Portrait de l'employeur, Portrait de l'employé	Téléformation	Forums électroniques du type Appel à tous : réparation, prévention, financement
Accès aux répertoires toxicologiques, prévention, réparation, médical, juridique	Messagerie et agenda électronique	Sites de collaboration sur les problématiques spécifiques telles que les lésions attribuées au travail répétitif, audit de gestion
Accès aux guides lésions, frais, etc.	Vidéothèque	Communautés virtuelles de pratiques dans divers domaines tels le médical, le juridique, la gestion, les systèmes
Accès aux référentiels Lois et règlements	Notes évolutives du travailleur	Groupe de discussion des directeurs régionaux
«Pages jaunes d'expertises» en ligne	Notes évolutives de l'employeur	
Référentiel des connaissances de pratiques exemplaires internes		
Revue de presse journalière et en ligne pour les gestionnaires		
Accès au Centre de documentation et aux partenaires (par exemple, IRSST)		

LES PROCESSUS TRANSFORMATIONNELS OU LA SYNERGIE ENTRE LES SAVOIRS EXPLICITES ET TACITES ET LE PASSAGE DE L'INDIVIDUEL AU COLLECTIF

Comme nous l'avons dit antérieurement, l'innovation diffuse est le fruit de processus permettant de mailler des savoirs explicites et des savoirs tacites en vue de mettre au point de nouveaux savoirs collectifs innovants. Les travaux sur l'apprentissage organisationnel et l'organisation apprenante ont montré qu'il est possible d'influencer ces processus de transformation des savoirs. En se référant au cadre de référence présenté au schéma 2, on comprendra que ces processus sont influencés par les dimensions qui constituent les conditions déterminantes du contexte et par le niveau d'intégration des NTIC. Nous avons d'ailleurs fait auparavant, dans ce texte, quelques observations en ce sens. Dans cette perspective, il s'agit ici de présenter brièvement ces deux formes de savoirs et les processus en jeu, et de les considérer comme des cibles qui seront influencées par le biais de moyens organisationnels et technologiques.

331

Dans la foulée des travaux plus fondamentaux de Polanyi (1966) et de ceux plus appliqués de Nonaka et Takeuchi (1998), on peut comprendre les savoirs explicites et les savoirs tacites de la manière suivante. Les savoirs explicites représentent l'ensemble des connaissances colligées sous une forme qui les rend facilement accessibles et communicables (un manuel, par exemple). On peut les caractériser ainsi : ils sont objectifs, formalisés, observables, conceptuels, opératoires. C'est le cas en général de méthodes à suivre, de techniques à utiliser, de cadres de référence, de politiques à respecter, d'articles de lois, etc. Les référentiels électroniques de connaissances sont le plus souvent constitués de savoirs explicites. Les savoirs tacites englobent au contraire l'ensemble des savoirs non répertoriés, connus le plus souvent de leurs seuls détenteurs. Plus difficiles par nature à décrire et à archiver sous la forme de référentiels de connaissances, ils s'étendent néanmoins sur une large gamme, allant par exemple des savoir-faire aux intuitions, en passant par les trucs du métier et l'expérience acquise dans les relations humaines, entre autres domaines. Les savoirs tacites sont donc généralement informels, contextualisés, expérientiels et subjectifs.

Le défi qui se pose alors est le suivant : comment peut-on favoriser la synergie entre ces différentes formes de savoirs ? À cet égard, les travaux de Nonaka et Takeuchi (1998) nous donnent un éclairage très intéressant[5]. Partant de l'hypothèse que l'innovation s'inscrit dans la synergie des savoirs explicites et tacites et s'appuyant sur des observations réalisées au sein de grandes entreprises, ces chercheurs ont relevé quatre processus favorisant l'interaction de ces deux formes de savoirs :

– le processus de socialisation : maillage de savoirs tacites (par exemple, discussions informelles au sein de communautés de pratiques réelles ou virtuelles);

– le processus d'extériorisation : articulation de savoirs tacites en savoirs explicites (par exemple, groupe de résolution de problèmes dont les résultats, ou *outputs*, sont formellement consignés dans un répertoire de connaissances explicites en vue d'être réutilisés);

– le processus de combinaison : maillage de savoirs explicites en vue de produire de nouvelles idées, de nouveaux concepts (par exemple, forum d'experts);

– le processus d'intériorisation : intégration de nouveaux savoirs explicites dans l'expérience quotidienne, ceux-ci redevenant progressivement tacites (par exemple, utilisation du *coaching* et des systèmes électroniques d'aide à la tâche, comme l'Electronic Performance Support System, en vue de faciliter le transfert de l'apprentissage de nouvelles pratiques dans l'action au quotidien).

Le tableau 2 présente certains résultats obtenus lors de l'utilisation de technologies de gestion des savoirs facilitant la synergie entre l'explicite et le tacite. Les observations empiriques de Nonaka et Takeuchi (1998) ont permis de constater que ces processus conduisent également à produire des savoirs collectifs et innovants du type 1 + 1 = 3.

Cependant, l'image projetée par une certaine documentation d'affaires du type «orienté vers la technologie» (*technology-driven*) dans le domaine de la gestion des savoirs renvoie trop souvent à l'idée que seuls les savoirs explicites peuvent être gérés. Benoît Guay, vice-président gestion des connaissances pour la société internationale de conseil DMR, dit plutôt que, ces dernières années, les entreprises ont exagérément mis l'accent sur la systématisation des savoirs, trop souvent explicites, au détriment des processus de socialisation et d'intériorisation. Il ajoute que «mettre les gens en contact entre eux et les aider à apprendre dans l'action est tout aussi important que de bâtir des référentiels de connaissances» (cité dans Cottin, 1999).

Étude de cas

Le schéma 4 constitue une représentation du maillage des savoirs explicites et des savoirs tacites dans la communauté des inspecteurs de la CSST avec l'aide de certaines applications de l'intranet. Ce schéma montre, pour la fonction Appel à tous et lors d'un problème de terrain éprouvé par un inspecteur en région, comment s'articule la synergie entre ces deux formes de savoirs. Ici, l'inspecteur a accès aux savoirs explicites en temps réel que l'on trouve majoritairement dans les référentiels informatisés de connaissances et les «pages jaunes d'expertises». Pour les savoirs tacites, l'inspecteur lance un appel à tous résumant la problématique qu'il observe localement et les questions qu'il se pose. L'appel à tous comprend un délai, généralement de 24 ou 48 heures. Lorsqu'un collègue répond à l'appel à tous, il doit vérifier si sa réponse ou ses observations n'ont pas déjà été données. Dans le cas de l'appel à tous, il appartient à l'inspecteur d'intégrer les savoirs explicites et les savoirs tacites qu'il a recueillis en vue de la production d'une solution originale. Si cette solution s'avère efficace, l'inspecteur a alors la responsabilité de la documenter afin de l'intégrer dans le référentiel de connaissances des meilleures solutions de terrain, qui s'enrichit graduellement par boucle d'apprentissage.

333

On pourrait également procéder à une illustration similaire avec les communautés virtuelles de pratiques. C'est notamment grâce à cette approche des savoirs que cette société publique a été en mesure de réduire son temps de réponse aux clients.

TABLEAU 2

Quelques résultats associés à la synergie des savoirs explicites et tacites à la suite de la mise en place d'approches formelles de gestion des savoirs

- Avec le recours aux répertoires informatisés de pratiques informelles et d'experts, chez IBM, le temps de rédaction des offres de service est passé en moyenne de 200 heures à une trentaine d'heures (McCune, 1999).

- La société Eureka, filiale de la société Xerox, dont l'expertise se situe dans l'entretien de bases de données, a diminué son temps moyen de réparation de 50 % (McCune, 1999).

- Dans les firmes de consultants comme DMR, Ernst & Young et Arthur Andersen, tous sont d'avis que la mise en place de *Knowledge Spaces* Interactionnels a un effet presque immédiat sur l'accélération du processus de résolution de problèmes et sur la réduction du temps de réponse aux clients.

- Chez Ford, on soutient que le simple recours aux répertoires des meilleures pratiques internes spécifiques de ses processus qu'on trouve sur intranet lui a permis d'économiser 245 millions de dollars américains entre 1996 et 1997 (Anthes,1998).

- Le temps de développement d'une nouvelle innovation chez Skandia a été réduit à sept mois, alors qu'il est de sept années dans l'industrie (O'Dell et Grayson, 1998).

- La «communauté de pratiques» de Chevron, qui réfléchit sur l'utilisation de l'énergie, a généré à elle seule des réductions de coûts de 650 millions de dollars américains depuis 1995 (O'Dell et Grayson, 1998).

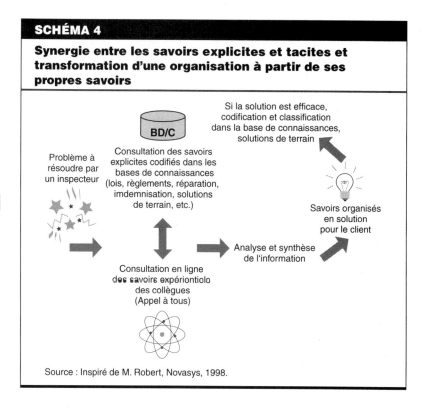

SCHÉMA 4

Synergie entre les savoirs explicites et tacites et transformation d'une organisation à partir de ses propres savoirs

Source : Inspiré de M. Robert, Novasys, 1998.

EN GUISE DE CONCLUSION

Avec le cas de l'organisation de l'assurance publique que nous avons présenté dans cet article, nous avons confirmé le fait qu'il est important que la stratégie de l'organisation capitalise les technologies et l'approche informationnelle dans le domaine de la gestion des savoirs. Ce cas nous a également permis de mettre en évidence l'importance de la logique interactionnelle, tant au point de vue organisationnel qu'au point de vue technologique, et de ses effets facilitants sur les processus transforma-tionnels de gestion des savoirs. Dans plusieurs organisations publiques, on envisage trop souvent la gestion des savoirs sous l'angle d'un intranet informationnel, composé principalement de référentiels de connais-sances explicites. Cette approche entraîne fréquemment un effet pervers : l'infobésité. Il paraît donc nécessaire que, dans toute stratégie intégrant les NTIC, les niveaux transactionnel et interactionnel soient concep-tualisés dès le départ et opérationnalisés de manière graduelle. Car, de l'avis des intervenants sur le terrain, la vraie valeur ajoutée de la gestion des savoirs au moyen des NTIC réside dans le niveau interactionnel. Enfin, ce cas nous aura permis d'apprécier encore une fois, et dans la foulée des travaux que nous menons au Centre d'études en transformation des organisations (Rondeau *et al.*, 1999) et au Centre francophone d'informatisation des organisations (www.cefrio.qc.ca), l'importance de la stratégie de gestion du changement technologique qui doit accompagner de telles transformations.

Cette nouvelle boucle d'apprentissage que nous terminons avec le cas de cette organisation publique nous permet également de déterminer un certain nombre de pistes de travail. La première concerne l'alignement des pratiques de gestion, notamment celles qui relèvent de la gestion des ressources humaines : comment aligner la pratique de l'évaluation du rendement en vue de reconnaître des critères de partage de savoirs et de construction de savoirs collectifs, comment tenir compte de ces critères dans les processus promotionnels, comment les valoriser à travers de nouvelles approches de reconnaissance et de rémunération individuelles et collectives. Dans plusieurs organisations désirant expérimenter des approches en matière de gestion des savoirs, l'alignement des pratiques de gestion constitue un enjeu majeur, notamment sous l'angle des savoirs tacites. Ces savoirs étant une source fondamentale de pouvoir, aucun être humain n'acceptera de partager «ses trucs du métier», son savoir d'expérience finement accumulé au fil des années si les pratiques de la gestion de la performance et de la promotion ne sont pas alignées en conséquence. La seconde piste de travail concerne la fonction d'animation en matière de gestion des savoirs. Le cas que nous venons d'étudier nous indique clairement que cette fonction est importante dans la gestion des savoirs. Or, dans la documentation portant sur la gestion des connaissances, l'animation est souvent associée à la formalisation de cette fonction sous le titre de CKO (*chief knowledge officer*). Cette animation peut pourtant être disséminée à travers un réseau de champions sans qu'il y ait nécessairement une formalisation de cette fonction. Les deux avenues sont donc envisageables. Des travaux portant sur les facteurs de contingence permettant de mieux comprendre les avantages de choisir l'une ou l'autre de ces approches s'avéreraient pertinents.

Une troisième avenue porte sur le rôle de la fonction «ressources humaines». Comme nous avons pu le constater, la gestion des savoirs, et cela peu importe le niveau technologique envisagé, demeure un phénomène social. Cependant, dans les débats portant sur la gestion des savoirs ou lors de la constitution des équipes de projet, les gestionnaires des ressources humaines sont désespérément absents. Pourquoi devraient- ils s'inscrire dans cette tendance lourde et comment pourraient-ils le faire? Enfin, une quatrième avenue de recherche consiste à établir des liens entre la gestion des savoirs et la fonction «veille stratégique». Il faut se rappeler ici que l'organisation, comprise comme un cerveau, un méga-référentiel de connaissances, doit continuellement se nourrir de nouveaux savoirs externes. Le développement de l'organisation à travers la gestion des savoirs peut être enclin à amener l'organisation à se focaliser exagérément sur les savoirs internes. Les écrits concernant la veille stratégique et l'intelligence économique paraissent porteurs de liens intéressants à établir entre les processus informationnels et transformationnels de gestion des savoirs internes et le marché externe de l'information (*knowledge market*).

Notes

1. Cet article s'appuie sur des travaux de recherche commanditée financés par le Centre francophone d'informatisation des organisations (www.cefrio.qc.ca). L'auteur tient à remercier Lucille Pariat, professionnelle de recherche, pour son soutien dans la réalisation de l'étude initiale, ainsi que Pierre Rhéaume et Jean Drolet, respectivement directeur général à la planification et responsable de l'innovation à la Commission de la santé et de la sécurité du travail du Québec.

2. Lorsque l'on utilise le terme «gestion des savoirs», on intègre les concepts d'information et de connaissance. La gestion des savoirs implique donc des actions visant ces deux cibles. L'information acquiert une signification porteuse pour autant qu'elle soit intégrée dans un contexte et un usage (Zack, 1999). Le passage de l'information à la connaissance stratégique renvoie donc à un processus de création de sens. Autrement dit, l'information devient connaissance quand l'individu réfléchit sur l'information, en dégage les significations potentielles pour l'amélioration de ses décisions et de ses actions.

3. On trouvera dans les références une liste d'auteurs représentatifs des sources documentaires consultées dans le cadre de ces synthèses documentaires. D'autre part, comme le montrent les synthèses de Smith-Esterby (1997) et Mirvis (1996), différentes écoles de pensée abordent les concepts d'apprentissage organisationnel et d'organisation apprenante. Ce sont la gestion stratégique (travaux de Hamel et Prahalad sur les «compétences clés», de Choo, Nonaka et Takeuchi sur les processus de transformation des savoirs), la psychologie (travaux d'Argyris et Schön sur l'apprentissage en simple et double boucle), le courant de la décision (travaux de Senge sur les contextes facilitant l'apprentissage organisationnel), les systèmes d'information (travaux de Huber sur les processus informationnels), la sociologie (travaux de Coopey sur les groupes d'intérêts et la gestion de l'information), la gestion de la production (travaux d'Adler sur les courbes d'apprentissage), la perspective culturelle (travaux d'Ouchi sur l'influence de la culture organisationnelle sur les processus d'apprentissage). La combinaison de ces travaux produit deux grandes perspectives quant à l'étude de l'apprentissage organisationnel et des organisations apprenantes : la perspective descriptive et la perspective prescriptive (Moingeon et Ramanantsoa, 1995). Le cadre de référence que nous proposons intègre plusieurs de ces écoles mais sous un angle prescriptif.

4. Voir Davenport et Prusack (1998), Tissen *et al.* (1998) et Prusack (1997).

5. Les travaux de ces deux chercheurs inspirent actuellement plusieurs entreprises dans le domaine de la gestion des connaissances, dont Nokia, DMR, Skandia, Chevron, Monsanto et la Banque mondiale qui les citent nommément.

Références

Amidon, D., «Blueprint for 21st century innovation management», *Journal of Knowledge Management*, septembre 1998, 9 pages.

Anthes, G., «Defending knowledge», *Computerworld*, vol. 32, n° 7, février 1998, p. 16.

Applebaum, S.H., Reichart, W., «How to measure an organization's learning ability : A learning orientation, Part 1», *Journal of Workplace Learning*, vol. 9, n° 7, 1997, p. 225-239.

Applebaum, S.H., Reichart, W., «How to measure an organization's learning ability : A learning orientation, Part 2», *Journal of Workplace Learning*, vol. 10, n° 7, 1998, p. 15-28.

APQC (American Productivity and Quality Center), *Knowledge Management and the Learning Organization: A European Perspective*, Benchmarking Study, 1998, 101 pages.

Argyris, C., Schön, D., *Organizational Learning*, Addison-Wesley, 1978.

Brenner, N., Boblin, N., «l'art de mesurer l'apprentissage organisationnel», *L'Expansion Management Review*, mars 1996, p. 17-23.

Callon, M., «L'innovation et ses mythes», dans Boucher, L. (dir.), *La recherche sur l'innovation, une boîte de Pandore?*, ACFAS, Cahiers scientifiques n° 83, 1995, p. 5-29.

Castells, M., *La société en réseaux*, Fayard, 1998.

Choo, C.W., *The Knowing Organization : How Organizations Use Information to Construct Meaning, Create Knowledge, and Make Decisions*, Oxford University Press, 1998.

Cottin, A., «Ancrer la gestion des connaissances sur les processus», *Le Monde informatique*, n° 813, 4 juin 1999.

Davenport, T., *Human Capital*, Jossey-Bass, 1999.

Davenport, T., Prusack, L., *Knowledge*, Harvard Business School Press, 1998.

Dekkers, R., «Famework for capturing and exploitation of intellectual capital», actes sur cédérom, *8th International Forum on Technology : Leveraging Intellectual Capital*, décembre 1998.

Dove, R., «Knowledge management, response ability, and the agile enterprise», *Journal of Knowledge Management*, vol. 3, n° 1, 1999, p. 18-35.

Ganzel, R., Picard, M., Stamps, D., «Is knowledge management the next big thing?», *Training*, vol. 35, n° 4, 1998.

Jacob, R., Pariat, L., *Gérer les connaissances, un défi de la nouvelle compétitivité du 21e siècle : information, interaction, innovation*, CEFRIO, coll. «Études de cas», 2000.

Jacob, R., Turcot, S., «La PME "apprenante" : information, connaissance, interaction, intelligence», *Rapport de recherche commanditée / veille stratégique*, Observatoire DEC / INRPME-UQTR, juillet 2000, 94 pages.

Kelley, K., «New rules for the new economy», *Wired*, septembre 1997, 12 pages.

KPMG, *Knowledge Management*, rapport de recherche, résumé, 1998, 8 pages.

Le Boterf, G., *L'ingénierie des compétences*, Les Éditions d'Organisation, 1999.

Leonard-Barton, D., *Wellspring of Knowledge : Building and Sustaining the Sources of Innovation*, Harvard Business School Press, 1995.

Loilier, T., Tellier, A., *Gestion de l'innovation*, Éditions Management, coll. «Les Essentiels de la gestion», 1999.

Marquardt, M.J., *Action Learning. Transforming Problems and People for World-Class Organizational Learning*, Davies-Black, 1999.

McCune, J.C., «Thirst for knowledge», *Management Review*, avril 1999, p. 10-12.

McDermott, R., «Why information technology inspired but cannot deliver knowledge management», *California Management Review*, vol. 41, n° 4, 1999, p. 103-117.

Mirvis, P., «Historical foundations of organizational learning», *Journal of Organizational Change*, vol. 9, n° 1, 1996, p. 13-31.

Moingeon, B, Ramanantsao, B., «Comment rendre l'entreprise apprenante», *L'Expansion Management Review*, septembre 1995, p. 96-103.

Morgan, G., *Images de l'organisation*, Les Presses de l'Université Laval, 1988.

Nonaka, I., Takeuchi, H., *La connaissance créatrice : la dynamique de l'entreprise apprenante*, De Boeck, 1998.

O'Dell, C., Grayson, C., *If Only we Knew What we Know*, Free Press, 1998.

Polanyi, M.E., *The Tacit Dimension*, Routledge, 1966.

Prusack, L. (dir.), *Knowledge in Organizations*, Butterworth-Heinemann, 1997.

Purser, R.E., Pasmore, W.A., «Organizing for learning», *Research in Organizational Change and Development*, vol. 2, 1992, p. 37-114.

Robert, M., «Maximiser l'utilisation d'un intranet par la gestion des connaissances», Forum québécois de l'Internet, présentation PowerPoint, 1998.

Rondeau, A., Hafsi, T., Jacob, R., Audet, M., *Transformer l'organisation : pourquoi, comment et vers quoi les organisations se transforment*, numéro spécial de la revue *Gestion*, coéditeur, septembre 1999, 164 pages.

Rosnay, J. de, *L'homme symbiotique*, Points, 1995.

Smith-Esterby, M., «Disciplines of organizational learning : Contributions and critiques», *Human Relations*, vol. 50, n° 9, 1997, p. 1085-1113.

Stewart, T., *Intellectual Capital, The New Wealth of Organization*, Doubleday, 1999.

Tissen, R., Andriessen, D., Deprez, F.L., *Value-Based Knowledge Management : Creating the 21st Century Company, Knowledge Intensive, People Rich*, Addison-Wesley, 1998.

Tovstiga, G., Korot, L., «Profiling the 21st century knowledge enterprise», actes sur cédérom, *8th International Forum on Technology : Leveraging Intellectual Capital*, décembre 1998.

Tyson, K.W., «Perpetual strategy : A 21st century essential», *Strategy and Leadership*, janvier-février 1998, p. 14-18.

Van Buren, M., «A yardstick for knowledge management», *Training and Development*, vol. 53, n° 5, 1999, p. 71-78.

Wah, L., «Behind the buzz», *Management Review*, avril 1999, p. 17-26.

Wick, C.W., Leon, S.I., «From ideas to action : Creating a learning organization», *Human Resource Management*, vol. 34, n° 2, 1995, p. 299-311.

Zack, M.H., «Managing codified knowledge», *Sloan Management Review*, été 1999, p. 45-58.

La «nouvelle société Domtar» : une transformation impressionnante*

Alain Gosselin[1]

Domtar a reçu beaucoup d'attention de la part des analystes et des médias au cours de la dernière année. Le journal *Les Affaires* en a même fait récemment son entreprise de l'année[2]. Pourquoi toute cette attention? Pour la simple raison que tout le monde aime l'histoire de l'équipe négligée qui, à force de courage et de détermination, réussit à surpasser ses handicaps pour finalement l'emporter au fil d'arrivée. Dans le monde des entreprises, ce fait n'est pas rare. Mais ce qui rend le cas de Domtar si intéressant, c'est la façon dont les dirigeants et l'ensemble du personnel sont parvenus à retourner en leur faveur une situation plutôt défavorable. Les leçons que l'on peut en tirer sont nombreuses et elles s'adressent à un large éventail d'intervenants : la direction, les cadres, les employés et les syndicats. Notre objectif est donc de raconter cette histoire et de présenter les leçons qui en découlent.

La période à laquelle nous ferons référence (1996-2001) a été caractérisée par le changement, tant dans les façons de réfléchir que dans les façons d'agir. Tout a été remis en question dans cette entreprise, que ce soit la formation du personnel, les procédés de fabrication, l'offre de produits ou encore les systèmes de distribution. Somme toute, durant ces quelques années, Domtar a beaucoup travaillé sur sa culture d'entreprise et sur les attitudes de ses membres. La société a décidé de mettre le client au centre de chacune de ses décisions et d'utiliser le levier procuré par les ressources humaines pour donner de la valeur à l'entreprise, au grand plaisir des actionnaires bien sûr, dont les employés eux-mêmes.

Alain Gosselin est professeur à HEC Montréal.
* Jean-Pierre Leroux, réviseur et traducteur pour la revue *Gestion*, a collaboré à la rédaction de cet article.

Pour les personnes qui ne sont pas familières avec cette entreprise, rappelons que Domtar est le deuxième producteur de papier non couché en Amérique du Nord, derrière International Paper, et le troisième à l'échelle mondiale. Cette société a son siège social à Montréal. Elle emploie actuellement 12 500 personnes et a un chiffre d'affaires qui avoisine les 6 milliards de dollars. Au cours de l'année 2001, Domtar a vu sa part de marché atteindre 14 % du marché nord-américain. L'entreprise possède une gamme de produits qui se retrouvent dans trois secteurs : le papier d'affaires, d'impression, de publication et d'usage technique ou de spécialité (83 %), le bois d'œuvre (8 %) et les emballages (9 %). Avant d'aborder les facteurs qui sont à l'origine du succès de Domtar, il est important de prendre la mesure du chemin parcouru.

LA SITUATION DE DOMTAR EN 1996

Raymond Royer, le P.D.G. de Domtar, aurait pu profiter d'une retraite bien méritée, mais il a plutôt décidé de relever le défi qu'on lui proposait. Ce défi était de taille puisqu'il s'agissait de prendre en main une entreprise qui éprouvait de sérieuses difficultés et qu'on venait de réduire à ses activités de base, à savoir la production de bois, de pâte et de papier. Il n'en avait pas toujours été ainsi. Domtar avait été parmi les grandes papetières nord-américaines, comptant jusqu'à 18 000 employés. Cette entreprise diversifiée avait introduit des produits aussi connus que Gyproc, Javex et le sel Sifto. Toutefois, sous l'effet combiné du libre-échange et de la récession, cette époque était déjà du passé à l'arrivée de M. Royer.

En septembre 1996, Domtar comptait 5 000 employés, son chiffre d'affaires était de 2 milliards de dollars et l'entreprise avait un rendement de l'avoir des actionnaires de l'ordre de - 3 % depuis 10 ans (1987-1996). Pendant cette période, le prix de l'action avait dégringolé de 24 $ en 1987 à 4 $ en 1993, pour remonter à une valeur située entre 7 $ et 8 $ en 1996. Sur le plan de la performance financière, Domtar se classait au 22e rang sur les 23 grandes papetières nord-américaines avec lesquelles elle se comparait.

À la défense de Domtar, il faut souligner que cette période fut extrêmement difficile pour toute l'industrie. Au début des années 1990, il est arrivé sur le marché une excellente capacité de production, avec des usines très modernes et très grandes, dont celle de Windsor construite par Domtar. Cette surcapacité a eu pour effet de faire chuter les prix de façon draconienne à un moment où la demande était particulièrement stable. Le projet de Windsor avait mis beaucoup de pression sur la société. Le niveau d'endettement était élevé et les revenus étaient en baisse. Cela a donc forcé l'entreprise à aller chercher des fonds en vendant des divisions et des usines en vue d'assainir son bilan.

Durant la première moitié des années 1990, Domtar avait donc été fortement secouée par d'importantes restructurations, des fermetures d'usines, des mises à pied massives au siège social – le personnel était passé de 800 personnes à 125 en moins d'un an. La taille de l'entreprise avait été réduite de moitié entre 1990 et 1995. L'année 1995 avait été une année de répit sur le plan financier. Les capacités excédentaires avaient été absorbées par le marché et les prix s'étaient raffermis. Domtar renouait avec la rentabilité.

Même si, financièrement, le pendule avait amorcé son mouvement de retour, il en était autrement en ce qui concerne le climat dans l'entreprise. La première moitié des années 1990 avait connu beaucoup d'instabilité avec des changements de direction et d'orientation fréquents. Incidemment, M. Royer était le troisième président en 18 mois... À son arrivée, il n'y avait plus de président depuis neuf mois, l'entreprise étant gérée par un comité de direction.

Parmi les diverses orientations qui s'étaient succédées, il y avait eu principalement la très forte décentralisation. On envisageait alors Domtar comme un holding. Raymond Royer a trouvé «une entreprise où tout le monde voulait réussir, mais où il y avait confusion quant à la mise en place d'une stratégie gagnante[3]». Domtar était une entreprise divisée où chaque unité d'affaires évoluait de façon autonome avec très peu de cohésion. Selon l'un des cadres supérieurs de l'entreprise[4], la culture de Domtar était extrêmement fragmentée. Il n'y avait aucun fil conducteur susceptible d'amener les membres de la société à partager une vision commune et les mêmes objectifs. Dans un contexte qui exige beaucoup de capitalisation, chaque usine essayait de tirer la couverture de son côté. Dans cette bataille, c'était à qui obtiendrait le plus d'investissements. Dans l'entreprise, on n'entendait parler que de tonnes produites et de pieds de planche produits, jamais de la satisfaction du client ou des employés.

Comme employeur, Domtar avait la réputation d'être dure avec ses employés et de peu se soucier de leur bien-être. Les changements répétés de dirigeants, les rationalisations et les ventes de divisions des dernières années avaient contribué à entretenir de la confusion ainsi que de la méfiance chez les employés à l'égard de la direction de l'entreprise. Tout ce qui provenait du siège social était considéré comme suspect. Il y avait également de sérieuses déficiences sur le plan des communications. Selon un cadre présent au siège social au moment de l'arrivée de M. Royer, ce fut alors un mélange de panique et d'espoir. D'une part, on était fortement inquiet, car le nouveau président ne venait pas de l'industrie des pâtes et papiers; d'autre part, on était intrigué par le personnage car il avait une bonne feuille de route comme dirigeant chez Bombardier.

À son arrivée, Raymond Royer constate les faits suivants : Domtar se trouve dans un secteur de produits banalisés où les producteurs ont de la difficulté à se démarquer; le marché est à l'étape de la maturité avec une croissance limitée à plus long terme à cause des progrès technologiques qui peuvent réduire les besoins en papier; le potentiel de ventes annuelles, en Amérique du Nord, est de 100 milliards de dollars par année; la concurrence est féroce avec la présence de plusieurs joueurs cherchant à se tailler une place dans ce marché (International Paper, Willamette Industries, Georgia-Pacific, Weyerhaeuser); enfin, ce qui est le plus important à ses yeux, le client est loyal si on lui offre qualité et service à un prix comparable à celui des compétiteurs. Il fallait donc rebâtir cette entreprise en satisfaisant les clients grâce à un changement de mentalité chez le personnel.

LES RÉSULTATS AUJOURD'HUI

Cinq ans plus tard, Domtar est une entreprise véritablement transformée (voir le tableau 1). La société a fait grimper son bénéfice net de 25 millions de dollars en 1997 à 275 millions en 2000. Le programme d'amélioration a largement contribué à ce résultat en générant des gains nets d'inflation, depuis 1997, de 230 millions de dollars qui correspondent à une économie de coûts de production. Domtar a, pour une deuxième année consécutive, été invitée à faire partie des 200 entreprises qui composent le prestigieux Dow Jones Sustainability Group Index (GJSGI) en raison de sa performance sur les plans financier, environnemental, éthique et social. Cet indice financier regroupe des entreprises choisies parmi 2 800 entreprises dans l'indice Dow Jones mondial. Grâce à ses résultats en 2000, Domtar non seulement conserve sa place dans cet indice, mais également se trouve au premier rang des quatre papetières y figurant. Cette marque de confiance venant du milieu financier est une preuve bien tangible, s'il en faut une, de la qualité du travail fourni au cours de ces années. C'est aussi le reflet de l'engagement des employés à l'égard de leur employeur.

Domtar se retrouve maintenant dans le peloton de tête dans son industrie. En 1997, les dirigeants avaient pris une initiative osée en s'engageant à obtenir un rendement de l'avoir des actionnaires (RAA) de 15 % durant un cycle d'affaires. Or, ils ont dépassé cet objectif, le RAA étant passé de 1 % à 16 % en quatre ans seulement. L'exploit est d'autant plus remarquable que Domtar est devenue l'une des papetières les plus performantes en Amérique du Nord, passant du 22e rang de son industrie en 1996 au 1er rang pendant cette période. Au fil des années, la société est passée successivement au 17e rang, puis au 10e, ensuite au 7e et enfin au

---

TABLEAU 1

La «nouvelle société Domtar»

- La gestion de 36 millions d'acres de forêt au Canada et aux États-Unis
- Une taille qui a triplé (de 2 milliards de dollars à 6 milliards) en 5 ans
- De 5 000 employés à 12 500 employés en 5 ans
- Le deuxième plus important fabricant de papier non couché en Amérique du Nord et le troisième plus important du monde
- Un parc de 31 machines à papier (2,8 millions de tonnes) dans 12 usines et 16 scieries
- La plus grande variété de produits sous un même toit en Amérique du Nord
- Un bénéfice net multiplié par 11 depuis 4 ans
- Un ratio d'endettement de 35 %, en deçà de la moyenne de l'industrie qui se situe à 50 %
- Une «livraison à temps» en 48 heures dans la plupart des villes américaines
- La première application intégrale du commerce électronique dans l'industrie (e-PAPIER)
- Une réduction de plus de 230 millions de dollars des coûts de production... sans aucune mise à pied

---

343

1er rang. Ce résultat est d'autant plus impressionnant que, par suite de cette progression, le ratio d'endettement de Domtar n'est que de 35 % alors que la moyenne de l'industrie est de plus de 50 %.

Son chiffre d'affaires a presque triplé depuis 1997 grâce en grande partie à l'élargissement de sa gamme de produits consécutivement à diverses acquisitions judicieuses qui ont été synonymes de valeur ajoutée pour les actionnaires (E.B. Eddy en 1999, Ris Paper en 2000 et, en juillet 2001, quatre usines de pâtes et papiers de Georgia-Pacific pour le montant de 1,65 milliard de dollars américains) ainsi qu'à des ententes de partenariat, dont une participation de 50 % dans Norampac inc., une coentreprise établie avec Cascades inc. en 1997 avec 30 usines aux États-Unis, au Mexique et en Europe. Domtar a donc maintenant 50 % de sa capacité de production et 85 % de ses ventes aux États-Unis.

Domtar a également profité de cette période pour accroître la qualité de son service aux clients, particulièrement par le renforcement de son réseau de distribution afin de le rendre plus souple et plus performant. L'entreprise a donc accès aujourd'hui à plus de 350 points de service structurés de façon stratégique afin de pouvoir garantir la «livraison à temps», soit en moins de 48 heures, dans la plupart des grandes villes d'Amérique du Nord. La société s'est aussi appuyée sur les nouvelles technologies pour améliorer son service. En janvier 2000, l'entreprise a lancé e-PAPIER[MD], qui est une première application intégrale du commerce électronique dans son industrie. Grâce à cette formule, les marchands et les distributeurs indépendants peuvent communiquer avec Domtar par le biais d'Internet. Ainsi, un client peut vérifier les stocks, placer une commande et en assurer le suivi au moyen, notamment, d'un système GPS installé dans chacun des camions de livraison. Ce système unique est tellement innovateur et efficace que la prestigieuse revue économique américaine *Forbes*, dans son numéro du 10 septembre 2001, vient de sélectionner le site transactionnel de Domtar parmi les meilleurs sites transactionnels dans Internet.

Quant au climat de travail, la transformation semble positive. Cependant, pour le démontrer, il faudra attendre les résultats du sondage d'opinion qui a lieu cet automne afin de les comparer avec ceux du dernier sondage effectué auprès des employés en 1998. Ce qui ressortait très nettement de ce dernier sondage, c'était que la haute direction de Domtar et M. Royer avaient une crédibilité très élevée. Selon les commentaires entourant ce sondage, les employés manifestaient une grande confiance car, pour reprendre les termes d'un cadre ayant participé à l'analyse des réponses, ils appréciaient le fait que M. Royer tenait ses promesses. D'autres indicateurs, tels le niveau élevé de participation des employés aux ateliers d'amélioration continue et la facilité qu'a l'entreprise à attirer des cadres supérieurs de qualité, indiquent que Domtar est sur la bonne voie du côté des ressources humaines également.

Mais quels facteurs sont responsables de ce virage dramatique qui a permis à une entreprise malmenée de surmonter ses difficultés? Certains diront que Domtar doit beaucoup à son président[5]. Modeste, Raymond Royer attribuerait plutôt le mérite à ses proches collaborateurs et surtout à l'ensemble des employés qui se sont «fendus en quatre» pour contribuer au redressement de l'entreprise. En vérité, tout le monde a raison. L'analyse de ce cas nous a permis de relever au moins 10 facteurs sur lesquels Domtar s'est appuyée pour effectuer avec succès son revirement. Voyons d'abord les mérites du dirigeant de l'entreprise, pour ensuite comprendre comment il a su obtenir la collaboration de tout le monde pour gagner son pari.

LES FACTEURS DE SUCCÈS DE LA «NOUVELLE SOCIÉTÉ DOMTAR»

Avoir un leader au bon moment

Lorsqu'on l'a invité à prendre en main Domtar, Raymond Royer avait déjà une feuille de route bien remplie. Il venait de passer 22 ans à la haute direction de Bombardier, dont 10 ans comme président et chef de l'exploitation. Selon l'un de ses collaborateurs chez Domtar, c'est Raymond Royer qui a donné l'orientation, qui est le point de départ du succès. «Ce qu'il nous manquait c'était un phare.» Mais qui est-il, au juste? Ses collaborateurs lui accordent au moins cinq qualités. L'une d'entre elles devrait être la modestie, puisqu'il a décliné l'offre d'une entrevue dans le cadre de la préparation de cet article afin de ne pas concentrer sur sa personne les mérites de la transformation de Domtar. Peine perdue, ses collaborateurs en ont décidé autrement.

D'abord, il est décrit par tout le monde comme **un humaniste**. Cet homme croit profondément aux individus. Il est convaincu que la qualité de l'entreprise est le reflet de la qualité de son personnel. Dès son arrivée chez Domtar, il a cherché à faire comprendre ce principe de base tant au comité de direction qu'aux clients et bien sûr aux employés. Cette profonde conviction ne date pas d'hier : «J'ai pris la même approche que j'avais utilisée en 1974 à La Pocatière, lorsque Bombardier avait lancé le transport en commun, et aussi, en 1986, lorsque j'étais chez Canadair, une fois que Bombardier en eut fait l'acquisition. Lorsque je rencontre des cadres ou que je visite une usine pour la première fois, je demande aux gens de me nommer un concurrent qu'ils trouvent très bon et ensuite je leur demande de m'indiquer la différence fondamentale entre ce concurrent et nous. Je note les différences au tableau, mais je persiste à poser la même question jusqu'à ce qu'ils se rendent compte que cette différence, c'est nous[6]!» Pour lui, la technologie est secondaire. Ce sont avant tout les employés qui créent de la valeur.

À cet égard, il possède **une philosophie de gestion très claire** qu'il appelle la «gestion par engagement» et qu'il partage avec tout le monde. Cette philosophie est articulée autour de l'équilibre sur le plan de la satisfaction entre les trois piliers d'une entreprise : les clients, les actionnaires et les employés (voir le schéma 1). D'ailleurs, l'une de ses premières préoccupations fut de définir une mission pour Domtar qui correspond à sa vision d'une entreprise performante : prévoir et satisfaire les besoins sans cesse changeants des clients, fournir aux actionnaires des rendements intéressants et créer un environnement de travail dynamique et créatif où prédominent le partage des valeurs humaines et l'engagement personnel.

Toutefois, pour lui, la définition d'une mission ne suffit pas pour assurer le succès d'une entreprise. «Je pourrais revoir avec vous les missions de cinq ou six entreprises œuvrant dans le même secteur d'activité. Vous constateriez cependant que seulement une ou deux se démarquent au point de vue de la performance. Pourquoi? La réponse porte surtout sur la façon de mobiliser le personnel de l'entreprise pour atteindre les objectifs stratégiques de cette dernière[7].» Pour lui, les trois

345

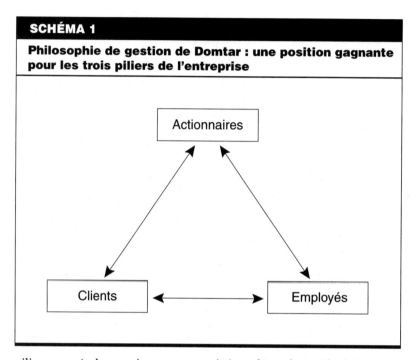

SCHÉMA 1

Philosophie de gestion de Domtar : une position gagnante pour les trois piliers de l'entreprise

Actionnaires

Clients

Employés

piliers sont également importants mais interdépendants. L'art de la gestion est de trouver un juste équilibre entre les intérêts des trois parties, de telle sorte que chacune soit placée dans une position gagnante.

Pour arriver à cela, il faut être capable d'articuler la relation entre ces trois piliers. À ce propos, tous les cadres rencontrés parlent d'une même voix. Comme quoi le message a passé. Commençons par la fin du processus afin d'expliquer la logique des dirigeants de Domtar. Sans actionnaire, il n'y a pas d'entreprise. Pour attirer des actionnaires qui investiront de l'argent – et le domaine du papier requiert des investissements massifs –, il faut leur promettre et livrer un rendement intéressant. Or, la seule façon pour une entreprise d'être rentable, c'est de se constituer une base de clients satisfaits et fidèles. Pour cela, elle doit absolument pouvoir compter sur un personnel compétent et motivé. Ainsi, l'entreprise est largement dépendante de l'effet de levier engendré par les employés qui doivent faire appel à leur créativité et à leur sens de l'initiative pour satisfaire les clients et, par voie de conséquence, les actionnaires.

Une troisième qualité caractérise Raymond Royer : il est **un modèle pour ses gestionnaires**. Les propos suivants de l'un de ses proches collaborateurs illustrent très bien ce constat : «De prime abord, la philosophie de gestion et l'engagement à la mettre en œuvre viennent du grand patron lui-même. Il est prêt à y mettre le temps. Par exemple, il participe à des conclusions de programmes de formation ou d'ateliers d'amélioration continue. Il investit quasiment une journée par semaine dans l'exécution d'outils qui ont été développés pour transmettre les valeurs et la philosophie de gestion. Et cela parle plus fort que n'importe quel discours. D'ailleurs, les membres du comité de direction doivent aussi s'engager dans la mise en œuvre de la philosophie de gestion. Raymond s'attend à ce qu'ils passent la majeure partie de leur temps dans leurs opérations, dans leurs usines, pas à leur bureau ici au siège social.»

Vu, peut-être, sa formation de comptable, Raymond Royer est également reconnu comme **un gestionnaire rigoureux**. Un cadre de l'entreprise mentionnait à ce propos «qu'il est arrivé avec des politiques de gestion assez fermes et beaucoup de rigueur. Par exemple, sur le plan des investissements en capital, il a exigé que les diverses unités d'affaires ne dépensent pas plus que la valeur de la dépréciation. Cela avait comme impact de diminuer les investissements de plusieurs millions de dollars, mais on a quand même réussi, en faisant preuve de créativité, à faire de nombreuses améliorations.»

Finalement, il est reconnu comme **un gestionnaire qui sait exactement où il s'en va et ce qu'il veut**. À son arrivée en 1996, Raymond Royer a pris deux engagements fermes. En premier lieu, il visait un rendement moyen minimal de l'avoir des actionnaires de 15 % pour un cycle d'affaires. Dans l'industrie papetière, le rendement moyen était alors de 7 % au cours des 10 dernières années. En second lieu, il ferait de Domtar, au cours du même cycle d'affaires, une des trois premières compagnies dans son domaine en Amérique du Nord. Rappelons qu'à ce moment-là l'entreprise était l'avant-dernière de son industrie. La côte était donc raide. Il ne restait plus, pour M. Royer, qu'à se rendre dans les usines pour, selon ses termes, «annoncer la bonne nouvelle». Loin de susciter le découragement chez les employés, même si un peu de scepticisme a pu filtrer, ces objectifs aussi ambitieux leur ont montré qu'il y avait désormais du leadership à la tête de Domtar et une orientation claire.

Une anecdote rapportée par l'un des plus proches collaborateurs de M. Royer vient renforcer cette dernière caractéristique. «L'une des premières choses que l'on a voulu faire, c'est de définir les valeurs auxquelles on veut que Domtar adhère. Les gens voulaient que ce soit eux qui définissent les valeurs. Raymond a dit : "Non. C'est une prérogative qui m'appartient." Alors, il a énoncé les valeurs qu'il voulait chez Domtar.» Ces valeurs sont connues depuis plusieurs années. Elles ont été clairement définies, il y a 10 ans déjà, dans un article paru dans la revue *Business Quarterly*[8].

Au fil des années, Raymond Royer a constaté qu'il existe des valeurs communes, dans lesquelles tout le monde est susceptible de se reconnaître. Ces valeurs sont la créativité, la discipline, le jugement, le leadership, la persévérance, l'intégrité, le respect des autres et l'engagement. Ses choix déterminent pour l'essentiel ses actions, comme la sélection des cadres supérieurs. «Il faut s'assurer que le geste est conséquent avec la parole et que la gestion des ressources humaines se fera en relation avec la philosophie et les nouvelles valeurs. Aussi le premier geste à faire porte sur l'évaluation des cadres supérieurs. Quand j'interviewe un candidat, je passe habituellement entre 8 à 12 heures avec cette personne. Je l'interviewe sous trois dimensions : le savoir, le leadership et, ce qui est le plus important pour moi, les qualités humaines[9].»

Développer une mentalité centrée sur le client

Il était clair pour Raymond Royer et son équipe de direction qu'il fallait d'abord et avant tout inculquer à l'ensemble des 5 000 employés à l'époque une culture d'entreprise qui fasse de chacun un élément essentiel au succès et à l'avenir de l'entreprise. Il fallait de toute urgence instaurer un changement de mentalité chez les employés et leur faire comprendre, notamment, que les emplois étaient tributaires, dans l'ordre, de la satisfaction des clients et de celle des actionnaires.

Domtar devait donc passer d'une mentalité centrée sur la production à une mentalité centrée sur le client. De ce constat découle le corollaire suivant exprimé par M. Royer : «S'il est vrai que la qualité de l'entreprise est le reflet de son personnel, il faut que nous, les employés de l'entreprise, moi y compris, nous nous améliorions si nous voulons que l'entreprise s'améliore. Une fois que tout le monde eut fait ce constat, je m'engageai au nom de Domtar à créer un environnement de travail qui faciliterait la performance de chacun d'entre nous. Cet engagement touchait à l'organisation du travail, à l'investissement dans la formation, etc., étant entendu que nos résultats seraient mesurés en relation avec la fidélisation des clients et le rendement offert à l'actionnaire[10].»

Or, à l'arrivée de M. Royer, l'employé représentait probablement le maillon le plus mal en point de la triade actionnaires-clients-employés. Par conséquent, dans une large mesure, c'était sur lui que devaient porter les efforts de reconstruction de l'entreprise.

Expliquer le projet de l'entreprise, un groupe à la fois, puis écouter

Un des principaux défis était certes la diffusion de la nouvelle philosophie de gestion. Pour ce faire, M. Royer devait être très présent sur le terrain. Il s'est alors fixé comme règle de visiter chaque usine au moins deux fois par année, ce qui n'est pas une mince tâche compte tenu du nombre d'unités que compte l'entreprise. Ses visites sont souvent une occasion de constater l'importance d'être à l'écoute des gens du «plancher de l'usine». Comme cette fois où, lors de son passage dans une scierie du nord de l'Ontario, on lui a appris qu'en 20 ans on n'avait jamais vu le président de l'entreprise.

Lorsqu'il se rend dans une usine, M. Royer ne s'enferme pas dans un bureau pour écouter des gestionnaires lui rapporter leurs succès. Il préfère faire le tour de l'usine, voir de ses propres yeux comment se déroulent les opérations pour se faire une idée de la situation. Et, là encore, il ne tient pas à livrer ses impressions et à prescrire les solutions. Il laisse plutôt les employés s'exprimer et trouver par eux-mêmes les moyens d'optimiser les opérations ou d'augmenter la sécurité au travail.

Être transparent pour créer un sentiment d'urgence

M. Royer a la réputation de parler franchement. Lorsqu'il s'adresse à un groupe d'employés, il ne répète pas les résultats qu'ils connaissent déjà. Il situe plutôt ces résultats dans le contexte économique actuel et à venir. Il a pu, par exemple, expliquer à l'époque en quoi la crise asiatique pouvait influer sur l'entreprise. Souvent, il n'hésite pas à aborder avec les employés des questions de nature stratégique carrément en dehors de leur réalité, qui dans bien des cas se limite à l'usine où ils travaillent. Ce lent travail de pénétration de la philosophie de gestion vise à amener les employés à voir au-delà de leur propre usine et à se préoccuper des résultats globaux de l'entreprise pour en faire des partenaires solides parce que bien informés.

À la fin de chaque trimestre, M. Royer réunit le personnel du siège social pour présenter les résultats financiers et en discuter. De plus, pour le bénéfice de l'ensemble du personnel dans les usines, chaque parution du journal de l'entreprise contient une section importante sur les résultats financiers du dernier trimestre ainsi qu'une analyse de la situation et les perspectives à court terme. Les initiatives en ce qui a trait aux programmes d'économie de coûts dans les divers secteurs sont également bien documentées dans ce journal.

S'entourer de collaborateurs qui partagent votre vision

Après avoir évalué la situation pendant quelques semaines, lors de son arrivée en 1996, M. Royer a maintenu en place les membres du comité de direction. Une seule personne a quitté l'entreprise à ce moment-là. Ce fait est en soi assez particulier, car il est fréquent d'observer un «changement de la garde» lors de l'arrivée d'un nouveau

P.D.G. Il a plutôt choisi de réitérer sa confiance dans les personnes qui étaient en place et, ainsi, de lancer le message à l'ensemble de l'organisation que les individus chez Domtar étaient ceux avec qui il voulait relancer cette entreprise.

Un autre geste que M. Royer a accompli, en mai 1997, donc peu après son arrivée, a consisté à embaucher Roland Gagnon à titre de vice-président ressources humaines. Les deux hommes se connaissent bien, ayant travaillé très longtemps ensemble chez Bombardier. Ils formaient un bon tandem, le président ayant une approche conceptuelle, tandis que son vice-président, qui maîtrisait parfaitement les différents aspects de la philosophie de gestion, était capable d'expliquer les concepts, de les relier les uns aux autres (les valeurs, les trois piliers, etc.), de les traduire dans la réalité, de mettre en œuvre la réorganisation qui s'avérait nécessaire. D'ailleurs, M. Gagnon décrit sa relation avec son P.D.G. de la façon suivante : «J'ai toujours dit que j'étais le balayeur de Raymond, car chaque fois que Bombardier faisait une acquisition, il me demandait d'aller passer un an ou deux pour y faire le ménage, c'est-à-dire apprendre aux gens la façon de travailler selon la culture de l'entreprise.»

Bref, c'est lui qui a su mettre en pratique, au quotidien, la vision de son P.D.G. Tout comme M. Royer à son arrivée, M. Gagnon a visité les usines de Domtar pour prendre le pouls de l'entreprise, pour visualiser les changements à y apporter. Mais au début, plusieurs gestionnaires se sont inquiétés du fait que le bras droit de M. Royer ne venait pas du domaine des ressources humaines.

Faire l'éducation économique de tout le personnel

Pour mieux promouvoir la nouvelle culture d'entreprise et réaliser sa mission en trois volets, les dirigeants ont décidé de miser sur la formation, qu'ils ne considèrent plus comme une dépense, mais bien comme un investissement à long terme. Ainsi, chaque année, ils consacrent à cette activité jusqu'à 4 % de la masse salariale, alors que la norme dans l'industrie est autour de 2 % ou 3 %. La nature des besoins abordés est très variée. Par exemple, les employés qui sont en contact avec les peuples autochtones suivent une formation de sensibilisation culturelle.

La conviction de M. Royer selon laquelle la formation est liée directement aux succès d'une entreprise n'est pas nouvelle. Lorsqu'il travaillait pour Bombardier, il a élaboré, avec la collaboration de la société montréalaise Praxcim, un cours intitulé Barnabé qui expliquait le processus manufacturier. Cet outil pédagogique a connu un grand succès, étant traduit dans plusieurs langues. Chez Domtar, la haute direction a repris l'idée et l'a adaptée à son nouveau contexte, ce qui a donné naissance à Phil. Le développement de cet outil de formation a nécessité plus d'une année de travail et son implantation s'est faite en avril 1999. Compte tenu de son importance dans le succès de l'entreprise, il est utile de l'aborder plus en détail (voir l'encadré sur Phil).

Cette formation est donc centrale dans les priorités de Domtar car elle devient le prolongement naturel et même obligé du plan d'affaires de l'entreprise. «Le monde virtuel de Vélo Bleu représente un environnement non menaçant où les employés de Domtar peuvent apprendre en ayant droit à l'erreur. Également, toutes les problématiques qui y sont soulevées sont susceptibles de faire surface chez Domtar[11].» Les employés ont ainsi l'occasion de se mettre dans la peau des clients – à travers, par exemple, un problème de respect de la garantie –, ainsi que des actionnaires – en examinant des possibilités de placer leur argent. Ils en viennent, de façon pratique, à déterminer ce que désirent l'employé (un emploi stable et sécuritaire), le client (un produit de qualité et un bon service) et l'actionnaire (un rendement intéressant), ces trois piliers de l'entreprise.

Au 31 juillet 2001, 7 194 employés de Domtar avaient suivi cette formation. Le niveau de satisfaction est très élevé, se situant à 92 %. Certains commentaires des participants laissent croire que le travail de diffusion de la philosophie de gestion a porté des fruits : «Phil partage avec tout le monde, il parle le même langage, du P.D.G. au concierge. M. Royer a les mêmes concepts que Phil. Cette formation contribue à augmenter la fierté de travailler pour Domtar. On développe un sentiment plus fort d'appartenance, on a l'impression de travailler pour Domtar et non plus pour une division[12].»

Miser sur l'intelligence du personnel pour réduire les coûts

À la fin de 1996, il aurait été possible d'assainir le bilan de l'entreprise à court terme en licenciant des centaines d'employés et en fermant les unités les moins rentables. C'est la voie de la facilité que beaucoup d'entreprises empruntent. Cependant, si l'on croit sincèrement que le personnel fait la différence entre compétition et l'entreprise, il existe une autre solution, mais cette voie est plus complexe et exigeante. Il faut alors faire confiance au personnel et compter sur son ingéniosité de façon à exploiter sa créativité. C'est la voie qu'a choisie Raymond Royer. Pierre Fortin a bien cerné le défi que le dirigeant de Domtar a lancé à ses employés : «Si nous travaillons ensemble à améliorer la qualité de nos produits et services et à réduire nos coûts, nous gagnerons des parts de marché et il n'y aura pas de mises à pied[13].»

ENCADRÉ 1

Phil, le balayeur philosophe*

Le programme de formation intitulé Phil, pour «philosophie de gestion», s'appuie sur la participation des employés. Le recours à une approche multimédia vise à leur permettre de retenir beaucoup plus d'informations que cela n'aurait été possible avec des textes. Au moyen de jeux interactifs et de simulations, les employés sont placés au cœur d'une histoire intemporelle qui se passe dans un village virtuel (Val d'Azur), lequel abrite une entreprise tout aussi virtuelle (Vélo Bleu) fabriquant des bicyclettes. Ils sont amenés à s'interroger sur le fonctionnement de l'usine, à proposer des solutions aux problèmes qui surgissent et à appliquer celles-ci.

Phil est l'accompagnateur virtuel. Puisqu'il est le balayeur de l'usine, il est appelé à aller partout et il connaît tout le monde. Pour lui, la découverte des problèmes est chose facile, puisqu'il n'a qu'à décrire ce qu'il voit ou ce qu'il entend. Son rôle est d'offrir du soutien aux participants. Par le biais de questions, il les force à se creuser les méninges et les pousse à se poser des questions sur leur rôle au sein de la «nouvelle Domtar». À travers ses anecdotes et ses réflexions, Phil présente les principes et les valeurs de la philosophie de gestion par l'engagement. Il amène les participants à réfléchir à différents thèmes, dont l'orientation client, la production, l'approvisionnement et le service à la clientèle. Un article paru dans *La Presse*** récemment s'est intéressé à ce projet éducatif innovateur. On y rapportait entre autres les propos suivants : «Les employés doivent suivre le raisonnement sur lequel s'appuient les décisions de la haute direction. Grâce à cette formation, ils sont en mesure de comprendre l'importance que l'entreprise attache à ses clients et que c'est à eux de prévoir et de satisfaire les besoins de ces derniers.»

Une session de formation dure deux jours et réunit de 8 à 12 participants à la fois. C'est donc dire l'ampleur de l'investissement dans ce projet pour une entreprise comptant 12 500 employés. Autour de quatre ordinateurs, on place deux ou trois personnes, de façon à permettre aux employés qui ne sauraient ni lire ni écrire de suivre la formation. L'animateur de la session est un employé de Domtar qui a été formé pour la circonstance, l'organisation ayant refusé de confier ce rôle à des consultants de l'extérieur. Les employés doivent aider le directeur de l'usine virtuelle à prendre des décisions et à exercer une bonne gestion. Le groupe nomme un décideur, qui doit consulter les autres. Au terme des discussions concernant un problème, si aucun consensus n'est trouvé, le décideur doit trancher. En effet, même si le consensus est souhaitable, il reste que dans le cas où il n'y en a pas, le gestionnaire doit prendre des décisions. Loin de suggérer des réponses toutes faites, Phil cherche à amener les employés à appliquer leur raisonnement aux différents situations.

Cet outil de gestion continue à évoluer. Le village de Val d'Azur va voir apparaître, cet automne, Le café de Margot, qui s'adresse aux 1 200 gestionnaires de la société ayant des employés sous leur supervision. Ce programme de formation vise à les sensibiliser aux grandes responsabilités reliées à la gestion des employés, en relation avec les principes de la philosophie de gestion par l'engagement. Il est composé de six modules d'autoformation d'une durée moyenne d'une heure (format cédérom) et de trois groupes de discussion d'une durée de trois heures, chacun étant encadré par les animateurs. Les thèmes abordés sont la responsabilisation, la gestion de la performance, la reconnaissance, la dotation, la formation-développement et les mouvements de personnel. Un article était consacré à ce sujet dans la dernière parution du journal de l'entreprise : «C'est donc une occasion pour les gestionnaires de parfaire leurs habiletés de gestion, de réfléchir, d'échanger et de résoudre des situations rencontrées au quotidien avec leurs employés***.»

*   Une partie importante des informations sur ce programme de formation sont tirées de Claude Gaudet et Chantal Nepveu, «*Phil, le balayeur philosophe*», dans Marchand L. & Depoever, C., *E-Learning et formation en entreprise*, De Boeck Université, 2001.
**   Marie-Andrée Amiot, «Domtar à l'heure de l'école virtuelle», *La Presse*, 25 août 2001, p. C8.
***   Lyna St-Onge, *Ressources. Le journal des employés de Domtar*, septembre 2001, p. 2.

Pour réaliser cela, Domtar s'est dotée d'un autre puissant outil permettant de développer les compétences des employés et d'associer ces derniers à l'amélioration continue de la qualité : le *kaizen*. M. Royer recourt à cette approche depuis maintenant 25 ans. Cette idée lui est venue au cours de ses expériences de travail avec des entrepreneurs japonais chez Bombardier. (Voir l'encadré pour plus de détails sur l'approche adoptée par Domtar.)

ENCADRÉ 2

L'approche kaizen chez Domtar

Kaizen est un mot japonais qui signifie «amélioration». Plus précisément, il renvoie à l'amélioration continue dans toutes les facettes de la vie, que ce soit sur les plans personnel, familial, social ou professionnel. Appliqué au monde du travail, il est devenu une méthode qui favorise l'amélioration continue par la résolution de problèmes en équipe. Cette approche fait donc participer tout le monde, les gestionnaires autant que les employés. Mise au point par Toyota pendant les années 1970, cette approche vise à amener à faire la bonne chose (efficacité) de la bonne manière (efficience), à réduire les coûts de fabrication en améliorant les opérations et en éliminant le gaspillage.

La participation aux *kaizens* est volontaire et toute personne travaillant chez Domtar peut suivre une formation à ce sujet. Jusqu'à maintenant, plus de 5 000 employés ont participé à un *kaizen*. En 2000 seulement, plus de 100 ateliers ont été organisés. Pendant la première semaine, un groupe de 12 employés acquièrent, par la formation, différents outils d'amélioration continue qui leur permettent d'analyser leur milieu de travail et de préciser les problèmes qui s'y posent. Grâce à l'assimilation de techniques de résolution, ils proposent les changements qui leur paraissent appropriés afin de permettre une production efficace. La deuxième semaine, les participants sont placés devant un problème concret qui touche les clients. Ils ont alors une semaine pour y apporter une solution. Pour la haute direction de Domtar, les *kaizens* sont extrêmement importants. C'est pourquoi on y consacre un tel investissement en temps et en énergie. Afin de le démontrer, à la fin de chaque session, les participants dévoilent leurs solutions, souvent très simples mais efficaces, devant un membre de la direction, le plus souvent M. Royer ou M. Gagnon. Il va de soi que l'on se fait un point d'honneur d'implanter les solutions proposées.

Puisque les *kaizens* peuvent être organisés partout dans l'entreprise, cette méthode offre l'occasion de prêter vraiment attention aux idées de toutes les personnes qui exécutent le travail dans les différentes unités d'affaires. C'est également vrai pour le siège social, où l'on s'est penché entre autres sur les façons de gagner du temps lors de la fermeture des livres à la fin de chaque semestre ou de revoir les systèmes d'information. Cette méthode nécessite la créativité et l'initiative des employés, et les habitue à travailler en équipe. La direction a également présenté cette méthode aux gestionnaires en leur disant qu'elle constituait une excellente manière de faire s'exprimer la créativité des gens, de générer des idées qui ne resteront pas lettre morte mais qui entraîneront leur application dans les usines. Les groupes étant composés de personnes venant de différents secteurs de l'entreprise, cela amène une diversité de propositions et de points de vue. Fait à noter, les employés apprécient le *kaizen*, car ils y trouvent la possibilité d'organiser leurs postes de travail. Cette méthode de formation convient tout à fait aux valeurs et à la philosophie de gestion que défend la direction de Domtar.

Pour MM. Royer et Gagnon, les *kaizens* sont un stimulant extraordinaire. M. Gagnon mentionne : «Le *kaizen* est une façon de régler les problèmes les plus difficiles. Ainsi, il existe un module spécifique du *kaizen* en ce qui concerne les problèmes de santé et de sécurité. Les gens se réunissent pendant une semaine, ils examinent un service en particulier pour relever les pratiques présentant un danger; ils disposent d'un budget et ils peuvent corriger tout de suite les problèmes.»

Selon M. Royer, les *kaizens* sont à l'origine des économies de 230 millions de dollars dans les coûts de production depuis 1997. Pour avoir misé sur son personnel, Domtar a été gagnante. Comme le souligne Pierre Fortin dans son billet sur Domtar intitulé «Le cœur à la bonne place», jamais Raymond Royer n'a pensé faire un choix entre la rentabilité financière et la préservation des emplois. Le génie de sa manœuvre est d'avoir compris que ces deux buts ne se contredisaient pas, mais se renforçaient au contraire[14].»

Aligner les pratiques de gestion des ressources humaines sur les priorités de l'entreprise

Afin de bien supporter la mise en œuvre de la nouvelle philosophie de gestion, l'entreprise a procédé à la révision non seulement de ses programmes de formation, comme nous l'avons vu plus tôt, mais aussi de ses programmes de dotation, d'évaluation de la performance et de rémunération. D'ailleurs, pour M. Royer, les responsables des ressources humaines doivent être les gardiens des valeurs de l'entreprise et les accompagnateurs des gestionnaires dans leurs efforts pour appliquer celles-ci au quotidien. Il en fait l'un des principaux éléments de réussite dans ce qu'il appelle «la recette Domtar». Parce que ces responsables sont destinés à être de véritables agents de changement, l'entreprise a réorganisé la fonction ressources humaines pour la décentraliser le plus possible au niveau des unités d'affaires. Au niveau de l'entreprise entière, on a décidé d'aligner les principales pratiques de gestion des ressources humaines sur la nouvelle philosophie de gestion.

Ainsi, Domtar a modifié ses politiques de **recrutement** et de **promotion** afin de favoriser la venue de cadres compétents qui mettront en pratique la philosophie de gestion et les valeurs de l'entreprise. Tandis qu'auparavant la haute direction insistait sur l'expérience et sur les compétences techniques, aujourd'hui elle recherche des cadres faisant preuve de leadership et dotés d'une vision large, capables de prévoir les changements à venir. En ce qui a trait à l'accueil des nouveaux employés, elle cherche à les faire participer au programme de formation Phil ou à un *kaizen* le plus tôt possible.

L'entreprise s'appuie entre autres sur la polyvalence de ses gestionnaires actuels pour assurer leur développement. Elle favorise la rotation de manière à fournir à ceux-ci une expérience dans des secteurs tels que la production, les ventes et le marketing, la gestion des ressources humaines ou les finances. La précision des critères entourant le choix des gestionnaires est une des raisons des succès de l'entreprise.

Le programme de **gestion de la performance** constitue un autre aspect important de la GRH, puisqu'il est le principal outil formel pour transmettre les valeurs de Domtar. Là-dessus, Raymond Royer souhaitait la mise en place d'un seul système de gestion de la performance pour toute l'entreprise dans les plus brefs délais. En fait, ce programme a été le premier outil formel utilisé pour véhiculer les nouvelles valeurs. Il se fonde sur les résultats de chacun en fonction de ses objectifs, mais il prévoit également l'évaluation des comportements en fonction des valeurs fondamentales de l'organisation. Ainsi, pour chaque valeur, on a précisé les comportements attendus, et chacun est tenu pour responsable de leur application dans son travail quotidien.

Parmi les autres programmes de GRH figure l'**actionnariat**. Domtar offre un rabais de 10 % sur le prix du marché au moment de l'achat de l'action. Ce programme d'achat d'actions, qui est ouvert à tout le personnel, existe depuis longtemps, mais il était peu utilisé. En 1996, le taux était seulement de 10 %, pour ensuite enregistrer une nette progression avec l'arrivée de la nouvelle direction (voir le tableau 2). Actuellement, 40 % des employés détiennent des actions de l'entreprise. C'est un taux de participation significativement supérieur à celui des programmes en vigueur dans les autres entreprises de l'industrie. À lui seul, ce fait indique clairement que les employés croient en leur entreprise et désirent participer à sa croissance.

TABLEAU 2
Résultats de Domtar au cours de la période 1996-2000

	1996	1997	1998	1999	2000
Bénéfice net (millions de dollars)	97	25	74	163	275
Ratio dette/capitaux	31,7 %	32 %	41 %	37 %	35 %
Rendement de l'avoir des actionnaires (RAA)	2 %	1 %	5 %	10 %	16 %
Pourcentage d'employés participant à l'actionnariat	10 %	16 %	27 %	33 %	40 %
Rang par rapport à l'industrie (sur 23) quant au RAA	22e	17e	10e	7e	1er

La révision de l'ensemble de la rémunération proposée par Raymond Royer incluait le programme de **participation aux bénéfices**. Jusqu'en 1999, ce programme, qui correspondait surtout à des primes pour la réalisation de certains objectifs, était réservé aux gestionnaires; mais, depuis, tous peuvent y adhérer. Actuellement, tous les employés non syndiqués y participent. Toutefois, dans le cas du personnel syndiqué, cela dépend de la position du syndicat. L'ensemble des syndicats des scieries ont adhéré au programme, alors que dans les usines de papier on s'y oppose pour le moment. Encore une fois, la position de l'entreprise est cohérente par rapport à sa philosophie de gestion. Si une personne met sa créativité au service de Domtar pour améliorer la performance de l'entreprise, il est normal qu'elle en retire également des retombées en plus de son salaire, car elle l'a mérité.

Ce programme, qui se réfère aux résultats de l'ensemble de Domtar et non à ceux des différentes unités d'affaires, est basé sur le rendement de l'avoir des actionnaires. Il démarre lorsque l'entreprise atteint 8 % de rendement et plus. Ainsi, plus le rendement augmente au-delà de ce plancher, plus la participation aux bénéfices augmente, jusqu'à concurrence de 15 % des profits. Si le rendement excède ce pourcentage, le programme reste quand même avantageux étant donné que le taux plafond de 15 % s'appliquera à un montant plus élevé. En 2000, l'entreprise a versé 6 % de leur salaire aux employés participant à ce programme.

Bien que ce ne soit pas aussi systématique que sur le plan financier, il existe d'autres moyens de **reconnaître** la contribution du personnel. Une action qui n'est pas à dédaigner consiste dans l'encouragement qu'apporte la présence de M. Royer à la fin de la formation Phil ou d'un *kaizen*, où il écoute les recommandations des employés. Il existe un programme d'identification qui est en émergence et qui, grâce à un catalogue d'objets aux couleurs de Domtar (sigle, t-shirt, etc.), permet d'attester l'engagement d'un employé envers l'entreprise, comme à la fin d'un *kaizen*. De même, comme la plupart des entreprises, Domtar se montre reconnaissante envers les employés qui comptent plusieurs années de service.

Communiquer, communiquer, communiquer

La communication est le véhicule essentiel de la philosophie de gestion; c'est elle qui permet de diffuser le message dans l'organisation. Chez Domtar, la priorité est très claire, il faut communiquer souvent avec les employés pour faire comprendre le message, pour faire le point sur la situation actuelle et pour répondre aux questions de ces derniers. Comme l'a mentionné un cadre supérieur, «l'entreprise a décidé qu'elle allait parler avec ses employés et communiquer directement avec eux, même si ça pouvait heurter les syndicats». Cependant, cela impose une exigence. Les cadres interrogés insistent tous sur l'importance de la constance du message du haut de l'entreprise jusqu'à l'usine. Peu importe l'interlocuteur, le message doit rester essentiellement le même, c'est-à-dire ajouter de la valeur aux trois piliers de l'entreprise.

Une des conséquences positives de la recherche de la constance du message est la pression que cela exerce sur les cadres à tous les niveaux pour qu'ils soient plus disposés à discuter avec leurs employés des enjeux à l'échelle de l'entreprise et des enjeux locaux. D'ailleurs, plusieurs ont fait référence au fait que maintenant, si le message transmis ne correspond pas à la nouvelle philosophie de gestion, les employés de la base s'empressent de le faire remarquer.

357

En plus des rencontres fréquentes des cadres supérieurs avec les employés et des programmes de formation, le journal d'entreprise représente un autre canal de communication privilégié par Domtar. Celle-ci a fait le choix de prendre toutes les publications destinées aux employés et de produire un seul journal pour toute l'entreprise. Ce journal, intitulé *Ressources,* n'est pas constitué principalement de nouvelles sociales, il est même plutôt aride à lire. Bien aligné sur la nouvelle philosophie de gestion, il sert à aider les employés à mieux comprendre les décisions de l'entreprise et ses résultats, à connaître ses produits et ses services, à faire le suivi de l'évolution du programme de formation Phil, à souligner les nouveaux *kaizens,* etc. Aux dires du responsable des communications de l'entreprise, «ce journal est peut-être davantage un outil d'éducation, ayant une démarche pédagogique, qu'un outil d'information».

Faire face aux sources de résistance

L'implantation de la nouvelle philosophie de gestion de Domtar ne se fait pas sans heurt. Il y a un plus grand taux de pénétration dans certaines parties de l'entreprise qu'ailleurs. Il faut admettre qu'un tel bouleversement dans les attitudes et dans la manière de faire les choses a suscité beaucoup d'inquiétude, particulièrement chez les gestionnaires qui voyaient leur rôle modifié, voire remis en question. Un cadre supérieur de Domtar explique ce phénomène en ces termes : «Lorsqu'on offre aux gens des outils, de la formation, des connaissances, qu'on leur donne le goût de contrôler leur destin, on ne doit pas s'attendre, par la suite, à ce qu'ils fonctionnent selon un processus d'organisation traditionnel où ils recevront les ordres et les exécuteront.» Également, les employés furent bousculés dans leurs façons de faire. Par exemple, les *kaizens* ont généralement des conséquences concrètes sur l'organisation du travail et sur la nature des tâches des collègues.

Dans un tel contexte, il n'est pas surprenant de constater, du moins au début, que les gestionnaires à différents niveaux soient hésitants face au changement. Par exemple, on a remarqué que plusieurs **contremaîtres** ne participaient pas aux *kaizens* alors que l'on s'attendait à ce qu'ils exercent plutôt un rôle de leadership. Il est vrai que, pour ces derniers, leurs points de référence changent passablement. Leur rôle ne consiste plus à dire à l'employé ce qu'il doit faire, mais à le questionner afin de s'assurer qu'il dispose des ressources nécessaires pour accomplir son travail. Ils deviennent des animateurs, des coachs, qui veillent à obtenir la participation des employés. Dans certaines usines, on a observé également la résistance chez les **gestionnaires** qui croyaient que la nouvelle philosophie de gestion n'était qu'une mode passagère comme ils en avaient vu d'autres avant.

Ce revirement n'est pas facile à comprendre et à accepter particulièrement pour les superviseurs de premier niveau. Cela implique entre autres, compte tenu de la responsabilisation accrue des employés, qu'ils s'interrogent sur l'utilité de leur présence et sur leur capacité à exercer ce nouveau métier. Certains ont dû être mutés à des postes plus techniques où ils pouvaient exploiter mieux leurs compétences. Cependant, pour la grande majorité, la situation semble s'être rétablie, comme nous l'a indiqué un cadre supérieur de Domtar : «Maintenant, c'est passé, cette résistance-là. Avec le temps, quand les superviseurs ont vu la réaction des employés, c'est devenu beaucoup plus facile pour eux.» De plus, comme nous l'avons vu précédemment, l'entreprise a décidé de compléter le programme Phil par un autre programme de formation destiné uniquement aux individus qui exercent des responsabilités de supervision (Le café de Margot).

Les **syndicats** sont évidemment une autre source potentielle de résistance avec laquelle il faut composer. Pour Raymond Royer, le choix est clair : même s'il reconnaît le droit de ses employés de faire appel à un syndicat pour les représenter, il tient à parler directement à ses employés, sans devoir passer par un intermédiaire, que cela plaise ou non au syndicat, et au risque de créer des tensions dans le milieu de travail. D'ailleurs, M. Royer rapporte l'anecdote suivante pour bien illustrer sa position : «Je me souviens d'une scierie du nord de l'Ontario où, lors d'une réunion avec le personnel, le président du syndicat local avait posé une question agressive. Je lui avais demandé s'il me posait la question en tant que président du syndicat ou en tant qu'employé. Il m'a dit en tant que président du syndicat. Je l'ai invité à sortir parce que c'était une réunion d'employés[15].» L'entreprise veut donc s'occuper elle-même des besoins de ses employés, régler avec eux les problèmes qui se présentent.

358

Selon la philosophie de gestion de Domtar, le syndicat n'est pas l'un des piliers de l'entreprise. D'ailleurs, il est intéressant de souligner que, dans le programme de formation Phil, l'entreprise virtuelle qui sert de toile de fond n'est pas syndiquée. L'un des cadres supérieurs explique la position de Domtar de la façon suivante : «On respecte l'acteur syndical parce qu'il est le représentant des employés. Donc, si on respecte les employés, on doit composer avec leur représentant, sauf qu'on n'est pas obligés d'attendre après lui pour connaître et corriger les problèmes chez les employés.» Dans les faits, les dirigeants de Domtar tiennent à conserver leur droit de gérance. Cette volonté est très explicite dans les termes d'un autre cadre de Domtar : «Si on s'occupe bien de nos employés, on n'a pas besoin du syndicat pour prendre les décisions à notre place. Il faut que l'on fasse bien notre travail et les syndicats feront ce qu'ils ont à faire pour négocier les termes de la convention collective. Mais ils n'ont pas à nous dire si on a le droit ou non de prendre telle ou telle décision.»

Évidemment, du côté syndical, cette approche se vit assez difficilement. Elle a, entre autres, comme conséquence de révéler la double allégeance de l'employé à l'égard de son employeur et de son syndicat, avec le résultat que l'acteur syndical est parfois mis de côté dans certaines discussions. Cette situation est bien décrite par l'un des cadres interrogés : «Les employés sont capables de faire la part des choses entre ce que la gestion dit et ce que le syndicat dit. D'une certaine façon, ils deviennent plus libres penseurs, et cela crée une situation où ils sont plus à même de prendre des décisions qui sont dans leur intérêt véritable. Ça ne veut pas dire qu'ils sont toujours d'accord avec nous, au contraire, mais on a créé une situation de débat. Ils se sont vraiment rendu compte qu'ils pouvaient se prendre en charge.»

Certains dirigeants syndicaux prédisent que Domtar se prépare à des lendemains difficiles si elle continue d'afficher, selon eux, une attitude méprisante envers les syndicats. Ils soutiennent que la direction de Domtar joue dur et cherche à briser les syndicats. D'après eux, les travailleurs se plaignent de l'introduction de nouvelles méthodes de gestion (le *kaizen*) et de l'abandon du partenariat patronal-syndical qui faisait la force de Domtar dans les années 1990[16]. Or, dans les faits, les efforts de partenariat se poursuivent toujours. Par exemple, dans les scieries, Domtar a 6 conventions collectives d'une durée de 10 ans.

La position des syndicats peut varier énormément d'un établissement à un autre. Dans certaines usines, les délégués syndicaux adoptent une attitude de coopération face à la direction, au risque, parfois, de déplaire aux employés qui attendent d'eux un rôle traditionnel de défenseur contre les abus des patrons et de revendicateur pour aller chercher encore de meilleures conditions de travail. Dans d'autres usines, les délégués syndicaux ont adopté une attitude plus hostile, s'opposant, par exemple, à l'implantation des *kaizens* et refusant d'introduire la participation aux bénéfices.

LES PERSPECTIVES D'AVENIR DE LA «NOUVELLE SOCIÉTÉ DOMTAR»

Dans l'industrie du papier, il y a une consolidation en cours. Domtar participe activement à cette tendance. Raymond Royer veut que Domtar soit un fournisseur unique pour tous les besoins en papier des imprimeurs. C'est pourquoi l'entreprise effectue presque chaque année des acquisitions ciblées dans des créneaux qui permettent de compléter la gamme de produits offerts. C'est d'ailleurs le cas avec les quatre nouvelles usines acquises de Georgia-Pacific cet été. L'un des enjeux de Domtar au cours des prochains mois sera sûrement d'appliquer, dans ses nouvelles usines américaines, la philosophie de gestion qui a fait son succès jusqu'ici.

Pour cela, Domtar a veillé à projeter, dès le départ, une image unique et cohérente en changeant la signalisation et la papeterie et en mettant en place un site Web afin de répondre aux besoins et aux questions des employés. Fidèle à son habitude, M. Royer s'est rendu dans les quatre usines, où il a rencontré jusqu'ici environ le tiers des employés. Le slogan adopté par Domtar pour faciliter l'intégration harmonieuse des 3 000 employés provenant de Georgia-Pacific est révélateur : *Be part of it!* Une documentation élaborée et fort attrayante sur Domtar leur a été distribuée afin d'accompagner les rencontres avec les membres de la nouvelle direction. Le portfolio remis à chaque employé contenait entre autres un document sur la culture de Domtar incluant les deux instruments de sa diffusion, soit le programme de formation Phil et les ateliers de *kaizen*. Des activités reliées à ces deux instruments ont d'ailleurs démarré au sein de certaines usines américaines nouvellement acquises.

Sur le plan du marché, les prédictions apocalyptiques qui annonçaient l'avènement du bureau sans papier ne se sont pas réalisées... du moins, pas encore. Pour l'instant, la conjoncture sur les marchés de Domtar n'est pas un exercice facile. D'une part, selon une étude publiée en 1999 par le Boston Consulting Group, la demande de papier d'affaires devrait doubler d'ici 2003 par rapport à 1996[17]. Les dirigeants de Domtar vont dans le même sens, estimant que l'usage accru de l'ordinateur personnel favorise l'impression de documents sur du papier haut de gamme, entre autres pour l'impression graphique ou photographique. D'autre part, les analystes de Morgan Stanley ont noté une diminution de la demande de papier de communication de 3,1 % en 2000 par rapport à

1999, et de 9,2 % depuis le début de 2001[18]. Par conséquent, il est possible qu'à plus long terme Internet et le commerce électronique viennent remplacer le papier. Cependant, jusqu'ici Domtar a su démontrer qu'elle était capable de s'ajuster rapidement aux changements du marché.

Sur le plan économique, l'année 2001 a commencé sur une note défavorable. Le ralentissement économique, combiné avec la baisse des prix des papiers et de la pâte, a fait chuter les profits de la société Domtar des deux tiers au troisième trimestre (22 millions vs 60 millions l'an dernier), et la direction s'attend à d'autres moments difficiles d'ici la fin de 2001. Néanmoins, l'entreprise a réussi à surpasser les prévisions financières des experts pour le dernier trimestre. D'ailleurs, le titre a tout de même mieux résisté que l'ensemble du secteur forestier, qui a subi une baisse de 10 % depuis le début de l'année[19].

Ainsi, l'année 2002 risque d'être déterminante pour la survie de la nouvelle philosophie de gestion. Domtar saura-t-elle résister à l'assaut d'une économie en baisse? Selon les termes de l'un des dirigeants de l'entreprise, la capacité de Domtar de réussir ne fait aucun doute : «Jusqu'ici, les gens sentent que nos acquis des cinq dernières années nous font passer mieux que d'autres à travers le ralentissement économique. On a toujours dit aux employés qu'il y a des facteurs que l'on ne contrôle pas, comme le marché. Ils acceptent ce fait. Par contre, nos responsables du marketing sont beaucoup sollicités à l'interne pour répondre aux questions sur le marché. C'est donc que les gens se rendent compte que notre avenir est là et que nous sommes condamnés à la croissance.»

Notes

1. L'auteur tient à remercier Fanie Lauzon, étudiante au programme de la M.Sc. de HEC Montréal qui a collaboré à la recherche pour la rédaction de cet article.

2. Pierre Marcoux, «Domtar profite de la force de chacun de ses employés», *Les Affaires*, 7 juillet 2001, p. 6-7.

3. Allocution de Raymond Royer au congrès de l'Ordre des conseillers en ressources humaines et en relations industrielles agréés du Québec, le 2 octobre 2000, p. 2.

4. Sauf avis contraire, les commentaires mentionnés par les divers intervenants de Domtar ont été recueillis lors d'entrevues accordées aux auteurs entre le 10 et le 12 octobre 2001 au siège social de l'entreprise.

5. Pierre Fortin, «Le cœur à la bonne place», *L'Actualité*, février 2001, p. 63.

6. Propos reformulés à partir de l'allocution de M. Royer, *loc. cit.*, p. 3.

7. Propos reformulés à partir de l'allocution de M. Royer, *loc. cit.*, p. 1.

8. Raymond Royer, «Managing by commitment», *Business Quarterly*, printemps 1991, p. 30.

9. Tiré de l'allocution de M. Royer, *loc. cit.*, p. 4.

10. Propos reformulés à partir de l'allocution de M. Royer, *loc. cit.*, p. 5.

11. Claude Gaudet et Chantal Nepveu, «Phil, le balayeur philosophe», dans Marchand L. & Depoever, C., *E-Learning et formation en entreprise*, De Boeck Université, 2001.

12. Claude Gaudet & Chantal Nepveu, *loc. cit.*

13. Pierre Fortin, *loc. cit.*, p. 63.

14. Pierre Fortin, *loc. cit.*, p. 63.

15. Réponse de M. Royer à un intervenant qui désirait connaître le rôle exercé par les syndicats chez Domtar, *loc. cit.*, p. 10.

16. Claude-V. Marsolais, «Relations de travail tendues chez Domtar», *La Presse*, 12 avril 2001.

17. «Paper and the electronic media: Creating value from uncertainty», septembre 1999.

18. Pierre Marcoux, *loc. cit.*, p. 7.

19. Richard Dupaul, *La Presse*, 19 octobre 2001, p. D5.

Une transformation «impressionnante», certes, mais une transformation réussie?

Philippe Martel

À mon point de vue, parmi les termes les plus galvaudés par les spécialistes du management et des organisations, au cours des dernières années, on trouve celui de **changement**. Qui, en effet, ne s'est pas vu proposer récemment par un promoteur du sujet les 10 (ou 15?) commandements de la gestion du changement, prescrivant le plus souvent les mêmes lieux communs, adaptés selon le profil du commanditaire, avec une lentille psychosociologique, *process*, voire technologique?

La barre était donc haute pour Alain Gosselin qui voulait examiner ce sujet, d'autant plus haute qu'il se risquait à qualifier de «transformation impressionnante» le cas traité, celui de «la nouvelle société Domtar».

Pour les gens qui ont suivi l'entreprise au cours des 20 dernières années, on se doutait bien que le cas Domtar avait le «potentiel» pour être un bon choix de la part de l'auteur : une entreprise en mal de transformation en profondeur, à défaut de quoi elle était sur la voie inévitable d'être avalée probablement à faible prix par un concurrent pas nécessairement plus efficace, mais vraisemblablement plus gros et plus riche.

Si le choix du «cas Domtar» était opportun, est-ce que le changement entrepris et réalisé chez Domtar justifiait le fait qu'on en traite dans *Gestion*? Est-ce que l'analyse faite par Gosselin permettrait de comprendre les déterminants d'une transformation réussie et apporterait quelque chose de nouveau dans la littérature sur le management du changement?

J'ai eu l'occasion de rencontrer Raymond Royer et de travailler de façon ponctuelle avec des membres de sa nouvelle équipe de direction;

Philippe Martel est psychologue industriel, associé conseil, chez SECOR.

j'ai aussi eu l'occasion d'accompagner de grandes entreprises nord-américaines et européennes qui ont procédé à des transformations, certaines plus ou moins réussies, d'autres «impressionnantes»; de même, j'ai eu l'occasion d'étudier la littérature scientifique sur le changement stratégique, sur le leadership stratégique, etc., et, selon moi, le «cas Domtar» et l'analyse qui en est faite ici sont susceptibles de devenir un classique du sujet, parce qu'ils montrent que transformer une organisation, c'est changer :

– les comportements (habitudes, normes, valeurs, attitudes) et les compétences des personnes en place;

– de concert avec la stratégie d'affaires, et sur la base d'une philosophie de management affirmée;

– à travers toute l'organisation, du haut vers le bas.

Le schéma 1 représente bien, à mon avis, la logique apparente de cette transformation : une logique humaniste, centrée sur les personnes, mais aussi une logique stratégique et systémique de transformation, l'idéologie dominante du président Raymond Royer et de l'équipe immédiate qui a travaillé avec lui à faire cette «nouvelle société Domtar».

Mon commentaire portera sur ces trois dimensions du cas qui nous intéresse. Je ne traiterai qu'indirectement et qu'en conclusion des hommes en place, en soulignant les compétences individuelles et

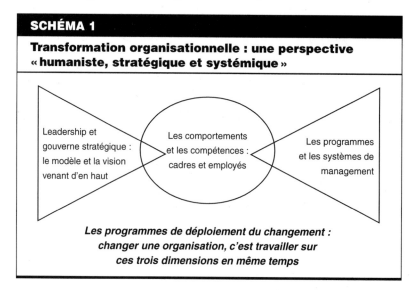

SCHÉMA 1

Transformation organisationnelle : une perspective « humaniste, stratégique et systémique »

Leadership et gouverne stratégique : le modèle et la vision venant d'en haut

Les comportements et les compétences : cadres et employés

Les programmes et les systèmes de management

Les programmes de déploiement du changement : changer une organisation, c'est travailler sur ces trois dimensions en même temps

collectives qui, selon moi, les caractérisent. Je tenterai donc de commenter le «cas Domtar», selon ma propre lentille, au profit, espérons-le, aussi bien des théoriciens que des praticiens de la direction des organisations.

LA «NOUVELLE SOCIÉTÉ DOMTAR» : UN CHANGEMENT AXÉ D'ABORD SUR LES PERSONNES

Ma lecture de la logique de transformation chez Domtar : il s'agit d'une transformation d'abord axée sur les personnes, et c'est sans doute ce qui amène Gosselin à dire que le pilote de la transformation de Domtar, Raymond Royer, est un humaniste. Qu'est-ce qu'un leader humaniste dans un contexte de changement? C'est celui qui croit que ce qui caractérise et façonne une organisation, pour le mieux ou pour le pire, bien avant sa technologie, ses ressources financières, ce sont les personnes qui l'habitent, ses «ressources humaines» : ses dirigeants, ses cadres et ses employés, leurs comportements et leurs compétences.

365

D'après cette logique, ce sont d'abord les dirigeants qui façonnent l'organisation : selon leur propre modèle de gouverne, selon le leadership dont ils témoignent, selon l'exemple qu'ils donnent, ils orientent les comportements des cadres qui les représentent dans le reste de l'organisation et qui ont comme rôle de développer les systèmes de gestion en accord avec les valeurs et les stratégies de l'entreprise.

Les uns et les autres (les comportements des cadres et les systèmes de management) conditionnent les compétences et les comportements des employés; et ce sont les compétences et les comportements des employés qui, ni plus ni moins, définissent l'entreprise, sa façon de transiger avec ses clients et son potentiel de rentabilité pour les actionnaires.

LA «NOUVELLE SOCIÉTÉ DOMTAR» : UN CHANGEMENT QUI REPOSE SUR UN NOUVEAU MODÈLE DE MANAGEMENT

La gestion par engagement, la réciprocité et l'interdépendance employé-client-actionnaire, l'impératif de créer de la valeur pour l'un et l'autre, comme cela est décrit dans l'article d'Alain Gosselin, c'est le fer de lance de la révolution «Royer et associés» chez Domtar. Il faut bien comprendre de ce texte que chez Domtar, cette philosophie de management va plus loin que les mots qui la décrivent, que la feuille de papier où elle est énoncée.

Un tel modèle de management, lorsqu'il est plus qu'un feu d'artifice, comme c'est le cas chez Domtar, constitue en effet une révolution dans les réflexes quotidiens pour plus d'un dirigeant et manager d'entreprise, un choc d'autant plus important dans une industrie conservatrice comme celle des pâtes et papiers. Ce modèle remet en question la logique dominante du management tel qu'il existe dans bon nombre d'entreprises, une logique du court terme, une logique du trimestre. Un pareil référentiel de management bouleverse les critères de prise de décision, la façon d'aborder les problèmes et les occasions : le résultat trimestriel devient une résultante, un objectif, non une fin en soi. La fin en soi, c'est le client, et le partenaire clé, ce sont le personnel et les cadres.

Cette logique dominante de la révolution Domtar n'est pas unique. Une des plus importantes institutions financières du monde, que j'ai eu l'occasion d'accompagner sur plusieurs années, a fait d'un tel modèle de management le fer de lance de sa propre transformation, le «référentiel» pour ses milliers de dirigeants à travers les 60 pays où elle est en activité. Dans son cas, les quatre phares du management – le client, l'actionnaire, l'employé et l'organisation – constituent des pôles qui ne sont pas en contradiction, mais en interdépendance.

Simples en apparence, la gestion par engagement de Royer et le référentiel de management de cette multinationale sont plus complexes à rendre opérationnels. Une des premières complexités consiste dans le développement de nouveaux réflexes chez les managers, le réflexe du nouveau management. Or, on doit être conscient (ce fut sans doute le cas chez Domtar) que certains dirigeants et managers voudront adopter le nouveau modèle de management, d'autres pas; certains pourront, d'autres pas. Voilà un des premiers grands défis de toute transformation.

LA «NOUVELLE SOCIÉTÉ DOMTAR» : UN DÉPLOIEMENT SYSTÉMIQUE, EN CASCADE

La stratégie de déclinaison du modèle de management et du déploiement de la transformation chez Domtar réside dans la communication et la formation, d'abord auprès des dirigeants, puis des cadres, puis des employés. Il s'agit d'une démarche globale, qui part donc d'en haut, cherchant à développer les compétences et les comportements à travers l'organisation, puis à passer à l'action : une façon porteuse de décliner le changement.

Domtar ne qualifie pas et ne semble pas vouloir institutionnaliser son effort de transformation et les moyens de formation, d'accompagnement et de communication qu'elle a mis en avant : du moins, cela n'est pas apparent dans le texte de Gosselin. Bon nombre d'entreprises que j'ai connues décident de le faire à l'aide de ce qu'ils appellent leur **université d'entreprise.** Peu d'organisations canadiennes, contrairement aux entreprises américaines et européennes, choisissent le vocable, peut-être par discrétion, par humilité. Pourtant, bon nombre d'entreprises canadiennes, dont semble-t-il Domtar, se servent de fait de nombreux leviers classiques des universités d'entreprise que je connais, au cœur du développement des compétences des cadres et des dirigeants, au cœur de la définition et du partage des valeurs organisationnelles, au cœur de l'accompagnement du changement organisationnel.

Le schéma 2 mis au point chez SECOR modélise ce qu'est une université d'entreprise, le médium de transformation organisationnelle privilégié par bon nombre de chefs d'entreprise, «un levier de changement en profondeur, de changement en douceur, tout à fait dans le style de notre président», me disait récemment la présidente de l'université interne d'un des plus grands groupes mondiaux de services aux entreprises et aux collectivités.

367

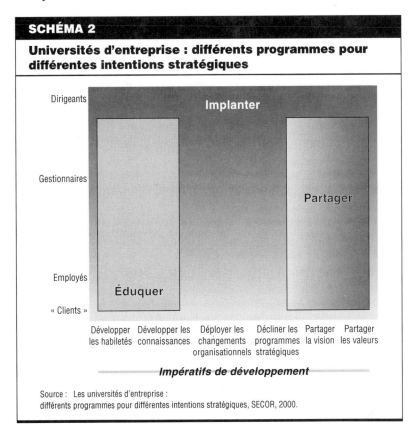

SCHÉMA 2

Universités d'entreprise : différents programmes pour différentes intentions stratégiques

Dirigeants

Implanter

Gestionnaires

Partager

Employés

Éduquer

« Clients »

| Développer les habiletés | Développer les connaissances | Déployer les changements organisationnels | Décliner les programmes stratégiques | Partager la vision | Partager les valeurs |

Impératifs de développement

Source : Les universités d'entreprise : différents programmes pour différentes intentions stratégiques, SECOR, 2000.

DES NOUVELLES COMPÉTENCES À LA TÊTE DES ORGANISATIONS... À UNE TRANSFORMATION RÉUSSIE

Lorsque j'ai lu le texte d'Alain Gosselin, je me suis rappelé cette riche littérature sur le leadership stratégique amorcée entre autres par Hambrick (1989) et qu'une «pause doctorale» m'a permis de connaître. La lecture de ce texte a aussi évoqué pour moi la littérature sur la genèse de Crotonville, l'université GE, l'une des premières aux États-Unis, dont se sont inspirées ni plus ni moins les subséquentes. Plus encore, ce texte m'a remémoré le président récemment retraité de GE, Jack Welch, l'un des dirigeants les plus adulés du XXe siècle.

Domtar et GE? Raymond Royer et Jack Welch? La comparaison tient difficilement, certes. Il n'y a en effet pas de philosophie de gestion plus différente que celle de «Neutron Jack» et la gestion par engagement de Raymond Royer telle que décrite par Gosselin. Mais les propos et les gestes de Royer cités dans le texte nous rappellent malgré tout la pensée de Welch recensée par Tichy :

> «Les bons leaders d'entreprise créent une vision, articulent cette vision et la conduisent implacablement jusqu'à son achèvement. Par-dessus tout, cependant, les bons leaders sont ouverts. Ils vont partout dans leur organisation afin d'atteindre les gens, ils ne s'en tiennent pas aux canaux établis. Ils sont simples. Ils sont droits avec les gens. Ils se font une obligation d'être accessibles. Ils ne s'ennuient jamais à raconter leur histoire» (Tichy et Charan, 1993, traduction libre).

Le texte de Gosselin rappelle aussi les compétences de direction qu'a cherché à développer l'université GE chez ses dirigeants, à l'aube de la «transformation impressionnante» entreprise par Jack Welch :

> «Les changements importants qui se sont produits chez GE ont nécessité une transformation radicale du profil de compétences des cadres et des dirigeants de GE, et créé les nouvelles exigences suivantes pour les cadres et les dirigeants de toute l'organisation :
>
> – le besoin pour eux de développer soigneusement des réseaux multicanaux et interactifs à travers l'organisation;
>
> – le besoin d'un nouvel ensemble de valeurs et de modèles;
>
> – le besoin pour eux de faire preuve de force au regard des questions centrales (*hard*) (budget, fabrication manufacturière,

etc.) et des questions périphériques (*soft*) (valeurs, culture, vision, leadership, etc.);

– le besoin pour eux de pouvoir implanter ces changements» (Tichy, 1989, traduction libre).

Pour être vraiment «impressionnante», une transformation se doit d'abord et avant tout d'être réussie, et pour l'être, elle doit être irréversible et survivre à celui qui l'a amorcée.

Pour reprendre l'analogie avec GE, la transformation semble réussie chez cette dernière. Chez Domtar, la réussite de la transformation entreprise par Raymond Royer et ses partenaires sera irréversible quand les trois parties prenantes de l'entreprise (les clients, les employés et les actionnaires) auront pleinement apprécié pour eux les bénéfices de la transformation et qu'ils n'accepteront pas qu'on retourne en arrière.

369

Gosselin nous dit que le virage Domtar pour les cadres et les employés fait actuellement l'objet d'une mesure; pour les clients, on ne saurait dire. Quant aux actionnaires (représentés par le marché et la bourse), ils ne semblent pas avoir perçu ce virage tout à fait jusqu'ici, sans doute à cause de leur myopie trimestrielle typique.

Mais les ingrédients sont là. Qui prend les paris? Je suis prêt à déposer une mise : plus qu'«impressionnante», cette transformation a tout ce qu'il faut pour être réussie.

Références

Hambrick, D.C., «The domain of strategic leadership. Guest editor's introduction: Putting top managers back in the strategy picture», *Strategic Management Journal*, vol. 10, 1989, p. 6-15.

SECOR, «Les universités d'entreprise : carrefour de l'apprentissage individuel et organisationnel; levier du changement organisationnel», inédit, 2000.

Tichy, N.M., «GE's Crotonville: A staging ground for corporate revolution», *Academy of Management Executive*, vol. 3, n° 2, 1989, p. 99-106.

Tichy, N.M., Charan, R., «Speed, simplicity, self-confidence: An interview with Jack Welch. Managers as leaders series», *Harvard Business Review Paperback*, 1993, p. 93-101.

Un cadre de gestion du changement structuré pour une implantation réussie d'un système intégré de gestion*

Benoit Grenier et Benoit Gowigati

Au cours de la dernière décennie, nombre d'entreprises ont adopté un système intégré de gestion ou SIG[1] (voir le schéma 1). Le bogue de l'an 2000 a certes joué un rôle important dans la course à la modernisation des systèmes informatiques, quoique le virage vers les systèmes intégrés se poursuive aujourd'hui. Il y a quelques années, l'entreprise qui investissait dans un SIG s'assurait un avantage concurrentiel grâce à un meilleur accès à l'information et à l'intégration des processus. De nos jours, un tel système est indispensable à la plupart des grandes entreprises telles que Bombardier Aéronautique qui veulent demeurer concurrentielles dans un environnement où les décisions doivent se prendre plus promptement avec les bonnes données rapidement disponibles et où chacun doit à tout prix se tailler une place dans l'industrie du commerce électronique. La société SAP, établie en Allemagne, est le chef de file du marché des SIG, comptant plus de 20 000 implantations dans le monde entier. D'autres acteurs importants comme Oracle, BAAN, PeopleSoft et JD Edwards s'y sont également taillé une place.

Une part importante du marché des SIG s'est développée au cours des 10 dernières années dans l'effervescence du passage à l'an 2000 et d'un boom économique exceptionnel. Cette période a permis de tirer de nombreuses leçons des défis que pose la mise en œuvre d'un SIG. Des sociétés comme Bombardier Aéronautique, qui se trouvent aujourd'hui au cœur de cette aventure, ont la chance de profiter de ces leçons. Dans cet article, nous soulèverons les défis que suscite l'implantation d'un SIG,

---

Benoit Grenier est directeur, Transition des processus d'affaires et Préparation au déploiement SAP chez Bombardier Aéronautique.
Benoit Gowigati est chef, Gestion du changement SAP chez Bombardier Aéronautique.

* Une version abrégée de cet article a été publiée dans *CMA Management* en novembre 2001.

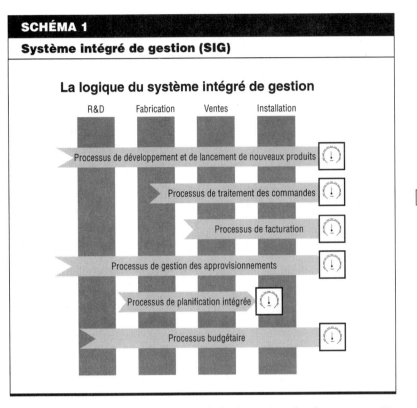

SCHÉMA 1

Système intégré de gestion (SIG)

La logique du système intégré de gestion

371

et plus particulièrement le principal défi : la gestion du changement. Un cadre opérationnel qui permettra de résoudre de façon proactive les problèmes engendrés par la gestion du changement dans le cadre du programme SIG de Bombardier Aéronautique sera élaboré. Un tel programme, au sein de Bombardier Aéronautique, touchera plus de 10 000 employés de diverses fonctions : finances, fabrication, approvisionnement, marketing, ressources humaines, ingénierie et les centres de maintenance des avions.

LE GRAND DÉFI : L'HARMONISATION DES GENS, DES PROCESSUS ET DES SYSTÈMES

Les projets SIG sont le plus souvent ardus, surtout à l'étape de leur mise en œuvre. Dans la plupart des cas, les gestionnaires des grandes entreprises qui ont vécu la mise en œuvre d'un SIG conviennent que les problèmes liés aux enjeux politiques et organisationnels sont les plus difficiles à cerner et à résoudre. En fait, la gestion des changements de matériel informatique, de logiciels et de bases de données est relativement simple comparée à celle des problèmes organisationnels, quand il faut, par exemple, établir qui dirige les processus, comment on doit gérer ces processus, comment mesurer le rendement de l'entreprise et quelle structure organisationnelle adopter. Autrement dit, la plupart des défis que pose la mise en œuvre d'un SIG ne sont pas de nature technique; ils relèvent plutôt des facteurs humains et des changements organisationnels conjugués avec une résistance au changement inévitable.

Les incidences de la mise en œuvre d'un SIG sont clairement déterminées : les systèmes intégrés de gestion projettent à l'avant-scène les processus d'affaires interfonctionnels et permettent un partage horizontal de l'information, entre les fonctions et les unités d'affaires, et vertical, entre les niveaux opérationnel et stratégique. Les processus d'affaires et les données sont alors uniformisés et normalisés. Les cloisons organisationnelles sautent. Des unités d'affaires indépendantes sont intégrées. Un accès accru à l'information permet l'enrichissement des tâches. On doit également redéfinir des postes et en créer de nouveaux. De plus, l'implantation d'un SIG entraîne nécessairement une réingénierie des processus.

Les sociétés ayant fait face aux plus épineux problèmes lors de la mise en œuvre de systèmes d'entreprise sont celles qui croyaient que l'implantation d'un SIG n'était rien d'autre qu'une installation de matériel informatique et de logiciels. Pour réussir un tel programme, il faut le traiter comme une initiative stratégique menée par des dirigeants influents et non comme un projet technique dirigé par des spécialistes techniques.

LA NÉCESSITÉ D'UN INVESTISSEMENT MAJEUR DANS LA GESTION DU CHANGEMENT

Pour se convaincre qu'un investissement majeur est nécessaire dans la gestion du changement, il suffit de jeter un coup d'œil sur les résultats du sondage annuel CIO mené par Deloitte Consulting en 1998. Dans celui-ci, on demandait entre autres aux cadres et aux dirigeants quels étaient les principaux obstacles à la mise en œuvre de programmes de réingénierie ou de systèmes intégrés de gestion. Des 10 principales réponses énumérées dans le tableau 1, seule la dernière touche à la technologie. Tous les autres problèmes sont liés aux employés et à la gestion du changement. De plus, les enjeux relatifs au personnel et à l'organisation figurent aussi dans la liste des facteurs clés du succès du changement.

TABLEAU 1	
Dix principaux obstacles aux importants changements	
Principaux obstacles au changement	**Pourcentage de participants**
Résistance de l'organisation au changement	82 %
Direction organisationnelle déficiente	72 %
Attentes irréalistes	65 %
Piètre gestion de projet	54 %
Faible motivation au changement	46 %
Manque de compétences dans l'équipe du projet	44 %
Évolution de la portée / incertitude	44 %
Pas de programme de gestion du changement	43 %
Pas d'examen horizontal du processus	41 %
Manque d'investissements en technologies de l'information	41 %
Facteurs déterminants du succès du changement	**Pourcentage de participants**
Direction organisationnelle claire	90 %
Gestion de projet solide	88 %
Motivation au changement claire	71 %
Intégration rapide des SI/TI et de l'entreprise	68 %
Équipe de projet compétente	61 %
Orientation horizontale (vs fonctionnelle)	59 %
Source : Deloitte & Touche, sondage CIO 1998.	

Un autre sondage réalisé auprès de 259 cadres de grandes sociétés américaines par la American Management Association révèle un faible pourcentage de succès à tous les niveaux de la gestion du changement au sein de leur organisation. On a demandé à ces cadres d'évaluer l'importance des différentes facettes de la gestion du changement par rapport au succès des initiatives de changement. On leur a également demandé quel avait été le niveau de succès de leur entreprise face à ces questions. Les résultats fournis au tableau 2 montrent une piètre performance des programmes de gestion du changement au sein de ces sociétés.

Ces données démontrent que les hauts dirigeants estiment que leur propre rôle est plus important que leur taux de réussite dans les initiatives de changement. Quand on leur demande les principales raisons de l'échec de certains aspects de la gestion du changement, la plupart des participants soulignent une compréhension et une attention inadéquates de leur part quant aux enjeux humains et organisationnels.

Beaucoup trop souvent, les éléments de gestion du changement et de la formation sont relégués aux dernières étapes du cycle de vie du

TABLEAU 2

Point de vue des cadres sur l'importance et le succès de l'effort consenti à la gestion du changement

Aspects de la gestion du changement	Très important	Très réussi
Leadership du changement	92 %	27 %
Gestion du changement organisationnel	84 %	24 %
Communication du changement	75 %	23 %
Travail d'équipe	64 %	25 %
Formation	60 %	18 %
Restructuration organisationnelle	56 %	30 %
Participation des parties intéressées	53 %	9 %
Engagement des ressources humaines	53 %	17 %
Gestion de projet	53 %	22 %
Redéfinition des tâches	44 %	10 %
Gestion de la mutation de la main-d'œuvre	36 %	9 %

Source : American Management Association (1995).

projet. Dans certaines entreprises, on les classe même parmi les faibles priorités, comme des facteurs négligeables. Néanmoins, d'après Hammer and Co., dans un projet SIG type, on octroie environ 35 % du budget global à la gestion du changement, dont 15 % à la formation. Le schéma 2 présente la répartition des dépenses consacrées à un projet SIG type.

UN MODÈLE DE TRAVAIL PRATIQUE DE GESTION DU CHANGEMENT

En clair, une des responsabilités les plus complexes dans un programme SIG est la gestion efficace de l'harmonisation des gens, des processus et des systèmes. Une telle démarche est possible grâce à un cadre efficace de gestion du changement se fondant sur deux grands principes directeurs :

– La prise en charge du changement par les gestionnaires. L'organisation touchée par le programme SIG doit faire montre de leadership tout au long de l'implantation. Il est crucial que les employés touchés voient les cadres de leur organisation mener l'implantation des nouveaux processus d'affaires et prendre part à toutes les phases de la mise en œuvre, y compris la planification, la formation et l'implantation elle-même.

– Une démarche structurée et intégrée de gestion du changement. La pratique de la gestion du changement doit offrir une combinaison de processus prédéfinis qui sont planifiés, gérés et mesurés. Il ne s'agit pas d'une série d'événements réactifs aléatoires.

SCHÉMA 2

Répartition des dépenses d'un projet SIG type

Répartition de coûts d'implantation

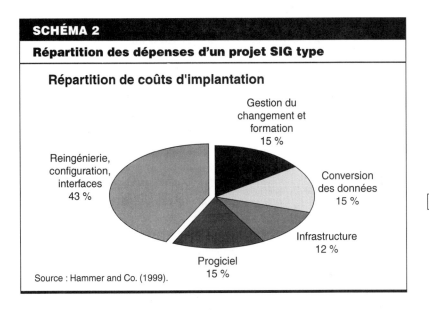

Reingénierie, configuration, interfaces 43 %

Gestion du changement et formation 15 %

Conversion des données 15 %

Infrastructure 12 %

Progiciel 15 %

Source : Hammer and Co. (1999).

375

Objectif et définition de la gestion du changement

Chez Bombardier Aéronautique, nous avons défini la gestion du changement liée aux implantations SIG comme un domaine de compétences multidisciplinaires procurant une approche méthodique pour l'orchestration de tous les aspects de la transformation de l'entreprise (employés, organisation, technologie et processus) et permettant la mise sur pied et le soutien d'un réseau complet de leaders à tous les niveaux de l'organisation, de la haute direction aux employés spécialisés.

Nous insistons sur la dimension multidisciplinaire. Dans nombre d'organisations, la gestion du changement est perçue comme étant la seule responsabilité du service des ressources humaines, du développement organisationnel ou des communications de l'entreprise. Il s'agit certes d'éléments critiques dans la gestion du changement, mais on risque d'obtenir des résultats moyens dans le cadre d'une implantation SIG si l'on traite ces éléments en vase clos. La clé du succès est de parvenir à l'intégration de toutes les disciplines touchées par le processus de transformation de l'entreprise. En fait, une telle démarche est le fondement même du programme SIG : supprimer les barrières fonctionnelles pour se concentrer sur les processus. Par conséquent, la psychologie industrielle, le développement organisationnel, la gestion des ressources humaines, la formation et les communications, c'est-à-dire les éléments traditionnels de la gestion du changement, prendront de la valeur grâce à leur intégration à l'ensemble des processus de définition et de mise en place des nouveaux processus d'affaires, dans un cadre de travail structuré procurant une valeur réelle. Cette approche constitue un important virage par rapport au «mythe de la gestion du changement» voulant que l'unique objectif soit un contrôle en vase clos des comportements humains. Le tableau 3 fournit deux exemples illustrant le changement de paradigme entre le mythe de la gestion du changement et une approche robuste de la gestion du changement procurant une valeur réelle.

Chez Bombardier Aéronautique, nous avons fondé le cadre de gestion du changement sur une série de processus gravitant autour de quatre grands thèmes : leadership du changement, harmonisation de l'organisation, préparation au déploiement et communications. Chaque domaine touche à plusieurs disciplines, comme le montre le schéma 3. Chacun d'eux est expliqué plus en détail ci-dessous.

Le leadership du changement

Le leadership du changement a pour fonction de soutenir la vision du programme dans l'ensemble de l'organisation. Il s'agit d'entretenir à tous les niveaux un climat favorable au changement par le biais d'un

---

SCHÉMA 3
Cadre de gestion du changement

Leadership du changement

Soutenir la vision et établir un climat favorable au changement. Permettre à l'entreprise d'absorber le changement à tous les niveaux grâce à une structure active et visible. Évaluer et mesurer le degré de préparation des organisations.

Disciplines visées :
• Planification stratégique
• Développement organisationnel
• Psychologie industrielle

Harmonisation de l'organisation

Veiller à l'harmonisation des stuctures organisationnelles, des emplois et des ressources humaines avec les nouveaux processus d'affaires du SIG.

Disciplines visées :
• Conception organisationnelle
• Processus d'affaires
• Relations de travail
• Ressources humaines

Positionnement et communications

Élaborer et mettre en œuvre des stratégies et des plans de marketing et de communication afin d'augmenter l'intérêt des parties intéressées et de réduire les risques liés à la mise en œuvre.

Disciplines visées :
• Marketing
• Journalisme
• Graphisme
• Communication et relations publiques

Préparation au déploiement

S'assurer que les équipes de mise en œuvre dans les différentes installations sont mobilisées et que les organisations et les employés sont prêts à utiliser les processus du SIG à la date prévue de la mise en service.

Disciplines visées :
• Gestion de projets
• Finances
• Toutes les disciplines liées aux projets

TABLEAU 3

Du mythe de la gestion du changement à la valeur ajoutée

Le mythe qui court	Une façon d'augmenter la valeur
Quelques mois avant la mise en service, le gestionnaire du projet a entendu des rumeurs sur une certaine résistance des utilisateurs. Or, il avait déjà lu un article soulignant l'importance de la gestion du changement et a décidé d'embaucher une petite équipe de psychologues industriels pour gérer le changement.	L'équipe de gestion du changement devait quant à elle assurer un soutien aux employés et non faire le travail à leur place. Ce soutien se traduisait de deux façons : un soutien sur le contenu, c'est-à-dire une aide afin d'établir les outils requis pour communiquer avec les employés et déterminer quels groupes viser; un soutien sur les méthodes de communication, à savoir comment gérer les résistances et faciliter l'adaptation au changement. À ces fins, l'équipe de gestion du changement était constituée de psychologues qui avaient établi un cadre de gestion des émotions et de spécialistes fonctionnels qui s'occupaient des questions liées aux processus d'affaires.
Les psychologues ont animé des ateliers avec les utilisateurs afin d'évaluer leurs problèmes et préoccupations. N'étant pas familiarisés avec les processus d'affaires à implanter, ils ont surtout recueilli des problèmes liés aux émotions et aux perceptions. Cependant, de nombreux problèmes ne touchaient pas la résistance comme telle, mais étaient plutôt des interrogations sur les nouveaux processus et leurs incidences sur les emplois. De nombreuses personnes craignaient de perdre leur emploi à cause de leur incapacité à utiliser le nouveau système. En fait, les gens en avaient assez qu'on leur demande leurs impressions; les commentaires les plus fréquents à chacune des discussions étaient : «Arrêtez de me demander mes états d'âme et donnez-moi du tangible!» Les employés étaient de plus en plus cyniques car ils voyaient leurs supérieurs critiquer ouvertement le projet et en parler comme de la «nouvelle saveur du mois» ou du «nouvel éléphant blanc du siège social».	L'équipe de gestion du changement n'était pas chargée de «gérer le changement». Grâce à une structure claire des rôles et des responsabilités, les gestionnaires géraient le changement dans leur organisation respective. Cela voulait bien sûr dire qu'ils devaient veiller à ce que leurs employés suivent la formation et, plus important, qu'ils auraient des rencontres d'information avec eux avant la formation pour que tous soient prêts à assimiler la matière le moment venu. Ils devaient également cerner et résoudre les problèmes organisationnels avec leurs supérieurs et les responsables des ressources humaines. Par exemple, certains employés devaient suivre une formation préalable à la formation sur le SIG.
Les psychologues industriels ont compris l'ampleur du problème et tenté d'organiser plusieurs réunions avec les utilisateurs clés et les spécialistes fonctionnels afin de résoudre les problèmes des utilisateurs. Malheureusement, ils n'ont pu organiser suffisamment de réunions pour renverser la vapeur. Ils avaient trop de groupes à rencontrer et les spécialistes fonctionnels étaient déjà débordés par la conduite des tests de système intégré. La mise en service du système étant la	L'équipe a commencé dès le début du processus à cerner les problèmes de gestion du changement. Les spécialistes fonctionnels en gestion du changement ont travaillé dès le départ de concert avec les équipes fonctionnelles, participant à la conception des processus et acquérant du coup l'expertise nécessaire pour garantir soutient et orientation aux gestionnaires.

377

TABLEAU 3 (suite)

priorité absolue, on a décidé que ces problèmes se régleraient en cours de formation et avec le temps. En résumé, on estimait qu'il «était bon de résoudre ces problèmes mais que ceux-ci ne constituaient pas une priorité». De toute façon, l'équipe du projet ne disposait d'aucune ressource pour y faire face.

En fin de compte, la formation a connu un succès relatif. Les gens ont eu trop de matière à assimiler rapidement. Au cours des trois premiers mois de la mise en service, de nombreux employés n'ont pas été capables de faire leur travail et la conduite des affaires a subi de graves interruptions. Des consultants se sont occupés des activités transactionnelles pour assurer la continuité du travail. Cela a occasionné d'importantes dépenses additionnelles et l'effort consacré à la gestion du changement a été perçu par la direction comme étant inutile.

Parallèlement, une partie du groupe préparait le terrain dans les installations visées en traitant le plus rapidement possible les problèmes logistiques et organisationnels. Ils se sont entre autres assuré la participation des ressources humaines dès les premières étapes du processus.

L'équipe a aidé les gestionnaires à résoudre efficacement les problèmes de transition.

En fin de compte, le processus d'implantation du SIG n'a certes pas été facile, mais il était «prévisible» dans une certaine mesure, ce qui a permis la réalisation des objectifs d'affaires du projet.

réseau de leaders actifs et visibles, et d'évaluer et de mesurer l'état de préparation de l'organisation. Le leadership du changement comporte également des processus de gestion de la participation, des communications et de l'engagement des principaux leaders. En dernier lieu, il veille à l'orientation des chefs de groupe et des superviseurs afin de mieux surmonter la résistance des employés au cours des différentes phases du processus de changement. Notre approche se fonde sur un vaste programme de leadership en matière de changement mis au point pour l'ensemble de l'entreprise. Ce programme tient compte des enjeux spécifiques de Bombardier, qui continuera à connaître une croissance phénoménale au cours des prochaines années.

Le positionnement du programme et les communications

Le positionnement du programme utilise des méthodes et des techniques de marketing éprouvées pour sensibiliser l'organisation au programme. Il vise à développer une identité centrée sur le cœur du projet en encourageant les différents participants à adopter et à appuyer l'implantation du SIG. Il fournit également un cadre de travail et un programme détaillé de déploiement de la stratégie de communication des projets liés au programme SIG.

L'harmonisation de l'organisation

L'harmonisation de l'organisation vise à intégrer les postes, les structures organisationnelles et l'environnement culturel aux objectifs d'affaires du programme et aux nouveaux processus afin de préparer l'organisation et les employés à l'utilisation optimale du système et des processus SIG. Cette discipline est notre principal levier d'intégration avec les équipes chargées de la conception des processus d'affaires et de la configuration des systèmes. L'équipe de gestion du changement acquiert ainsi une connaissance approfondie des processus d'affaires qui est essentielle à un soutien du changement valable pour l'organisation.

La préparation au déploiement

Le domaine de la préparation au déploiement vise à fournir aux installations touchées par le changement les outils et l'orientation nécessaires à la réussite de l'implantation du système. On vise ici la préparation des gens, des données et de la technologie; on y regroupe donc toutes les disciplines apparentées au processus de changement. Cela couvre également le degré de préparation des installations à la mise en service ainsi que la stabilisation des affaires une fois l'implantation complétée. Ces mesures ne doivent pas se limiter aux aspects organisationnels. Nous avons à ce sujet souligné l'importance d'intégrer tous les aspects de la transformation de l'entreprise. Le schéma 4 donne un exemple de rapport sur la préparation des sites.

Pour résumer le tout, le schéma 5 présente une vision d'ensemble des activités liées à la gestion du changement qui doivent être effectuées

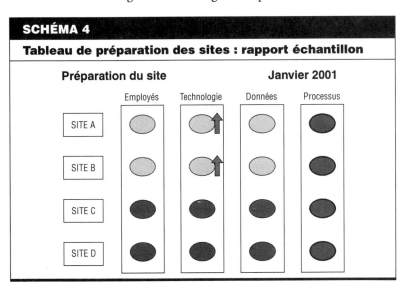

SCHÉMA 4

Tableau de préparation des sites : rapport échantillon

Préparation du site   Janvier 2001

SCHÉMA 5

Tableau général des activités de gestion du changement

	Définition de la stratégie	Définition des besoins d'affaires et processus	Configuration du système	Implantation
Leadership du changement	• Approuver la portée organisationnelle	• Déterminer les événements clés concernant la haute direction • Approuver la structure du leadership du changement	• Doter le réseau du leadership du changement • Préparer le programme d'induction du réseau du leadership du changement • Élaborer un processus continu de gestion des risques	• Implanter le programme d'induction du réseau du leadership du changement
Positionnement et communications	• Valider la motivation au changement	• Élaborer les caractéristiques et l'identité du projet • Développer le cadre de communication • Mettre en place les mécanismes de communication	• Développer l'infrastructure globale de communication • Mesurer l'efficacité des communications	• Adapter les messages clés • Mettre en branle les mécanismes de communication locaux

SCHÉMA 5 (suite)

Préparation au déploiement

- Adapter l'évaluation des outils de risques génériques

- Communiquer le processus de collecte des mesures clés d'avancement du déploiement
- Faire des présentations dans les installations
- Déterminer la structure de déploiement avec les unités d'affaires
- Effectuer l'évaluation initiale des risques

- Approuver les mesures d'avancement du déploiement pour toutes les disciplines
- Élaborer les outils de déploiement pour les activités de gestion du changement
- Mettre en place la structure d'implantation avec les unités d'affaires

- Peaufiner les mesures de préparation au déploiement
- Adapter les outils de déploiement aux activités de gestion du changement
- Collecter les mesures de préparation au déploiement
- Assurer le soutien aux équipes locales pour toutes les activités liées à la gestion du changement

Harmonisation de l'organisation

- Confirmer la méthodologie et les outils

- Effectuer l'analyse de la structure organisationnelle actuelle
- Effectuer l'analyse d'impact organisationnelle
- Définir un modèle de travail avec la fonction ressources humaines
- Définir les rôles utilisateurs supportant les nouveaux processus
- Effectuer l'analyse d'audience
- Effectuer l'analyse d'impact des rôles

- Effectuer l'analyse des conventions collectives
- Effectuer la conception des nouvelles structures organisationnelles
- Fournir un plan d'action à la fonction ressources humaines
- Mettre au point des guides de discussion sur le changement

- Conduire des ateliers sur le changement avec les employés touchés
- Effectuer des analyses d'optimisation des activités
- Conduire des sessions de travail pour la conception des postes et des équipes de travail
- Préciser et concevoir les rôles utilisateurs propres au site
- Mettre à jour et adapter les guides de discussion sur le changement
- Déterminer les rôles utilisateurs pour chaque employé

381

dans chacun des secteurs dans le cadre du cycle de vie d'un projet SIG type chez Bombardier Aéronautique.

DES STRUCTURES PARALLÈLES FAVORISANT LA PRISE EN CHARGE DU CHANGEMENT

Comme nous l'avons mentionné, la prise en charge du changement par les organisations touchées est un facteur déterminant du succès du programme, et les processus de gestion du changement atteindront les objectifs établis seulement si les organisations visées en ont la responsabilité. Chez Bombardier Aéronautique, cette prise en charge s'effectue à travers l'établissement de trois structures : la structure du leadership du changement, la structure de la gestion des processus et la structure locale de déploiement.

Le réseau du leadership du changement permet de déterminer, de communiquer, de maintenir et de reconnaître un but, une orientation et un rythme précis du processus de changement, des dirigeants aux employés de l'organisation ciblée. Le tableau 4 résume les rôles clés dans la structure du leadership du changement.

La structure du leadership du changement est le fer de lance de la démarche d'implantation du système intégré de gestion; elle s'harmonise avec la structure organisationnelle formelle (généralement axée sur les fonctions). Son succès comme son efficacité reposent toutefois sur des décisions éclairées quant à l'objectif, c'est-à-dire ce que seront les processus, les rôles et les responsabilités à venir. Comme de telles décisions font souvent sauter les barrières fonctionnelles, elles ne peuvent être prises dans le cadre d'une structure organisationnelle traditionnelle. Il est donc crucial, avant de mettre sur pied le réseau du leadership du changement, de préciser la nature des décisions interfonctionnelles et la reconception des processus d'affaires. On y parvient grâce à la mise en place d'une structure parallèle de gestion des processus. Cette structure est composée de gestionnaires ayant la responsabilité des processus à travers les fonctions. On veut ainsi intégrer la vision du programme aux nouveaux processus d'affaires et fonctionnalités du SIG. Le tableau 5 résume les rôles clés dans la structure de la gestion des processus.

En favorisant la mise en place des processus par le biais de la structure organisationnelle formelle, la structure du leadership du changement est complémentaire par rapport à la structure de la gestion des processus.

TABLEAU 4

Rôles clés du leadership du changement

Leaders principaux du changement

Cadres supérieurs des unités d'entreprise et d'affaires qui ont le pouvoir de sanctionner les changements. Responsables du positionnement et des ressources adéquates dans leur organisation respective.

Leaders du changement

Directeurs et vice-présidents gravitant dans l'entourage organisationnel, logistique et économique de ceux qui lancent les changements. Responsables du succès du projet dans leur domaine de responsabilités ou leur organisation respective.

Agents de changement

Chefs de groupes et superviseurs ayant la responsabilité de favoriser une dynamique du changement et d'assurer un soutien aux utilisateurs. Ils approuvent les plans de conversion, animent des séances de discussion sur le changement et veillent à ce que tous les employés reçoivent la formation et aient le profil de sécurité appropriés.

Utilisateurs experts

Employés choisis qui deviendront des experts dans leur domaine de responsabilités respectif. Ils participent à la revue de conception détaillée, à l'implantation du système et à la formation des utilisateurs. Après la mise en service, ils assurent le soutien aux utilisateurs.

TABLEAU 5

Rôles clés de la gestion des processus

Premiers responsables de processus

Ils font partie de la haute direction et assurent l'orientation stratégique et le suivi du rendement des processus. D'un point de vue global de l'organisation, ce sont les maîtres suprêmes des processus qui leur sont confiés.

Responsables de processus

Ils ont la responsabilité générale des processus d'affaires qui leur sont confiés et sont des spécialistes de leur contenu. Ils déterminent l'orientation stratégique et tactique ainsi que les objectifs de rendement des activités des processus et des sous-processus. Ils utilisent la structure du leadership du changement pour que la mise en œuvre des processus d'affaires se fasse comme prévu.

Analystes de gestion

Ils jouissent d'une connaissance plus détaillée de certains aspects des processus d'affaires et sont les principaux représentants de l'entreprise au sein des équipes de conception fonctionnelle.

Comme le montre le schéma 6, la structure de la gestion des processus est associée à des processus et à des fonctions spécifiques de toutes les unités d'affaires, tandis que la structure du leadership du changement reflète la structure organisationnelle. Par exemple, un gestionnaire occupant le rôle d'agent de changement sera responsable de l'implantation dans sa fonction. Un gestionnaire responsable d'un processus sera responsable de la conception et de l'intégrité de ce processus à travers les fonctions touchées.

Finalement, en plus de ces structures, des équipes locales d'implantation seront responsables des activités de déploiement tactique dans chacune des installations visées. Entre autres activités, on trouve la logistique de la formation, la conversion des données et la mise sur pied de l'infrastructure technique locale. L'équipe du projet SIG soutient généralement de telles activités.

Ce modèle démontre clairement que le succès de la mise en œuvre d'un SIG repose sur l'attribution au sein de l'entreprise de ressources suffisantes, distinctes de l'équipe de projet. On doit en tenir compte dès le début du processus et l'énoncer dans le dossier commercial.

CONCLUSION

L'application d'un programme de gestion du changement structuré associé à un programme de formation des utilisateurs bien adapté constitue un des principaux facteurs de succès pour des entreprises telles que Bombardier Aéronautique engagées dans un processus de mise en œuvre d'un SIG. Une telle démarche entraîne inévitablement des remaniements importants des processus d'affaires et des tâches. Les projets SIG qui ont le mieux fonctionné accordaient autant d'importance à la gestion du changement qu'aux autres éléments du processus et en intégraient la méthode et les processus pendant tout le déroulement du projet.

Tout au long de ce projet, l'équipe de gestion du changement du programme SIG de Bombardier Aéronautique veille à l'intégration des divers éléments de transformation de l'entreprise : les employés, l'organisation, la technologie et les processus, sans perdre de vue son objectif principal qui est d'aider les gens et les groupes de gens responsables de la conduite du changement dans leurs secteurs respectifs. À chacune des étapes, le cadre de gestion du changement du projet SIG de Bombardier Aéronautique fournit un ensemble d'outils, de techniques et de méthodes intégrés, prédéfinis et mesurables conçus pour aider les organisations et les employés à comprendre la nécessité du changement ainsi

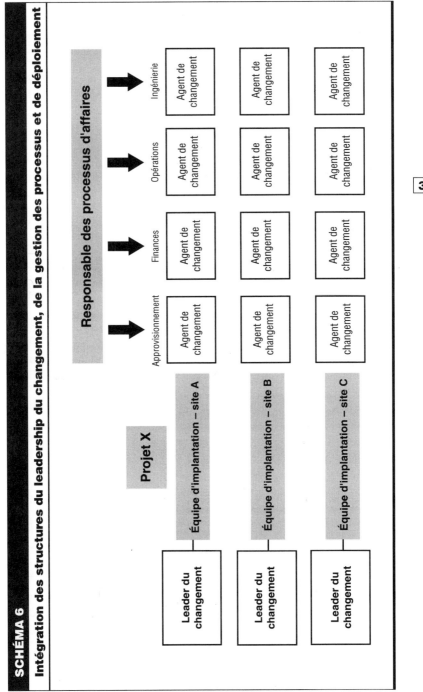

SCHÉMA 6

Intégration des structures du leadership du changement, de la gestion des processus et de déploiement

Responsable des processus d'affaires

Approvisionnement — Finances — Opérations — Ingénierie

Agent de changement

Projet X

Équipe d'implantation – site A

Équipe d'implantation – site B

Équipe d'implantation – site C

Leader du changement

que ses conséquences et à assumer leurs responsabilités dans le cadre de l'implantation du SIG.

Note

1. Le SIG est un ensemble de logiciels d'application permettant à une entreprise d'établir un réseau de partage des données et des processus dans l'ensemble de ses installations, d'automatiser et d'intégrer les procédures et les processus de la majorité de ses méthodes administratives et de travailler en ligne, en temps réel.

Le cas EXFO : la valorisation du capital humain dans un contexte interculturel et intergénérationnel

Michel Audet, Réal Jacob et Jean-François Boulet   387

Que l'on adopte le point de vue de l'innovation (Hesselbein *et al.*, 2001), celui de l'amélioration de la compétitivité des organisations (Jacob et Ouellet, 2001) ou celui de la gestion des connaissances (Davenport, 1999), ces travaux nous indiquent clairement, et hors de tout doute, que la valorisation du capital humain constitue l'un des défis les plus importants en ce qui concerne le soutien à la croissance des organisations qui œuvrent dans des espaces de ressources et de marchés hautement concurrentiels. En insistant sur certains travaux menés dans le domaine de l'apprentissage organisationnel, dont ceux, largement diffusés, de Nonaka et Takeuchi (1997), on pourrait avancer que l'objectif ultime de ce processus de valorisation consiste à transformer les savoirs explicites et tacites individuels en savoirs collectifs innovants.

Voilà l'un des défis stratégiques auxquels s'est attaquée la société EXFO dans un contexte où le profil général de sa main-d'œuvre est caractérisé par une très grande diversité horizontale, qui s'exprime par la présence de nombreuses nationalités sur un même site, et verticale, c'est-à-dire la coprésence de trois profils psychosociaux nettement différenciés, le groupe le plus important étant celui de la génération Internet.

L'objectif de cette étude de cas est de présenter la stratégie des ressources humaines d'une organisation qui évolue dans un contexte de haute technicité et de concurrence féroce, celui de l'optique-photonique. La discussion de ces pratiques est précédée d'une présentation de

Michel Audet est professeur au Département de relations industrielles de l'Université Laval et directeur scientifique du CEFRIO.
Réal Jacob est professeur à HEC Montréal et directeur scientifique du CEFRIO.
Jean-François Boulet est vice-président ressources humaines chez EXFO.

l'entreprise, des caractéristiques de sa main-d'œuvre et des défis qu'elle doit affronter quant aux ressources humaines.

EXFO : UNE ENTREPRISE «GAZELLE»

La société EXFO, dont le nom provient d'«EXpertise en Fibre Optique», a été fondée en 1985 et a son siège social à Québec. Caractérisée par une croissance soutenue depuis sa fondation, EXFO est une entreprise «gazelle[1]» qui a vu ses ventes évoluer très rapidement au fil des ans, passant de 24,5 millions de dollars en 1997 à 147 millions en 2001 (bénéfice net de 24,5 millions). L'entreprise compte aujourd'hui plus de 1 000 employés et est l'un des chefs de file mondiaux dans l'industrie de la conception et de la fabrication d'équipements de test, de mesure et de solutions automatisées pour la fibre optique destinés au secteur des télécommunications. Les produits d'EXFO sont vendus dans plus de 70 pays.

Dans l'industrie très concurrentielle de l'optique-photonique, la compétence clé à maîtriser est l'innovation continue en cycle accéléré. Ainsi, en 2001, 45 % des ventes d'EXFO ont été générées par des instruments de pointe mis sur le marché depuis deux ans ou moins. D'autre part, dans cette industrie, la durée du cycle de l'idée au marché est d'environ 3 mois alors qu'elle se situe généralement entre 12 et 15 mois dans une majorité de secteurs industriels. Quant à la mise en marché, malgré le fait qu'EXFO ne soit pas une multinationale, elle doit être réalisée simultanément à l'échelle de la planète. Un service technique à valeur ajoutée assure également une relation continue avec la clientèle en plus d'offrir des services de formation de leurs employés et la mise à jour continue des dernières générations d'équipements. Notons finalement que les normes de qualité exigées par les clients d'EXFO sont de classe mondiale avec, dans certains cas, des exigences «zéro défaut» (comme dans le secteur militaire).

Dans cette perspective, c'est la synergie créatrice de l'ensemble de la main-d'œuvre qui doit être mobilisée continuellement sur l'ensemble de la chaîne de valeur. À titre d'exemple, à partir du concept d'équipe de projet à géométrie variable et des principes de l'ingénierie simultanée, au moment où les chercheurs travaillent à une idée de développement, le personnel des services des ressources humaines, de la production, des finances et de la mise en marché planifie les ressources nécessaires au déploiement du projet. Cette planification est validée au fur et à mesure du développement du processus d'idéation.

LA FORCE DE TRAVAIL D'EXFO : JEUNE ET CULTURELLEMENT DIVERSIFIÉE

La diversité de la main-d'œuvre peut s'exprimer de différentes manières. Du point de vue sociodémographique et culturel, le corps social d'EXFO est composé de 76 % d'hommes et de 24 % de femmes. Comme il s'agit d'une entreprise technologique, qui regroupe d'ailleurs 375 ingénieurs et presque autant de techniciens, la répartition hommes-femmes reflète dans une certaine mesure la répartition que l'on observe dans le domaine des techniques et des sciences du génie appliqué dans les collèges et les universités au Québec. Mais la caractéristique la plus importante réside dans la très grande diversité culturelle que l'on trouve chez EXFO, soit la présence d'employés représentant une vingtaine de nationalités et s'exprimant en 12 langues. Il s'agit là d'un élément qui distingue EXFO au regard de son environnement géographique immédiat mais qui n'est pas inusité au regard de l'industrie dans laquelle œuvre l'entreprise. Cette diversité constitue, en ce qui a trait à l'innovation et à la créativité, une très grande occasion puisque ces personnes sont porteuses de processus d'apprentissage et de maîtrise des connaissances différents qui, lorsqu'on les confronte sous l'angle de la synergie créatrice, deviennent des sources majeures d'innovations tant sur le plan des produits que sur celui des procédés.

De plus, en s'inspirant des observations de différentes enquêtes sur l'importance de la gestion des phénomènes intergénérationnels (Plantevin, 2001), la direction des ressources humaines d'EXFO a choisi d'accorder une attention particulière à la compréhension des différences psycho-sociales qui caractérisent les différentes générations représentées au sein de sa main-d'œuvre. Trois groupes ont été précisés par la direction des ressources humaines chez EXFO :

– 13 % de baby-boomers (personnes nées entre 1947 et 1965), dont on trouve une concentration importante dans l'équipe de direction d'EXFO et autour d'elle;

– 40 % de membres de la génération X (personnes nées entre 1966 et 1976), avec une présence plus grande dans les services de l'ingénierie, du marketing, de l'administration et de la gestion de la production;

– 47 % de membres de la génération Internet (personnes nées à partir de 1977), qui sont majoritaires au sein de la production et des services techniques à la clientèle de première ligne.

La génération Internet représente donc près de la moitié de l'ensemble de la main-d'œuvre d'EXFO, ce qui explique également la moyenne d'âge relativement basse, soit 31 ans au service de la recherche et développement et 28 ans au service des opérations de production. Or, les observations faites par l'équipe des ressources humaines d'EXFO indiquent clairement que cette génération est porteuse de valeurs et d'attentes à l'égard du travail qui sont très différentes de celles des générations antérieures et qui vont dans le sens des observations de Paré (2002). Parmi les caractéristiques de cette génération qui sont observées chez EXFO, notons l'allergie aux règles formelles, la recherche de l'autonomie, une très grande attente à l'égard du droit à l'erreur (c'est comme cela que ces jeunes apprennent avec Internet!), un milieu de travail qui permet d'exploiter la créativité, une très grande propension à rechercher un mode de gestion fondé sur l'informel et le besoin de s'identifier à un collectif. Zemke (2001 : 48) rapporte d'ailleurs que, pour la génération Internet, «l'équipe est très importante [...] ils ont été formés à penser en groupe, à collaborer, et à s'assurer que chacun participe et que chacun fait sa part» (traduction libre).

Au sujet de ce dernier point, les observations effectuées chez EXFO indiquent que les collectifs de jeunes valorisent une très grande transparence, un besoin de feed-back partagé et sans complaisance. À titre d'exemple, EXFO utilise l'approche du feed-back 180 degrés dans l'évaluation du rendement qui permet au collectif de travail d'exprimer un feed-back à l'endroit de son supérieur immédiat de la même manière que celui-ci évalue la contribution de chaque membre du collectif. L'équipe des ressources humaines d'EXFO constate que si la contribution d'un membre de l'équipe est jugée insatisfaisante par le groupe, ce sont les représentants de la génération Internet qui exercent les plus fortes pressions pour qu'une action soit prise immédiatement par le chef d'équipe. C'est comme si cette génération était plus intolérante face à l'iniquité, ce qui rejoint d'ailleurs certains résultats d'un sondage sur les valeurs préconisées par cette génération (Zemke, 2001).

Dans le même ordre d'idées, les jeunes de la génération Internet ont des exigences élevées à l'égard de la gestion, notamment en ce qui concerne la capacité à répondre rapidement à leurs besoins, à leurs questions, à leurs idées. Cette observation rejoint celle plus large qu'a décrite un sondage de Towers Perrin qui a été réalisé en 2001 sur la gestion des talents auprès d'un échantillon de 5 707 personnes en Amérique du Nord et qui indique que moins d'un cinquième des participants au sondage trouvent que leur supérieur est en mesure de répondre à leurs attentes à travers leur style de gestion.

Comme le fondement stratégique d'EXFO demeure l'innovation rapide, l'enjeu stratégique, du point de vue de la main-d'œuvre, réside dans la mise en place d'un contexte qui intensifie la synergie créatrice entre les personnes tant du point de vue de l'interculturel que de celui de l'intergénérationnel. Cet enjeu s'exprime aussi sous l'angle de la capacité de l'entreprise à attirer cette main-d'œuvre, à la développer et à la retenir, sachant que la compétition pour les emplois du secteur de l'optique-photonique est toujours présente[2]. Fait intéressant, EXFO a réussi à ramener son taux de roulement volontaire à moins de 8 %, alors qu'il se situait à 25 % pour l'ensemble de l'industrie.

LES DÉFIS ENTOURANT LES RESSOURCES HUMAINES

La description que nous venons de présenter sur l'environnement et la dynamique organisationnelles chez EXFO nous permet maintenant de dégager certains défis quant à la gestion des ressources humaines (GRH). Les défis les plus importants sont sans doute les suivants :

– Supporter l'organisation relativement à ses intentions stratégiques et à la pression du temps (vitesse et rythme imposés) dans les processus de recherche et développement, d'opérations et de mise en marché. Cela suppose des actions qui actualisent les valeurs de l'organisation centrées sur l'innovation, la flexibilité, le travail d'équipe et les résultats.

– Reconnaître et gérer la diversité des ressources humaines pour faire en sorte que des personnes de tout âge et de toute appartenance ethnique et culturelle puissent se réaliser dans leur travail et dans leur milieu de vie. Il s'agit alors d'équilibrer les tensions créatrices entre les valeurs, les attentes et les besoins d'une génération minoritaire de baby-boomers et d'une génération majoritaire de jeunes employés, citoyens de la nouvelle économie. Il s'agit également d'équilibrer les tensions créatrices entre des personnes qui appartiennent à des cultures, à des religions et à des environnements linguistiques divers et hétérogènes.

DES PRATIQUES DE GESTION DES RESSOURCES HUMAINES EN SYNERGIE

Pour relever ces défis, on a établi un certain nombre de pratiques significatives en matière de GRH afin d'atteindre des objectifs d'attraction, de conservation et de développement d'une force de travail hautement qualifiée dans un contexte interculturel et intergénérationnel élevé. Ces pratiques se renforcent mutuellement, ce qui permet à la fonction ressources humaines d'avoir une valeur ajoutée perceptible dans le succès d'EXFO.

Une organisation du travail fondée sur l'équipe, la responsabilisation et l'informel

Malgré son envergure, EXFO a une structure organisationnelle simple caractérisée par quatre niveaux, soit les vice-présidents, les directeurs, les chefs d'équipe et les employés. La flexibilité, il va sans dire, est le mot d'ordre en matière d'organisation du travail. Cette flexibilité est permise par la mise en place de collectifs de travail (équipes) autonomes et responsables à l'intérieur desquels l'identification à «la gang», la dynamique sociale et la focalisation sur les résultats sont des principes partagés. Il semble que la recherche de l'identité collective, d'abord relationnelle, ensuite organisationnelle, soit très présente chez la génération Internet.

Le travail est donc organisé de manière à faciliter des interactions fréquentes et significatives entre les membres d'une équipe et entre les équipes. Les équipes sont également configurées pour favoriser une approche interdisciplinaire permettant de confronter les perceptions des tenants de la GRH, des finances, du marketing, de l'ingénierie, de la production, etc. Les lieux sont aussi conçus et aménagés à cet effet.

EXFO est peu portée à résoudre les problèmes organisationnels par des règles formelles et précises. À titre d'exemple, lorsque la problématique de l'utilisation du Web pendant les périodes de travail est apparue, la direction des ressources humaines a organisé des groupes de dialogue en vue de parler des enjeux que cela posait tant du point de vue de l'entreprise que de celui de la société en général (éthique, image de l'entreprise, perte de productivité, respect de l'autre, etc.). Rapidement – comme on le fait d'ailleurs sur le Web –, soit à peine un mois plus tard, de nouvelles normes sociales se sont établies au sein de ces mêmes groupes sans que l'entreprise ait à instituer un mécanisme de contrôle qui, d'une part, aurait été à l'encontre du principe de flexibilité et, d'autre part, serait vite devenu une cible de transgression de la part des employés. D'ailleurs, chez EXFO, les manuels de politiques et de procédures sont quasi inexistants. Essentiellement, tout tourne autour de l'appropriation dans l'action des valeurs clés de l'entreprise qui agissent comme des guides auprès des équipes de travail.

D'un autre point de vue, les différentes formes de flexibilité dans l'aménagement du temps de travail permettent de répondre en partie aux attentes des nouvelles générations d'employés quant aux possibilités de trouver un équilibre entre les obligations professionnelles et les obligations familiales ou, le plus souvent avec les plus jeunes d'entre eux, différentes formes d'obligations à caractère social.

L'importance des relations de proximité et de l'indice de participation sociale

EXFO est une entreprise organique et, malgré sa taille, son objectif n'est pas de devenir une entreprise hiérarchique. Sous l'angle de la gestion synergique des savoirs, le processus de socialisation et de communication est vital afin d'intégrer les actions et les forces vives des divers acteurs qui constituent le corps social de l'entreprise. Bien que le design de l'organisation du travail favorise cela, il ne garantit pas la dynamique des flux d'informations et de communication. Deux approches complémentaires sont utilisées chez EXFO.

393

La première approche fait référence à des pratiques high-tech qui visent à rendre accessible et transparente l'information économique et opérationnelle sur l'entreprise. Ainsi, un intranet puissant sert de plate-forme libre-service pour que les employés prennent connaissance de manière continue de l'évolution de l'organisation et de son environnement, de leurs conditions de travail, des services auxquels ils ont droit, etc. Le journal d'entreprise international, dont les articles sont écrits par les employés d'EXFO, vient compléter la plate-forme d'information.

La seconde approche vise à intensifier les relations de proximité en vue de permettre aux personnes et aux collectifs de travail d'interagir et de mieux se comprendre. À titre d'exemple, le «Dîner du président» permet au P.D.G. de rencontrer ses employés par petits groupes selon un mode «écoute» plutôt que selon un mode «dire». À cet égard, l'équipe de direction d'EXFO a compris qu'avec la génération Internet il était important de «se laisser enseigner». Comme on le verra plus loin, EXFO pratique le mentorat avec ses jeunes membres, mais l'équipe de gestion a pour principe de ne pas traiter ceux-ci avec condescendance. Les rencontres trimestrielles représentent, quant à elles, des moments privilégiés de mise au point collective selon un mode face à face entre l'équipe de direction et l'ensemble des employés.

L'entreprise valorise également, d'ailleurs de façon marquée, les rencontres sociales sous toutes leurs formes, que ce soit lors d'anniversaires, de moments de vérité ou de succès collectifs. Un orchestre composé d'employés est aussi mis à contribution lors d'événements de ce genre. Certains employés diront là-dessus que le nombre de «parties» organisées chez EXFO dans une période de six mois équivaut à l'ensemble des parties que les travailleurs d'entreprises traditionnelles ont vécues tout au long de leur vie de travail! À ce sujet, les données récentes d'un sondage portant sur la génération Internet indiquent que, pour 70 % des participants, une des priorités est de trouver un milieu de travail où, d'abord et avant tout, il sera possible de construire des relations d'amitié avec leurs collègues (Hyatt, 2001).

L'équipe des ressources humaines d'EXFO accorde une grande importance à cette observation. Ainsi, au-delà des traditionnelles enquêtes sur la satisfaction au travail, elle en est venue à la conclusion que le niveau de participation aux activités sociales, surtout pour les plus jeunes employés, était un indicateur très sensible du niveau d'identification à l'organisation et d'engagement envers celle-ci. Dans ce contexte, des moyens simples (quelquefois qualifiés de simplistes) peuvent permettre de répondre à certaines attentes des générations qu'une entreprise doit intégrer.

La proximité s'applique également lors de l'intégration du nouvel employé. Une des activités qui caractérisent EXFO est le déploiement d'un imposant programme d'accueil qui prend la forme d'actions traditionnelles de communication mais surtout d'actions importantes de parrainage qui s'étendent sur plusieurs semaines. Les parrains sont choisis parmi les employés qui sont responsabilisés quant à l'intégration de leurs nouveaux collègues. De telles actions ont pour objectif d'intégrer les nouveaux arrivants à la vie de l'organisation et, surtout pour les plus jeunes, aux grandeurs et misères du marché du travail et de la vie en société.

Finalement, la proximité s'exprime à travers des pratiques personnalisées qui ont été établies au sein du programme d'aide aux employés d'EXFO. Ainsi, contrairement à une majorité de ces programmes qui sont dominés par des problématiques cliniques, le programme d'EXFO comprend des volets importants qui ont pour objectif, d'une part, de soutenir l'intégration et l'adaptation de nombreux employés immigrants et de leur famille dans leur nouveau milieu de vie et, d'autre part, d'aider les jeunes à mieux gérer le passage de la vie étudiante à la vie au travail. Au regard de ces deux objectifs, en plus de l'aide psychologique et sociale, EXFO offre des services de soutien financier et juridique. En outre, dans le cadre de son programme d'aide aux employés, des dîners-conférences sont offerts sur différents thèmes qui préoccupent les employés (comme l'équilibre de vie).

Notons finalement que la stratégie de proximité prônée par EXFO rejoint les observations du sondage réalisé par la société Randstad en 2001, selon lequel le besoin psychologique le plus important pour la génération Internet est l'attention (Hyatt, 2001).

La gestion des carrières et des «hauts performants»

Une des pratiques qui sont au cœur du succès d'EXFO est sans aucun doute la gestion des carrières et la planification de la relève. En effet, stimulée par un marché du travail très ouvert, la direction des ressources humaines a mis sur pied des démarches et des outils de gestion permettant de déterminer la «colonne vertébrale» de l'organisation, c'est-à-dire ce qui fait sa spécificité relativement à sa performance dans l'industrie. Après avoir ciblé le «nerf» (ou la vulnérabilité) de la chaîne de valeur, l'équipe des ressources humaines a entraîné l'organisation dans une réflexion sur les postes stratégiques et les «hauts performants», soit les membres du personnel qui se démarquent dans leurs équipes respectives. À la suite de cette démarche, des actions sont réalisées sur le plan du développement de carrière et sur celui de la mobilité professionnelle.

395

Le recrutement en réseau

Chez EXFO, on ne favorise pas nécessairement l'embauche massive de jeunes. C'est plutôt le marché du travail et les caractéristiques de l'industrie qui font qu'il en est ainsi. Pour certains postes, les efforts de recrutement sont concentrés en Amérique du Nord tandis que, pour d'autres, c'est le marché mondial qu'il convient de viser. Mais le recrutement dans les secteurs de la recherche et développement, de l'ingénierie et du service à la clientèle fait également l'objet de démarches importantes dans les divers collèges techniques et universités produisant des diplômés dans les domaines de l'optique et de la photonique, cette population de finissants étant particulièrement jeune.

La société EXFO a déployé des efforts pour répondre à ses propres besoins en main-d'œuvre d'expérience et en finissants des collèges et des universités, sollicitant notamment ses employés actuels pour repérer des candidats pour de nouveaux postes, pratique que l'on retrouve dans d'autres entreprises technologiques. L'entreprise a en outre figuré parmi les initiateurs de démarches collectives qui ont été mises sur pied dans la région de Québec par rapport au marché de la main-d'œuvre dans l'industrie de l'optique-photonique. Cette approche s'exprime de deux manières.

La première manière fait référence à la région d'accueil. Les acteurs de l'industrie de l'optique-photonique ont fait le constat que la région de Québec était moins connue que les autres régions telles que la Silicon Valley (Californie), Tucson (Arizona), Boulder (Colorado) et Rochester (Maryland), la région de Montréal et celle de la capitale nationale, Ottawa. Quant à la deuxième manière, elle concerne la diversité culturelle. Ainsi, la région de Québec se présente comme un milieu très homogène. On y trouve à peine 3 % de la population qui est immigrante, comparativement à plus de 20 % pour la région de Montréal (Audet *et al.*, 2002). On observe donc qu'une faible présence d'immigrants se caractérise par une faible masse critique d'infrastructures et d'institutions permettant d'attirer, d'accueillir et de conserver des individus issus de communautés culturelles différentes.

Ces deux constats, celui de la notoriété et celui de la faible diversité culturelle, font qu'il est difficile, pour une entreprise seule, d'être performante quant au recrutement international. Dans cette perspective, pour attirer des jeunes et/ou des immigrants au regard du contexte régional que nous venons de décrire, les principaux intervenants locaux de l'industrie, regroupés autour de la Cité de l'optique à Québec, ont entrepris des démarches communes afin de créer une masse critique relativement à l'offre sur un marché du travail plutôt volatil. À titre d'exemple, ces entreprises ont organisé une mission conjointe en Europe pour vanter les attraits de l'industrie et de la région. Elles ont également réclamé et obtenu un guichet unique pour faciliter l'immigration de la main-d'œuvre spécialisée dans la région de Québec. Ce service est maintenant connu sous le vocable «Guichet Immigration Québec – Cité de l'optique».

L'un des objectifs des acteurs regroupés autour de la Cité de l'optique à Québec est de créer un effet d'agglomération géographique dans le secteur de l'optique-photonique afin de favoriser une masse critique d'entreprises et de travailleurs dans ce domaine. Les travaux portant sur la thématique des régions innovantes montrent qu'il s'agit là d'un élément clé à la fois pour le recrutement d'une nouvelle main-d'œuvre et pour sa conservation (Conseil de la science et de la technologie, 2001). Ainsi, un travailleur qualifié qui se sentirait «piégé» dans son entreprise parce qu'elle serait la seule dans ce secteur a tendance à s'expatrier dans une autre région. Avec les divers partenaires de la Cité de l'optique, EXFO participe activement à la valorisation de cette agglomération géographique et, dans le respect de l'éthique associée à une saine concurrence, supporte l'idée des mouvements de personnel interentreprises. La création d'un tel marché du travail devient d'autant plus importante que la génération Internet se déplacerait «en gang».

Ainsi, dans un contexte de recrutement de ressources rares, l'équipe des ressources humaines d'EXFO a compris que l'approche réseau s'avérerait plus efficace que l'approche silo! Mais en même temps, l'équipe a dû apprendre à gérer suivant le principe de la «coopétition» qui stipule que, pour une même grappe d'entreprises en compétition, une équipe de gestion doit être capable de coopérer en vue d'un intérêt supérieur commun sur un élément de la chaîne de valeur tout en étant en concurrence sur d'autres éléments de cette même chaîne.

Des pratiques de rémunération collectives et différenciées

En matière de rémunération, les pratiques d'EXFO sont relativement standard par rapport à l'industrie. Le mode de rémunération direct reconnaît l'emploi et la performance. Pour ce qui est de l'emploi, la structure salariale est construite sur des analyses comparatives qui peuvent être régionales, nationales ou internationales, selon le marché de référence pour chaque catégorie d'emploi. Les paramètres principaux pour les révisions salariales sont préparés par l'équipe des ressources humaines et les budgets sont répartis par équipe. À partir de là, les ajustements s'appuient sur l'évaluation de la contribution individuelle à la réalisation des objectifs de l'équipe. Quant à la rémunération variable, le modèle retenu est basé sur un indicateur de santé composé de trois grands critères : croissance-rentabilité, qualité et satisfaction de la clientèle. Cet indice est pondéré en fonction de la performance des divisions de l'entreprise. Pour une grande partie des employés, notamment aux services de la recherche et développement et du marketing, un régime d'options d'achat d'actions vient compléter la rémunération variable. Notons que ce dernier régime était aussi offert initialement aux employés techniques de la production, composés majoritairement de jeunes de la génération Internet. Or, comme l'a observé l'équipe des ressources humaines d'EXFO, la valeur de cet avantage n'était pas perçue positivement auprès de cette catégorie d'employés davantage préoccupée par des éléments de rémunération tangibles et immédiats.

Quant à la rémunération indirecte, elle est basée sur une approche modulaire. À titre d'exemple, l'équipe des ressources humaines d'EXFO doit répondre à des demandes provenant de la jeune génération qui souhaite transformer ses avantages sociaux à long terme en avantages financiers à court terme (par exemple un intérêt faible pour les REER et les régimes d'assurance collective surdimensionnés mais un intérêt marqué pour les prêts sans intérêt pour l'achat d'ordinateurs). Cette forme de demande correspond tout à fait aux études qui montrent que l'horizon temporel de la génération Internet est caractérisé par l'«ici et maintenant», alors que la génération des baby-boomers est quasi obnubilée par l'aménagement d'une retraite «dorée».

Le développement basé sur l'apprentissage dans l'action et sur une action décentralisée en matière de ressources humaines

EXFO appartient à une industrie où la formation initiale de base du personnel est très élevée (génie physique, génie électrique, informatique, technologie physique, photonique, etc.). Ces connaissances constituent la porte d'entrée dans les divers postes de travail alors que respectivement 44 % des emplois totaux occupés en 2001 exigent un diplôme collégial technique et 48 %, une formation universitaire (TechnoCompétences, 2001). Selon cette dernière étude, les besoins en main-d'œuvre dans un futur proche exigeront des compétences de niveau universitaire et collégial technique à la hauteur respective de 53 % et 40 %.

Bien que l'entreprise ait établi plusieurs partenariats en matière de formation continue et sur mesure avec les établissements d'enseignement spécialisés, le constat fait chez EXFO est que l'expertise acquise au sein de l'entreprise est d'abord basée sur l'accumulation d'un réservoir de connaissances tacites qui jouent un rôle prépondérant dans l'innovation et l'amélioration des processus au sein de l'entreprise. Cette observation s'accorde d'ailleurs avec les résultats de certaines études qui montrent que l'innovation diffuse est la résultante de 30 % de savoirs explicites et de 70 % de savoirs tacites (Jacob et Ouellet, 2001).

Au-delà de leur formation initiale, les employés sont souvent des *techies* qui ont appris par essais et erreurs et qui ont développé leur propre logique d'apprentissage, de veille et de partage de connaissances. Le défi des dirigeants est de systématiser les connaissances, d'en accélérer le développement et de transférer les connaissances tacites en savoirs à valeur ajoutée pour l'organisation. EXFO favorise le modèle de l'apprentissage dans l'action, approche qui rend impossible de tracer une frontière entre travail et formation (Audet et Lépinay, 1999). Ainsi, quand les employés travaillent, ils apprennent et quand ils apprennent, ils travaillent. Chez EXFO, compte tenu que la durée du cycle de l'idée au marché est très courte, la formation ne peut se permettre de passer par un cycle de formalisation sous l'angle de la mise en forme de contenus formels. Dans cette perspective, un formateur-professeur agit comme intégrateur des connaissances et comme agent de transfert dans l'action. D'un autre point de vue, toute personne qui participe à une activité de développement externe (par exemple un séminaire de formation, un voyage d'échange à l'étranger, un colloque ou une mission d'étalonnage ou *benchmarking*) est invitée à traduire cette information sous une forme pratique pour EXFO et à transférer cette information devenue connaissance en contexte lors d'un dîner-conférence ou d'une rencontre de l'équipe de travail.

En plus de la stratégie d'intégration basée sur le parrainage, EXFO favorise la mobilité horizontale entre les collectifs de travail. Des affectations dans des équipes différentes et sur des processus de travail (lignes de produits) différents permettent également à cette génération d'employés de développer son employabilité, de varier la finalité du travail et son environnement, bref de relever de nouveaux défis.

L'équipe des ressources humaines d'EXFO fait aussi le constat que la qualification professionnelle est tributaire du mode d'organisation du travail basé sur les collectifs de travail et des modes de relations, de communication et de socialisation que nous avons décrits antérieurement. C'est aussi cette observation qui a amené la direction des ressources humaines à recentrer la fonction ressources humaines et une partie de ses effectifs sur le soutien conseil direct auprès des décideurs dans l'action.

Dans l'ensemble et sous ce chapitre, les caractéristiques d'EXFO correspondent aux caractéristiques de l'organisation apprenante (Jacob, 2002). Les sondages réalisés dans le cadre de la gestion des relations entre générations indiquent d'ailleurs que la propension la plus élevée à cette forme d'organisation se situe chez la génération Internet (Hyatt, 2001).

399

Une orientation ressources humaines de monitorage et de vigie

EXFO a mis au point une approche de monitorage de ses activités afin de demeurer concentrée sur la réalisation de ses stratégies quant aux ressources humaines. Ainsi, tous les mois, la direction passe en revue un tableau de bord composé d'indicateurs tels que le budget, le roulement, la formation et l'absentéisme. De plus, les dirigeants d'EXFO et les membres de l'équipe des ressources humaines sont continuellement à l'affût de l'évolution des connaissances concernant la gestion d'une force de travail jeune et diversifiée ainsi que des comportements des concurrents à cet égard. Dans cette perspective, la direction des ressources humaines anime un groupe de vigie sur les tendances de la main-d'œuvre au point de vue de la grappe optique-photonique sous l'égide de TechnoCompétences (Comité sectoriel de main-d'œuvre en technologies de l'information et des communications) et participe de manière active à un groupe de codéveloppement dans le domaine de la gestion du changement.

CONCLUSION

Les stratégies en matière de ressources humaines que nous observons chez EXFO se rapprochent beaucoup de ce qui ressort de la littérature des 15 dernières années en ce qui a trait à la gestion des ressources humaines dans les entreprises innovatrices et dans les entreprises de haute technologie, et ce, abstraction faite de la structure démographique de ces organisations. Peut-être ce type d'entreprise est-il caractérisé par des marchés du travail internes qui reposent sur une pyramide démographique bien différente de celle des entreprises appartenant à d'autres secteurs d'activité plus traditionnels. Une organisation de haute technologie, par définition, est une organisation marquée par une forte présence de jeunes travailleurs. Comment peut-on, alors, isoler l'impact du déterminant «high-tech» par rapport au déterminant «démographie»? Voilà une question à laquelle il est bien difficile de répondre.

Il semblerait cependant que les jeunes d'aujourd'hui dans une entreprise comme EXFO soient stimulés différemment en ce qui touche aux pratiques de GRH et aux caractéristiques du marché du travail. En effet, pour demeurer compétitive et pour assumer un leadership dans son secteur, EXFO est condamnée à créer un environnement de travail qui séduira les jeunes et leur permettra de trouver du plaisir au travail.

Il ne faut pas perdre de vue, toutefois, que les catégories sociodémographiques ne sont pas homogènes. Ainsi, tous les jeunes de la génération X ou de la génération Internet ne se comportent pas de la même manière et ne partagent pas les mêmes attentes et ambitions par rapport au travail. Les dirigeants d'EXFO doivent donc être vigilants et faire preuve d'ouverture dans l'élaboration de leur stratégie des ressources humaines.

Notes

1. Les «gazelles» sont essentiellement des entreprises à très forte croissance. Elles représentent entre 8 % et 10 % de l'ensemble des entreprises au Québec et génèrent plus de 60 % des nouveaux emplois créés (Julien *et al.*, 2000).

2. Une enquête conduite récemment pour le compte de TechnoCompétences et Emploi-Québec indique que l'industrie québécoise de l'optique-photonique représente entre 35 % et 45 % de l'industrie canadienne avec plus de 80 % de la production québécoise destinée à l'exportation. Plus du quart des entreprises québécoises de ce secteur ont vu leurs besoins quantitatifs en main-d'œuvre doubler depuis 1998. Ce qui est le cas d'EXFO, dont le nombre d'employés est passé d'environ 600 à plus de 1 100 entre les années 2000 et 2001. On note que, d'ici 2003, l'industrie québécoise aura besoin d'environ 2 000 nouveaux employés qualifiés. On peut donc penser que la concurrence sera vive entre les entreprises puisque les principales difficultés de recrutement proviennent, selon cette étude, de l'insuffisance du nombre de diplômés au Québec et du nombre de personnes expérimentées. La pression s'exercera donc à la fois sur le recrutement étranger et sur l'intégration de jeunes personnes qui représentent un défi tant au point de vue de l'intégration qu'à celui du développement (www.technocompetences.qc.ca).

Références

Audet, M., Fradette, J., Ramzi, A., *L'intégration des immigrants au marché du travail dans la région de la capitale nationale : bilan et pratiques d'entreprises*, Chambre de commerce et d'industrie du Québec métropolitain, février 2002.

Audet, M., Lépinay, S., «L'acte d'apprendre : passion ou obligation», *Réseau CEFRIO*, vol. 1, n° 2, 1999, p. 3-8.

Conseil de la science et de la technologie, *Pour des régions innovantes. Rapport de conjoncture*, Gouvernement du Québec, 2001, 263 pages.

Davenport, T.D., *Human Capital*, Jossey-Bass, 1999.

Hesselbein, F., Goldsmith, M., Somerville, I. (dir.), *Leading for Innovation: Organizing for Results*, Jossey-Bass, 2001.

Hyatt, L., «Understanding the generation gap», *Workplace Today – The Canadian Journal of Workplace Issues, Plans and Strategies*, août 2001, p. 24-26, 38.

Jacob, R., «La PME apprenante : information, interaction, intelligence», dans Julien, P.-A. (dir.), *Les PME : bilan et perspective*, 3ᵉ éd., Presses InterUniversitaires et Economica, à paraître, 2002.

Jacob, R., Ouellet, P., *Globalisation, économie du savoir et compétitivité : tendances et enjeux stratégiques pour la PME québécoise*, rapport de recherche commanditée, Observatoire de Développement Économique Canada, mai 2001, 90 pages.

Julien, P.-A., Carrier, M., Désaulniers, L., Luc, D., Martineau, Y., *Les PME à forte croissance. Comment gérer l'improvisation de façon cohérente*, rapport de recherche, Observatoire de Développement Économique Canada, Institut de recherche sur les PME/UQTR, 2000, 56 pages.

Nonaka, I., Takeuchi, H., *La connaissance créatrice. La dynamique de l'entreprise apprenante*, De Boeck Université, 1997.

Paré, G., «La génération Internet : un nouveau profil d'employés», *Revue Gestion*, été 2002, p. 47-53.

Plantevin, J., «Les talents sont toujours aussi prisés par les TI canadiennes», *Les Affaires*, 7 juillet 2001, p. 15.

TechnoCompétences, *Virage de l'industrie photonique au Québec : les enjeux pour la main-d'œuvre*, rapport produit par la firme Secor, novembre 2001, 23 pages.

Zemke, R., «Here comes the millenials», *Training*, 2001, p. 44-49.

Miser sur le chaos créateur ou évoluer dans la continuité.

Le schisme entre les perspectives normative et universitaire du changement organisationnel

Danny Miller, Royston Greenwood et Bob Hinings*

Dans le domaine du changement organisationnel, il existe des contradictions fondamentales entre les travaux destinés aux praticiens et les études théoriques et empiriques menées par des chercheurs universitaires. Notre étude vise à déterminer les divergences fondamentales entre ces deux approches, à en examiner les sources et à évaluer comment nous pouvons utiliser les travaux de nature empirique pour en tirer des recommandations plus sensées et plus réalistes sur la façon dont les organisations pourraient négocier le changement.

Notre étude porte principalement sur les travaux relatifs à la transformation et à la réorientation organisationnelles, c'est-à-dire aux changements majeurs qui poussent une société à prendre une nouvelle direction sur le plan de sa stratégie, de sa structure et de sa culture. Ces changements touchent un grand nombre d'aspects dans une organisation, et non un seul domaine. Ils touchent aussi plus d'une unité ou d'un département et relèvent habituellement des dirigeants au plus haut niveau. Enfin, fait peut-être plus important encore, l'objectif de ces changements est moins de préciser ou de prolonger une orientation existante que d'amener l'organisation à prendre un virage.

Des changements organisationnels de cette ampleur sont qualifiés par certains de quantiques (Miller, Friesen, 1984; Tushman, Romanelli,

---

Danny Miller est chercheur titulaire à HEC Montréal et à l'Université Columbia.
Royston Greenwood et Bob Hinings sont professeurs à l'Université de l'Alberta.

*La version originale de cet article a été publiée sous le titre «Creating chaos versus munificent momentum» dans *Journal of Managment Inquiry*, vol. 6 n° 1, p. 71-78. Traduit et publié avec la permission de Sage Publications inc.

1985), par d'autres de radicaux (Greenwood, Hinings, 1996). D'autres encore disent qu'ils font éclater les cadres (Nadler, Tushman, 1989). En tout état de cause, ces changements diffèrent fondamentalement des changements ponctuels et graduels portant sur des questions de moindre importance, telles que la résolution de conflits ou la mise en place de nouveaux produits, de nouvelles procédures ou de nouvelles techniques. Les changements ponctuels et graduels ont pour but d'ajuster une orientation existante en fonction des perspectives du moment, alors que les changements transformationnels qui nous intéressent ici amènent à rompre avec la perspective établie.

Même s'il est parfois difficile de distinguer les travaux universitaires des travaux normatifs, on relève néanmoins quelques différences notables. Les écrits normatifs (d'ailleurs parfois rédigés par des universitaires) s'adressent la plupart du temps à des praticiens, notamment des cadres supérieurs. Ils s'appuient généralement sur des anecdotes et des opinions et font des recommandations concrètes. En voici quelques exemples typiques : Kanter (1983, 1989); Tichy et Devanna (1986); Pascale (1990); Peters (1992); Senge (1990); Conor et Lake (1988); Plant (1986); Goss, Pascale et Athos (1993); Webber (1993); Nadler et Tushman (1989); Jick (1993).

| 405 |

Les écrits empiriques, de leur côté, sont généralement rédigés par des universitaires et pour des universitaires. Leurs conclusions sont le plus souvent fondées sur des faits et ils ne présentent que rarement des recommandations aux dirigeants. Leur objectif fondamental est d'élargir les connaissances. En voici quelques exemples typiques : Chandler (1962); Greenwood et Hinings (1996); Hinings et Greenwood (1988); Keck et Tushman (1993); Hambrick et D'Aveni (1989); Miller et Friesen (1980a, 1980b, 1984); Mintzberg et McHugh (1986); Moore (1943); Tushman et Anderson (1988); Wilson (1992); Pettigrew (1985).

D'autres articles universitaires relèvent davantage d'une approche conceptuelle que d'une approche empirique. Ils s'appuient largement, quoique de manière parfois indirecte, sur les études empiriques et systématiques du changement, et leurs conclusions s'inscrivent généralement dans le même axe que celles des travaux empiriques. En voici quelques exemples : Baybrooke et Lindblom (1963); Cyert et March (1963); Hannan et Freeman (1984); Miller (1982); Quinn (1982); Starbuck (1983, 1985); Tushman et Romanelli (1985); Tichy et Devanna (1986). En raison de leurs orientations et de leurs conclusions similaires, nous ne ferons pas ici de distinction entre les écoles de pensée universitaires conceptuelle et empirique.

DIFFÉRENCES ESSENTIELLES ENTRE LES ÉCOLES DE PENSÉE

Les travaux normatifs destinés aux praticiens visent à démontrer que le changement est tout à fait normal, «universellement» nécessaire, et qu'il présente un caractère urgent pour les entreprises[1]. Nous vivons, nous dit-on : «dans un univers commercial où la tourmente est à la fois imprévisible et croissante. Les changements spectaculaires qui, à l'heure actuelle, touchent des domaines tels que la géopolitique, les marchés de la consommation et des finances, la technologie, la législation des gouvernements, la stabilité macroéconomique, les mouvements de capitaux, les pratiques et les formes d'organisation des entreprises, les politiques de l'environnement, ne sont que quelques-uns des facteurs qui continuent à transformer le monde des affaires à l'échelle de la planète» (Kiernan, 1993, p. 7-8).

C'est au PDG de l'organisation qu'il revient de maintenir le cap dans la tempête; pour lui, la gestion du changement doit être une priorité. On dit aux dirigeants de se montrer aventureux, de planifier leur avenir et d'être très ouverts aux nouvelles tendances des marchés, de la technologie et de la concurrence. On les incite à se donner une vision claire de la direction que devrait prendre leur entreprise, à concevoir des plans stratégiques à long terme pour concrétiser cette vision, et aussi à être entrepreneurs, proactifs et à l'affût des occasions à saisir. C'est pourquoi on cite souvent en exemple les dirigeants charismatiques et innovants animés d'une vision (Tichy, Devanna, 1986).

On pousse les entreprises à apprendre, à se réinventer constamment (Senge, 1990), à remodeler leurs produits, leurs procédés et même leur culture pour tirer parti des tendances et éviter l'obsolescence (Pascale, 1990; Stacey, 1992). On les incite à devenir des «organisations auto-didactes» au sein desquelles le mot clé est de «susciter le dialogue» (Webber, 1993, p. 28). Les travailleurs doivent être responsabilisés par le biais d'une déstratification de la pyramide hiérarchique et d'une réingénierie des processus de travail, de sorte que le changement devienne la norme. On demande aux dirigeants de rendre leurs organisations plus promptes à réagir et plus organiques (Kanter, 1983; Nadler, Tushman, 1989), de manière à atteindre les idéaux entrepreneriaux évoqués par Schumpeter (1934) et décrits par Burns et Stalker (1961) ainsi que par Collins et Moore (1970).

C'est ainsi que les géants «apprennent à danser» (Kanter, 1989) et que les entreprises progressistes «prospèrent dans le chaos» (Peters, 1987), métaphores convaincantes que sous-tendent deux principes : le changement est bon et nécessaire, et le changement peut et doit être géré et contrôlé, surtout à partir de la tête de l'organisation. Le message implicite est que les organisations qui ne changent pas sont vouées à la mort. Comme le souligne Wilson (1992, p. 3), «le succès est devenu directement attribuable à la capacité de bien gérer le changement stratégique et de le faire durer».

Par contre, les travaux normatifs ignorent le plus souvent les difficultés et les dangers liés au changement. À l'inverse, les travaux des écoles de pensée empirique et théorique les décrivent très clairement. Certaines études universitaires insistent sur le fait que les organisations trouvent le changement transformationnel difficile parce qu'elles sont figées par l'inertie[2]. Des auteurs comme Starbuck, Greve et Hedberg (1978), entre autres, décrivent l'inertie dont une organisation peut parfois faire preuve face à des forces du marché qui l'obligent à redéfinir son orientation. Dans son étude de la société Imperial Chemical Industries, Pettigrew (1985) souligne les conséquences imprévues de certains changements et montre à quel point continuité et changement vont de pair. De leur côté, Mintzberg et McHugh (1986) démontrent que bien des changements survenus à l'Office national du film du Canada durant les années 1960 n'avaient pas été planifiés. Hinings et Greenwood (1988) font état de la résistance qui a entravé un grand nombre des changements que les gouvernements locaux ont tenté de mettre en œuvre en Grande-Bretagne. Enfin, Miller (1990b) montre comment des organisations dont la réussite était basée sur la spécialisation sont devenues dangereusement monolithiques. Ces études, comme beaucoup d'autres, mettent l'accent sur la complexité, l'imprévisibilité et le désordre des changements organisationnels à grande échelle.

Le fait que l'école normative insiste sur la facilité à mettre en œuvre le changement, tandis que l'école empirique en souligne au contraire la difficulté, reflète une différence de points de vue fondamentale portant sur quatre points. Premièrement, l'école normative conçoit implicitement les organisations comme des systèmes souples dont les unités, les procédés et les programmes peuvent changer indépendamment les uns des autres (Aldrich, 1979). À l'inverse, les chercheurs de l'école empirique envisagent les organisations comme des systèmes hautement organisés et solidement structurés dans lesquels les objectifs, les politiques et les modes de fonctionnement sont étroitement liés[3]. Il suffit de changer un élément pour tout déranger (Miller, 1990a). Le changement est ainsi difficile à initier parce que tous les éléments sont bien en place et se soutiennent les uns les autres.

Deuxièmement, la documentation normative présume que les dirigeants possèdent l'information nécessaire pour faire changer leur organisation de façon raisonnable, systématique et rationnelle. Elle s'intéresse peu aux «points aveugles» de la gestion, aux aspirations personnelles teintées d'esprit de clocher, à l'ignorance et à l'imprévisibilité inhérente aux phénomènes sociaux complexes. L'école empirique, au contraire, reconnaît que rares sont les dirigeants qui possèdent toute la connaissance nécessaire et qui traitent l'information rationnellement. C'est ce qui fait qu'ils continuent de privilégier les façons de faire et les habitudes qui réussissaient auparavant, même lorsque les faits démontrent leur faiblesse ou leur désuétude[4].

Troisièmement, la documentation empirique tient compte des obstacles politiques au changement qui naissent des bouleversements menaçant les privilèges, la réputation et le pouvoir des dirigeants. Les dirigeants puissants ont tout intérêt à maintenir le *statu quo* – leur prestige, leurs privilèges et leur réputation sont étroitement liés à leurs politiques et à leurs valeurs[5].

Quatrièmement, la documentation empirique considère que les organisations ne sont pas des entités isolées, mais qu'elles appartiennent à un contexte institutionnel et technique dans lequel les modes d'organisation existants sont renforcés par des pressions normatives provenant de l'extérieur (Granovetter, 1985). Elles sont soumises à des forces mimétiques, normatives et coercitives qui tendent à les modeler et à leur imposer une direction donnée[6]. Quand les gestionnaires font face à l'incertitude ou à l'ambiguïté, ils ont souvent tendance à imiter les organisations qui ont réussi (Haunchild, 1993; Haveman, 1993). Les changements transformationnels sont donc problématiques non seulement en raison de la faible capacité d'adaptation des entreprises ou de leur difficulté à faire accepter le changement de l'intérieur, mais aussi en raison de leur enfermement dans un contexte institutionnel donné.

Pour résumer, la recherche empirique est résolument pessimiste face aux possibilités de réussite du changement transformationnel. Selon elle, les organisations sont résistantes au changement, d'une part, parce qu'elles sont solidement structurées et peu souples et, d'autre part, parce que leurs dirigeants manquent d'information et fonctionnent à l'intérieur de cadres donnés. Le changement modifie la répartition des ressources, insécurise les dirigeants et entraîne des conflits en matière d'allocation des ressources. Il remet également en question les normes institutionnalisées et modifie les attentes. En somme, l'école empirique démontre que le changement transformationnel est bien plus difficile à réaliser que ne veut bien l'admettre l'école normative.

Non seulement le changement est-il difficile à réussir, mais de plus, sa mise en œuvre peut parfois ne pas être salutaire. Les études empiriques insistent sur le fait que le changement est coûteux, risqué et perturbateur;

il peut causer l'éloignement de partenaires importants, y compris des clients, et ébranler les compétences, les ressources et les structures économiques qui sont à la base de l'avantage concurrentiel d'une entreprise (Hannan, Freeman, 1984; Miller, 1982, 1990b). Hannan et Freeman (1984) ont démontré que les partenaires tant internes qu'externes préfèrent les organisations prévisibles et fiables. Or le changement menace les habitudes internes garantes de la prévisibilité et, de ce fait, il devient potentiellement dangereux. Entraînant les organisations vers de nouveaux marchés, des technologies inconnues, des produits non testés, il risque aussi d'ouvrir la porte à l'inexpérience (Hannan, Freeman, 1984), et donc de confronter à nouveau les organisations aux «risques du démarrage» (Amburgey, Kelly, Barnett, 1993). Comme le concluent Amburgey *et al.*, «l'arrivée d'un changement ravive les dangers de la nouveauté et augmente encore plus le risque d'échec» (p. 68). En bref, on constate que le changement déstabilise les organisations, qu'il est extrêmement coûteux et qu'il est souvent hasardeux[7]. C'est ce qui explique la rareté de ce genre de réorientations, qui n'ont habituellement lieu qu'en période de crise.

Enfin, les universitaires mettent en lumière les avantages du «non-changement», des longues périodes de stabilité ou de continuité qui permettent aux organisations de trouver une configuration interne harmonieuse[8]. Durant ces périodes, les organisations peuvent développer des compétences spécifiques qui leur confèrent un réel avantage concurrentiel (Meyer *et al.*, 1993; Miller, Friesen, 1984). Puisqu'elle favorise des processus de travail uniformes, des attentes convergentes et une bonne coordination, la stabilité permet aussi aux entreprises de fonctionner d'une manière très efficace[9]. C'est dire que les bienfaits de la continuité ne sont pas négligeables.

Mais soyons clairs. Nous ne sous-entendons pas que le changement transformationnel d'une organisation soit inutile ou irréalisable. Les auteurs normatifs donnent des exemples remarquables de changements réussis. Ce que nous disons, c'est que de tels changements sont extrêmement difficiles à orchestrer et qu'ils exposent l'organisation à des risques considérables. L'école empirique insiste sur les difficultés et les dangers du changement transformationnel, tandis que l'école normative les minimise tout en soulignant qu'il est essentiel que les dirigeants suivent les recommandations qui leur sont faites. Cette dernière école insiste plutôt sur les risques du non-changement. La différence est donc dans le point de vue, l'une abordant le changement sous un jour pessimiste, l'autre sous un jour optimiste. Burke (1995) illustre en ces termes le point de vue optimiste :

«Le changement organisationnel planifié est, par essence, désordonné; il n'est jamais aussi simple que nous le présentons dans nos livres et dans nos articles. Toutefois, planifier le changement selon une méthode de réflexion et d'action graduelle donne de bons résultats, comme le confirme l'expérience» (p. 158).

Wilson (1992), lui, offre un bon exemple du point de vue pessimiste. D'après lui, la plupart des écrits normatifs sont, «au mieux, des livres de recettes. Dans les pires des cas, les théories du changement reposent sur des fondements théoriques faibles, sont basées autant sur des émotions que sur une analyse rigoureuse et se caractérisent par l'absence de recherche empirique» (p. 50-51).

POURQUOI CE SCHISME?

Pourquoi y a-t-il un schisme entre les observations empiriques des changements mis en œuvre et les recommandations normatives faites aux organisations? Selon nous, les différences qui séparent les écrits normatifs des écrits empiriques reposent sur la façon dont les auteurs envisagent les contextes organisationnels, prennent en compte les divers groupes d'intérêt au sein des organisations et appréhendent le pessimisme caractéristique de la recherche universitaire.

Contextes organisationnels

De nombreux auteurs normatifs soutiennent qu'on assiste à l'heure actuelle à un changement important du contexte économique et social des organisations qui oblige à transformer radicalement l'aménagement et le comportement organisationnels. Les entreprises américaines, dit-on, ont à faire face comme jamais auparavant à la concurrence étrangère, au changement technologique, à un ralentissement de la croissance économique et à des changements profonds au niveau social (Naisbitt, Aburdene, 1990; Webber, 1993). On parle de plus en plus dans la presse spécialisée de transformation, de reingénierie, de réduction des effectifs, de qualité totale, de travail d'équipe et de concurrence internationale. Bref, la tendance générale est au changement.

Les universitaires, de par leur nature et leur formation, sont quant à eux beaucoup plus prudents dans leurs assertions. Compte tenu du nombre important de données qu'il est nécessaire de réunir pour justifier l'existence d'un changement social, ils ne font état du changement qu'une fois qu'il est notoire. C'est pour cette raison que les textes universitaires sont parfois rétrospectifs et, de ce fait, quelque peu dépassés.

Intérêts particuliers

Les travaux des auteurs universitaires, comme ceux des auteurs normatifs, sont généralement destinés à des cadres supérieurs, mais la recherche universitaire est davantage portée à souligner qu'il existe, au sein des entreprises, un grand nombre d'intérêts divergents et que, de ce fait, le changement organisationnel sert souvent certains intérêts plutôt que d'autres. Comme le soulignent Hinings et Greenwood (1988), il y a toujours des gagnants et des perdants. Par ailleurs, les chercheurs universitaires remettent souvent en question le fait que ce qui est bon pour les dirigeants est aussi bon pour l'ensemble de l'entreprise. Ils préconisent également un modèle politique du changement organisationnel qui tient compte du pouvoir et des intérêts en jeu[10].

Les auteurs normatifs, en revanche, épousent les intérêts des dirigeants. Selon eux, l'intérêt du changement peut résider dans le seul fait de remettre le pouvoir entre les mains des chefs. Certains dirigeants pensent qu'en prenant l'initiative du changement, ils vont redorer leur blason et faire figure de leader héroïque et de visionnaire avisé[11]. Pour eux, le changement est un moyen de laisser leur marque sur l'entreprise et de donner l'impression de réagir promptement devant l'évolution du contexte. Il leur confère une image progressiste et responsable. Le changement est alors présenté comme un outil au service du leadership et non du pouvoir, valorisant la mission de l'entreprise et non les intérêts particuliers. Paradoxalement, la plupart des dirigeants ont aussi intérêt à maintenir le *statu quo*. Leur prestige et leur pouvoir étant étroitement liés au succès de leur stratégie transformationnelle, ils ont avantage, s'ils veulent effectuer des changements, à faire appel à des spécialistes qui les mettront en œuvre en douceur, relativement sans douleur, sans nuire à la réputation des dirigeants et en accord avec la volonté des groupes d'intérêt les plus influents de l'entreprise.

Les auteurs normatifs et les spécialistes du changement conçoivent ainsi des solutions et des structures transformationnelles que les dirigeants pourront utiliser pour renforcer leur légitimité et celle de leur entreprise. Mais ils se gardent bien de toucher au pouvoir et aux intérêts particuliers. Tout en apportant changement, souplesse et transformation, ces stratégies n'en assurent pas moins prévisibilité, simplicité et sécurité (voir Kotter, 1995). Des ouvrages à succès tels que *Thriving on Chaos* (Peters, 1987) et *When Giants Learn to Dance* (Kanter, 1989) sont magnifiquement écrits et fournissent de nombreux exemples, tous très optimistes, de sociétés qui ont été, du moins à un moment ou à un autre de leur histoire, des modèles de changement constructif et réussi. En d'autres termes, les écrits normatifs viennent conforter les dirigeants, et non les déstabiliser, et leur proposent des moyens de préserver leurs privilèges et leur pouvoir (à une exception près toutefois, James Champy, qui explique l'échec de nombreuses tentatives de changement par le refus des dirigeants de perdre leurs prérogatives et de voir leur pouvoir diminuer). Les écrits universitaires, quant à eux, s'attachent davantage à montrer combien les processus de changement sont longs, ardus et difficilement contrôlables, et ne cachent pas les conséquences politiques désagréables qui peuvent en découler.

Réflexion versus action

Les écrits universitaires sont basés sur la réflexion *a posteriori*. Ils analysent la façon dont les choses se sont déroulées et comment les entreprises se sont adaptées aux changements transformationnels, et semblent conclure que la plupart des résultats ne sont guère probants. Les écrits normatifs, au contraire, sont tournés vers l'action et proposent des procédures et des façons de faire. Par exemple, dans une organisation «apprenante» (Senge, 1990), l'idée fondamentale est d'éviter les transformations radicales au profit d'une évolution continue. De la même façon, le processus d'amélioration continue doit permettre à une organisation de se transformer de façon progressive et d'arriver à un changement transformationnel par le biais d'une série d'étapes bien planifiées et faciles à mettre en œuvre.

Si, comme l'avancent les auteurs normatifs, les contextes organisationnels changent rapidement et exigent une adaptation constante, il est préférable que le processus de changement s'effectue de façon progressive et organisée plutôt que de façon transformationnelle et chaotique. De là l'idée que tout changement est positif. Bien sûr, il arrive que des dirigeants rencontrent des difficultés dans la mise en œuvre du changement ou qu'ils se sentent menacés par le changement. Dans ce cas, ils se tournent vers des spécialistes qui pourront les conseiller et qui promettent de faire d'eux des «maîtres du changement» (Kanter, 1983).

De toute évidence, les auteurs normatifs pensent qu'ils ont de bonnes raisons d'être optimistes, et témoignent de remarquables transformations qui ont eu lieu dans diverses organisations et dont ils se sont efforcés de tirer des enseignements. Ils se basent donc sur des exemples de changements réussis pour tirer des conclusions et expliquer comment une entreprise peut s'y prendre pour obtenir des résultats semblables. Ils estiment qu'il est possible d'éviter les problèmes et les embûches mentionnés par les recherches des universitaires et en donnent pour preuve des exemples de changements qui ont été constructifs. Toutefois, il s'agit là d'une démarche aléatoire. Il est en effet quelque peu hasardeux de rechercher des exemples de réussite et de ne se baser que sur ces exemples pour en tirer des leçons. L'échantillonnage est biaisé, les raisons du succès sont souvent difficiles à expliquer et la recherche s'appuie sur des bases peu solides.

Un des problèmes fondamentaux auquel se heurtent également ceux qui cherchent à comprendre les tenants et aboutissants du changement, c'est qu'il est difficile de savoir si les tentatives ont échoué, pourquoi et à quel moment. Les raisons d'un échec peuvent en effet être multiples. Certains gestionnaires peuvent l'attribuer au départ d'un dirigeant clé, à une crise inattendue dans le secteur, à l'arrivée sur le marché d'un nouveau concurrent, à l'influence des syndicats ou encore à l'introduction d'une nouvelle technologie. Il n'y a pas non plus de critères rigoureux qui permettent d'évaluer rapidement les résultats d'un programme de transformation. En effet, il y a toujours moyen de trouver des points positifs, même si l'ensemble de la situation de l'entreprise a empiré. Une fois encore, cela nous ramène aux politiques transformationnelles de l'entreprise. Les membres de l'organisation responsables du changement sont parfois les moins préparés à en accepter l'échec. En ce qui a trait à l'échec des transformations menées par des spécialistes du changement, les écrits normatifs restent muets.

RECOMMANDATIONS ET IMPACTS

Comme nous l'avons mentionné précédemment, il existe une grande divergence entre les perceptions normatives et universitaires du changement transformationnel. Ce qu'il y a de plus frappant dans ces divergences, c'est la simplicité des recommandations formulées par les auteurs normatifs comparativement aux conclusions des universitaires. Les écrits normatifs insistent sur l'importance d'effectuer des changements constants, de fixer des objectifs précis, de planifier soigneusement, de suivre les tendances générales et de réagir à la situation. Les écrits universitaires, de leur côté, avancent que des changements constants coûtent cher, qu'il est difficile d'en prévoir les répercussions, qu'ils créent des remous politiques et qu'ils sont souvent inutiles. Ces dissensions sont susceptibles de conduire à des tentatives de transformation avortées et mal dirigées. Comment est-il possible de concilier deux perspectives aussi diamétralement opposées? Voilà un défi de taille pour les chercheurs. Les quelques recommandations suivantes constituent une tentative d'étayer les conseils énoncés par l'école normative à l'aide des analyses empiriques des universitaires.

Notre première recommandation n'a rien de révolutionnaire : il faut rapprocher les travaux universitaires de la réalité des dirigeants. Nous devons nous efforcer de mettre en relation nos analyses du processus transformationnel, souvent quelque peu ésotériques et abstraites, avec les problèmes auxquels sont confrontés les gestionnaires lorsqu'ils ont à faire face au changement. Nous devons également, à partir de nos observations, tirer des conclusions sur le moment auquel les dirigeants doivent mettre en œuvre le changement et sur la façon dont ils doivent procéder. De toute évidence, c'est en partie une question de clarté de formulation, mais cela nécessite également des chercheurs qu'ils prennent en considération les besoins de leurs lecteurs, à savoir les autres chercheurs et les praticiens.

La deuxième recommandation, qui peut ne pas faire l'unanimité, concerne la nature même de notre travail de recherche sur le changement. Nous devons définir de façon plus précise les contextes auxquels peuvent s'appliquer nos conclusions. Pour qu'une recherche soit pertinente et utile, il est en effet nécessaire d'en déterminer précisément le cadre et la portée. On a tendance à l'heure actuelle à situer les recherches au niveau le plus général possible. Or, il se peut que les conclusions d'un travail donné ne soient applicables qu'à une seule catégorie de changement, à un type particulier d'organisation, à un marché ou à des contextes institutionnels spécifiques.

À cet égard, il pourrait être utile de concentrer nos travaux sur des secteurs particuliers, sur certains types d'organisations ou encore sur certaines étapes du cycle de vie des entreprises, en restant conscients que les résultats des recherches devraient être spécifiques au contexte étudié. De la même façon, nous devons être attentifs au type de transformation que nous étudions, qu'il s'agisse de transformation technologique, structurelle, idéologique ou systémique. Il est notamment très important de porter une attention toute particulière aux problèmes que peut poser la mise en œuvre des changements, à ses conséquences sur le rendement de l'entreprise, au rythme et au calendrier selon lesquels les transformations vont s'effectuer. Tout ceci exige de préciser et de circonscrire davantage le cadre de la recherche, ce qui devrait en améliorer l'applicabilité.

La troisième recommandation est d'amener les universitaires à travailler en collaboration avec les spécialistes du changement chargés des interventions à long terme. C'est sans doute la suggestion la plus menaçante pour les deux camps, dans la mesure où elle oblige à un véritable dialogue et risque de modifier les positions des deux écoles de pensée. Mais une étroite collaboration avec les spécialistes peut également contribuer à enrichir les bases de données et la connaissance des universitaires dans le domaine. Cela peut également favoriser le transfert des connaissances entre les deux camps et amener les universitaires à avoir une conception plus réaliste et plus normative du changement.

Vers une conception plus réaliste et plus normative du changement

Lorsqu'on les applique à la réalité, les modèles normatifs apparaissent souvent quelque peu simplistes. Pour pallier à cela, les spécialistes du changement devraient toujours garder à l'esprit les éléments suivants :

Il faut être bien conscient que gérer un changement transformationnel est souvent plus difficile qu'on ne le pense. Parler de changement bien géré est presque un oxymore. Il n'y a qu'à voir notre ignorance face au comportement individuel et social pour comprendre à quel point le changement est imprévisible et peut avoir des conséquences inattendues. Il est donc nécessaire de faire preuve d'une plus grande prudence et d'une plus grande humilité que celles qui sont de mise à l'heure actuelle.

415

Il est indispensable de prendre en considération les aspects politiques du changement. Il ne peut y avoir de changement que s'il émane d'une décision commune des parties concernées, ce qui peut nécessiter une bonne dose de négociation et de compromis. La plupart des écrits normatifs traitant du changement et les modèles que proposent les spécialistes en la matière sont étrangement muets en ce qui concerne les aspects relatifs à la politique et au pouvoir, et s'attachent davantage aux aspects touchant le leadership et la vision. Or, les modèles de changement ne peuvent pas ignorer les relations entre leadership et pouvoir, entre vision et politique, et doivent absolument tenir compte du fait qu'une organisation est composée de divers groupes d'intérêt.

Il faut attacher davantage d'importance aux coûts du changement. Les coûts afférents au changement peuvent parfois être beaucoup trop élevés par rapport aux bénéfices que l'entreprise en retire. Le changement peut notamment être très coûteux et, qui plus est, risqué s'il touche à la structure profonde de l'organisation ou à son orientation fondamentale. De plus, les organisations progressent par impulsions, sous l'influence de poussées soudaines qui peuvent avoir un effet boule de neige et entraîner l'organisation trop loin, trop vite ou encore dans une direction problématique. Tout comme les médecins, les spécialistes du changement doivent faire preuve de prudence, car les «traitements» qu'ils proposent peuvent faire plus de mal que de bien.

Il ne faut pas négliger les avantages de la stabilité, tels que la fiabilité dans la fabrication des produits, une image de marque et une réputation stables, des économies de rendement et la possibilité de tirer profit de ressources fixes. La plupart de ces avantages sont liés au fait qu'il y ait ou pas des changements économiques et sociaux majeurs et que ceux-ci aient des incidences sur l'organisation, éléments qu'il est essentiel de prendre en considération lors de l'établissement du diagnostic. Il faut donc s'assurer que le besoin de changement l'emporte sur les avantages que procure la stabilité.

Il faut savoir qu'il n'y a pas une approche du changement qui soit meilleure qu'une autre. Les explications différentes fournies par les universitaires et la variété des modèles de changement proposés par les auteurs normatifs en sont la preuve. Dans toute mise en œuvre de changement, il faudra tenir compte des exigences particulières à chaque situation, de ceux qui ont le pouvoir et la volonté d'entreprendre le changement, de l'état des ressources de la société, de l'urgence du changement, de l'expérience de la société en la matière et de la souplesse de ses structures, de ses processus opérationnels et des technologies utilisées. Le processus de changement ne peut pas être programmé : il doit être souple et tirer profit des occasions qui se présentent.

Notes

1. Kanter, 1983; Peters, 1990; Senge, 1990; Tichy, Devanna, 1986.
2. Johnson, 1987; Pettigrew, 1985; Whipp, Clark, 1986.
3. Greenwood, Hinings, 1996; Meyer, Tsui, Hinings, 1993; Miller, Friesen, 1984.
4. Johnson, 1987; Miller, 1990b; Morgan, 1986; Spender, 1980.
5. Burns, Stalker, 1961; Dalton, 1959; Halberstam, 1986; Meyer, Starbuck, 1991; Pettigrew, 1973, 1985.
6. Greenwood, Hinings, 1996; Meyer, Rowan, 1977; Oliver, 1991; Child, Smith, 1987; Zucker, 1977.
7. Hannan, Freeman, 1984; Miller, Friesen, 1980b; Tushman, Romanelli, 1985.
8. Miller, 1990b; Miller, Friesen, 1980b; Tushman, Romanelli, 1985.
9. Hannan, Freeman, 1984; Miller, 1982; Starbuck, 1985.
10. Alford, 1975; Pettigrew, 1985; Wilson, 1992.
11. Bennis, Nanus, 1985; Geneen, 1984; Kotter, 1995; Tichy, Devanna, 1986.

Références

Aldrich, H.E., *Organizations and Environments*, Prentice Hall, 1979.

Alford, R., *Health Care Politics*, University of Chicago Press, 1975.

Amburgey, T.L., Kelly, D., Barnett, W.P., «Resetting the clock: The dynamics of organizational change and failure», *Administrative Science Quarterly*, vol. 28, n° 2, 1993, p. 51-73.

Bennis, W., Nanus, B., *Leaders: The Strategies for Taking Change*, Harper & Row, 1985.

Braybrooke, D., Lindblom, C.E., *A Strategy of Decision*, Free Press, 1963.

Burke, W.W., «Organization change: What do we know, what we need to know», *Journal of Management Inquiry*, vol. 4, n° 2, 1995, p. 158-171.

Burns, T., Stalker, G.M., *The Management of Innovation*, Tavistock, 1961.

Champy, J., *Reengineering Management: The Mandate for New Leadership*, Harper & Row, 1995.

Chandler, A., *Strategy and Structure*, MIT Press, 1962.

Child, J., Smith, C., «The context and process of organizational transformation», *Journal of Management Studies*, vol. 24, n° 6, 1987, p. 565-593.

Collins, O., Moore, D.G., *The Organization Makers*, Appleton-Century-Crofts, 1970.

Conor, P.E., Lake, L.K., *Managing Organizational Change*, Praeger, 1988.

Cyert, R.M., March, J.G., *A Behavioural Theory of the Firm*, John Wiley, 1963.

Dalton, M., *Men Who Manage*, John Wiley, 1959.

Geneen, H., *Managing*, Avon, 1984.

Goss, T., Pascale, R., Athos, A., «The reinvention roller coaster: Risking the present for a powerful future», *Harvard Business Review*, n° 71, 1993, p. 97-108.

Granovetter, M., «Economic action and social structure: The problem of embeddedness», *American Journal of Sociology*, vol. 91, n° 3, 1985, p. 481-510.

Greenwood, R., Hinings, C.R., «Understanding radical organizational change: Bringing together the old and the new institutionalism», *Academy of Management Journal*, vol. 21, n° 4, 1996, p. 1022-1054.

Halberstam, D., *The Reckoning*, Morrow, 1986.

Hambrick, D.C., D'Aveni, R.A., «Large corporate failures as downward spirals», *Administrative Science Quarterly*, vol. 33, n° 1, 1989, p. 1-23.

Hannan, M.T., Freeman, J., «Structural inertia and organizational change», *American Sociological Review*, n° 49, 1984, p. 149-164.

Haunschild, P.R., «Interorganizational imitation: The impact of interlocks on corporate acquisition activity», *Administrative Science Quarterly*, vol. 38, n° 4, 1993, p. 565-592.

Haveman, H.A., «Follow the leader: Mimetic isomorphism and entry into new markets», *Administrative Science Quarterly*, vol. 38, n° 4, 1993, p. 565-592.

Hinings, C.R., Greenwood, R., *The Dynamics of Strategic Change*, Basil Blackwell, 1988.

Jick, T.D., *Managing Change*, Irwin, 1993.

Johnson, G., *Strategic Change and the Management Process*, Basil Blackwell, 1987.

Kanter, R.M., *The Change Masters*, Simon & Schuster, 1983.

Kanter, R.M., *When Giants Learn to Dance*, Irwin, 1989.

Keck, S.L., Tushman, M.L., «Environmental and organizational context and executive team structure», *Academy of Management Journal*, vol. 36, n° 6, 1993, p. 1314-1344.

Kiernan, M.J., «The new strategic architecture: Learning to compete in the twenty-first century», *The Executive*, vol. 7, n° 1, 1993, p. 7-21.

Kotter, J.P., «Leading change: Why transformation efforts fail», *Harvard Business Review*, mars-avril 1995, p. 59-67.

Meyer, A.O., Starbuck, W.H., *Organizations and Industries in Flux: The Interplay of Rationality and Ideology*, document de travail, University of Oregon, 1991.

Meyer, A.O., Tsui, A.S., Hinings, C.R., «Guest co-editors' introduction: Configurational approaches to organizational analysis», *Academy of Management Journal*, vol. 36, n° 6, 1993, p. 1175-1195.

Meyer, J., Rowan, B., «Institutional organizations: Formal structure as myth and ceremony», *American Journal of Sociology*, n° 83, 1977, p. 340-363.

Miller, D., «Evolution and revolution: A quantum view of structural change in organizations», *Journal of Management Studies*, n° 19, 1982, p. 131-151.

Miller, D., «Organizational configurations: Cohesion, change and prediction», *Human Relations*, n° 43, 1990a, p. 771-789.

Miller, D., *The Icarus Paradox*, Harper Collins, 1990b.

Miller, D., Friesen, P., «Archetypes of organizational transition», *Administrative Science Quarterly*, n° 25, 1980a, p. 269-299.

Miller, D., Friesen, P., «Momentum and revolution in organizational adaptation», *Academy of Management Journal*, n° 23, 1980b, p. 591-614.

Miller, D., Friesen, P., *Organizations: A Quantum View*, Prentice Hall, 1984.

Mintzberg, H., McHugh, A., «Strategy formation in an adhocracy», *Administrative Science Quarterly*, vol. 30, n° 2, 1986, p. 160-197.

Moore, C., *Timing a Century: The History of the Walthma Watch Company*, Harvard University Press, 1943.

Morgan, G., *Images of Organizations*, Sage, 1986.

Nadler, D.A., Tushman, M., «Organizational frame bending: Principles for managing reorientation», *Academy of Management Executive*, n° 1, 1989, p. 194-204.

Naisbitt, J., Aburdene, P., *Megatrends 2000*, Morrow, 1990.

Oliver, C., «Strategic responses to institutional processes», *Academy of Management Review*, n° 16, 1991, p. 145-179.

Pascale, R.T., *Managing on the Edge: How the Smartest Companies Use Conflict to Stay Ahead*, Simon & Schuster, 1990.

Peters, T., *Thriving on Chaos*, Pan, 1987.

Peters, T., «Get innovative or get dead», *California Management Review*, vol. 33, n° 1, 1990.

Peters, T., «Rethinking scale», *California Management Review*, vol. 35, n° 1, 1992, p. 7-29.

Pettigrew, A., *The Politics of Organizational Decision Making*, Tavistock, 1973.

Pettigrew, A., *The Awakening Giant*, Basil Blackwell, 1985.

Plant, R., *Managing Change and Making it Stick*, Fontana, 1986.

Quinn, J.B., *Strategies for Change: Logical Incrementalism*, Irwin, 1980.

Schumpeter, J., *The Theory of Economic Development*, Cambridge University Press, 1934.

Senge, P., *The Fifth Discipline: The Art and Practice of the Learning Organization*, Doubleday, 1990.

Spender, J.C., *Strategy Making in Business*, thèse de Ph.D., University of Manchester School of Business, 1980.

Stacey, R.D., *Managing the Knowable*, Jossey-Bass, 1992.

Starbuck, W.H., «Acting first and thinking later: Theory versus reality in strategic change», dans J.H. Perrings & Associates (sous la dir. de), *Organizational Strategy and Change*, Jossey-Bass, 1985, p. 336-372.

Starbuck, W.H., «Organizations and their environments», dans M. Dunnette (sous la dir. de), *Handbook of Organizational and Industrial Psychology*, John Wiley, 1983, p. 1069-1123.

Starbuck, W.H., Greve, A., Hedberg, B.L.T., «Responding to crises», *Journal of Business Administration*, n° 9, 1978, p. 111-137.

Tichy, N.M., Devanna, M.A., *The Transformational Leader*, John Wiley, 1986.

Tushman, M.L., Romanelli, E., «Organizational evolution: A metamorphosis model of convergence and reorientation», dans L.L. Cummings & B.M. Staw (sous la dir. de), *Research in Organizational Behavior*, JAI, 1985, p. 171-222.

Tushman, M.L., Anderson, P., «Technological discontinuities and organization environments», dans A. Pettigrew (sous la dir. de), *The Management of Strategic Change*, Basil Blackwell, 1988, p. 89-122.

Webber, A.M., «What's so new about the new economy?», *Harvard Business Review*, n° 71, 1993, p. 24-42.

Whipp, R., Clark, P., *Innovation and the Auto Industry*, Frances Pinter, 1986.

Wilson, D., *A Strategy of Change*, Routledge & Kegan Paul, 1992.

Zucker, L.G., «The role of institutionalization in cultural persistence», *American Sociological Review*, n° 42, 1977, p. 726-743.

La transformation des organisations et la gestion du changement stratégique : un corps de connaissances qui prend forme

Réal Jacob, Alain Rondeau et Danielle Luc

La lecture des textes, composant cet ouvrage de la collection «Racines du savoir», confirme la complexité de transformer l'organisation et de gérer le changement stratégique. Selon le principe de la «variété requise» en théorie des systèmes, cette complexité relève tant de l'analyse de ces phénomènes que de la mise en œuvre elle-même. Intéressée par ces questions fondamentales, l'équipe du Centre d'études en transformation des organisations de HEC Montréal a observé plusieurs réorganisations et en a retenu quelques préceptes. La première partie de ce texte présente un certain nombre d'observations illustrant, selon différentes dimensions, ce principe de la variété requise. Pour terminer ce collectif, il semble utile de présenter un modèle d'analyse réflexive sur le changement stratégique ainsi qu'un certain nombre d'informations notamment, des sites sur des thématiques particulières, des outils d'intervention, des hyperliens sur des groupes de recherche et des rencontres virtuelles avec des spécialistes. Ces antennes de veille permettront de saisir l'envergure et la complexité de ce champ de connaissances et à quel point la tâche des chercheurs demeure étendue.

QUELQUES ÉLÉMENTS DE SYNTHÈSE

La gestion de l'équilibre entre les forces de l'inertie et les forces du changement

Les travaux de nos collègues Hafsi, Séguin et Toulouse indiquent qu'un changement est stratégique s'il touche l'organisation dans son

Réal Jacob est professeur à HEC Montréal.
Alain Rondeau est professeur et directeur du Centre d'études en transformation des organisations de HEC Montréal.
Danielle Luc est professionnelle de recherche à HEC Montréal.

ensemble (structure, culture, valeurs, savoir-faire, systèmes) modifiant de manière durable la performance de l'organisation et s'il est perçu comme une rupture par les personnes clés de l'organisation. Un changement stratégique est donc :

– un changement qui touche généralement le métier de l'organisation, le *core business*;

– un changement systémique;

– une remise en question des fondements qui guident l'action au quotidien;

– un changement de culture incluant les valeurs et les attitudes;

– et un changement interpellant de multiples groupes d'intérêts.

Or, il apparaît que plus un changement est défini comme stratégique, plus il exige une gestion adéquate de l'équilibre entre les forces de l'inertie et les forces du changement. Nos observations et nos implications dans le cadre de changements stratégiques nous indiquent qu'il est souhaitable que le leadership de la mise en œuvre soit assumé par des personnes différentes de celles qui assurent la continuité des opérations. Lorsque les deux univers sont arbitrés par les mêmes personnes aux mêmes moments, ce sont généralement les forces de l'inertie qui l'emportent sur les forces du changement. D'autre part, lorsque trop d'acteurs souhaitent devenir des «provocateurs de la remise en question» ou des agents de changement, on observe généralement l'apparition du chaos et de déficiences majeures dans les opérations courantes pour ceux qui restent. Les changements complexes exigent alors tout autant des «gardiens» des forces de l'inertie que sont la stratégie, la structure et les systèmes que des «provocateurs de la remise en question» au niveau du projet organisationnel, des processus et des personnes.

On comprendra que les deux logiques – l'inertie et le changement – doivent nécessairement co-exister jusqu'au passage graduel de l'une vers l'autre. Le défi s'avère donc l'établissement d'un juste équilibre entre ces deux logiques pour que le changement pénètre graduellement la continuité et pour qu'en même temps, la continuité influence le déploiement du changement.

La nécessaire co-évolution des univers organisationnel et institutionnel

Dans le cadre de la gestion d'un changement stratégique, il convient d'établir un arrimage entre la logique organisationnelle, celle de l'intérêt supérieur commun – le projet que l'on veut se donner collectivement -, et la logique institutionnelle, celle des groupes d'intérêts composant l'organisation. En fait, les décideurs ont souvent tendance à se concentrer sur la dimension organisationnelle. Tout changement stratégique vient nécessairement se confronter aux règles du jeu existantes, ces règles étant essentiellement la résultante des rapports de pouvoir et de collaboration avec et entre les groupes d'intérêt. En conséquence, tout changement stratégique a besoin d'une marge de manœuvre «réglementaire» si on veut l'expérimenter. Il convient alors de prévoir la négociation de ces espaces d'expérimentation de même que des mécanismes permettant l'institutionnalisation de ces modifications au fur et à mesure que le changement évolue. En d'autres mots, on doit permettre aux divers groupes d'intérêt d'interpréter et de moduler le nouveau cadre de référence à la mesure de leur réalité organisationnelle. On pourrait parler ici de contamination évolutive de l'organisation.

L'importance du processus de visualisation-traduction

Nul ne sera surpris d'apprendre que l'évaluation du niveau d'appropriation du changement s'avère un exercice fort difficile. Toutefois, nos observations nous confirment que l'engagement des acteurs aux différents niveaux est largement influencé par une série d'actions touchant la visualisation-traduction. Ce processus renvoie à deux dimensions. La première, plus synthétique, interpelle le niveau stratégique, généralement l'équipe de direction et l'équipe de pilotage. La visualisation-traduction renvoie au défi suivant : comment développer dans un schéma visuel fort, une image explicite, un modèle de représentation clair de ce que l'on veut devenir comme organisation avec le changement préconisé. La seconde dimension implique la traduction du projet organisationnel en principes directeurs. Ainsi, le passage d'un état A à un état B doit être guidé par une représentation forte de ce que l'on veut devenir (état B) mais aussi par l'identification de principes directeurs qui représentent les principes d'action et d'évaluation de ce que l'on veut devenir. Ces principes deviennent donc la grille d'analyse pour évaluer si les activités spécifiques envisagées pour la transformation sont cohérentes avec ce que l'on veut devenir. L'édification de cette vision et la traduction en des actions claires et cohérentes avec celle-ci représentent des prémices essentielles afin de construire la légitimité et la pérennité d'un changement stratégique.

La complémentarité des cadres d'analyse

L'étude de plusieurs démarches de transformation d'organisations laisse parfois supposer qu'elles s'appuient sur une conception vague de ce qu'est une organisation. Or, plusieurs travaux maintenant célèbres en théorie des organisations indiquent très clairement que l'organisation peut être appréhendée selon différentes perspectives. Du point de vue de l'action, ces mêmes travaux montrent également qu'il est nettement souhaitable qu'une équipe de changement puisse enrichir sa compréhension de la situation réelle à partir de cadres d'analyse complémentaires pour une lecture plus riche de phénomènes complexes. Cette «variété requise», en regard des cadres d'analyse, s'exprime à divers niveaux :

- **Dans le diagnostic contextuel et organisationnel**

Plusieurs auteurs proposent des guides évaluant, sous diverses perspectives, les tendances environnementales influençant l'évolution de l'organisation et la performance de cette dernière. Ces diagnostics permettent de saisir les conditions initiales, sachant que celles-ci peuvent moduler l'approche au changement. Certains cadres de référence nous amènent à réfléchir à un autre niveau comme intervenant et, à ce titre, nous devons développer cette capacité à intégrer des champs de connaissances qui sont nouveaux ou en dehors des frontières habituelles. Le texte de Rondeau présente un cadre d'analyse des forces qui agissent sur l'organisation et celui de Hafsi, Séguin, Toulouse étudie les caractéristiques importantes de l'organisation.

- **Dans le leadership du changement stratégique**

Dans la plupart des textes choisis pour ce collectif, les auteurs relèvent l'importance du leadership, quel que soit le projet de réorganisation (Cornet, Gosselin, Jacob, Audet *et al.*, Rondeau), quel que soit le type de changement (descendant ou ascendant – Mintzberg *et al.*) et quels que soient les acteurs touchés (Bareil *et al.*, Rouleau, Fabi *et al.*). Le texte de Grenier et Gowigati ajoute que la composition des équipes de changement, trop souvent unidisciplinaire, doit davantage intégrer des personnes aux compétences complémentaires et provenant autant du «métier» de l'organisation que des fonctions de support.

- **Dans l'appréciation, le suivi et la mesure :**

Le texte de Savoie et Morin introduit cinq perspectives de mesures de performance en montrant, avec l'aide de nombreuses données empiriques, l'importance de la recherche de l'équilibre entre ces différents univers d'évaluation. Équilibre qui minimise également les probabilités d'effets pervers. D'autres perspectives intéressantes à retenir dans les activités d'évaluation se situent d'une part, au niveau des objets d'analyse, notamment les processus et les activités mis de l'avant et, d'autre part, dans les effets de la transformation sur les individus en étudiant les modifications dans les comportements, les rôles, les responsabilités et les relations de pouvoir. Luc et Rondeau illustrent un exemple concret d'analyse de ces effets sur les destinataires d'une transformation majeure.

Peu importe l'approche, un changement stratégique prend du temps

Les travaux sur l'apprentissage organisationnel et la sociologie de l'entreprise ont très clairement mis en évidence que les comportements au travail, les manières de faire sont le fruit d'un long processus d'apprentissage de la part des acteurs. Le développement de nouvelles capacités est tributaire tout autant de l'influence des structures et des modes formels d'organisation du travail que des relations informelles au travail. Ces apprentissages individuels et collectifs prennent la forme de routines de travail et d'équilibres relationnels, la plupart du temps inconscients. Du point de vue du leadership du changement, il s'agit là d'une réalité empirique avec laquelle il faut apprendre à composer.

Or, l'apprentissage organisationnel et culturel de nouveaux rapports organisés a son corollaire : le temps. Et quoiqu'en disent les émules de Jack Welch sur le changement radical, on observe que la courbe d'apprentissage sera d'autant plus longue que le changement est complexe tant du point de vue structurel que culturel. Ainsi, certaines méta-analyses indiquent que les changements stratégiques prennent en moyenne entre 18 et 30 mois pour devenir performants. Du point de vue de la mise en œuvre, cela fait ressortir l'importance d'un projet solidement ancré, la pérennité de l'équipe de pilotage et finalement, la capacité pour une firme à générer une marge de manœuvre suffisamment étendue. Ce dernier point est très important puisque, comme dans n'importe quelle situation nouvelle, tout changement renvoie nécessairement à la notion de courbe d'apprentissage. Cette courbe nous indique qu'à certains moments le système sera moins performant et qu'en d'autres temps, il exigera davantage de ressources afin de supporter les nouveaux apprentissages reliés au changement. À cet égard, il est surprenant de constater que de nombreux projets de changement stratégique dans le secteur public ne prévoient pas de budgets suffisamment importants pour supporter cette phase d'apprentissage et de transition vers de nouveaux rapports organisés.

D'ailleurs, notre collègue Taïeb Hafsi aime bien utiliser la métaphore suivante pour susciter une réflexion sur la temporalité d'une transformation majeure.

«Je me souviens du matin où je découvris un cocon dans l'écorce d'un arbre, juste au moment où un papillon, ayant fait un trou dans son enveloppe, se préparait à sortir. J'ai attendu un petit instant, mais il mit du temps à apparaître et j'étais impatient. Je me suis penché et j'ai soufflé dessus pour le chauffer. Je l'ai réchauffé aussi vite que j'ai pu et le miracle commença à se produire devant mes yeux, plus rapide que la vie. L'enveloppe s'ouvrit, le papillon commença lentement à sortir et je n'oublierai jamais l'horreur que je ressentis lorsque je vis que ses ailes étaient repliées et brisées; le papillon déformé, tout son corps tremblotant, essaya de les ouvrir. Penché dessus, j'essayai de l'aider à respirer, mais en vain».[1]

424 UN MODÈLE D'ANALYSE RÉFLEXIVE SUR LE CHANGEMENT STRATÉGIQUE ET QUELQUES ANTENNES DE VEILLE

Le texte de Demers dans ce collectif, portant sur les différents courants qui ont marqué le domaine du changement stratégique, démontre que les approches récentes s'articulent autour des notions d'apprentissage et de capacité à changer. Mintzberg *et al.* parlent de maintenir une tension créatrice. Il s'agit, dans les faits, de développer des organisations «apprenantes», capables d'adaptations continues. Un des leviers qui sous-tend ces notions renvoie à la fonction de vigie. Une organisation capable d'innover dans le domaine de la gestion du changement stratégique est une organisation qui pratique l'apprentissage réflexif à partir de l'information qu'elle possède sur elle-même mais aussi, à partir de celle provenant de son environnement externe. En s'inspirant de Mintzberg[2], cette fonction de vigie peut s'opérationnaliser à travers les «quatre voirs» (schéma 1) où, pour chacun, on présente quelques exemples de pratiques de gestion et de réseaux d'information (*knowledge networks*).

Voir derrière et voir devant

Ces deux approches de vigilance renvoient à l'idée de rétroaction organisationnelle à court terme, c'est-à-dire toutes les formes d'enquêtes-feedback qui peuvent être conduites auprès des clients, de diverses catégories d'employés, des groupes d'intérêts utilisateurs des produits et services de l'organisation, etc. Plus spécifiquement, on associe le concept de satisfaction à l'idée de «Voir derrière» alors que le concept d'attente est représentatif du «Voir devant».

Dans cette perspective, il convient, pour l'agent de changement, de s'interroger sur la présence et la qualité des antennes de veille au sein de son organisation qui lui permettent, à travers les perceptions des acteurs (ex : profil de satisfaction, profil d'attentes), d'être davantage proactif

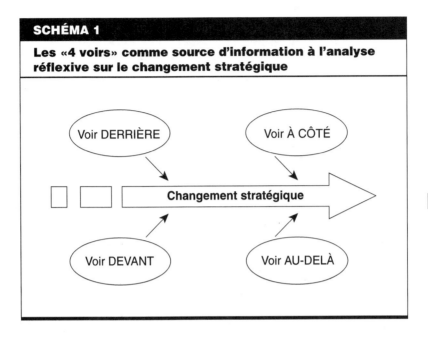

SCHÉMA 1

Les «4 voirs» comme source d'information à l'analyse réflexive sur le changement stratégique

Voir DERRIÈRE

Voir À CÔTÉ

Changement stratégique

Voir DEVANT

Voir AU-DELÀ

425

quant aux besoins d'amélioration des modes de fonctionnement de son organisation. Dans le cas des cadres intermédiaires, par exemple, le texte de Rouleau explique le bouleversement vécu par ces derniers dans les organisations en changement. Plusieurs d'entre eux se sentent démunis face aux nouveaux rôles exigés (ex : facilitateur, coaching), la plupart manifestant comme première attente un meilleur équilibre entre la vie professionnelle et la vie personnelle, certains se posant de sérieuses questions sur leur utilité réelle à la suite de nombreuses vagues de restructuration et enfin, d'autres s'interrogeant sur les attentes de la génération Internet. Voilà autant d'observations qui, du point de vue de la gestion du changement, peuvent être enrichies par des antennes de veille performantes.

Ces antennes peuvent prendre la forme de mesures des conditions de vie au travail, de sondages d'attentes, d'enquêtes de satisfaction, de tableaux de bord de gestion, etc. Les sites suivants illustrent l'une ou l'autre de ces antennes du type «voir derrière» et «voir devant». Pour l'ensemble de ces exemples, on peut également consulter les sites gouvernementaux et ceux des grandes firmes de consultation.

Voir à côté et voir au-delà

Dans un ouvrage maintenant célèbre de Danny Miller publié en 1992 sous le titre *Le paradoxe d'Icare*, ce dernier a bien montré que la

---

Exemples d'antennes sur les attentes en général à l'égard du travail

Les études annuelles sur les Canadiens au travail :
http://Canada.aon.com/solutions/fr/consulting/canadaatwork/default.asp

Suivi de l'évolution de la qualité des emplois et des conditions de vie et de travail :
www.qualitetravail.ca
www.fr.eurofound.eu.int
www.02.imd.ch/wcy

Études en continu sur la gestion et le travail :
www.amanet.org/research/index.htm

On peut également consulter les sites de firmes de sondages et d'enquêtes telles CROP, Léger & Léger, Ipsos-Reid, Gartner Group, etc.

**Exemples d'antennes sur les pratiques de mesure
de la performance humaine et organisationnelle au travail**

Les approches de type «Scorecard» (ex.) :
www.balancedscorecard.org/basics/bsc1.html

Les approches de type «Tableau de bord» (ex.)

Le Qualimètre : www.qualite.qc.ca

Le carrefour de la performance : www.enap.uquebec.ca/tbord/

La perfomance humaine de l'organisation :
www.financiereagricole.qc.ca/fr/fr.php?l_sect1=3&l_sect2=6

Exemples d'antennes génériques pour repérer des outils d'intervention

Portail RH - changement :
www.portail-rhri.com
www.Odportal.com

Outils:
http://Humanresources.about.com/cs/orgdevelopment

---

pérennisation de certaines mentalités et la survalorisation des succès passés peuvent entraîner une très grande incapacité à changer. D'un autre point de vue, certaines études récentes montrent avec force que les organisations, qui se comparent aux autres et travaillent en réseau de collaboration développent, au contraire, de grandes capacités à changer. Les notions de «voir à côté» et de «voir au-delà» peuvent être apparentées ici à l'idée d'apprentissage en double boucle, c'est-à-dire un niveau de réflexion qui porte sur les principes fondateurs qui sous-tendent la stratégie et les modes de fonctionnement privilégiés par une organisation donnée. Conduire une telle réflexion exige de s'ouvrir à l'information contradictoire, d'accepter de «voir autrement».

Ces dernières observations peuvent aussi être appliquées au niveau des personnes qui interviennent dans le domaine de la gestion stratégique du changement. Faire de la vigie du point de vue du «voir à côté», cela signifie, comme intervenant en gestion du changement, s'ouvrir à des pratiques d'apprentissage par les pairs tels les groupes de codéveloppement et les communautés virtuelles apprenantes, apprendre d'études de cas et enfin, apprécier les meilleures pratiques dans d'autres milieux.

Le «voir au-delà» renvoie à l'information pré-compétitive, à l'appréciation de tendances émergentes et de nouveaux enjeux, ici, dans le domaine de la gestion du changement. À titre d'exemple, la gestion de la complexité et du flou se présente comme un enjeu déterminant pour l'introduction de changements porteurs dans les organisations. À cet égard, les publications académiques et les centres de recherche et d'expertise (universitaire, de transfert, de grande firme, gouvernemental, etc.) représentent des antennes de veille à privilégier pour le «voir au-delà».

L'intervenant en changement stratégique a donc intérêt, compte tenu de son organisation et de son profil professionnel, à identifier des antennes de veille qui lui permettent de s'ouvrir à d'autres expériences, concepts, tendances et enjeux. Les sites suivants illustrent l'une ou l'autre de ces antennes du type «voir à côté» et «voir au-delà» :

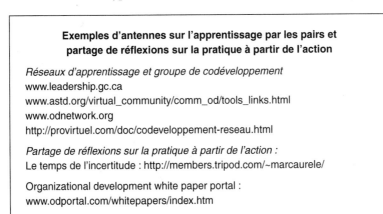

Exemples d'antennes sur l'apprentissage par les pairs et partage de réflexions sur la pratique à partir de l'action

Réseaux d'apprentissage et groupe de codéveloppement
www.leadership.gc.ca
www.astd.org/virtual_community/comm_od/tools_links.html
www.odnetwork.org
http://provirtuel.com/doc/codeveloppement-reseau.html

Partage de réflexions sur la pratique à partir de l'action :
Le temps de l'incertitude : http://members.tripod.com/~marcaurele/

Organizational development white paper portal :
www.odportal.com/whitepapers/index.htm

**Exemples d'antennes sur les meilleures pratiques
et les études de cas en changement stratégique**

American Productivity and Quality Center : www.apqc.org

Change Management On Line – case studies :
www.changemanagementonline.co.uk/s6.html

Best practices in change management:
www.prosci.com/change-management_bp1.htm

Industry Week best managed companies:
www.industryweek.com/iwinprint/bestmanaged/

Innovations en milieu de travail :
www.hrdc-drhc.gc.ca/common/milieu_de_travail.shtml

**Exemples d'antennes sur la recherche, les tendances émergentes
et les enjeux dans le domaine du changement stratégique**

Centre d'études en transformation des organisations (CETO) : www.hec.ca/ceto

Chaire de management stratégique international Walter-J.-Somers :
www.hec.ca/chairemsi/

Observatoire européen du changement (EMCC) :
www.fr.eurofound.eu.int/emcc/emcc.htm

Le Centre de sociologie des organisations (CSO) : www.cso.edu/site/

Center for effective organizations (CEO):
www.marshall.usc.edu/web/CEO.cfm?doc_id=564

Center for leadership and Change Management (Wharton School):
http://leadership.wharton.upenn.edu/welcome/index.shtml

Portail Strategic Road : www.strategic-road.com

**Exemples d'antennes pour la réflexion continue à l'aide de revues
académiques à prédominance changement**

Gestion, revue Internationale de Gestion
Journal of Organizational Change Management
Journal of Occupational and Organizational Psychology
Journal of Management Development
Leadership and OD Journal
Optimum
Organizational Dynamics

Conclusion

ET POUR COMPLÉTER, QUELQUES RENCONTRES VIRTUELLES

En conclusion à cet ouvrage collectif, nous présentons, sous la forme d'une rencontre «virtuelle», quelques-unes des figures de proue reconnues pour leur capacité à établir des ponts entre le monde académique et celui de la pratique dans le domaine de la transformation des organisations et du changement stratégique.

Chris Argyris
___

Professeur-chercheur et consultant, il a été un pionnier dans l'étude des liens entre l'apprentissage individuel et l'apprentissage organisationnel. Il a beaucoup travaillé sur l'influence des modèles mentaux et des paradigmes sur la gestion du changement. Il est celui qui a introduit les concepts d'apprentissage en simple et double boucle dans le monde de la gestion. Il a enseigné principalement aux universités Yale et Harvard.

Conversation :
http://www.strategy-business.com/thoughtleaders/98109
http://www.acumen.com/pdf/chris_argyris.pdf

Quelques publications:
http://www.lib.uwo.ca/business/argyris.html
http://www.infed.org/thinkers/argyris.htm

Christopher A. Bartlett et Sumantra Ghoshal
___

C. Bartlett est professeur de management stratégique à l'Université Harvard. Il est titulaire de la Chaire Daewoo. Il a fait de nombreuses interventions auprès, notamment, des sociétés IBM, Ford, Motorola, Pfizer. S. Ghoshal est professeur à la London Business School. Il est professeur visiteur au MIT et INSEAD. Ils sont co-auteurs de *The Individualized Corporation* (1997) et d'une série d'articles dans le *Harvard Business Review* ayant pour titre «From strategy to project, From structure to process, From Systems to people» (des «3 S» au «3 P»).

Conversation :
http://dor.hbs.edu/fi_redirect.jhtml?facInfo=bio&facEmId=cbartlett
http://www.trendscope.net/article.cfm?id=193
http://mitsloan.mit.edu/smr/past/1999/smr4031.html

Quelques publications:
http://dor.hbs.edu/fi_redirect.jhtml?facInfo=pub&facEmId=
cbartlett@hbs.edu
http://www.london.edu/faculty_research/Faculty/faculty.html

Michel Crozier

Fondateur du Centre de Sociologie des Organisations, Michel Crozier a introduit l'analyse politique au cœur de la conduite du changement dans les organisations. Il est co-auteur de l'ouvrage phare *L'acteur et le système* (1977). Sous l'angle de la transformation des organisations, il a également publié *L'entreprise à l'écoute, apprendre le management post-industriel* (1989). Professeur aux universités Paris X-Nanterre et Harvard, il a été Visiting Professeur à l'Université de Californie (Irvine). Il est aussi lauréat du Prix Tocqueville en 1997.

430

Discussion :
http://www.cso.edu/site/fiche_breve.asp?br_id=38

Quelques publications :
http://www.cso.edu/site/cv_equipe.asp?per_id=16

Thomas H. Davenport

Ph.D de l'Université Harvard dans le domaine du comportement organisationnel, il assume la direction de l'Accenture Institute for Strategic Change. Distinguished Scholar in Residence à Babson College (Boston), il a enseigné aux universités suivantes : Harvard Business School, Université de Chicago, Darthmouth's Tuck School of Business, Université du Texas. Il agit comme figure de proue dans le domaine de la transformation des organisations sous l'angle de la gestion des connaissances. Il est l'auteur, avec Larry Prusack, de *Working knowledge* (1998) traduit en 12 langues.

Conversation :
http://www.brint.com/km/davenport/working.htm
http://www.newsweekspecials.com/brc/archive/convergence/s10.asp

Quelques publications:
http://www2.cis.gsu.edu/cis/colloquia/speakers/Davenport.asp

Peter F. Drucker

Considéré comme le «Père» du management moderne, il a publié plus de 30 livres traduits dans plus de 20 langues dont *Management challenges for the 21st century* (1999) et *Shaping the Managerial Mind* (2002). Fondateur de la Peter F. Drucker Foundation for Nonprofit Management en 1990, il a consacré plus de 60 années de sa vie à la réflexion et à la diffusion de la connaissance dans le domaine de la gestion des organisations.

Conversation avec :
http://www.cio.com/archive/091597_interview_content.html
http://www.sla.org/content/Events/conference/2002annual/whatsne
w/druckfeb.cfm
http://www.business2.com/articles/web/0,1653,17104,FF.html

Quelques publications:
http://www.pfdf.org/leaderbooks/drucker/

431

Gary Hamel et C.K Prahalad

Hamel et Prahalad sont co-auteurs du best-seller en management *La conquête du futur* (1995). Gary Hamel est président de Strategos et professeur visiteur à la London Business School. C. K Prahalad est le Harvey C. Fruehauf Professor of Business Administration at the University of Michigan Business School et cofondateur de Praja.

Conversation :
http://www.capitalideasonline.com/prahalad/management.html
http://cooltown.hp.com/mpulse/backissues/0601/0601-hamel.asp

Quelques publications:
http://www.pfdf.org/leaderbooks/hamel/index.html
http://www.bus.umich.edu/academic/faculty/ckp.html

Rosabeth Moss Kanter

Professeure Ernest L. Arbuckle à Harvard Business School, elle a beaucoup travaillé sur le métier de leader du changement dont on retrouve l'essentiel dans son volume *Change Masters* (1985) et sur la gestion de changements stratégiques complexes. Son dernier volume, publié en 2001, porte sur l'adaptation au changement induit par la société du numérique. Elle est répertoriée comme l'une des «50 Most Powerful Women in the World».

Conversation avec :
http://www.ibizinterviews.com/rmk1.htm
http://www.commonwealthclub.org/archive/01/01-04kanter-
audio.html

Quelques publications:
http://www.lib.uwo.ca/business/kanter.html
http://www.pfdf.org/leaderbooks/kanter/index.html

Manfred Kets de Vries

Professeur et titulaire de la Chaire Raoul de Vitry d'Avaucourt de gestion des ressources humaines à l'INSEAD (France), il a été professeur invité à HEC Montréal. Auteur de plus de 20 ouvrages, il est reconnu comme une figure internationale de l'étude de la face cachée des organisations du point de vue des personnes et de leur subjectivité. Avec Danny Miller, il a publié en 1984 l'ouvrage choc intitulé «*L'entreprise névrosée*».

Conversation :
http://www.emeraldinsight.com/now/archive/june2000/spotlight.htm

Quelques publications:
http://www.speakers.co.uk/5049.htm
http://www.insead.fr/facultyresearch/entrepreneurship/ketsdevries/

John P. Kotter

Konosuke Matsushita Professor of Leadership à Harvard Business School, il est l'auteur de *Leading Change: Why Transformation Efforts Fail.* (1996) et de *A Force for Change: Leadership Differs from Management* (1990). Les articles qu'il a publié dans la *Harvard Business Review* sont ceux pour qui la demande de réimpression est la plus importante au sein de cette revue.

Conversation :
http://www.bscol.com/bscsummit/featured4a.html

Quelques publications:
http://www.pfdf.org/leaderbooks/kotter/
http://www.getcited.org/mbrx/PT/99/MBR/10022961

Gareth Morgan

Auteur du best-seller *Images of Organization* (1997, 2nd edition), ses recherches et interventions portent sur les modèles d'organisation. Professeur à l'Université de Lancaster et à la Wharton School, il est aujourd'hui Distinguished Reseach Professor à l'Université York (Toronto). Avec son collègue Gibson Burrrel, de l'Université de Lancaster, il avait auparavant marqué le monde de la recherche universitaire en théories des organisations avec son volume *Sociological paradigms and organizational analysis* (1979).

Conversation :
http://www.imaginiz.com/provocative/imaginization/interview.htm
http://www.imaginiz.com/provocative/metaphors/models.html

Quelques publications:
http://www.imaginiz.com

David Nadler et Michael Tushman

Co-auteurs de *Competing by design, Champions of Change* (1997) et *Discontinuous change: leading organizational transformation* (1995). D. Nadler préside une grande firme de consultants. Il a été professeur à l'Université Columbia. M. Tushman est professeur à la Harvard Business School. Leurs travaux ont notamment conduit à l'élaboration de modèles intégrés dans le domaine du diagnostic organisationnel et de l'évolution temporelle du changement.

Conversation :
http://www.exed.hbs.edu/faculty/intervw/tm_oreilly.html
http://www.fastcompany.com/lead/lead_feature/nadler.html

Quelques publications:
http://www.pfdf.org/leaderbooks/nadler/index.html
http://www.manageris.com/all/goulp/pro/com56b.html

Ikujiro Nonaka

Professeur à The Graduate School of International Corporate Strategy Hitotsubashi University, il est aussi le Xerox Distinguished Professor in Knowledge, HAAS School of Business, UC Berkeley. Il est co-auteur de *The Knowledge Creating Company* (1995), un ouvrage devenu maintenant un classique dans le domaine de l'apprentissage organisationnel et de la capacité à changer des organisations.

Conversation :
http://www.dialogonleadership.org/Nonaka-1996.html
http://www.jaist.ac.jp/~kouhou/FP/e/ks/nonaka.html

Quelques publications:
http://www.dialogonleadership.org/Nonaka_et_al.html

Jeffrey Pfeffer

Thomas D. Dee Professor à l'École des sciences de la gestion de l'Université Standford, il a écrit plusieurs livres sur la gestion des personnes dont *The Human Equation: Building Profits by Putting People First* (1998) et *Hidden value : How great companies achieve extraordinary results with ordinary people* (2000). Ses séminaires spécialisés auprès de gestionnaires de haut niveau l'ont conduit dans plus de 25 pays.

Conversation :
http://www.trendscope.net/article.cfm?ID=169
http://www.linezine.com/5.1/interviews/jpbmblathe.htm

Quelques publications:
http://www.pfdf.org/leaderbooks/pfeffer/index.html

Edgar Schein

Professeur Émérite à la Sloan School of Management au MIT, il a consacré une grande partie de sa vie à étudier la place et le rôle de la culture organisationnelle comme déterminant de la capacité à changer des organisations. A ce sujet, il a entre autres écrit *Organizational Culture and Leadership* (1992) et *The Corporate Culture Survival Guide* (1999). Il a aussi beaucoup publié sur le métier de consultant en contexte de changement dont *Process Consultation Revisited : Building the Helping Relationship* (1999). Il a reçu le prix carrière 2000 de l'American Society for Training and Development.

Conversation :
http://mitsloan.mit.edu/news/archives/1999/b_1199.html
http://operatix.emeraldinsight.com/vl=5431536/cl=14/nw=1/rpsv
/now/archive/mar2000/spotlight.htm

Quelques publications:
http://web.mit.edu/scheine/www/pubs.html

Peter Senge

Enseignant au MIT (Boston) et pdg de la Society for Organizational Learning, il a beaucoup contribué à véhiculer le concept d'organisation apprenante avec son volume *La cinquième discipline* publié en 1994. Il a poursuivi sa réflexion sur le changement avec *The Dance of Change : The Challenges of Sustaining Momentum in Learning Organizations* (1999).

Conversation :
http://www.gwsae.org/ThoughtLeaders/SengeInterview.htm
http://www.fastcompany.com/online/24/senge.html

Quelques publications:
http://www.pfdf.org/leaderbooks/senge/index.html

La liste de ces hyperliens est maintenue à jour sur le site du Centre d'études en transformation des organisations de HEC Montréal : http://www.hec.ca/ceto/.

435

Notes

1. Tiré du texte de Kazantzakis (1952) dans Zorba le Grec.

2. Mintzberg, H., Ahlstrand, B. & Lampel, J. *Safari en pays stratégie. L'exploration des grands courants de la pensée stratégique,* Village Mondial, 1999.